Krupskaia, Na...

Moĭ Muzh - Vladimir Lenin.

(My husband - Vladimir Lenin)

МОЙ МУЖ ВЛАДИМИР ЛЕНИН

НАДЕЖДА КРУПСКАЯ

Москва
алгоритм
2013

УДК 82-94
ББК 63.3
К 84

Крупская Н. К.

К 84 Мой муж – Владимир Ленин / Надежда Крупская. – М. : Алгоритм, 2013. – 432 с. – (Наследие кремлевских вождей).

ISBN 978-5-4438-0520-7

Ленин был единственным правителем России, о личной жизни которого неизвестно практически ничего. Словно не было ничего у Ленина, кроме бесконечных статей, политических споров и руководства партией. Сам он на этот счет не оставил никаких воспоминаний. Зато оставили его родственники.

Мемуары Надежды Крупской в советское время издавались в сильно урезанном виде. Не было принято говорить о Ленине как о человеке, у которого могла быть частная жизнь или тем более слабости. В этой книге многие материалы представлены впервые, а другие не переиздавались десятилетиями.

Эта книга – для всех, кто интересуется советским периодом истории нашей страны.

УДК 82-94
ББК 63.3

ISBN 978-5-4438-0520-7

ЧАСТЬ I

ВВЕДЕНИЕ

Печатаемые в данном сборнике воспоминания охватывают период с 1894 по 1917 г., со времени моей первой встречи с Владимиром Ильичем в 1894 г. и до Октябрьской революции 1917 г.[1] Мне часто говорят, что написаны мои воспоминания очень скупо. Конечно, об Ильиче всем хочется знать как можно больше, да и описываемая эпоха — эпоха громадной исторической значимости. Она охватывает период развертывания массового рабочего движения, создания крепкой, принципиально выдержанной, закаленной тяжелейшими условиями подпольной работы партии рабочего класса. Это были годы непрерывного нарастания сознательности и организованности рабочего класса, годы отчаянной борьбы, закончившейся победой пролетарской социалистической революции.

Об этой эпохе и об Ильиче можно написать горы интереснейших статей и книг. Целью моих воспоминаний было дать картину той обстановки, в которой приходилось жить и работать Владимиру Ильичу.

Я писала только о том, что особенно живо осталось в памяти. Воспоминания написаны в два приема. Первая часть, охватывающая период 1894—1907 гг., написана в первые годы после смерти Владимира Ильича. Сюда входят воспоминания, касающиеся работы в Питере, времени пребывания в ссылке, мюнхенского и лондонского периодов первой эмиграции, времени перед II съездом партии, самого II съезда и периода непосредственно после него — до 1905 г. Затем идут воспоминания о 1905 г. за границей и в России и, наконец, о 1905—1907 годах. Я писала их большею частью в Горках, бродя по опустелым комнатам горкинского большого дома и по зарастающим травой дорожкам парка, где провел последний год своей жизни Ильич. 1894—1907 годы были годами пафоса молодого рабочего движения, и невольно мысли бежали к этим годам, когда закладывался фундамент нашей пар-

---

[1] Автор имеет в виду только I и II части «Воспоминаний о Ленине», которые в 1932 и 1933 гг. были изданы отдельными книгами. — *Примеч. ред.*

тии. Я писала первую часть почти исключительно по памяти. Вторая часть написана несколько лет спустя.

За эти годы пришлось много учиться, усиленно перечитывать Ленина, учиться связывать в тесный узел прошлое с настоящим, учиться жить с Ильичем без Ильича. И вторая часть вышла иная, чем первая. В первой части больше бытового, во второй — больше о том написано, чем жил, о чем думал Владимир Ильич. Мне кажется, что лучше читать обе части вместе. Первая часть органически связана со второй, без первой части вторая может показаться менее «воспоминательной», чем она есть на самом деле.

Когда писалась вторая часть воспоминаний, вышло уже в печати много других воспоминаний, сборников, вышло второе издание Сочинений Ленина. Это наложило на воспоминания о второй эмиграции определенную печать. Можно было лучше проверять себя. Кроме того, период, которого касаются эти воспоминания, 1908—1917 гг., гораздо сложнее, чем предыдущий.

Первый период (1893—1907 гг.) охватывал первые шаги рабочего движения, борьбу за создание партии, нарастание первой революции, направленной главным образом против царизма, и разгром этой революции.

Второй период — годы второй эмиграции — куда сложнее. Это были годы подытоживания революционной борьбы первого периода, годы борьбы с реакцией. Это были годы бешеной борьбы против оппортунизма во всех его видах и формах, это была борьба за необходимость приспособлять свою работу ко всяким условиям, не снижая ее революционного содержания.

Годы второй эмиграции были годами, когда надвигалась мировая война, когда оппортунизм рабочих партий привел к краху II Интернационала, когда перед мировым пролетариатом встали совершенно новые задачи, когда нужно было прокладывать новые пути, камешек по камешку закладывать фундамент III Интернационала, когда нужно было начинать в труднейших условиях борьбу за социализм. В эмиграции все эти задачи выступали во всей своей конкретности и остроте.

Вне понимания этих задач нельзя понять, как вырос Ленин в вождя Октября, в вождя мировой революции. Вожди складываются и вырастают в борьбе, в ней черпают свою силу. Воспоминания об Ильиче за годы эмиграции нельзя писать, не связывая каждой мелочи его жизни с той борьбой, которую он вел за эти годы.

За девять лет второй эмиграции Ильич остался таким же, каким был. Он так же много и организованно работал, зорко вглядывался в каждую мелочь, все связывал в один узел, так же умел глядеть правде в глаза, как бы горька она ни была. Он, как и раньше, ненавидел всякий гнет и эксплуатацию, так же был предан делу пролетариата, делу трудящихся, так же близко к сердцу принимал их интересы, и вся его жизнь была подчинена интересам дела, само собой это выходило, иначе жить он не мог. Он так же горячо и резко боролся против оппортунизма, против каких бы то ни было сматываний удочек. Он по-прежнему рвал с ближайшими друзьями, если видел, что они тащат движение назад, умел просто, по-товарищески, подойти к вчерашнему противнику, если это нужно для дела, по-прежнему говорил все начистоту, напрямик. По-прежнему любил он природу, пушистый весенний лес, горные тропы и озера, шум большого города, рабочую толпу, любил товарищей, движение, борьбу, жизнь во всей ее многогранности. Тот же Ильич, только если наблюдать его изо дня в день, заметишь, что стал он сдержаннее, еще внимательнее к людям, подолгу ходит задумавшись, и, когда оторвешь его от его мыслей, печалью какой-то светятся в первую минуту его глаза.

Трудны были годы эмиграции, унесли они у Ильича немало сил, но выковали из него того борца, который нужен был массам, который повел их к победам[1].

Н.К. Крупская

---

[1] Далее в рукописи следует: «Много было пережито за эти годы. При Ильиче я жила, что называется, за чужим «загадом», обо всем важном, волнующем можно было с ним в любую минуту потолковать, обсудить. Теперь пришлось очень многое решать самостоятельно. Жизнь бешено мчится вперед, развиваясь в сложнейших противоречиях. Нельзя оставаться настоящим партийцем, не учась все время, не вдумываясь во все, что кругом делается. Мне пришлось здорово учиться». — *Примеч. ред.*

В ПИТЕРЕ

1893—1898 гг.

Владимир Ильич приехал в Питер осенью 1893 г. но я познакомилась с ним не сразу. Слышала я от товарищей, что с Волги приехал какой-то очень знающий марксист, затем мне принесли тетрадку «о рынках», порядком-таки зачитанную. В тетрадке были изложены взгляды, с одной стороны, нашего питерского марксиста, технолога Германа Красина, с другой — взгляды приезжего волжанина. Тетрадка была согнута пополам: на одной стороне растрепанным почерком, с помарками и вставками, излагал свои мысли Г.Б. Красин, на другой — старательно, без помарок, писал свои примечания и возражения приезжий.

Вопрос о рынках тогда очень интересовал всех нас, молодых марксистов.

В питерских марксистских кружках в это время стало уже откристаллизовываться особое течение. Суть его заключалась в том, что процессы общественного развития представителям этого течения казались чем-то механическим, схематическим. При таком понимании общественного развития отпадала совершенно роль масс, роль пролетариата. Революционная диалектика марксизма выбрасывалась куда-то за борт, оставались мертвые «фазы развития». Конечно, сейчас каждый марксист сумел бы опровергнуть эту «механистическую» точку зрения, но тогда наши питерские марксистские кружки весьма волновались по этому поводу. Мы были еще очень плохо вооружены — многие из нас не знали из Маркса, например, ничего, кроме первого тома «Капитала», даже «Коммунистического манифеста» в глаза не видали и лишь инстинктом чувствовали, что эта «механистичность» — прямая противоположность живому марксизму.

Вопрос о рынках стоял в тесной связи с этим общим вопросом понимания марксизма.

Сторонники «механистичности» обычно очень абстрактно подходили к вопросу.

С тех пор прошло больше тридцати лет.

Тетрадка, о которой идет речь, к сожалению, не сохранилась. Я могу говорить только о том впечатлении, какое она произвела на нас.

Вопрос о рынках в его трактовке приезжим марксистом ставился архиконкретно, связывался с интересами масс, чувствовался во всем подходе именно живой марксизм, берущий явления в их конкретной обстановке и в их развитии.

Хотелось поближе познакомиться с этим приезжим, узнать поближе его взгляды.

Увидала я Владимира Ильича лишь на масленице. На Охте у инженера Классона, одного из видных питерских марксистов, с которым я года два перед тем была в марксистском кружке, решено было устроить совещание некоторых питерских марксистов с приезжим волжанином[1]. Для ради конспирации были устроены блины. На этом свидании, кроме Владимира Ильича, были: Классон, Я.П. Коробко, Серебровский, Ст. Ив. Радченко и другие; должны были придти Потресов и Струве, но, кажется, не пришли. Мне запомнился один момент. Речь шла о путях, какими надо идти. Общего языка как-то не находилось. Кто-то сказал — кажется, Шевлягин,— что очень важна вот работа в комитете грамотности. Владимир Ильич засмеялся, и как-то зло и сухо звучал его смех — я потом никогда не слыхала у него такого смеха:

«Ну, что ж, кто хочет спасать отечество в комитете грамотности, что ж, мы не мешаем»[2].

Надо сказать, что наше поколение подростками еще было свидетелями схватки народовольцев с царизмом, свидетелями того, как либеральное «общество» сначала всячески «сочувствовало», а после разгрома партии «Народная воля» трусливо поджало хвост, боялось всякого шороха, начало проповедь «малых дел»[3].

Злое замечание Владимира Ильича было понятно. Он пришел сговариваться о том, как идти вместе на борьбу, а в ответ услышал призыв распространять брошюры комитета грамотности.

Потом, когда мы близко познакомились, Владимир Ильич рассказал мне однажды, как отнеслось «общество» к аресту

---

[1] В.И. Ленин приехал в Петербург 31 августа (12 сентября) 1893 г. — *Примеч. ред.*

[2] Совещание проходило в конце февраля 1894 г. — *Примеч. ред.*

[3] Н.К. Крупская в своей книге «Воспоминания» (М., 1925. С. 7 (Б-ка «Прожектор». № 2)) пишет: «Я сидела в соседней комнате с Коробко и слушала разговор через открытую дверь. Подошел Классон и, взволнованный, пощипывая бороду, сказал: «Ведь это черт знает что он говорит». «Что же,— ответил Коробко,— он прав, какие мы революционеры». — *Примеч. ред.*

его старшего брата. Все знакомые отшатнулись от семьи Ульяновых, перестал бывать даже старичок-учитель, приходивший раньше постоянно играть по вечерам в шахматы. Тогда еще не было железной дороги из Симбирска, матери Владимира Ильича надо было ехать на лошадях до Сызрани, чтобы добраться до Питера, где сидел сын. Владимира Ильича послали искать попутчика — никто не захотел ехать с матерью арестованного.

Эта всеобщая трусость произвела, по словам Владимира Ильича, на него тогда очень сильное впечатление.

Это юношеское переживание, несомненно, наложило печать на отношение Владимира Ильича к «обществу», к либералам. Он рано узнал цену всякой либеральной болтовни.

На «блинах» ни до чего не договорились, конечно. Владимир Ильич говорил мало, больше присматривался к публике. Людям, называвшим себя марксистами, стало неловко под пристальными взорами Владимира Ильича.

Помню, когда мы возвращались, идя вдоль Невы с Охты домой, мне впервые рассказали о брате Владимира Ильича, бывшем народовольце, принимавшем участие в покушении на убийство Александра III в 1887 г. и погибшем от руки царских палачей, не достигнув еще совершеннолетия.

Владимир Ильич очень любил брата. У них было много общих вкусов, у обоих была потребность долго оставаться одному, чтобы можно было сосредоточиться. Они жили обычно вместе, одно время в особом флигеле, и когда заходил к ним кто-либо из многочисленной молодежи — двоюродных братьев или сестер — их было много, у мальчиков была излюбленная фраза: «Осчастливьте своим отсутствием». Оба брата умели упорно работать, оба были революционно настроены. Но сказывалась, вероятно, разница возрастов. Александр Ильич не обо всем говорил с Владимиром Ильичем.

Вот что рассказывал Владимир Ильич: — Брат был естественником. Последнее лето, когда он приезжал домой, он готовился к диссертации о кольчатых червях и все время работал с микроскопом. Чтобы использовать максимум света, он вставал на заре и тотчас же брался за работу. «Нет, не выйдет из брата революционера, подумал я тогда,— рассказывал Владимир Ильич,— революционер не может уделять столько времени исследованию кольчатых червей». Скоро он увидел, как он ошибся.

Судьба брата имела, несомненно, глубокое влияние на Владимира Ильича. Большую роль при этом сыграло то, что Владимир Ильич к этому времени уже о многом самостоятельно думал, решал уже для себя вопрос о необходимости революционной борьбы.

Если бы это было иначе, судьба брата, вероятно, причинила бы ему только глубокое горе или, в лучшем случае, вызвала бы в нем решимость и стремление идти по пути брата. При данных условиях судьба брата обострила лишь работу его мысли, выработала в нем необычайную трезвость, умение глядеть правде в глаза, не давать себя ни на минуту увлечь фразой, иллюзией, выработала в нем величайшую честность в подходе ко всем вопросам.

Осенью 1894 г. Владимир Ильич читал в нашем кружке свою работу «Друзья народа» Помню, как всех захватила эта книга. В ней с необыкновенной ясностью была поставлена цель борьбы.

«Друзья народа» в оттектографированном виде потом ходили по рукам под кличкой «желтеньких тетрадок». Они были без подписи. Их читали довольно широко, и нет никакого сомнения, что они оказали сильное влияние на тогдашнюю марксистскую молодежь. Когда в 1896 г. я была в Полтаве, П.П. Румянцев, бывший в те времена активным социал-демократом, только что вышедшим из тюрьмы, характеризовал «Друзей народа» как наилучшую, наиболее сильную и полную формулировку точки зрения революционной социал-демократии.

Зимою 1894/95 г. я познакомилась с Владимиром Ильичем уже довольно близко. Он занимался в рабочих кружках за Невской заставой, я там же четвертый год учительствовала в Смоленской вечерне-воскресной школе и довольно хорошо знала жизнь Шлиссельбургского тракта[1]. Целый ряд рабочих из кружков, где занимался Владимир Ильич, были моими учениками по воскресной школе: Бабушкин, Боровков, Грибакин, Бодровы — Арсений и Филипп, Жуков и др. В те времена вечерне-воскресная школа была прекрасным средством широкого знакомства с повседневной жизнью, с условиями труда, настроением рабочей массы. Смоленская школа была на 600 человек, не считая вечерних технических классов и примыкавших к ней школ женской и Обуховской. Надо сказать, что рабочие относились к «учительницам» с безграничным доверием: мрачный сторож громовских лесных складов с просиявшим лицом докладывал учительнице, что у него сын родился; чахоточный текстильщик желал ей за то, что выучила гра-

---

[1] Рабочий пригород Петербурга, расположенный за Невской заставой; раньше он назывался Невским, теперь Володарским районом. Через него вдоль Невы проходила большая почтовая дорога (тракт) на Шлиссельбург, вдоль которой и расположено большинство фабрик и заводов этого района. — *Н. К.*

моте, удалого жениха; рабочий-сектант, искавший всю жизнь бога, с удовлетворением писал, что только на страстной узнал он от Рудакова (другого ученика школы), что бога вовсе нет, и так легко стало, потому что нет хуже, как быть рабом божьим,— тут тебе податься некуда, рабом человеческим легче быть — тут борьба возможна; напивавшийся каждое воскресенье до потери человеческого облика табачник, так насквозь пропитанный запахом табака, что, когда наклонишься к его тетрадке, голова кружилась, писал каракулями, пропуская гласные,— что вот нашли на улице трехлетнюю девчонку, и живет она у них в артели, надо в полицию отдавать, а жаль; приходил одноногий солдат и рассказывал, что Михаила, который у вас прошлый год грамоте учился, надорвался над работой, помер, а помирая, вас вспоминал, велел поклониться и жить долго приказал; рабочий-текстильщик, горой стоявший за царя и попов, предупреждал, чтобы «того, черного, остерегаться, а то он все на Гороховую шляется»[1]; пожилой рабочий толковал, что никак он из церковных старост уйти не может, «потому что больно попы народ обдувают и их надо на чистую воду выводить, а церкви он совсем даже не привержен и насчет фаз развития понимает хорошо» и т. д. и т. п. Рабочие, входившие в организацию, ходили в школу, чтобы приглядываться к народу и намечать, кого можно втянуть в кружки, вовлечь в организацию. Для них учительницы не все уже были на одно лицо, они уж различали, кто из них насколько подготовлен. Если признают, что учительница «своя», дают ей знать о себе какой-нибудь фразой, например, при обсуждении вопроса о кустарной промышленности скажут: «Кустарь не может выдержать конкуренции с крупным производством», или вопрос загнут: «А какая разница между петербургским рабочим и архангельским мужиком?» — и после этого смотрят уж на учительницу особым взглядом и кланяются ей по-особенному: «Наша, мол, знаем».

Что случится на тракту, сейчас же все рассказывали, знали — учительницы передадут в организацию.

Точно молчаливый уговор какой-то был.

Говорить в школе можно было, в сущности, обо всем, несмотря на то, что в редком классе не было шпика; надо было только не употреблять страшных слов «царь», «стачка» и т. п., тогда можно было касаться самых основных вопросов. А официально было запрещено говорить о чем бы то ни было: однажды закрыли так называемую повторительную группу за то,

---

[1] На Гороховой помещалось охранное отделение. — *Примеч. ред.*

что там, как установил нагрянувший инспектор, преподавали десятичные дроби, разрешалось же по программе учить только четырем правилам арифметики.

Я жила в то время на Старо-Невском, в доме с проходным двором, и Владимир Ильич по воскресеньям, возвращаясь с занятий в кружке, обычно заходил ко мне, и у нас начинались бесконечные разговоры. Я была в то время влюблена в школу, и меня можно было хлебом не кормить, лишь бы дать поговорить о школе, об учениках, о Семянниковском заводе, о Торнтоне, Максвеле и других фабриках и заводах Невского тракта. Владимир Ильич интересовался каждой мелочью, рисовавшей быт, жизнь рабочих, по отдельным черточкам старался охватить жизнь рабочего в целом, найти то, за что можно ухватиться, чтобы лучше подойти к рабочему с революционной пропагандой. Большинство интеллигентов того времени плохо знало рабочих. Приходил интеллигент в кружок и читал рабочим как бы лекцию. Долгое время в кружках «проходилась» по рукописному переводу книжка Энгельса «Происхождение семьи, частной собственности и государства». Владимир Ильич читал с рабочими «Капитал» Маркса, объяснял им его, а вторую часть занятий посвящал расспросам рабочих об их работе, условиях труда и показывал им связь их жизни со всей структурой общества, говоря, как, каким путем можно переделать существующий порядок. Увязка теории и практики — вот что было особенностью работы Владимира Ильича в кружках. Постепенно такой подход стали применять и другие члены нашего кружка. Когда в следующем году появилась виленская гектографированная брошюра «Об агитации»,— почва для ведения листковой агитации была уже вполне подготовлена, надо было только приступить к делу. Метод агитации на почве повседневных нужд рабочих в нашей партийной работе пустил глубокие корни. Я поняла вполне всю плодотворность этого метода только гораздо позже, когда жила в эмиграции во Франции и наблюдала, как во время громадной забастовки почтарей в Париже французская социалистическая партия стояла совершенно в стороне и не вмешивалась в эту стачку. Это-де дело профсоюзов. Они считали, что дело партии — только политическая борьба. Необходимость увязки экономической и политической борьбы была им совершенно неясна.

Многие из товарищей, работавших тогда в Питере, видя эффект листковой агитации, в увлечении этой формой работы забыли, что это одна из форм, но не единственная форма работы в массе, и пошли по пути пресловутого «экономизма».

Владимир Ильич никогда не забывал о других формах работы. В 1895 г. он пишет брошюру «Объяснение закона о штрафах, взимаемых с рабочих на фабриках и заводах»[1]. В этой брошюре Владимир Ильич дал блестящий образец того, как надо было подходить к рабочему-середняку того времени и, исходя из его нужд, шаг за шагом подводить его к вопросу о необходимости политической борьбы. Многим интеллигентам эта брошюра показалась скучной, растянутой, но рабочие зачитывались ею: она была им понятна и близка (брошюра была напечатана в народовольческой типографии и распространена среди рабочих). В то время Владимир Ильич внимательно изучал фабричные законы, считая, что, объясняя эти законы, особенно легко выяснить рабочим связь их положения с государственным устройством. Следы этого изучения видны в целом ряде статей и брошюр, написанных в то время Ильичем для рабочих, и в брошюре «Новый фабричный закон»[2], в статьях «О стачках», «О промышленных судах» и др.[3]

Хождение по рабочим кружкам не прошло, конечно, даром: началась усиленная слежка. Из всей нашей группы Владимир Ильич лучше всех был подкован по части конспирации: он знал проходные дворы, умел великолепно надувать шпионов, обучал нас, как писать химией в книгах, как писать точками, ставить условные знаки, придумывал всякие клички. Вообще у него чувствовалась хорошая народовольческая выучка. Недаром он с таким уважением говорил о старом народовольце Михайлове, получившем за свою конспиративную выдержку кличку Дворник. Слежка все росла, и Владимир Ильич настаивал, что должен быть намечен «наследник», за которым нет слежки и которому надо передать все связи. Так как я была наиболее «чистым» человеком, то решено было назначить «наследницей» меня. В первый день пасхи нас человек 5—6 поехало «праздновать пасху» в Царское Село к одному из членов нашей группы — Сильвину, который жил там на уроке. Ехали в поезде как незнакомые. Чуть не целый день просидели над обсуждением того, какие связи надо сохранить. Владимир Ильич учил шифровать. Почти полкниги исшифровали. Увы, потом я не смогла разобрать этой первой коллективной шифровки. Одно было утешением: к тому времени, когда при-

---

[1] Имеется в виду книга «Что такое «друзья народа» и как они воюют против социал-демократов?» //См.: *Ленин В.И.* Полн. собр. соч. Т. 1. С. 125—346. — *Примеч. ред.*

[2] См.: *Ленин В.И.* Полн. собр. соч. Т. 2. С. 15—60.

[3] См. там же. С. 263—314.

шлось расшифровать, громадное большинство «связей» уже провалилось.

Владимир Ильич тщательно собирал эти «связи», выискивая всюду людей, которые могли бы так или иначе пригодиться в революционной работе. Помню, раз по инициативе Владимира Ильича было совещание представителей нашей группы (Владимира Ильича и, кажется, Кржижановского) с группой учительниц воскресной школы[1]. Почти все они потом стали социал-демократками. В числе их была Лидия Михайловна Книпович, старая народоволка, перешедшая через некоторое время к социал-демократам. Старые партийные работники помнят ее. Человек с громадной революционной выдержкой, строгая к себе и другим, прекрасно знавшая людей, прекрасный товарищ, окружавшая любовью, заботой тех, с кем она работала, Лидия сразу оценила во Владимире Ильиче революционера. Она взяла на себя сношения с народовольческой типографией: договаривалась, передавала рукописи, получала оттуда уже напечатанные брошюры, развозила корзины с ними по своим знакомым, организовала разноску литературы рабочим. Когда она была арестована,— по указаниям предателя, наборщика типографии,— было арестовано у разных знакомых Лидии двенадцать корзин с нелегальными брошюрами. Народовольцы печатали тогда массами брошюры для рабочих: «Рабочий день», «Кто чем живет», брошюру Владимира Ильича «О штрафах», «Царь — голод» и др. Двое из народовольцев, работавших в Лахтинской типографии,— Шаповалов и Катанская,— теперь в рядах Коммунистической партии. Лидии Михайловны нет уж в живых. Она умерла в 1920 г., когда Крым, где она жила последние годы, был под белыми. Умирая, в бреду она рвалась к своим, к коммунистам, умерла с именем дорогой ей партии коммунистов на устах. Из учительниц были, кажется, на этом совещании еще П.Ф. Куделли, А.И. Мещерякова (обе теперь члены партии) и др. За Невской же заставой учительствовала и Александра Михайловна Калмыкова — прекрасная лекторша (помню ее лекции для рабочих о государственном бюджете), имевшая в то время книжный склад на Литейном. С Александрой Михайловной познакомился тогда близко и Владимир Ильич. Струве был ее воспитанником, у нее всегда бывал и Потресов, товарищ Струве по гимназии. Позднее Александра Михайловна содержала на свои деньги старую «Искру», вплоть до II съез-

---

[1] Совещание с группой учительниц воскресной школы состоялось в апреле, ранее 24 (6 мая) 1895 г. — *Примеч. ред.*

да. Она не пошла следом за Струве, когда он перешел к либералам, и решительно связала себя с искровской организацией. Кличка ее была Тетка. Она очень хорошо относилась к Владимиру Ильичу. Теперь она умерла, перед тем два года лежала в санатории в Детском Селе, не вставая. Но к ней приходили иногда дети из соседних детских домов. Она рассказывала им об Ильиче. Она писала мне весной 1924 г., что надо издать особой книжкой статьи Владимира Ильича 17-го года, полные горячей страсти, его горячие призывы, так действовавшие тогда на массы. В 1922 г. Владимир Ильич написал Александре Михайловне несколько строк теплого привета, таких, какие только умел он писать. Александра Михайловна была тесно связана с группой «Освобождение труда». Одно время (кажется, в 1899 г.), когда Засулич приезжала в Россию, Александра Михайловна устраивала ее нелегально и постоянно с ней видалась. Под влиянием начавшего нарастать рабочего движения и под влиянием статей и книг группы «Освобождение труда», под влиянием питерских социал-демократов полевел Потресов, полевел на время и Струве. После ряда предварительных собраний стала нащупываться почва для совместной работы. Задумали сообща издать сборник «Материалы к характеристике нашего хозяйственного развития». От нашей группы в редакцию входили: Владимир Ильич, Старков и Степан Ив. Радченко, от них — Струве, Потресов и Классон. Судьба сборника известна. Он был сожжен царской цензурой. Весной 1895 г. перед отъездом за границу Владимир Ильич усиленно ходил в Озерной переулок, где жил тогда Потресов, торопясь закончить работу.

Лето 1895 г. Владимир Ильич провел за границей[1], частью прожил в Берлине, где ходил по рабочим собраниям, частью в Швейцарии, где впервые видел Плеханова, Аксельрода, Засулич[2]. Приехал полон впечатлений, захватив из-за границы чемодан с двойным дном, между стенками которого была набита нелегальная литература.

Тотчас же за Владимиром Ильичем началась бешеная слежка: следили за ним, следили за чемоданом. У меня двоюродная сестра служила в то время в адресном столе. Через пару дней после приезда Владимира Ильича она рассказала мне, что ночью, во время ее дежурства, пришел сыщик, пере-

---

[1] См. там же. Т. 4. С. 288—298, 274—287.

[2] В.И. Засулич приехала в Россию в конце 1899 г. и пробыла несколько месяцев. В феврале 1900 г. В.И. Ленин встретился с ней, познакомил с планом издания «Искры» и «Зари» и вел переговоры об участии группы «Освобождение труда» в этих изданиях. — *Примеч. ред.*

бирал дуги (адреса в адресном столе надевались по алфавиту на дуги) и хвастал: «Выследили, вот, важного государственного преступника Ульянова,— брата его повесили,— приехал из-за границы, теперь от нас не уйдет». Зная, что я знаю Владимира Ильича, двоюродная сестра поторопилась сообщить мне об этом. Я, конечно, сейчас же предупредила Владимира Ильича. Нужна была сугубая осторожность. Дело, однако, не ждало. Работа развертывалась. Завели разделение труда, поделив работу по районам. Стали составлять и пускать листки. Помню, что Владимир Ильич составил первый листок к рабочим Семянниковского завода[1]. Тогда у нас не было никакой техники. Листок был переписан от руки печатными буквами, распространялся он Бабушкиным. Из четырех экземпляров два подобрали сторожа, два пошли по рукам. Распространялись листки и по другим районам. Так, на Васильевском острове был составлен листок к работницам табачной фабрики Лаферм. А.А. Якубова и З.П. Невзорова (Кржижановская) прибегли к такому способу распространения: свернув листки в трубочки так, чтобы их можно было удобно брать поодиночке, и пристроив соответственным образом передники, они, как только раздался гудок, пошли быстрым шагом навстречу работницам, валившим гурьбой из ворот фабрики, и почти пробежали мимо, рассовывая недоумевающим работницам в руки листки. Листок имел успех. Листки, брошюры шевелили рабочих. Решено было еще издавать — благо была нелегальная типография — популярный журнал «Рабочее дело»[2]. Тщательно готовил Владимир Ильич к нему материал. Каждая строчка проходила через его руки. Помню одно собрание у меня на квартире, когда Запорожец с необычайным увлечением рассказывал о материале, который ему удалось собрать на сапожной фабрике за Московской заставой. «За все штраф,— рассказывал он,— каблук на сторону посадишь — сейчас штраф». Владимир Ильич рассмеялся: «Ну, если каблук на сторону посадил, так штраф, пожалуй, и за дело». Материал собирал и проверял Владимир Ильич тщательно. Помню, как собирался, например, материал о фабрике Торнтона. Решено было, что я вызову к себе своего ученика, браковщика фабрики Торнтона, Кроликова, уже высылавшегося раньше из Петербурга, и соберу у него по плану, намеченному Владимиром Ильичем, все сведения. Кроликов пришел в какой-то занятой у кого-

---

[1] Листок к рабочим Семянниковского завода написан позднее 24 декабря 1894 г. (5 января 1895 г.). Листок не разыскан. — *Примеч. ред.*

[2] Речь идет о подготовлявшейся газете «Рабочее дело». — *Примеч. ред.*

то шикарной шубе, принес целую тетрадь сведений, которые были им еще устно дополнены. Сведения были очень ценные. Владимир Ильич на них так и накинулся. Потом я с Аполлинарией Александровной Якубовой, повязавшись платочками и придав себе вид работниц, сами ходили еще в общежитие фабрики Торнтона, побывали и на холостой половине и на семейной. Обстановка была ужасающая. Только на основании так собранного материала писал Владимир Ильич корреспонденции и листки. Посмотрите его листок к рабочим и работницам фабрики Торнтона[1]. Какое детальное знание дела в нем видно! И какая это школа была для всех работавших тогда товарищей! Вот уж когда учились «вниманию к мелочам». И как глубоко врезывались в сознание эти мелочи.

Наше «Рабочее дело» не увидало света. 8 декабря было у меня на квартире заседание, где окончательно зачитывался уже готовый к печати номер. Он был в двух экземплярах. Один экземпляр взял Ванеев для окончательного просмотра, другой остался у меня. Наутро я пошла к Ванееву за исправленным экземпляром, но прислуга мне сказала, что он накануне съехал с квартиры. Раньше мы условились с Владимиром Ильичем, что я в случае сомнений буду наводить справки у его знакомого — моего сослуживца по Главному управлению железных дорог, где я тогда служила,— Чеботарева. Владимир Ильич там обедал и бывал каждый день. Чеботарева на службе не было. Я зашла к ним. Владимир Ильич на обед не приходил: ясно было, что он арестован. К вечеру выяснилось, что арестованы очень многие из нашей группы. Хранившийся у меня экземпляр «Рабочего дела» я отнесла на хранение к Нине Александровне Герд — моей подруге по гимназии, будущей жене Струве. Чтобы не всадить еще больше арестованных, было решено пока «Рабочее дело» не печатать.

Этот петербургский период работы Владимира Ильича был периодом чрезвычайно важной, но невидной по существу, незаметной работы. Он сам так характеризовал ее. В ней не было внешнего эффекта. Вопрос шел не о геройских подвигах, а о том, как наладить тесную связь с массой, сблизиться с ней, научиться быть выразителем ее лучших стремлений, научиться быть ей близким и понятным и вести ее за собой. Но именно в этот период петербургской работы выковывался из Владимира Ильича вождь рабочей массы.

Когда я пришла в первый раз после ареста нашей публики в школу, Бабушкин отозвал меня в угол под лестницу и там

---

[1] См.: *Ленин В.И.* Полн. собр. соч. Т. 2. С. 70—74.

передал мне написанный рабочими листок по поводу ареста. Листок носил чисто политический характер. Бабушкин просил передать листок в технику и доставить им для распространения. До тех пор у нас с ним никогда не было прямой речи о том, что я связана с организацией. Я передала листок нашим. Помню это собрание — было оно на квартире Ст. Ив. Радченко. Собрались все остатки группы. Прочитав листок, Ляховский воскликнул: «Разве можно печатать этот листок,— он ведь написан на чисто политическую тему». Однако, так как листок был, несомненно, написан рабочими по собственной инициативе, так как рабочие просили его непременно напечатать, решено было листок печатать. Так и сделали.

Сношения с Владимиром Ильичем завязались очень быстро. В те времена заключенным в «предварилке» можно было передавать книг сколько угодно, они подвергались довольно поверхностному осмотру, во время которого нельзя было, конечно, заметить мельчайших точек в середине букв или чуть заметного изменения цвета бумаги в книге, где писалось молоком. Техника конспиративной переписки у нас быстро совершенствовалась. Характерна была заботливость Владимира Ильича о сидящих товарищах. В каждом письме на волю был всегда ряд поручений, касающихся сидящих: к такому-то никто не ходит, надо подыскать ему «невесту», такому-то передать на свидании через родственников, чтобы искал письма в такой-то книге тюремной библиотеки, на такой-то странице, такому-то достать теплые сапоги и пр. Он переписывался с очень многими из сидящих товарищей, для которых эта переписка имела громадное значение. Письма Владимира Ильича дышали бодростью, говорили о работе. Получая их, человек забывал, что сидит в тюрьме, и сам принимался за работу. Я помню впечатление от этих писем (в августе 1896 г. я тоже села). Письма молоком приходили через волю в день передачи книг — в субботу. Посмотришь на условные знаки в книге и удостоверишься, что в книге письмо есть. В шесть часов давали кипяток, а затем надзирательница водила уголовных в церковь. К этому времени разрежешь письмо на длинные полоски, заваришь чай и, как уйдет надзирательница, начинаешь опускать полоски в горячий чай — письмо проявляется (в тюрьме неудобно было проявлять на свечке письма, вот Владимир Ильич додумался проявлять их в горячей воде), и такой бодростью оно дышит, с таким захватывающим интересом читается. Как на воле Владимир Ильич стоял в центре всей работы, так в тюрьме он был центром сношений с волей. Кроме того, он много работал в тюрьме. Там было подготовлено «Развитие капитализма в России». Владимир Ильич заказывал в легальных письмах нужные материалы, статистические сборники. «Жаль, рано выпустили, надо бы еще немножко доработать книжку, в Сибири книги доставать трудно»,— в шутку говорил Владимир Ильич, когда его выпустили из тюрьмы. Не только «Развитие капитализма» писал Владимир Ильич в тюрьме, писал листки, нелегальные брошюры, написал проект программы для первого съезда (он состоялся лишь в 1898 г., но намечался раньше), высказывался по вопросам, обсуждавшимся в организации. Чтобы его не накрыли во время писания молоком, Владимир Ильич делал из хлеба маленькие молочные чернильницы, которые — как только щелкнет фортка — быстро отправлял в рот. «Сегодня съел шесть чернильниц»,— в шутку добавлял Владимир Ильич к письму.

Но как ни владел Владимир Ильич собой, как ни ставил себя в рамки определенного режима, а нападала, очевидно, и на него тюремная тоска. В одном из писем он развивал такой план. Когда их водили на прогулку, из одного окна коридора на минутку виден кусок тротуара Шпалерной. Вот он и придумал, чтобы мы — я и Аполлинария Александровна Якубова — в определенный час пришли и стали на этот кусочек тротуара, тогда он нас увидит. Аполлинария почему-то не могла пойти, а я несколько дней ходила и простаивала подолгу на этом кусочке. Только что-то из плана ничего не вышло, не помню уже отчего.

Пока Владимир Ильич сидел, работа на воле разрасталась, стихийно росло рабочее движение. После ареста Мартова, Ляховского и др. силы группы еще более ослабели. Правда, в группу входили новые товарищи, но это была публика уже менее идейно закаленная, а учиться уже было некогда, движение требовало обслуживания, требовало массы сил, все уходило на агитацию, о пропаганде некогда было и думать. Листковая агитация имела большой успех. Стачка 30 тысяч питерских текстилей, разразившаяся летом 1896 г., прошла под влиянием социал-демократов и многим вскружила голову.

Помню, как однажды (кажется, в начале августа) на собрании в лесу, в Павловске, Сильвин читал вслух проект листка.

В одном месте там попалась фраза, прямо ограничивающая рабочее движение одной экономической борьбой. Прочтя ее вслух, Сильвин остановился. «Ну и загнул же я, как это меня угораздило»,— сказал он, смеясь. Фраза была вычеркнута. Летом 1896 г. с треском провалилась Лахтинская типография, пропала возможность печатать брошюры, пришлось надолго отложить попечение о журнале.

Во время стачки 1896 г. в нашу группу вошла группа Тахтарева, известная под кличкой Обезьяны, и группа Чернышева, известная под кличкой Петухи Но пока «декабристы» сидели в тюрьме и держали связь с волей, работа шла еще по старому руслу. Когда Владимир Ильич вышел из тюрьмы[1], я еще сидела. Несмотря на чад, охватывающий человека по выходе из тюрьмы, на ряд заседаний, Владимир Ильич ухитрился все же написать письмишко о делах. Мама рассказывала, что он в тюрьме поправился даже и страшно весел[2].

Меня выпустили вскоре после «ветровской истории» (заключенная Ветрова сожгла себя в Петропавловской крепости). Жандармы выпустили целый ряд сидевших женщин, выпустили и меня и оставили до окончания дела в Питере, приставив пару шпионов, ходивших всюду по стопам. Я застала организацию в самом плачевном состоянии. Из прежних работников остался только Степан Ив. Радченко и его жена. Сам он работы по конспиративным условиям уже вести не мог, но продолжал быть центром и держал связь. Держал связь и со Струве. Струве вскоре женился на Н.А. Герд, социал-демократке, Струве и сам в то время был социал-демократствующим. Он совершенно не был способен к работе в организации, тем более подпольной, но ему льстило, несомненно, что к нему обращаются за советами. Он даже написал манифест для I съезда социал-демократической рабочей партии. Зиму 1897/98 г. я довольно часто бывала у Струве с поручениями от Владимира Ильича — тогда Струве издавал журнал «Новое слово»,— да и так с Ниной Александровной меня многое связывало. Я приглядывалась к Струве. Он в то время был социал-демократом, но меня удивляла его книжность и почти полное отсутствие интереса к «живому дереву жизни», интереса, которого так много было у Владимира Ильича. Струве достал мне перевод и взялся его редактировать. Он, видимо, тяготился этой работой, быстро уставал (с Владимиром Ильичем мы часами сидели за аналогичной работой. Владимир Ильич совсем иначе работал, весь уходя в работу, даже такую, как перевод). Для отдыха брал Струве читать Фета. Кто-то в воспоминаниях своих писал, что Владимир Ильич любил Фета. Это неверно. Фет — махровый крепостник, у которого не за что зацепиться даже, но вот Струве действительно любил Фета.

---

[1] В.И. Ленин был освобожден из тюрьмы 14(26) февраля 1897 г. — *Примеч. ред.*

[2] В.И. Ленин уехал за границу 25 апреля (7 мая) и вернулся в Россию 7(19) сентября 1895 г. — *Примеч. ред.*

Знала я и Туган-Барановского. Я училась вместе с его женой, Лидией Карловной Давыдовой (дочерью издательницы журнала «Мир божий»), и одно время захаживала к ним. Лидия Карловна была очень умная и хорошая, хотя и безвольная женщина. Она была умнее своего мужа. В его разговорах всегда чувствовался чужой человек. Раз я обратилась к нему с подписным листом на стачку (костромскую, кажется). Я получила сколько-то, не помню сколько, рублей, но должна была выслушать рассуждение на тему: «Непонятно-де, почему надо поддерживать стачки,— стачка недостаточно действительное средство борьбы с предпринимателями». Я взяла деньги и поторопилась уйти.

Я писала Владимиру Ильичу в ссылку обо всем, что приходилось видеть и слышать. Однако о работе организации мало чего можно было написать. Ко времени I съезда в ней было лишь четыре человека: Ст. Ив. Радченко, его жена Любовь Николаевна, Саммер и я. Делегатом от нас был Степан Иванович. Но, вернувшись со съезда, он ничего почти не рассказал нам о том, что там произошло, вынул из корешка книги хорошо знакомый нам «манифест», написанный Струве и принятый съездом, и разрыдался: все почти участники съезда — их было несколько человек — были арестованы[1].

Мне дали три года Уфимской губернии, я перепросилась в село Шушенское Минусинского уезда, где жил Владимир Ильич, для чего объявилась его «невестой».

---

[1] 12 августа 1896 г. произошел новый провал: провалились почти все «старики) и многие из «петухов». Я тоже была арестована тогда же. — *Н. К.*

В ССЫЛКЕ

1898—1901 гг.

В Минусинск, куда я ехала на свой счет, поехала со мной моя мать[1]. Приехали мы в Красноярск 1 мая 1898 г., оттуда надо было ехать на пароходе вверх по Енисею, но пароходы еще не ходили. В Красноярске познакомилась с народоправцем Тютчевым и его женой, которые, как люди опытные в этих делах, устроили мне свидание с проезжавшей через Красноярск партией ссыльных социал-демократов; в их числе были товарищи по одному со мною делу — Ленгник и Сильвин. Солдаты, приведя ссыльных в фотографию, сели в сторонку и жевали хлеб с колбасой, которыми их угостили.

В Минусинске зашла к Аркадию Тыркову — первомартовцу, сосланному в Сибирь без срока, чтобы передать поклон от его сестры, моей гимназической подруги. Заходила к Ф.Я. Кону, польскому товарищу, осужденному в 1885 г. на каторгу по делу «Пролетариата», много перенесшему в тюрьме и ссылке, он был для меня окружен ореолом старого непримиримого революционера,— ужасно он мне понравился.

В село Шушенское, где жил Владимир Ильич, мы приехали в сумерки; Владимир Ильич был на охоте. Мы выгрузились, нас провели в избу. В Сибири — в Минусинском округе — крестьяне очень чисто живут, полы устланы пестрыми самоткаными дорожками, стены чисто выбелены и украшены пихтой. Комната Владимира Ильича была хоть невелика, но также чиста. Нам с мамой хозяева[2] уступили остальную часть избы. В избу набились все хозяева и соседи и усердно нас разглядывали и расспрашивали. Наконец, вернулся с охоты Владимир Ильич. Удивился, что в его комнате свет. Хозяин сказал, что это Оскар Александрович (ссыльный питерский рабочий) пришел пьяный и все книги у него разбросал. Ильич быстро взбежал на крыльцо. Тут я ему навстречу из избы вышла. Долго мы проговорили в ту ночь.

---

[1] Елизавета Васильевна Крупская. — *Примеч. ред.*
[2] А.Д. и Е.Д. Зыряновы. — *Примеч. ред.*

В Шушенском из ссыльных было только двое рабочих — лодзинский социал-демократ, шляпочник, поляк Проминский с женой и шестью ребятами и путиловский рабочий Оскар Энгберг, финн по национальности. Оба — очень хорошие товарищи. Проминский был спокойным, уравновешенным и очень твердым человеком. Он мало читал и не много знал, но обладал замечательно ярко выраженным классовым инстинктом. К своей верующей тогда еще жене он относился спокойно-насмешливо. Он очень хорошо пел польские революционные песни «Ludu roboczy, poznaj swoje siły», «Pierwszy maj»[1] и целый ряд других. Дети подпевали ему, присоединялся к хору и Владимир Ильич, очень охотно и много певший в Сибири. Пел Проминский и русские революционные песни, которым учил его Владимир Ильич. Проминский собирался назад в Польшу на работу и погубил несметное количество зайчишек, чтобы заготовить мех на шубки детям. Но добраться до Польши ему так и не удалось. Перебрался с семьей только поближе к Красноярску и служил на железной дороге. Дети выросли. Сам он стал коммунистом, коммунисткой стала пани Проминская, коммунистами стали дети. Один убит на войне. Другой чуть не погиб во время гражданской войны, теперь в Чите. Только в 1923 г. выбрался Проминский в Польшу, но по дороге умер от сыпного тифа.

Другой рабочий, Оскар, был совсем иного типа. Молодой, он был сослан за забастовку и за буйное поведение во время нее. Он много читал всякой всячины, но о социализме имел самое смутное представление. Раз приходит из волости и рассказывает: «Новый писарь приехал, сошлись мы с ним в убеждениях».— «То есть?» — спрашиваю. «Да и он, и я против революции». Мы с Владимиром Ильичем так и ахнули. На другой день я засела с ним за «Коммунистический манифест» (приходилось переводить с немецкого) и, одолев его, перешли к чтению «Капитала». Зашел как-то на занятия Проминский, сидит и посасывает трубочку. Я предлагаю какой-то вопрос по поводу прочитанного. Оскар не знает, что сказать, а Проминский спокойно так, улыбаючись, ответил на вопрос. На целую неделю бросил Оскар занятия. Но так парень хороший был. Больше ссыльных в Шушенском не было. Владимир Ильич рассказывал, что он пробовал завести знакомство с учителем, но ничего не вышло. Учитель тянул к местной аристократии: попу, паре лавочников. Дулись они в карты и выпивали. К общественным вопросам интереса у учителя никакого не было. С этим

---

[1] «Рабочий народ, познай свою силу», «Первое мая». — *Примеч. ред.*

учителем постоянно препирался старший сын Проминского, Леопольд, тогда уже сочувствовавший социалистам.

Был у Владимира Ильича один знакомый крестьянин, которого он очень любил, Журавлев. Чахоточный, лет тридцати, Журавлев был раньше писарем. Владимир Ильич говорил про него, что он по природе революционер, протестант. Журавлев смело выступал против богатеев, не мирился ни с какой несправедливостью. Он все куда-то уезжал и скоро помер от чахотки.

Другой знакомый Ильича был бедняк, с ним Владимир Ильич часто ходил на охоту. Это был самый немудрый мужичонка — Сосипатычем его звали; он, впрочем, очень хорошо относился к Владимиру Ильичу и дарил ему всякую всячину: то журавля, то кедровых шишек.

Через Сосипатыча, через Журавлева Владимир Ильич изучал сибирскую деревню. Он мне рассказывал как-то об одном своем разговоре с зажиточным мужиком, у которого он жил. У того батрак украл кожу. Мужик накрыл его у ручья и прикончил. Говорил Ильич по этому поводу о беспощадной жестокости мелкого собственника, о беспощадной эксплуатации им батраков. И правда, как каторжные, работали сибирские батраки, отсыпаясь только по праздникам.

И еще был у Ильича способ изучать деревню. По воскресеньям он завел у себя юридическую консультацию. Он пользовался большой популярностью как юрист, так как помог одному рабочему, выгнанному с приисков, выиграть дело против золотопромышленника. Весть об этом выигранном деле быстро разнеслась среди крестьян. Приходили мужики и бабы и излагали свои беды. Владимир Ильич внимательно слушал и вникал во все, потом советовал. Раз пришел крестьянин за двадцать верст посоветоваться, как бы ему засудить зятя за то, что тот не позвал его на свадьбу, где здорово гуляли. «А теперь зять поднесет, если приедете к нему?» — «Теперь-то поднесет». И Владимир Ильич чуть не час убил, пока уговорил мужика с зятем помириться. Иногда совершенно нельзя было разобраться по рассказам, в чем дело, и потому Владимир Ильич всегда просил приносить ему копию с дела. Раз бык какого-то богатея забодал корову маломощной бабы. Волостной суд приговорил владельца быка заплатить бабе десять рублей. Баба опротестовала решение и потребовала «копию» с дела. «Что тебе, копию с белой коровы, что ли?» — посмеялся над ней заседатель. Разгневанная баба прибежала жаловаться Владимиру Ильичу. Часто достаточно было угрозы обижаемого, что он пожалуется Ульянову, чтобы обидчик уступил.

Сибирскую деревню хорошо изучил Владимир Ильич,— он знал раньше деревню приволжскую. Рассказывал Ильич раз: «Мать хотела, чтобы я хозяйством в деревне занимался. Я начал, было, да вижу — нельзя, отношения с мужиками ненормальные становятся».

Собственно говоря, заниматься юридическими делами Владимир Ильич не имел права, как ссыльный, но тогда времена в Минусинском округе были либеральные. Никакого надзора фактически не было.

«Заседатель» — местный зажиточный крестьянин — больше заботился о том, чтобы сбыть нам телятину, чем о том, чтобы «его» ссыльные не сбежали. Дешевизна в этом Шушенском была поразительная. Например, Владимир Ильич за свое «жалованье» — восьмирублевое пособие — имел чистую комнату, кормежку, стирку и чинку белья — и то считалось, что дорого платит. Правда, обед и ужин был простоват — одну неделю для Владимира Ильича убивали барана, которым кормили его изо дня в день, пока всего не съест; как съест — покупали на неделю мяса, работница во дворе в корыте, где корм скоту заготовляли, рубила купленное мясо на котлеты для Владимира Ильича, тоже на целую неделю. Но молока и шанег было вдоволь и для Владимира Ильича и для его собаки, прекрасного гордона — Женьки, которую он выучил и поноску носить, и стойку делать, и всякой другой собачьей науке. Так как у Зыряновых мужики часто напивались пьяными, да и семейным образом жить там было во многих отношениях неудобно, мы перебрались вскоре на другую квартиру — полдома с огородом наняли за четыре рубля[1] Зажили семейно. Летом никого нельзя было найти в помощь по хозяйству. И мы с мамой вдвоем воевали с русской печкой. Вначале случалось, что я опрокидывала ухватом суп с клецками, которые рассыпались по исподу. Потом привыкла. В огороде выросла у нас всякая всячина — огурцы, морковь, свекла, тыква; очень я гордилась своим огородом. Устроили из двора сад — съездили мы с Ильичем в лес, хмелю привезли, сад соорудили. В октябре появилась помощница, тринадцатилетняя Паша, худющая, с острыми локтями, живо прибравшая к рукам все хозяйство. Я выучила ее грамоте, и она украшала стены мамиными директивами: «Ни-

---

[1] В.И. Ленин и Н.К. Крупская с матерью переехали с квартиры крестьянина А. Д. Зырянова на квартиру крестьянки П.О. Петровой 10(22) июля 1898 г. — *Примеч. ред.*

ковды, никовды чай не выливай», вела дневник, где отмечала: «Были Оскар Александрович и Проминский. Пели «Пень», я тоже пела».

Помню, как мы встречали Первое мая[1].

Утром пришел к нам Проминский. Он имел сугубо праздничный вид, надел чистый воротничок и сам весь сиял, как медный грош. Мы очень быстро заразились его настроением и втроем пошли к Энгбергу, прихватив с собою собаку Женьку. Женька бежала впереди и радостно тявкала. Идти надо было вдоль речки Шуши. По реке шел лед. Женька забиралась по брюхо в ледяную воду и вызывающе лаяла по адресу мохнатых шушенских сторожевых собак, не решавшихся войти в такую холодную воду.

Оскар заволновался нашим приходом Мы расселись в его комнате и принялись дружно петь:

> День настал веселый мая,
> Прочь с дороги, горя тень!
> Песнь, раздайся удалая!
> Забастуем в этот день!
> Полицейские до пота
> Правят подлую работу.
> Нас хотят изловить.
> За решетку посадить.
> Мы плюем на это дело,
> Май отпразднуем мы смело,
> Вместе разом, Гоп-га! Гоп-га!

Спели по-русски, спели ту же песню по-польски и решили пойти после обеда отпраздновать Май в поле. Как наметили, так и сделали. В поле нас было больше, уже шесть человек, так как Проминский захватил своих двух сынишек. Проминский продолжал сиять. Когда вышли в поле на сухой пригорок, Проминский остановился, вытащил из кармана красный платок, расправил его на земле и встал на голову. Дети завизжали от восторга. Вечером собрались все у нас и опять пели. Пришла и жена Проминского. К хору присоединились и моя мать и Паша.

А вечером мы с Ильичем как-то никак не могли заснуть, мечтали о мощных рабочих демонстрациях, в которых мы когда-нибудь примем участие...

---

[1] 1 Мая 1899 г. В этот день, как позднее вспоминала Н. К. Крупская, они хором пели «Интернационал». — *Примеч. ред.*

Появился детский элемент. Во дворе жил поселенец — латыш-катанщик[1]. Было у него 14 детей, но выжил один, Минька. Отец был горький пьяница. Было Миньке шесть лет, было у него прозрачное бледное личико, ясные глазки и серьезный разговор. Стал он бывать у нас каждый день — не успеешь встать, а уж хлопает дверь, появляется маленькая фигурка в большой шапке, материной теплой кофте, закутанная шарфом, и радостно заявляет: «А вот и я». Знает, что души в нем не чаяла моя мама, что всегда пошутит и повозится с ним Владимир Ильич. Забежит Минькина мать.

«Миничка, не видал ты рубля?» — «Видел, ну, посмотрел, валяется на столе, положил в коробку».

Когда мы уехали, захворал с горя Миняй. Теперь нет его уже в живых, а катанщик писал, просил отвести ему земли за Енисеем, «хочется на старости лет сытно пожить».

Наше хозяйственное обрастание все увеличивалось — завели котенка.

С утра мы брались с Владимиром Ильичем за перевод Вебба[2], который достал мне Струве. После обеда часа два переписывали в две руки «Развитие капитализма». Потом другая всякая работешка была. Как-то прислал Потресов на две недели книжку Каутского против Бернштейна[3], мы побросали все дела и перевели ее в срок — в две недели. Поработав, закатывались на прогулки. Владимир Ильич был страстным охотником, завел себе штаны из чертовой кожи и в какие только болота не залезал. Ну, дичи там было! Я приехала весной, удивлялась. Придет Проминский — он страстно любил охоту — и, радостно улыбаясь, говорит: «Видел — утки прилетели». Приходит Оскар и тоже об утках. Часами говорили, а на следующую весну я сама уже стала способна толковать о том, где, кто, когда видел утку. После зимних морозов буйно пробуждалась весной природа. Сильна становилась власть ее. Закат. На громадной весенней луже в поле плавают дикие лебеди. Или — стоишь на опушке леса, бурлит речонка, токуют тетерева. Владимир Ильич идет в лес, просит подержать Женьку. Держишь ее, Женька дрожит от волнения, и чувствуешь, как тебя захватывает это бурное пробуждение природы. Владимир Ильич был страстным охотником, только горячился очень. Осенью идем по далеким просекам. Владимир Ильич говорит: «Зна-

---

[1] П.И. Кудум. — *Примеч. ред.*
[2] Имеется в виду книга Беатрисы и Сиднея Вебб «Теория и практика английского тред-юнионизма». — *Примеч. ред.*
[3] Речь идет о книге К. Каутского «Бернштейн и социал-демократическая программа. Антикритика» (Штутгарт, 1899). — *Примеч. ред.*

зом, умирал. Его кровать вынесли в большую комнату, где собрались все товарищи. Резолюция была принята единогласно.

Другой раз ездили туда же, уже хоронить Ванеева[1].

Из «декабристов» (так в шутку называли товарищей, арестованных в декабре 1895 г.) двое скоро выбыли из строя: сошедший в тюрьме с ума Запорожец и тяжко захворавший там Ванеев погибли, когда только-только еще начинало разгораться пламя рабочего движения.

На Новый год ездили в Минусу, куда съехались все ссыльные социал-демократы.

Были в Минусе и ссыльные народовольцы: Кон, Тырков и др., но они держались отдельно. Старики относились к социал-демократической молодежи недоверчиво: не верили в то, что это настоящие революционеры. На этой почве незадолго до моего приезда в село Шушенское в Минусинском уезде разыгралась ссыльная история. Был в Минусе ссыльный, социал-демократ Райчин, заграничник, связанный с группой «Освобождение труда». Он решил бежать. Достали ему денег на побег, дня побега не было назначено. Но Райчин, получив деньги, пришел в очень нервное состояние и, не предупредив никого, бежал. Старики-народовольцы обвиняли социал-демократов, что те знали о побеге Райчина, но их, стариков, не предупредили, могли быть обыски, а они не почистились. «История» росла, как снежный ком. Когда я приехала, Владимир Ильич рассказал мне про нее. «Нет хуже этих ссыльных историй,— говорил он,— они страшно затягивают, у стариков нервы больные, ведь чего только они не пережили, каторгу перенесли. Нельзя давать засасывать себя таким историям — вся работа впереди, нельзя себя растрачивать на эти истории». И Владимир Ильич настаивал на разрыве со стариками. Помню собрание, на котором произошел разрыв. Решение о разрыве было принято раньше, надо было провести его по возможности безболезненно. Рвали потому, что надо было порвать, но рвали без злобы, с сожалением. Так потом и жили врозь.

В общем, ссылка прошла неплохо. Это были годы серьезной учебы. По мере того как приближался срок окончания ссылки, все больше и больше думал Владимир Ильич о предстоящей работе. Из России вести приходили скупо: там рос и креп «экономизм», партии на деле не было, типографии в России не было, попытка наладить издательство через Бунд

---

[1] Похороны А.А. Ванеева состоялись 10(22) сентября 1899 г. В. И. Ленин произнес речь над его могилой. — *Примеч. ред.*

ешь, если заяц встретится, не буду стрелять, ремня не взял, неудобно будет нести». Выбегает заяц, Владимир Ильич палит.

Позднею осенью, когда по Енисею шла шуга (мелкий лед), ездили на острова за зайцами. Зайцы уже побелеют. С острова деться некуда, бегают, как овцы, кругом. Целую лодку настреляют, бывало, наши охотники.

Живучи в Москве, Владимир Ильич тоже охотился иногда последние годы, но охотничий жар у него уж значительно поубыл. Устроили раз охоту на лис, с флажками. Все предприятие очень заинтересовало Владимира Ильича. «Хитро придумано»,— говорил он. Устроили охотники так, что лиса выбежала прямо на Владимира Ильича, а он схватился за ружье, когда лиса, постояв с минуту и поглядев на него, быстро повернула в лес.— «Что же ты не стрелял?» — «Знаешь, уж очень красива она была».

Поздней осенью, пока не выпал еще снег, но уже замерзли реки, далеко ходили по протоке — каждый камешек, каждая рыбешка видны подо льдом, точно волшебное царство какое-то. А зимой, когда замерзает ртуть в градусниках и реки промерзают до дна, вода идет сверх льда и быстро покрывается ледком, можно было катить на коньках версты по две по гнущейся под ногами наледи. Все это страшно любил Владимир Ильич.

По вечерам Владимир Ильич обычно читал книжки по философии — Гегеля, Канта, французских материалистов, а когда очень устанет — Пушкина, Лермонтова, Некрасова.

Когда Владимир Ильич впервые появился в Питере и я его знала только по рассказам, слышала я от Степана Ивановича Радченко: Владимир Ильич только серьезные книжки читает, в жизнь не прочел ни одного романа. Я подивилась; потом, когда мы познакомились ближе с Владимиром Ильичем, как-то ни разу об этом не заходил у нас разговор, и только в Сибири я узнала, что все это чистая легенда. Владимир Ильич не только читал, но много раз перечитывал Тургенева, Л. Толстого, «Что делать?» Чернышевского, вообще прекрасно знал и любил классиков. Потом, когда большевики стали у власти, он поставил Госиздату задачу — переиздание в дешевых выпусках классиков. В альбоме Владимира Ильича, кроме карточек родных и старых каторжан, были карточки Золя, Герцена и несколько карточек Чернышевского[1].

---

[1] Чернышевского Владимир Ильич особенно любил. На одной из карточек Чернышевского имеется надпись рукой Владимира Ильича: родился тогда-то, умер в 1889 г. — *Н.К.*

Два раза в неделю приходила почта. Переписка была обширная.

Приходили письма и книги из России. Писала подробно обо всем Анна Ильинична, писали из Питера. Писала, между прочим, Нина Александровна Струве мне о своем сынишке: «Уже держит головку, каждый день подносим его к портретам Дарвина и Маркса, говорим: поклонись дедушке Дарвину, поклонись Марксу, он забавно так кланяется». Получали письма из далекой ссылки — из Туруханска от Мартова, из Орлова Вятской губернии от Потресова.

Но больше всего было писем от товарищей, разбросанных по соседним селам. Из Минусинска (Шушенское было в 50 верстах от него) писали Кржижановские, Старков; в 30 верстах в Ермаковском жили Лепешинский, Ванеев, Сильвин, Панин — товарищ Оскара; в 70 верстах в Теси жили Ленгник, Шаповал, Барамзин, на сахарном заводе жил Курнатовский.

Переписывались обо всем — о русских вестях, о планах на будущее, о книжках, о новых течениях, о философии. Переписывались и по шахматным делам, особенно с Лепешинским. Играли по переписке. Расставит шахматы Владимир Ильич и соображает. Одно время так увлекался, что вскрикивал даже во сне: «Если он конем сюда, то я турой туда».

И Владимир Ильич и Александр Ильич с детства играли с большим азартом в шахматы. Играл и отец Владимира Ильича.

«Сначала отец нас обыгрывал,— рассказывал Владимир Ильич,— потом мы с братом достали руководство к шахматной игре и стали отца обыгрывать. Раз — мы наверху жили — встретил отца, идет из нашей комнаты со свечой в руке и несет руководство по шахматной игре. Затем за него засел».

По возвращении в Россию Владимир Ильич бросил игру в шахматы. «Шахматы чересчур захватывают, это мешает работе». А так как Владимир Ильич ничего не умел делать наполовину, не отдаваясь делу со всей страстью, то и на отдыхе и в эмиграции неохотно уже садился играть в шахматы.

Владимир Ильич с ранней молодости умел отбрасывать то, что мешало. «Когда был гимназистом, стал увлекаться коньками, но уставал, после коньков спать очень хотелось, мешало заниматься, бросил».

«Одно время,— рассказывал другой раз Владимир Ильич,— я очень увлекался латынью».— «Латынью?» — удивилась я. «Да, только мешать стало другим занятиям, бросил». Недавно только, читая «Леф»[1], где разбирался стиль, строение речи мира Ильича, указывалось на сходство конструкции фраз Владимира Ильича с конструкцией фраз римских ораторов, сходство ораторских приемов, я поняла, почему мог увлекаться Владимир Ильич, изучая латинских писателей.

С товарищами по ссылке не только переписывались, но да, хотя не часто, виделись.

Раз мы ездили к Курнатовскому[2]. Был он очень хороший товарищем, очень образованным марксистом, но тяжко сложилась его жизнь. Суровое детство с извергом-отцом, потом ссылка за ссылкой, тюрьма за тюрьмой. На воле почти не работал, через месяц-другой влетал на долгие годы, жизни не знал. Осталась в памяти одна сценка. Идем мимо сахарного завода, где он служил. Идут две девочки — одна постарше, другая маленькая. Старшая несет пустое ведре, младшая — со свеклой. «Как не стыдно, большая заставляет нести маленькую»,— сказал старшей девочке Курнатовский. Та только недоуменно посмотрела на него. Ездили мы еще в Тесь[3]. Пришло как-то раз письмо от Кржижановских — «Исправник злится на тесинцев за какой-то протест и никуда не пускает. В Теси есть гора, интересная в геологическом отношении, напишите, что хотите ее исследовать». Владимир Ильич в шутку написал исправнику заявление, прося не только его пустить в Тесь, но в помощь ему и жену. Исправник прислал разрешение нарочным. Наняли двуколку с лошадью за три рубля — баба уверяла, что конь сильный, не «жоркий», овса ему мало надо — и покатили в Тесь. И хоть не «жоркий», конь стал у нас посередь дороги, но все же до Теси мы добрались. Владимир Ильич с Ленгником толковали о Канте, с Барамзиным — о казанских кружках, Ленгник, обладавший прекрасным голосом, пел нам; вообще от этой поездки осталось какое-то особенно хорошее воспоминание.

Ездили пару раз в Ермаковское. Раз для принятия резолюции по поводу «Кредо»[4] — Ванеев был тяжко болен туберку-

---

[1] «Леф» — журнал, издававшийся в 1923—1925 гг. литературной группой «Леф» (Левый фронт искусства), которая была связана с футуризмом и другими формалистическими течениями. — Примеч. ред.

[2] Поездка В.И. Ленина и Н.К. Крупской к В.К. Курнатовскому в деревню Горбуновку Минусинского уезда состоялась 11(23) октября 1898 г. — Примеч. ред.

[3] В село Тесинское В.И. Ленин и Н.К. Крупская ездили летом 1899 г. — Примеч. ред.

[4] Совещание политических ссыльных — марксистов, организованное В.И. Лениным для обсуждения манифеста «экономистов» — «Credo», происходило 20—22 августа (1—3 сентября) 1899 г. — Примеч. ред.

не удалась. Между тем ограничиваться писанием популярных брошюр и не высказываться по основным вопросам ведения работы было более невозможно. В работе был величайший разброд, постоянные аресты делали невозможной всякую преемственность, люди договорились до «Кредо», до идей «Рабочей мысли», помещавшей корреспонденции распропагандированного экономистами рабочего, писавшего: «Не надо нам, рабочим, никаких Марксов и Энгельсов...»

Л. Толстой где-то писал, что едущий первую половину дороги обычно думает о том, что он оставил, а вторую — о том, что ждет его впереди. Так и в ссылке. Первое время больше подводились итоги прошлого. Во второй половине больше думалось о том, что впереди. Владимир Ильич все пристальнее и пристальнее думал о том, что нужно делать, чтобы вывести партию из того состояния, в которое она пришла, что нужно делать, чтобы направить работу по надлежащему руслу, чтобы обеспечить правильное социал-демократическое руководство ею. С чего начать? В последний год ссылки зародился у Владимира Ильича тот организационный план, который он потом развил в «Искре», в брошюре «Что делать?»[1] и в «Письме к товарищу»[2]. Начать надо с организации общерусской газеты, поставить ее надо за границей, как можно теснее связать ее с русской работой, с российскими организациями, как можно лучше наладить транспорт. Владимир Ильич перестал спать, страшно исхудал. Бессонными ночами обдумывал он свой план во всех деталях, обсуждал его с Кржижановским, со мной, списывался о нем с Мартовым и Потресовым, сговаривался с ними о поездке за границу. Чем дальше, тем больше овладевало Владимиром Ильичем нетерпение, тем больше рвался он на работу. А тут еще нагрянули с обыском. Перехватили у кого-то квитанцию письма Ляховского к Владимиру Ильичу. В письме была речь о памятнике Федосееву, жандармы придрались к случаю, чтобы учинить обыск. Обыск произведен был в мае 1899 г.[3] Письмо они нашли, оно оказалось очень невинным, пересмотрели переписку — и тоже ничего интересного не нашли. По старой питерской привычке нелегальщину и нелегальную переписку мы держали особо. Правда, она лежала на нижней полке шкафа. Владимир Ильич подсунул жандармам стул, чтобы они начали обыск с верхних по-

[1] См.: *Ленин В.И.* Полн. собр. соч. Т. 6. С. 1—192.

[2] *Ленин В.И.* Письмо к товарищу о наших организационных задачах // Полн. собр. соч. Т. 7. С. 1—32.

[3] 2(14) мая 1899 г. — *Примеч. ред.*

лок, где стояли разные статистические сборники — и они так умаялись, что нижнюю полку и смотреть не стали, удовлетворившись моим заявлением, что там лишь моя педагогическая библиотека. Обыск сошел благополучно, но боязно было, чтобы не воспользовались предлогом и не накинули еще несколько лет ссылки. Побеги были еще тогда не так обычны, как позднее,— во всяком случае, это бы осложнило дело. Ведь прежде, чем ехать за границу, нужно было провести большую организационную работу в России. Дело, однако, обошлось благополучно — срока не набавили.

В феврале 1900 г., когда кончился срок ссылки Владимира Ильича[1], мы двинулись в Россию. Рекой по ночам разливалась Паша, ставшая за два года настоящей красавицей. Минька суетился, перетаскивая к себе домой остающуюся бумагу, карандаши, картинки и пр., приходил Оскар Александрович, садился на кончик стула, видимо, волновался, принес мне подарок — самодельную брошку в виде книги с надписью «Карл Маркс», в память моих занятий с ним по «Капиталу», заглядывали то и дело в комнату хозяйка или соседка, недоумевала наша собака, что весь этот переполох должен означать, и ежеминутно отворяла носом все двери, чтобы удостовериться, все ли на месте, кашляла мама, возясь с укладкой, деловито увязывал книги Владимир Ильич.

Доехали до Минусы, где мы должны были захватить с собой Старкова и Ольгу Александровну Сильвину. Там уж собралась вся наша ссыльная братия, было то настроение, которое бывает, когда кто-нибудь из ссыльных уезжает в Россию: каждый думал, когда и куда он сам поедет, как будет работать. Владимир Ильич договорился уже раньше о совместной работе со всеми, кто вскоре ехал в Россию, договорился о переписке с остающимися. Думали о России, а говорили так, о всякой пустяковине.

Барамзин подкармливал бутербродами Женьку, которая оставалась ему в наследство, но она не обращала на него внимания, лежала у маминых ног и не сводила с нее глаз, следя за каждым ее движением.

Наконец, урядившись в валенки, дохи и пр., двинулись в путь. Ехали на лошадях 300 верст по Енисею, день и ночь, благо луна светила вовсю. Владимир Ильич заботливо засупонивал меня и маму на каждой станции, осматривал, не забыли ли чего, шутил с озябшей Ольгой Александровной. Мчались

---

[1] Срок ссылки В.И. Ленина кончился 29 января (10 февраля) 1900 г. — *Примеч. ред.*

вовсю, и Владимир Ильич — он ехал без дохи, уверяя, что ему жарко в дохе,— засунув руки во взятую у мамы муфту, уносился мыслью в Россию, где можно будет поработать вволю.

В Уфе в день нашего приезда к нам пришла местная публика — А.Д. Цюрупа, Свидерский, Крохмаль. «Шесть гостиниц обошли...— заикаясь, сказал Крохмаль,— наконец-то нашли вас».

Пару дней пробыл Владимир Ильич в Уфе и, поговоривши с публикой и препоручив меня с мамой товарищам, двинулся дальше, поближе к Питеру. От этой пары дней у меня осталось в памяти лишь посещение старой народоволки Четверговой, которую Владимир Ильич знал по Казани. В Уфе у ней был книжный магазин. Владимир Ильич в первый же день пошел к ней, и какая-то особенная мягкость была у него в голосе и лице, когда он разговаривал с ней. Когда потом я читала то, что Владимир Ильич написал в заключении в «Что делать?», я вспомнила это посещение. «Многие (речь идет о молодых руководителях рабочего движения, социал-демократах. — *Н. К.*) из них,— писал Владимир Ильич в «Что делать?»,— начинали революционно мыслить, как народовольцы. Почти все в ранней юности восторженно преклонялись перед героями террора. Отказ от обаятельного впечатления этой геройской традиции стоил борьбы, сопровождался разрывом с людьми, которые во что бы то ни стало хотели остаться верными «Народной воле» и которых молодые социал-демократы высоко уважали»[1]. Этот абзац — кусок биографии Владимира Ильича.

Очень жаль было расставаться, когда только что начиналась «настоящая» работа, но даже и в голову не приходило, что можно Владимиру Ильичу остаться в Уфе, когда была возможность перебраться поближе к Питеру.

Владимир Ильич поселился в Пскове[2], где жили потом и Потресов и Л. Н. Радченко с детьми. Как-то Владимир Ильич, смеясь, рассказывал, как малышки-девочки Радченко, Женюрка и Люда, передразнивали его и Потресова. Заложив руки за спину, ходили по комнате рядом, одна говорила «Бернштейн», другая отвечала «Каутский»...

Там, сидя в Пскове, усердно вил Владимир Ильич нити организации, которые должны были тесно связывать будущую заграничную общерусскую газету с Россией, с русской работой. Виделся с Бабушкиным, целым рядом других лиц.

Я понемногу акклиматизировалась в Уфе, устроилась с переводами, достала уроки.

---

[1] *Ленин В.И.* Полн. собр. соч. Т. 6. С. 180—181.
[2] В.И. Ленин приехал в Псков 26 февраля (10 марта) 1900 г. — *Примеч. ред.*

Незадолго до моего приезда в Уфу там была ссыльная история и социал-демократическая публика раскололась на два лагеря. В одном лагере были: Крохмаль, Цюрупа, Свидерский, в другом — братья Плаксины, Салтыков, Квятковский. Чачина и Аптекман стояли вне группировок, поддерживали отношения с обеими группами. Мне была ближе первая группа, с которой я скоро сблизилась. Эта группа вела кое-какую работу, вообще это была наиболее активная часть публики. Были связи с железнодорожными мастерскими. Там был кружок рабочих социал-демократов в 12 человек. Самым активным был рабочий Якутов. Он не раз захаживал ко мне брать книжки и поговорить. Долго добивался «пульверизации» Маркса, но, раздобыв ее, никак не мог прочесть. «Некогда,— жаловался он,— все, знаете, крестьяне ко мне со своими делами приезжают. С каждым надо поговорить, чтобы он худо о себе не думал, ну вот и времени нет». Он рассказывал, что его жена Наташа тоже ему сочувствует, и им никакая ссылка не страшна, он нигде не пропадет, руки везде его прокормят. Он был большой конспиратор, пуще всего ненавидел крик, хвастовство, большие слова. Надо все делать основательно, без шума, но прочно.

В 1905 г. Якутов был председателем республики, образовавшейся в Уфе, а потом, в годы реакции, его повесили в уфимской тюрьме. Он умирал на тюремном дворе, а вся тюрьма пела — во всех камерах пели — и клялась, что никогда не забудет его смерти, не простит ее.

Занималась я еще с другими рабочими — с молодым металлистом с небольшого заводика, рассказывавшим мне про жизнь местных рабочих, очень горячим и нервным. Потом мне говорили, что он ушел к эсерам и сошел с ума в тюрьме.

Бывал у меня чахоточный переплетчик Крылов, старательно устраивавший двойные переплеты, в которые можно было вкладывать нелегальные рукописи, склеивавший из рукописей картон для переплетов. Он рассказывал о работе местных печатников.

На основании этих рассказов позднее поставлялись корреспонденции для «Искры».

Кроме самой Уфы, работа велась и по заводам. На Усть-Катавском заводе была фельдшерица социал-демократка, которая вела там работу среди рабочих, распространяла там нелегальную популярную литературу, которой нам чертовски не хватало.

Было несколько человек студентов социал-демократов по заводам. Наша уфимская организация содержала в Екатеринбурге одного нелегала — рабочего Мазанова, вернувшегося из Туруханска, где он был в ссылке вместе с Мартовым. Только работа у него что-то не ладилась.

Уфа была центром для губернии — ссыльные Стерлитамака, Бирска и других уездных городов добивались всегда разрешения съездить в Уфу.

Но, кроме того, Уфа лежала на пути из Сибири в Россию. Возвращавшиеся из ссылки товарищи заезжали уславливаться о работе. Заезжал Мартов (ему не сразу удалось выбраться из Туруханска), Гл. Ив. Окулова, Панин. Из Астрахани нелегально приезжала Л.М. Книпович — Дяденька, из Самары приезжали Румянцев, Португалов.

Мартов поселился в Полтаве. С ним была связь, через него надеялись получить литературу. Литература пришла, кажется, через неделю после моего отъезда из Уфы, и отправившийся получить ее Квятковский угодил за этот развалившийся в дороге ящик на 5 лет в Сибирь. А работы он, в сущности, не вел, взялся за получение посылки только потому, что посылка была адресована на пивоваренный завод, дочери владельца которого он давал уроки.

Были в Уфе и народовольцы — Леонович, а позднее — Бороздин.

Перед отъездом за границу Владимир Ильич чуть не влетел. Приехал из Пскова в Питер одновременно с Мартовым. Их выследили и арестовали. В жилетке у него было 2 тысячи рублей, полученных от Тетки (А.М. Калмыковой), и записи связей с заграницей, писанные химией на листке почтовой бумаги, на которой для проформы было написано чернилами что-то безразличное — счет какой-то. Если бы жандармы догадались нагреть листок, не пришлось бы Владимиру Ильичу ставить за границей общерусскую газету. Но ему «пофартило», и через дней десять его выпустили[1].

Потом он ездил ко мне в Уфу попрощаться. Он рассказывал о том, что ему удалось сделать за это время, рассказывал про людей, с которыми приходилось встречаться. Конечно, по случаю приезда Владимира Ильича был ряд собраний. Помню, как, когда выяснилось, что Леонович, считавший себя народовольцем, не знает даже по названию группы «Освобождение труда». Владимир Ильич вскипел: «Да разве революционер может не знать этого, раз в- он может сознательно

---

[1] В.И. Ленин был в заключении с 21 по 31 мая (с 3 по 13 июня) 1900 г. — *Примеч. ред.*

выбрать партию, с которой будет работать, если не знает, не изучит того, что писала группа «Освобождение труда»».

Кажется, около недели прожил тогда в Уфе Владимир Ильич[1].

Из-за границы он писал мне преимущественно в книжках, отправляемых на адреса различных земцев. В общем дело шло с газетой не так быстро, как этого хотелось Владимиру Ильичу; трудно было столковаться с Плехановым, и письма Владимира Ильича из-за границы были кратки, невеселы, кончались: «расскажу, когда приедешь», «о конфликте с Плехановым подробно записал для тебя»[2].

Еле дождалась я конца ссылки[3], а тут и писем что-то от Владимира Ильича долго не было.

Хотела ехать в Астрахань, к Дяденьке (Л. М. Книпович), да заторопилась.

Заезжали с мамой в Москву к Марии Александровне — матери Владимира Ильича. Она тогда одна в Москве была: Мария Ильинична сидела, Анна Ильинична была за границей.

Марию Александровну я очень любила,— она такая чуткая и внимательная была всегда[4]. Владимир Ильич страшно любил мать. «У ней громадная сила воли,— сказал он мне как-то,— если бы с братом это случилось, когда отец был жив, не знаю, что бы и было».

Свою силу воли Владимир Ильич унаследовал от матери, унаследовал также и ее чуткость, внимание к людям.

Когда жили за границей, я старалась описать ей как можно живее нашу жизнь, чтобы почувствовала она хоть немного близость сына. Когда Владимир Ильич был в ссылке в 1897 г., еще до моего приезда, в газетах было помещено объявление о смерти Марии Александровны Ульяновой, умершей в Москве. Оскар рассказывал: «Пришел к Владимиру Ильичу, а он блед-

---

[1] В.И. Ленин приехал в Уфу 15(28) июня 1900 г. и пробыл там около трех недель. — *Примеч. ред.*

[2] *Ленин В.И.* Как чуть не потухла «Искра»? // Полн. собр. соч. Т. 4. С. 334—352.

[3] Срок ссылки Н.К. Крупской закончился 11(24) марта 1901 г., в воскресенье (неприсутственный день), поэтому заграничный паспорт она получила в понедельник, 12(25) марта. В этот день не было поезда на Москву, и ей с матерью пришлось выехать из Уфы только 13(26) марта. — *Примеч. ред.*

[4] Н.К. Крупская в своей книге «Воспоминания» (М., 1925. С. 43—44 (Б-ка «Прожектор», № 2) пишет: «Потом, когда мы за границей жили, она писала письма, всегда она писала нам письма вместе и никогда Владимиру Ильичу одному. Мелочь это, но столько чуткости было в этой мелочи». — *Примеч. ред.*

ный, как полотно,— говорит: мать у меня умерла». О смерти какой-то другой М.А. Ульяновой оказалось извещение.

Много горя выпало на долю Марии Александровны: казнь старшего сына, смерть дочери Ольги, бесконечные аресты других детей.

Заболел Владимир Ильич в 1895 г.— она тотчас же приезжает и отхаживает его, сама готовит ему пищу; арестуют его — она опять на посту, часами просиживает в полутемной приемной Дома предварительного заключения, ходит на свидания, носит передачи, и только чуть-чуть дрожит у нее голова.

Обещала я ей беречь Владимира Ильича, да не уберегла...

Из Москвы отвезла я свою мать в Питер, устроила ее там, а сама покатила за границу. По-пошехонски ехала. Направилась в Прагу, полагая, что Владимир Ильич живет в Праге под фамилией Модрачек.

Дала телеграмму. Приехала в Прагу — никто не встречает. Подождала-подождала. С большим смущением наняла извозчика в цилиндре, нагрузила на него свои корзины, поехали. Приезжаем в рабочий квартал, узкий переулок, громадный дом, из окон которого во множестве торчат проветривающиеся перины...

Лечу на четвертый этаж. Дверь отворяет беленькая чешка. Я твержу: «Модрачек, герр Модрачек». Выходит рабочий, говорит: «Я — Модрачек». Ошеломленная, я мямлю: «Нет, это мой муж». Модрачек, наконец, догадывается. «Ах, вы, вероятно, жена герра Ритмейера, он живет в Мюнхене, но пересылал вам в Уфу через меня книги и письма». Модрачек провозился со мной целый день, я ему рассказала про русское движение, он мне — про австрийское, жена его показывала мне связанные ею прошивки и кормила чешскими клецками.

Приехав в Мюнхен — ехала я в теплой шубе, а в это время в Мюнхене уж в одних платьях все ходили[1],— наученная опытом, сдала корзины на хранение на вокзале, поехала в трамвае разыскивать Ритмейера. Отыскала дом, квартира № 1 оказалась пивной. Подхожу к стойке, за которой стоял толстенный немец, и робко спрашиваю господина Ритмейера, предчувствуя, что опять что-то не то.

Трактирщик отвечает: «Это — я».

Совершенно убитая, я лепечу: «Нет, это мой муж».

_____

[1] Н.К. Крупская приехала в Мюнхен в середине апреля (н. ст.) 1901 г. — *Примеч. ред.*

И стоим дураками друг против друга. Наконец, приходит жена Ритмейера и, взглянув на меня, догадывается: «Ах, это верно жена герра Мейера, он ждет жену из Сибири. Я провожу».

Иду куда-то за фрау Ритмейер на задний двор большого дома, в какую-то необитаемую квартиру. Отворяется дверь, сидят за столом: Владимир Ильич, Мартов и Анна Ильинична. Забыв поблагодарить хозяйку, я стала ругаться: «Фу, черт, что ж ты не написал, где тебя найти?»

«Как не написал? Я тебя по три раза на день ходил встречать. Откуда ты?» Оказалось потом, что земец, на имя которого была послана книжка с адресом, зачитал книжку.

Немало россиян путешествовали потом в том же стиле: Шляпников заехал в первый раз вместо Женевы в Геную; Бабушкин вместо Лондона чуть не угодил в Америку.

МЮНХЕН

1901—1902 гг.

Хотя и Владимир Ильич, и Мартов, и Потресов поехали за границу по легальным паспортам, но в Мюнхене было решено жить по чужим паспортам, вдали от русской колонии, чтобы не проваливать приезжающих из России работников и легче отправлять нелегальную литературу в Россию в чемоданах, письмах и пр.

Когда я приехала в Мюнхен, Владимир Ильич жил без прописки у этого самого Ритмейера, назывался Мейером. Хотя Ритмейер и был содержателем пивной, но был социал-демократом и укрывал Владимира Ильича в своей квартире. Комнатешка у Владимира Ильича была плохонькая, жил он на холостяцкую ногу, обедал у какой-то немки, которая угощала его Mehlspeise[1]. Утром и вечером пил чай из жестяной кружки, которую сам тщательно мыл и вешал на гвоздь около крана.

Вид у него был озабоченный, все налаживалось не так быстро, как хотелось. В то время в Мюнхене, кроме Владимира Ильича, жили: Мартов, Потресов и Засулич. Плеханову и Аксельроду хотелось, чтобы газета выходила где-нибудь в Швейцарии, под их непосредственным руководством. Они, в первое время и Засулич, не придавали особого значения «Искре», совершенно недооценивали той организующей роли, которую она могла сыграть и сыграла; их гораздо больше интересовала «Заря».

«Глупая ваша «Искра»,— говорила вначале шутя Вера Ивановна. Это, конечно, была шутка, но в ней сквозила известная недооценка всего предприятия. Владимир Ильич думал, что надо, чтобы «Искра» была в стороне от эмигрантского центра, чтобы она была законспирирована, что имело громадное значение для сношений с Россией, для переписки, для приездов. Старики готовы были видеть в этом нежелании перенести газету в Швейцарию нежелание руководства, желание вести какую-то свою линию и не торопились особенно помогать. Владимир Ильич это чувствовал и нервничал. К группе «Осво-

---

[1] Мучными блюдами. — *Примеч. ред.*

бождение труда» у него было совсем особенное чувство. Я не говорю уже про Плеханова, он относился влюбленно и к Аксельроду и к Засулич. «Вот ты увидишь Веру Ивановну,— сказал мне Владимир Ильич в первый вечер моего приезда в Мюнхен,— это кристально-чистый человек». Да, это была правда.

Вера Ивановна одна из группы «Освобождение труда» стала близко к «Искре». Она жила вместе с нами в Мюнхене и в Лондоне, жила жизнью редакции «Искры», ее радостями и горестями, жила вестями из России.

«А «Искра»-то важная становится»,— шутила она по мере того, как росло и ширилось влияние «Искры». Вера Ивановна рассказывала не раз про долгие холодные годы эмиграции.

Мы никогда такой эмиграции, как группа «Освобождение труда», не знавали — у нас все время были самые тесные связи с Россией, постоянно к нам приезжали оттуда люди. Мы жили в эмиграции в гораздо лучших условиях по части осведомленности, чем в каком-либо другом губернском городе, жили исключительно интересами русской работы, дело в России шло на подъем, рабочее движение росло. Группа «Освобождение труда» жила от России оторванно, жила за границей в годы глухой реакции — заезжий из России студент был уже целым событием, но заезжать опасались: когда к ним в начале 90-х годов заехали Классон и Коробко, их тотчас же по возвращении вызвали в жандармское, спрашивали, зачем ездили к Плеханову. Слежка была организована образцово.

Из всех членов группы «Освобождение труда» Вера Ивановна чувствовала себя наиболее одиноко. У Плеханова и Аксельрода была все же семья. Вера Ивановна говорила не раз о своем одиночестве: «Близких никого нет у меня», и тотчас старалась прикрывать горечь своих переживаний шуточкой: «Ну вот, вы меня любите, я шаю, а когда умру, разве что одной чашкой чаю меньше выпьете».

Потребность же в семье у ней была громадная — может быть, потому, что выросла она в чужой семье, была на положении «воспитанницы». Надо было только видеть, как любовно она возилась с беленьким малышом, сынишкой Димки (сестры П.Г. Смидовича). Даже хозяйственность Вера Ивановна проявляла, заботливо покупала провизию в те дни, когда была ее очередь варить обед в коммуне (в Лондоне Вера Ивановна, Мартов и Алексеев жили коммуной). Впрочем, мало кто догадывался о семейственных и хозяйственных склонностях Веры Ивановны. Жила она по-нигилистячему — одевалась небрежно, курила без конца, в комнате ее царил невероятный беспорядок, убирать свою комнату она никому не разрешала. Кормилась довольно фантастически. Помню, как она раз жарила себе мясо на керосинке, отстригала от него кусочки ножницами и ела.

«Когда я жила в Англии,— рассказывала она,— выдумали меня английские дамы разговорами занимать: "Вы сколько времени мясо жарите?" "Как придется,— отвечаю,— если есть хочется, минут десять жарю, а не хочется есть — часа три". Ну, они и отстали».

Когда Вера Ивановна писала, она запиралась в своей комнате и питалась одним крепким черным кофе.

По России Вера Ивановна тосковала страшно. Кажется, в 1899 г.[1] она ездила нелегально в Россию — не на работу, а так, «хоть мужика посмотреть, какой у него нос стал». И вот, когда стала выходить «Искра», она почувствовала, что это кусок русской работы, она судорожно за нее держалась. Для нее уйти из «Искры» — значило опять оторваться от России, опять начать тонуть в мертвой, тянущей ко дну эмигрантщине.

Вот почему, когда на II съезде встал вопрос о редакции «Искры», она возмутилась. Для нее это был не вопрос самолюбия, это был вопрос жизни и смерти.

В 1905 г. она поехала в Россию и там осталась.

На II съезде Вера Ивановна в первый раз в жизни пошла против Плеханова. С Плехановым ее соединяли долгие годы совместной борьбы, она видела, какую громадную роль он играл в деле направления революционного движения в правильное русло, ценила его как основоположника русской социал-демократии, ценила его ум, блестящий талант. Самое незначительное несогласие с Плехановым страшно волновало ее, но в данном случае она не пошла с Плехановым.

Судьба Плеханова трагична. В области теории его заслуги перед рабочим движением чрезвычайно велики. Но годы эмиграции не прошли для него даром: они оторвали его от русской действительности. Широкое массовое рабочее движение возникло в то время, когда он уже был за границей. Он видел представителей различных партий, писателей, студентов, даже отдельных рабочих, но русской рабочей массы он не видел, с ней не работал, ее не чувствовал. Бывало, придет какая-нибудь корреспонденция из России, которая поднимает завесу над новыми формами движения, заставляет почувствовать перспективы движения, Владимир Ильич, Мартов и даже Вера Ивановна читают и перечитывают ее; Владимир Ильич потом долго шагает по комнате, вечером не может за-

---

[1] См. настоящий том. С. 16. Примечание. — *Примеч. ред.*

снуть. Когда мы переехали в Женеву, я пробовала показывать Плеханову корреспонденции и письма, и удивляло меня, как он на них реагировал: точно почву он под ногами терял, недоверие у него какое-то появлялось на лице, никогда не говорил он потом об этих письмах и корреспонденциях.

Особенно недоверчиво стал он относиться к письмам из России после II съезда.

Меня это вначале даже обижало как-то, а потом стала думать, что это вот отчего: давно он уже уехал из России, и не было у него того мерила, вырабатываемого опытом, которое дает возможность определить удельный вес каждой корреспонденции, читать многое между строк.

Приезжали часто в «Искру» рабочие, каждый, конечно, хотел повидать Плеханова. Попасть к Плеханову было гораздо труднее, чем к нам или Мартову, но даже если рабочий попадал к Плеханову, он уходил от него со смешанным чувством. Его поражали блестящий ум Плеханова, его знания, его остроумие, но как-то оказывалось, что, уходя от Плеханова, рабочий чувствовал лишь громадное расстояние между собой и этим блестящим теоретиком, но о своем заветном, о том, о чем он хотел рассказать, с ним посоветоваться, он так и не смог поговорить.

А если рабочий не соглашался с Плехановым, пробовал изложить свое мнение,— Плеханов начинал раздражаться: «Еще ваши папеньки и маменьки под столом ходили, когда я...»

Вероятно, в первые годы эмиграции это не так было, но к началу 900-х годов Плеханов потерял уже непоредственное ощущение России. В 1905 году он в Россию не ездил.

Павел Борисыч Аксельрод в гораздо большей степени, чем Плеханов и Засулич, был организатором. Он больше всех общался с приезжими, у него они больше всего проводили время, там их поили, кормили. Павел Борисыч подробно их обо всем расспрашивал.

Он вел переписку с Россией, знал конспиративные способы сношений. Ну, как мог себя чувствовать в долгие годы эмиграции в Швейцарии русский организатор-революционер, можно себе представить! Павел Борисыч на три четверти потерял работоспособность, он не спал ночей напролет, писал с чрезвычайным напряжением, месяцами будучи не в состоянии окончить начатой статьи, почерк его было почти невозможно разобрать: так нервно он писал.

Почерк Аксельрода производил на Владимира Ильича всегда сильное впечатление. «Вот дойдешь до такого состояния, как Аксельрод,— не раз говорил Владимир Ильич,— ведь это просто ужас один». О почерке Аксельрода он не раз говорил с доктором Крамером, который лечил его во время его последней болезни. Когда Владимир Ильич первый раз ездил за границу, в 1895 г.,— об организационных вопросах он больше всего толковал с Аксельродом. Об Аксельроде он много рассказывал мне, когда я приехала в Мюнхен. О том, что делает теперь Аксельрод, он спрашивал меня, указывая на фамилию Аксельрода в газете, тогда, когда сам уже не только не мог писать, но и сказать ни слова.

П. Б. Аксельрод особенно болезненно относился к тому, что «Искра» издается не в Швейцарии и что поток сношений с Россией идет не через него. Потому так бешено отнесся он к вопросу о тройке на II съезде. «Искра» будет организационным центром, а он отстраняется от редакции! И это тогда, когда на II съезде больше, чем когда-либо, почувствовалось дыхание России.

Когда я приехала в Мюнхен, из группы «Освобождение труда» там жила только Засулич под чужим именем — по какому-то болгарскому паспорту, звалась Великой Дмитриевной.

По болгарским паспортам должны были жить и все остальные. До моего приезда Владимир Ильич жил просто без паспорта. Когда я приехала, взяли паспорт какого-то болгарина, доктора Иорданова, вписали туда ему жену Марицу и поселились в комнате, нанятой по объявлению, в рабочей семье. До меня секретарем «Искры» была Инна Гермогеновна Смидович-Леман, также жившая по болгарскому паспорту и звавшаяся Димкой. Владимир Ильич, когда я приехала, рассказал, что он провел, что секретарем «Искры» буду я, когда приеду. Это, конечно, означало, что связи с Россией будут вестись все под самым тесным контролем Владимира Ильича. Мартов и Потресов тогда ничего не имели против этого, а группа «Освобождение труда» не имела своего кандидата, да и не придавала в то время «Искре» особого значения. Владимир Ильич рассказывал, что ему это было не очень ловко делать, но он считал, что для дела это необходимо. Работы сейчас же навалилось масса. Дело было организовано так: письма из России посылались на различные города Германии по адресам немецких товарищей, а те все пересылали на адрес доктора Лемана, который все уже пересылал нам.

Незадолго перед тем вышла целая история. В России для брошюр удалось, наконец, наладить в Кишиневе типографию, и заведующий типографией Аким (брат Либера — Леон Гольдман) выслал на адрес Лемана подушку с зашитыми в середину экземплярами вышедшей в России брошюры. Удивленный

Леман в недоумении отказался на почте от подушки, но, когда наши это узнали и забили тревогу, подушку он получил и сказал, что теперь будет принимать все, что на его имя придет, хоть целый поезд.

Транспорта для перевозки «Искры» в Россию еще не было. «Искра» перевозилась главным образом в чемоданах с двойным дном с разными попутчиками, которые отвозили в Россию эти чемоданы в условленное место, на явки.

Была такая явка в Пскове у Лепешинских, была в Киеве, еще где-то. Русские товарищи, вынув литературу из чемодана, передавали ее организации. Транспорт только что налаживался через латышей Ролау и Скубика.

На все это тратилось немало времени. Его также уходило много на всякие переговоры, из которых потом ничего не выходило.

Помню, как с неделю, кажется, ушло на переговоры с каким-то типом, который хотел завязывать связи с контрабандистами, путешествуя по границе с фотографическим аппаратом, каковой мы должны были ему купить.

Была переписка с агентами «Искры» в Берлине, Париже, Швейцарии, Бельгии. Они помогали, чем могли, отыскивая соглашающихся брать чемоданы, добывая деньги, связи, адреса и т. д.

В октябре 1901 г. образовалась из сочувствующих групп так называемая Заграничная лига русской революционной социал-демократии[1].

Связи с Россией очень быстро росли. Одним из самых активных корреспондентов «Искры» был питерский рабочий Бабушкин[2], с которым Владимир Ильич виделся перед отъездом из России и сговорился о корреспондировании. Он присылал массу корреспонденции из Орехово-Зуева, Владимира, Гусь-Хрустального, Иваново-Вознесенска, Кохмы, Кинешмы.

---

[1] Заграничная лига русской революционной социал-демократии была основана по инициативе В.И. Ленина и являлась заграничным отделом организации «Искра». Она вербовала сторонников «Искры» из числа русских социал-демократов за границей, материально поддерживала ее, организовывала доставку газеты в Россию и издавала популярную марксистскую литературу.

II съезд РСДРП утвердил Лигу в качестве единственной заграничной партийной организации, имеющей уставные права комитета, и обязал ее работать под руководством и контролем ЦК РСДРП.

После II съезда в Заграничной лиге укрепились меньшевики и повели борьбу против Ленина, против большевиков. С октября 1903 г. Лига стала оплотом меньшевизма; существовала до 1905 г. — *Примеч. ред.*

[2] Встреча В.И. Ленина с И.В. Бабушкиным состоялась 13(26) июля 1900 г. в Смоленске. — *Примеч. ред.*

Он постоянно объезжал эти места и укреплял связи с ними. Писали из Питера, Москвы, с Урала, с Юга. Вели переписку с «Северным союзом»[1]. Скоро приехал из Иваново-Вознесенска представитель «Союза», Носков. Более российский тип трудно было себе представить. Голубоглазое блондинистое лицо, немного сутулый, он говорил на «о». Приехал он за границу с узелком договориться обо всем. Его дядюшка, мелкий фабрикант в Иваново-Вознесенске, дал ему денег на поездку за границу, чтобы только избавиться от беспокойного племянника, которого то забирали в каталажку, то обыскивали. Борис Николаевич (от природы он назывался Владимиром Александровичем, а это была его кличка) был хорошим практиком. Я его встречала еще в Уфе, когда он заезжал туда проездом в Екатеринбург. За границу он приехал за связями. Собирание связей было его профессией. Помню, как он, усевшись на плиту в нашей узенькой мюнхенской кухне, с блестящими глазами рассказывал нам о работе «Северного союза». Рассказывая, страшно увлекался. Владимир Ильич своими вопросами только подливал масла в огонь. Борис — пока жил за границей — завел тетрадь, куда тщательно записывал все связи: где кто живет, что делает, чем может быть полезен. Потом оставил нам эти связи. Это был своеобразный поэт-организатор. Впрочем, он слишком идеализировал людей и работу, и не было у него умения бесстрашно смотреть действительности в глаза. После II съезда он был примиренцем, а потом как-то сошел с политической сцены. В годы реакции он умер.

Приезжали в Мюнхен и другие, еще до моего приезда был в Мюнхене Струве. С ним дело в это время шло уже на разрыв. Он переходил в это время из стана социал-демократии в стан либералов. В последний приезд с ним было резкое столкновение. Вера Ивановна подшила ему прозвище «подкованный теленок». Владимир Ильич и Плеханов ставили над ним крест. Вера Ивановна считала, что он еще не безнадежен. Ее и Потресова звали в шутку «Struve — freundliche Partei»[2].

Приезжал Струве второй раз, когда я уже была в Мюнхене. Владимир Ильич отказался его видеть. Я ходила видеться

---

[1] «Северный союз РСДРП» или «Северный рабочий союз» — областное объединение социал-демократических организаций Владимирской, Ярославской и Костромской губерний. Возник в 1900—1901 гг. по инициативе высланных из Ярославля и Иваново-Вознесенска О.А. Варенцовой и В.А. Носкова.

С первых дней своего существования «Северный союз» был связан с «Искрой» и разделял ее политическую линию и организационный план. Весной 1902 г. «Союз» был разгромлен охранкой, но вскоре восстановлен. — *Примеч. ред.*

[2] «Дружественная Струве партия». — *Примеч. ред.*

со Струве на квартиру Веры Ивановны. Свидание было очень тяжелое. Струве был страшно обижен. Пахнуло какой-то тяжелой достоевщиной. Он говорил о том, что его считают ренегатом и еще что-то в том же роде, издевался над собой. Сейчас я уж не помню того, что он говорил, помню только то тяжелое чувство, с каким я шла с этого свидания. Было ясно, это — чужой, враждебный партии человек. Владимир Ильич был прав. Потом с кем-то, не помню уже с кем, жена Струве Нина Александровна прислала привет и коробку мармелада. Она была бессильна, да и вряд ли понимала, куда повертывает Петр Бёрнгардович. Он-то понимал.

Поселились мы после моего приезда в рабочей немецкой семье. У них была большая семья — человек шесть. Все они жили в кухне и маленькой комнатешке. Но чистота была страшная, детишки ходили чистенькие, вежливые. Я решила, что надо перевести Владимира Ильича на домашнюю кормежку, завела стряпню. Готовила на хозяйской кухне, но приготовлять надо было все у себя в комнате. Старалась как можно меньше греметь, так как Владимир Ильич в это время начал уже писать «Что делать?». Когда он писал, он ходил обычно быстро из угла в угол и шепотом говорил то, что собирался писать. Я уже приспособилась к этому времени к его манере работать. Когда он писал, ни о чем уж с ним не говорила, ни о чем не спрашивала. Потом, на прогулке, он рассказывал, что он пишет, о чем думает. Это стало для него такой же потребностью, как шепотом проговорить себе статью, прежде чем ее написать. Бродили мы по окрестностям Мюнхена весьма усердно, выбирая места подичее, где меньше народа.

Через месяц перебрались на собственную квартиру в предместье Мюнхена Швабинг[1], в один из многочисленных только что отстроенных больших домов, завели «обстановочку» (при отъезде продали ее всю за 12 марок) и зажили по-своему.

В начале первого — после обеда — приходил Мартов, подходили и другие, шло так называемое заседание редакции. Мартов говорил не переставая, причем постоянно перескакивал с одной темы на другую. Он массу читал, откуда-то узнавал всегда целую кучу новостей, знал всех и вся. «Мартов — типичный журналист,— говорил про него не раз Владимир Ильич,— он чрезвычайно талантлив, все как-то хватает на лету, страшно впечатлен, но ко всему легко относится». Для «Искры» Мартов был прямо незаменим. Владимир Иль-

---

[1] Переезд в Швабинг состоялся 5(18) мая 1903 г. — *Примеч. ред.*

ич страшно уставал от этих ежедневных 5—6-часовых разговоров, делался от чих совершенно болен, неработоспособен. Раз он попросил меня сходить к Мартову и попросить его не ходить к нам. Условились, что я буду ходить к Мартову, рассказывать ему о получаемых письмах, договариваться с ним. Из этого, однако, ничего не вышло, через два дня дело пошло по-старому. Мартов не мог жить без этих разговоров. После нас он шел с Верой Ивановной, Димкой, Блюменфельдом[1] в кафе, где они просиживали целыми часами.

Потом приехал Дан с женой и детьми. Мартов стал проводить у них целые дни.

В октябре мы ездили из Мюнхена в Цюрих объединяться с «Рабочим делом»[2]. Объединения никакого не вышло. Акимов, Кричев-ский и другие договорились до белых слонов. Мартов страшно горячился, выступая против рабочедельцев, даже галстук с себя сорвал, я первый раз видела его таким. Плеханов блистал остроумием. Составили резолюцию о невозможности объединения. Деревянным голосом прочел ее на конференции Дан. «Папский нунций»,— бросили ему противники.

Этот раскол пережит был совсем безболезненно. Мартов, Ленин не работали вместе с «Рабочим делом», в сущности, разрыва не было, потому что не было совместной работы. Плеханов же был в отличном настроении, ибо противник, с которым ему приходилось так много бороться, был положен на обе лопатки. Плеханов был весел и разговорчив.

Жили мы в одном отеле, кормились вместе, и время прошло как-то особенно хорошо.

Только иногда чуть, капельку, проскальзывала разница в подходах к некоторым вопросам.

Запомнился один разговор. В кафе, в котором мы сидели, рядом с нашей комнатой был гимнастический зал, как раз там шло упражнение в фехтовании. Рабочие, вооруженные щитами, сражались, скрещивая картонные мечи. Плеханов посмеялся: «Вот и мы в будущем строе будем так сражаться». Когда

[1 8] Блюме́нфельд набирал «Искру» сначала в Лейпциге, потом в Мюнхене в немецких социал-демократических типографиях. Он был отличным наборщиком и хорошим товарищем. К делу относился горячо. Он очень любил Веру Ивановну, всегда очень заботился о ней. С Плехановым он не ладил. Это был товарищ, на которого можно было вполне положиться. За что возьмется — сделает. — *Н.К.*

[2 9] Речь идет о поездке на «Объединительный» съезд заграничных организаций РСДРП, куда В.И. Ленин и Н.К. Крупская выехали между 16 и 19 сентября (29 сентября и 2 октября) и вернулись позднее 22 сентября (5 октября) 1901 г. — *Примеч. ред.*

мы возвращались домой, я шла с Аксельродом,— он продолжал развивать тему, задетую Плехановым: «В будущем строе будет смертельная скука, никакой борьбы не будет».

В то время я еще была до дикости застенчива и ничего не сказала, но, помню, подивилась таким рассуждениям.

Вернувшись из Цюриха, Владимир Ильич засел за окончание «Что делать?». После меньшевики яростно нападали на «Что делать?», но в то время оно всех захватило, особенно тех, кто ближе стоял к русской работе. Вся брошюра была страстным призывом к организации, она набрасывала широкий план организации, в которой каждый мог найти себе место, мог сделаться винтиком революционной машины, винтиком, без которого не может пойти работа, как бы мал он ни был. Брошюра звала к упорной, неустанной работе над созданием того фундамента, который надо было создать для того, чтобы при тогдашних русских условиях могла существовать партия не на словах, а на деле. Нельзя социал-демократу бояться долгой работы, надо работать, работать не покладая рук, быть всегда готовым «...на все, начиная от спасенья чести, престижа и преемственности партии в момент наибольшего революционного «угнетения» и кончая подготовкой, назначением и проведением всенародного вооруженного восстания»[1],— писал Владимир Ильич в «Что делать?».

Двадцать два года прошло с тех пор, как написана эта брошюра, и каких двадцать два года,— в корне изменились все условия работы партии, совсем новые задачи стоят перед рабочим движением, а и сейчас захватывает революционный пафос этой брошюры, и сейчас надо изучать эту брошюру тому, кто хочет не на словах, а на деле быть ленинцем.

Если «Друзья народа» имели громадное значение для определения пути, по которому должно идти революционное движение, то «Что делать?» определяло план широкой революционной работы, указывало определенное дело.

Ясно было, что съезд партии еще преждевременен, что нет еще предпосылок для того, чтобы он не повис в воздухе, как повис I съезд, что нужна длительная подготовительная работа. Поэтому никто не отнесся серьезно к попытке созыва Бундом съезда в Белостоке. От «Искры» поехал туда Дан, захватив чемодан, между стенками которого было набито «Что делать?». Белостокс кий съезд превратился в конференцию.

Владимира Ильича особенно интересовало отношение к «Что делать?» рабочих. Так, 16 июля 1902 г. он пишет Ивану

_____
[1] *Ленин В.И.* Полн. собр. соч. Т. 6. С. 177.

Ивановичу Радченко: «Уж очень обрадовало Ваше сообщение о беседе с рабочими. Нам до последней степени редко приходится получать такие письма, которые действительно придают массу бодрости. Передайте это непременно Вашим рабочим и передайте им нашу просьбу, чтобы они и сами писали нам не только для печати, а и так, для обмена мыслей, чтобы не терять связи друг с другом и взаимного понимания. Меня лично особенно интересует при этом, как отнесутся рабочие к «Что делать?», ибо отзывов рабочих я еще не получал»[1].

«Искра» работала вовсю. Ее влияние росло. Готовилась к съезду Программа партии. Для обсуждения ее приехали в Мюнхен Плеханов и Аксельрод. Плеханов нападал на некоторые места наброска Программы, сделанного Лениным. Вера Ивановна не во всем была согласна с Лениным, но не была согласна до конца и с Плехановым. Аксельрод соглашался тоже кое в чем с Лениным. Заседание было тяжелое. Вера Ивановна хотела возражать Плеханову, но тот принял неприступный вид и, скрестив руки, так глядел на нее, что Вера Ивановна совсем запуталась. Дело дошло до голосования. Перед голосованием Аксельрод, соглашавшийся в данном вопросе с Лениным, заявил, что у него разболелась голова, и он хочет прогуляться.

Владимир Ильич ужасно волновался. Так нельзя работать. Какое же это деловое обсуждение?

Необходимость построить работу на деловых основах, так, чтобы не привносился в нее личный элемент, чтобы капризы, исторически сложившиеся личные отношения не влияли на решение,— встала во весь рост.

Владимир Ильич крайне болезненно относился ко всякой размолвке с Плехановым, не спал ночи, нервничал. А Плеханов сердился, дулся.

Прочитав статью Владимира Ильича к четвертому номеру «Зари», Плеханов вернул ее Вере Ивановне с примечаниями на полях, вылив в них всю свою досаду. Владимир Ильич, увидав их, совершенно выбился из колеи, заметался.

К этому времени выяснилось, что печатать «Искру» в Мюнхене далее невозможно, владелец типографии не хотел рисковать. Надо было выбираться. Куда? Плеханов и Аксельрод стояли за Швейцарию, остальные — понюхав атмосферы, развернувшейся на заседании при обсуждении Программы,— голосовали за Лондон.

Мама поехала на лето в Россию, а мы стали собираться.

---

[1] Там же. Т. 46. С. 201.

Этот мюнхенский период вспоминался нам после как какой-то светлый период. Последующие годы эмиграции переживались куда тяжелее. В мюнхенский период не было еще такой глубокой трещины в личных отношениях между Владимиром Ильичем, Мартовым, Потресовым и Засулич. Все силы сосредоточивались на одной цели — создании общерусской газеты, интенсивно шло собирание сил около «Искры». Ощущение роста организации, осознание того, что путь к созданию партии намечен правильно, было у всех.

Поэтому можно было не внешне, а от всей души веселиться на карнавале, возможно было то исключительное жизнерадостное настроение, которое было всеобщим при поездке в Цюрих, и т. д.

Местная жизнь не привлекала нашего особенного внимания. Мы наблюдали ее со стороны. Бывали иногда на собраниях, но в общем они были мало интересны. Помню празднование 1 Мая. В том году в первый раз немецкой социал-демократии разрешено было устроить шествие, но с тем, чтобы не скопляться в городе, а устроить празднество за городом.

И вот довольно большие колонны немецких социал-демократов, с женами и детьми и редьками в карманах, молча, очень быстрым шагом прошли по городу — пить пиво в загородном ресторане. Никаких флагов, плакатов не было. Этот Maifeier [1] не напоминал совершенно демонстрации во имя торжества рабочего класса во всем мире.

В загородный ресторан, куда направилась процессия, мы не пошли, отстали от демонстрации, а пошли по привычке бродить по улицам Мюнхена, чтобы заглушить чувство разочарования, которое невольно закралось в душу: хотелось принять участие в боевой демонстрации, а не в демонстрации с разрешения полиции.

Так как мы соблюдали сугубую конспирацию, то совершенно не виделись с немецкими товарищами. Встречались только с Парвусом, жившим неподалеку от нас, в Швабинге, с женой и сынишкой. Однажды приезжала к нему Роза Люксембург, и Владимир Ильич ходил тогда повидаться с ней[2]. Тогда Парвус, занимая очень левую позицию, сотрудничал в «Искре», интересовался русскими делами.

В Лондон мы ехали через Льеж[3]. В то время там жил Николай Леонидович Мещеряков с женой — мои старые прияте-

[1] Майский праздник. — *Примеч. ред.*

[2] В.И. Ленин встречался с Р. Люксембург в мае 1901 г. — *Примеч. ред.*

[3] В.И. Ленин и Н.К. Крупская выехали из Мюнхена в Лондон 30 марта (12 апреля) 1902 г. — *Примеч. ред.*

ли по воскресной школе. В те времена, когда я его знала, он был еще народовольцем, но он первый ввел меня в нелегальную работу, первый обучал правилам конспирации и помог мне сделаться социал-демократкой, усердно снабжая меня заграничными изданиями группы «Освобождение труда».

Теперь он был социал-демократом, давно уже жил в Бельгии, прекрасно знал местное движение, и мы решили по дороге заехать к ним.

В это время в Льеже как раз было громадное возбуждение. За несколько дней перед тем войска стреляли в бастовавших рабочих. Заметно было, как волнуются рабочие кварталы, по лицам рабочих, по кучкам стоявших людей. Ходили мы смотреть Народный дом. Он стоит в очень неудобном месте, толпу легко запереть на площади перед домом, как в ловушке. Рабочие тянулись к Народному дому. И вот, чтобы предупредить скопление там народа, партийные верхи назначили собрания по всем рабочим кварталам. И мелькало недоверие к бельгийским вождям социал-демократии. Получилось какое-то разделение труда: одни стреляют в толпу, другие ищут предлога ее успокоить...

ЖИЗНЬ В ЛОНДОНЕ

1902—1903 гг.

В Лондон мы приехали в апреле 1902 г.

Лондон поразил нас своей грандиозностью. И хоть была в день нашего приезда невероятная мразь, но у Владимира Ильича лицо сразу оживилось, и он с любопытством стал вглядываться в эту твердыню капитализма, забыв на время и Плеханова и конфликты в редакции.

На вокзале нас встретил Николай Александрович Алексеев — товарищ, живший в Лондоне в эмиграции и прекрасно изучивший английский язык. Он был вначале нашим поводырем, так как мы оказались в довольно-таки беспомощном состоянии. Думали, что знаем английский язык, так как в Сибири перевели даже с английского на русский целую толстенную книгу — Веббов. Я английский язык в тюрьме учила по самоучителю, никогда ни одного живого английского слова не слыхала. Стали мы в Шушенском Вебба переводить — Владимир Ильич пришел в ужас от моего произношения: «У сестры была учительница, так она не так произносила». Я спорить не стала, переучилась. Когда приехали в Лондон, оказалось — ни мы ни черта не понимаем, ни нас никто не понимает. Попадали мы вначале в прекомичные положения. Владимира Ильича это забавляло, но в то же время задевало за живое. Он принялся усердно изучать язык. Стали мы ходить по всяческим собраниям, забираясь в первые ряды и внимательно глядя в рот оратору. Ходили мы вначале довольно часто в Гайд-парк. Там выступают ораторы перед прохожими,— кто о чем. Стоит атеист и доказывает кучке любопытных, что бога нет,— мы особенно охотно слушали одного такого оратора, он говорил с ирландским произношением, нам более понятным. Рядом офицер из «Армии спасения» выкрикивает истерично слова обращения к всемогущему богу, а немного поодаль приказчик рассказывает про каторжную жизнь приказчиков больших магазинов... Слушание английской речи давало многое. Потом Владимир Ильич раздобыл через объявления двух англичан, желавших брать обменные уроки, и усердно занимался с ними. Изучил он язык довольно хорошо.

Изучал Владимир Ильич и Лондон. Он не ходил смотреть лондонские музеи — я не говорю про Британский музей, где он проводил половину времени, но там его привлекал не музей, а богатейшая в мире библиотека, те удобства, с которыми можно было там научно работать. Я говорю про обычные музеи. В музее древности через 10 минут Владимир Ильич начинал испытывать необычайную усталость, и мы обычно очень быстро выметались из зал, увешанных рыцарскими доспехами, бесконечных помещений уставленных египетскими и другими древними вазами. Я помню один только музейчик, из которого Ильич никак не мог уйти,— это музей революции 1848 г. в Париже, помещавшийся в одной комнатушке,— кажется, на rue des Cordilieres,— где он осмотрел каждую вещичку, каждый рисунок.

Ильич изучал живой Лондон. Он любил забираться на верх омнибуса и подолгу ездить по городу. Ему нравилось движение этого громадного торгового города. Тихие скверы с парадными особняками, с зеркальными окнами, все увитые зеленью, где ездят только вылощенные кэбы, и ютящиеся рядом грязные переулки, населенные лондонским рабочим людом, где посередине развешано белье, а на крыльце играют бледные дети, оставались в стороне. Туда мы забирались пешком, и, наблюдая эти кричащие контрасты богатства и нищеты, Ильич сквозь зубы повторял: «Two nations!» («Две нации!»), Но и с омнибуса можно было наблюдать тоже немало характерных сцен. Около баров (распивочных) стояли опухшие, ободранные люмпены, среди них нередко можно было видеть какую-нибудь пьяную женщину с подбитым глазом, в бархатном платье со шлейфом, с вырванным рукавом и т. п. С омнибуса мы видели однажды, как могучий боби (полицейский), в своей характерной каске с подвязанным подбородком, железной рукой толкал перед собой тщедушного мальчишку, очевидно, пойманного воришку, и целая толпа шла следом с гиком и свистом. Часть ехавшей на омнибусе публики повскакала с мест и также стала гикать на воришку. «Н-д-а-а»,— мычал Владимир Ильич. Раза два мы ездили на верху омнибуса вечером в дни получки в рабочие кварталы. Вдоль тротуара широкой улицы (Road — дороги) стоит бесконечный ряд лотков, освещенных каждый горящим факелом,— тротуары залиты толпой рабочих и работниц, шумной толпой, покупающей всякую всячину и тут же утоляющей свой голод. Владимира Ильича всегда тянуло в рабочую толпу. Он шел всюду, где была эта толпа,— на прогулку, где усталые рабочие, выбравшись за город, часами валялись на траве, в бар, в читалку. В Лондоне много читалок — одна комната, куда входят прямо с улицы, где нет даже никакого сиденья, а лишь стойки для чтения и прикрепленные к палкам газеты; входящий берет газету и по прочтении вешает ее на место. Такие читалки хотел потом Ильич завести повсюду и у нас. Шел в народный ресторанчик, в церковь. В Англии в церквах после богослужения бывает обычно какой-нибудь коротенький доклад и потом дискуссия. Эти-то дискуссии, где выступали рядовые рабочие, особенно любил слушать Ильич. В газетах он отыскивал объявления о рабочих собраниях в глухих кварталах, где не было парада, не было лидеров, а были рабочие от станка, как теперь говорят. Собрание посвящалось обычно обсуждению какого-нибудь вопроса, проекта, например, городов-садов. Внимательно слушал Ильич и потом радостно говорил: «Из них социализм так и прет! Докладчик пошлости разводит, а выступит рабочий,— сразу быка за рога берет, самую суть капиталистического строя вскрывает». На рядового английского рабочего, сохранившего, несмотря ни на что, свой классовый инстинкт, и надеялся всегда Ильич. Приезжие обычно видят лишь развращенную буржуазией обуржуазившуюся рабочую аристократию. Ильич изучал, конечно, и эту верхушку, конкретные формы, в которые выливается это влияние буржуазии, ни на минуту не забывал значение этого факта, но старался нащупать и движущие силы будущей революции в Англии.

По каким только собраниям мы не шатались! Раз забрели в социал-демократическую церковь. В Англии есть такие. Ответственный социал-демократический работник читал в нос библию, а потом говорил проповедь на тему, что исход евреев из Египта — это прообраз исхода рабочих из царства капитализма в царство социализма. Все вставали и по социал-демократическим молитвенникам пели: «Выведи нас, господи, из царства капитализма в царство социализма». Потом мы еще раз ходили в эту церковь «Семи сестер» на собеседование с молодежью. Юноша читал доклад о муниципальном социализме, доказывая, что никакая революция не нужна, а социал-демократ, выступавший при нашем первом посещении церкви «Семи сестер» в роли попа, заявлял, что он уже 12 лет состоит в партии и 12 лет борется с оппортунизмом, а муниципальный социализм — это чистой воды оппортунизм.

Английских социалистов в домашнем быту мы знаем мало. Англичане — народ замкнутый. На русскую эмигрантскую богему они смотрели с наивным удивлением. Помню, как меня допрашивал один английский социал-демократ, с которым мы встретились раз у Тахтаревых: «Неужели вы сидели в тюрьме? Если бы мою жену посадили в тюрьму, я не знаю, что бы сделал! Мою жену!» Всепоглощающее засилье мещанства мы могли наблюдать в семье нашей квартирной хозяйки — рабочей семье, а также на англичанах, давших нам обменные уроки. Тут мы всласть изучили всю бездонную пошлость английского мещанского быта. Один из ходивших к нам на урок англичан, заведовавший крупным книжным складом, утверждал, что он считает, что социализм — теория, наиболее правильно оценивающая вещи. «Я убежденный социалист,— говорил он,— я даже одно время стал выступать как социалист. Тогда мой хозяин вызвал меня и сказал, что ему социалисты не нужны, и если я хочу остаться у него на службе, то должен держать язык за зубами. Я подумал: социализм придет неизбежно, независимо от того, буду я выступать или нет, а у меня жена и дети. Теперь я уже никому не говорю, что я социалист, но вам-то я могу это сказать».

Этот мистер Раймонд объехавший чуть не всю Европу, живший в Австралии, еще где-то, проведший в Лондоне долгие годы, и половины того не видал, что успел наглядеть в Лондоне Владимир Ильич за год своего пребывания там. Ильич затащил его однажды в Уайтчепль на какой-то митинг. Мистер Раймонд, как и громадное большинство англичан, никогда не бывал в этой части города, населенной русскими, евреями и живущей своей непохожей на жизнь остального города жизнью, и всему удивлялся[1].

По нашему обыкновению мы шатались и по окрестностям города. Чаще всего ездили на так называемый Prime Rose Hill. Это был самый дешевый конец — вся прогулка обходилась шесть пенсов. С холма виден был чуть не весь Лондон — задымленная громада. Отсюда пешком уходили уже подальше на лоно природы — в глубь парков и зеленых дорог. Любили мы ездить на Prime Rose Hill и потому, что там близко было кладбище, где похоронен Маркс. Туда ходили.

В Лондоне мы встретились с членом нашей питерской группы — Аполлинариеи Александровной Якубовой. В питерские времена она была очень активным работником, ее очень все ценили и любили, а я была еще связана с ней совместной работой в вечерне-воскресной школе за Невской заставой и общей дружбой с Лидией Михайловной Книпович. После ссылки, откуда она бежала, Аполлинария вышла замуж за Тах-

---

[1] Кроме мистера Раймонда (Реймента), В.И. Ленин занимался с конторским служащим Вильямсом и рабочим Йонгом. — *Примеч. ред.*

тарева, бывшего редактора «Рабочей мысли». Они жили теперь в эмиграции, в Лондоне, в стороне от работы. Аполлинария очень обрадовалась нашему приезду. Тахтаревы взяли нас под свою опеку, помогли нам устроиться дешево и сравнительно удобно. С Тахтаревыми мы все время виделись, но так как мы избегали разговоров о рабочемысленстве, то в отношениях была известная натянутость. Раза два взрывало. Объяснялись. В январе 1903 г., кажется, Тахтаревы (Тары) официально заявили о своем сочувствии направлению «Искры».

Скоро должна была приехать моя мать, и мы решили устроиться по-семейному — нанять две комнаты и кормиться дома, так как ко всем этим «бычачьим хвостам», жаренным в жиру скатам, кэксам российские желудки весьма мало приспособлены, да и жили мы в это время на казенный счет, так приходилось беречь каждую копейку, а своим хозяйством жить было дешевле.

В смысле конспиративном устроились как нельзя лучше. Документов в Лондоне тогда никаких не спрашивали, можно было записаться под любой фамилией.

Мы записались Рихтерами. Большим удобством было и то, что для англичан все иностранцы на одно лицо, и хозяйка так все время и считала нас немцами.

Скоро приехали Мартов и Вера Ивановна[1] и поселились вместе с Алексеевым коммуной в одном из более напоминавших европейские домов поблизости от нас. Владимир Ильич сейчас же устроился работать в Британском музее.

Он обычно уходил туда с утра, а ко мне с утра приходил Мартов, мы с ним разбирали почту и обсуждали ее. Таким образом Владимир Ильич был избавлен от доброй доли так утомлявшей его сутолоки.

С Плехановым конфликт кое-как закончился. Владимир Ильич уехал на месяц в Бретань повидаться с матерью и Анной Ильиничной, пожить с ними у моря[2]. Море с его постоянным движением и безграничным простором он очень любил, у моря отдыхал.

В Лондон сразу же стал приезжать к нам народ. Приехала Инна Смидович — Димка, вскоре уехавшая в Россию. Приехал и ее брат Петр Гермогенович, который по инициативе Владимира Ильича был окрещен Матреной. Перед тем он долго сидел. Выйдя из тюрьмы, он стал горячим искровцем. Он считал

---

[1] Засулич. — *Примеч. ред.*

[2] В.И. Ленин с родными жил в Логиви со второй половины июня по 12(25) июля 1902 г. — *Примеч. ред.*

себя большим специалистом по смыванию паспортов — якобы надо было смывать потом, и в коммуне одно время все столы стояли вверх дном, служа прессом для смываемых паспортов. Вся эта техника была весьма первобытна, как и вся наша тогдашняя конспирация. Перечитывая сейчас переписку с Россией, диву даешься наивности тогдашней конспирации. Все эти письма о носовых платках (паспорта), варящемся пиве, теплом мехе (нелегальной литературе), все эти клички городов, начинающихся с той буквы, с которой начиналось название города (Одесса — Осип, Тверь — Терентий, Полтава — Петя, Псков — Паша и т. д.), вся эта замена мужских имен женскими и наоборот,— все сие было до крайности прозрачно, шито белыми нитками. Тогда это не казалось таким наивным, да и все же до некоторой степени путало следы. Первое время не было такого обилия провокаторов, как позднее. Люди были все надежные, хорошо знавшие друг друга. В России работали агенты «Искры», им доставлялась литература из-за границы — «Искра» и «Заря», брошюры,— они заботились о том, чтобы искровская литература перепечатывалась в нелегальных типографиях, распространяли искровскую литературу по комитетам, заботились о доставке «Искре» корреспонденции и о том, чтобы держать «Искру» в курсе всей ведущейся в России нелегальной работы, собирали на нее деньги. В Самаре (у Сони) жили Грызуны — Кржижановские, Глеб Максимилианович — Клэр и Зинаида Павловна — Улитка. Там же жила Мария Ильинична — Медвежонок. В Самаре сразу образовалось нечто вроде центра. У Кржижановских особая способность группировать около себя публику. Ленгник — Курц поселился на юге, жил одно время в Полтаве (у Пети), потом в Киеве. В Астрахани жила Лидия Михайловна Книпович — Дяденька. В Пскове жил Лепешинский — Лапоть и Любовь Николаевна Радченко — Паша. Степан Иванович Радченко к этому времени замучился окончательно и ушел от нелегальной работы, зато не покладая рук работал на «Искру» брат Степана Ивановича, Иван Иванович (он же Аркадий, он же Касьян). Он был разъездным агентом. Таким же агентом, развозившим по России «Искру», был Сильвин (Бродяга). В Москве работал Бауман (он же Виктор, Дерево, Грач) и тесно связанный с ним Иван Васильевич Бабушкин (он же Богдан). К числу агентов относилась и тесно связанная с питерской организацией Елена Дмитриевна Стасова — Гуща, она же Абсолют, а также Глафира Ивановна Окулова, после провала Баумана поселившаяся под именем Зайчик в Москве (у Старухи). Со всеми ними «Искра» вела активную переписку. Владимир Ильич просматривал каждое письмо. Мы знали очень подробно, кто из агентов «Искры» что делает, и обсуждали с ними всю их работу; когда между ними рвались связи,— связывали их между собою, сообщали о провалах и пр.

На «Искру» работала типография в Баку. Работа велась при условиях строжайшей конспирации; там работали братья Енукидзе, руководил делом Красин (Лошадь). Типография называлась Нина. Потом на севере, в Новгороде, пробовали завести другую типографию — Акулину. Она очень быстро провалилась.

Прежняя нелегальная типография в Кишиневе, которой заведовал Аким (Леон Гольдман), к лондонскому периоду уже провалилась.

Транспорт шел через Вильно (через Груню).

Питерцы пробовали наладить транспорт через Стокгольм. Об этом транспорте, функционировавшем под названием пиво, была бездна переписки, мы слали на Стокгольм литературу пудами, нас извещали, что пиво получено. Мы были уверены, что получено в Питере, и продолжали слать на Стокгольм литературу. Потом, в 1905 г., возвращаясь через Швецию в Россию, мы узнали, что пиво находится все еще в пивоварне, попросту говоря, в стокгольмском Народном доме, где нашей литературой был завален целый подвал.

«Малые бочки» посылались через Варде; раз, кажись, была получена посылка, потом что-то расстроилось. В Марселе поселили Матрену. Она должна была наладить транспорт через поваров, служивших на пароходах, ходивших в Батум. В Батуме прием литературы наладили Лошади — бакинцы. Впрочем, большинство литературы выброшено было в море (литература заворачивалась в брезент и выбрасывалась на условленном месте в воду, наши ее выуживали). Михаил Иванович Калинин, работавший тогда на заводе в Питере и входивший в организацию, через Гущу передал адрес в Тулон, какому-то матросу. Возили литературу через Александрию (Египет), налаживали транспорт через Персию. Затем налажен был транспорт через Каменец-Подольск, через Львов. Ели все эти транспорты уймищ) денег, энергии, работа в них сопряжена была с большим риском, доходило, вероятно, не больше одной десятой всего посылаемого. Посылали еще в чемоддннах с двойным дном, в переплетах книг. Литература моментально расхватывалась.

Особенный успех имело «Что делать?». Оно отвечало на ряд самых насущных назревших вопросов. Все очень остро чувствовали необходимость конспиративной, планомерно работающей организации.

В июне 1902 г. в Белостоке состоялась организованная Бундом (Борисом) конференция, которая вся провалилась, кроме петербургского делегата. В связи с ней провалились Бауман и Сильвин. На этой конференции решено было образовать организационный комитет по созыву съезда. Дело, однако, затянулось. Нужно было представительство от местных организаций, но они носили еще крайне неоформленный, неоднородный характер. В Питере, например, организация делилась на рабочий комитет (Маня) и и нте л л и ге нтс кий (Ваня). Рабочий комитет должен был по преимуществу вести экономическую борьбу, интеллигентский — вести высокую политику. Впрочем, эта высокая политика была довольно-таки мелкотравчатая и больше напоминала либеральную политику, чем революционную. Такая структура выросла на почве «экономизма»: принципиально разбитый наголову «экономизм» прочно держался еще на местах. «Искра» по достоинству оценила значение такой структуры. Особая роль в борьбе за правильную структуру организаций принадлежит Владимиру Ильичу. Его «Письмо к Ереме», или, как оно называется в литературе, «Письмо к товарищу» (о нем скажу дальше), сыграло исключительную роль в деле организации партии. Оно помогло орабочению партии, втягиванию в разрешение всех жгучих вопросов политики рабочих, разбило ту стену, которая была воздвигнута рабочедельцами между рабочим и интеллигентом. Зиму 1902/03 г. в организациях была отчаянная борьба направлений, искровцы завоевывали постепенно положение, но бывало и так, что их вышибали.

Владимир Ильич направлял борьбу искровцев, предостерегая их от упрощенного понимания централизма, борясь со склонностью видеть в каждой живой самостоятельной работе кустарничество. Вся эта работа Владимира Ильича, так глубоко повлиявшая на качественный состав комитетов, мало известна молодежи, а между тем именно она определила лицо нашей партии, заложила основы ее теперешней организации.

Рабочедельцы — экономисты были особенно озлоблены на эту борьбу, лишавшую их влияния, и негодовали на «командование» со стороны заграницы. Для переговоров по организационным вопросам 6 августа приехал из Питера тов. Краснуха — с паролем: «Читали ли вы «Гражданин» № 47?» С тех пор он пошел у нас под кличкой Гражданин. Владимир Ильич много говорил с ним о питерской организации, ее структуре. В совещании принимали участие и П. А. Красиков (он же Музыкант, Шпилька, Игнат, Панк-рат) и Борис Николаевич (Носков). Из Лондона Гражданина отправили в Женеву потолковать с Плехановым и окончательно обыскриться. Через пару недель пришло письмо из Питера от Еремы, высказывавшего свои соображения о том, как должна быть организована работа на местах. Не видно было по письму, был ли Ерема отдельный пропагандист или группа пропагандистов. Но это было неважно. Владимир Ильич стал обдумывать ответ. Ответ разросся в брошюру «Письмо к товарищу». Оно было сначала отпечатано на гектографе и распространено, а затем, в июне 1903 г., издано нелегально Сибирским комитетом.

В начале сентября 1902 г. приехал Бабушкин, бежавший из екатеринославской тюрьмы. Ему и Горовицу помогли бежать из тюрьмы и перейти границу какие-то гимназисты, выкрасили ему волосы, которые скоро превратились в малиновые, обращавшие на себя всеобщее внимание. И к нам он приехал малиновый. В Германии попал в лапы к комиссионерам, и еле-еле удалось ему избавиться от отправки в Америку. Поселили мы его в коммуну, где он и прожил все время своего пребывания в Лондоне. Бабушкин за это время страшно вырос в политическом отношении. Это уже был закаленный революционер, с самостоятельным мнением, перевидавший массу рабочих организаций, которому нечего было учиться, как подходить к рабочему,— сам рабочий. Когда он пришел несколько лет перед тем в воскресную школу, это был совсем неопытный парень. Помню такой эпизод. Был он в группе сначала у Лидии Михайловны Книпович. Был урок родного языка, подбирали какие-то грамматические примеры. Бабушкин написал на доске: «У нас на заводе скоро будет стачка». После урока Лидия отозвала его в сторону и наворчала на него: «Если хотите быть революционером, нельзя рисоваться тем, что ты революционер, надо иметь выдержку» и т. п. Бабушкин покраснел, но потом смотрел на Лидию как на лучшего друга, часто советовался с ней о делах и как-то по-особенному говорил с ней.

В то время в Лондон приехал Плеханов. Было устроено заседание совместно с Бабушкиным. Речь шла о русских делах. У Бабушкина было свое мнение, которое он защищал очень твердо, и так держался, что стал импонировать Плеханову. Георгий Валентинович стал внимательнее в него вглядываться. О своей будущей работе в России Бабушкин говорил, впрочем, только с Владимиром Ильичем, с которым был особенно близок. Еще помню один маленький, но характерный эпизод. Дня через два после приезда Бабушкина, придя в коммуну, мы были поражены царившей там чистотой — весь мусор был прибран, на столах постланы газеты, пол подметен. Оказалось, порядок водворил Бабушкин. «У русского интеллигента всегда грязь — ему прислуга нужна, а сам он за собой прибирать не умеет»,— сказал Бабушкин.

Он скоро уехал в Россию. Потом мы его уже не видали. В 1906 г. он был схвачен в Сибири с транспортом оружия и вместе с товарищами расстрелян у открытой могилы.

Еще до отъезда Бабушкина приехали в Лондон бежавшие из киевской тюрьмы искровцы — Бауман, Крохмаль, Блюменфельд, повезший в Россию чемодан с литературой, провалившийся на границе с чемоданом и адресами и потом отвезенный в киевскую тюрьму, Баллах (Литвинов, Папаша), Тарсис (он же Пятница).

Мы знали, что готовится в Киеве побег из тюрьмы. Дейч, только что появившийся на горизонте, спец по побегам, знавший условия киевской тюрьмы, утверждал, что это невозможно. Однако побег удался. С воли переданы были веревки, якорь, паспорта. Во время прогулки связали часового и надзирателя и перелезли через стену. Не успел бежать только последний по очереди — Сильвин, державший надзирателя.

Несколько дней прошли как в чаду.

В половине августа пришло письмо из редакции «Южного рабочего», популярного нелегального рабочего органа, сообщившее о провалах на Юге и о том, что редакция желает вступить с организацией «Искры» и «Зари» в самые тесные сношения и заявляет о своей солидарности во взглядах. Это, конечно, было большим шагом вперед в деле объединения сил. Однако в следующем письме «Южный рабочий» выражал недовольство резкостью полемики «Искры» с либералами. Затем началась речь о том, что литературная группа «Южного рабочего» должна и впредь сохранить свою самостоятельность и т. д. Чувствовалось, что не все договаривается до конца.

Самарцы выяснили путем переговоров, что у «Южного рабочего» была: 1) недооценка крестьянского движения, 2) недоволь ство резкостью полемики с либералами и 3) желание остаться обособленной группой и издавать свой орган, популярный.

В начале октября в Лондон приехал бежавший из Сибири Троцкий. Он считал себя тогда искровцем. Владимир Ильич приглядывался к нему, много расспрашивал его про впечатления от русской работы. Троцкого звали на работу в Россию, но Владимир Ильич считал, что ему надо остаться за границей, подучиться и помогать работе «Искры». Троцкий поселился в Париже.

Приехала из ссылки в Олекме Екатерина Михайловна Александрова (Жак). Раньше она была видной народоволкой, и это наложило на нее определенную печать. Она не походила на наших пылких, растрепанных девиц, вроде Димки, была очень выдержанна. Теперь она была искровкой; то, что она говорила, было умно.

К старым революционерам, к народовольцам, Владимир Ильич относился с уважением.

Когда приехала Екатерина Михайловна, на отношение к ней Владимира Ильича не осталось без влияния то, что она бывшая народоволка, а вот перешла к искровцам. Я и совсем смотрела на Екатерину Михайловну снизу вверх. Перед тем, как стать окончательно социал-демократкой, я пошла к Александровым (Ольминским) просить кружок рабочих. На меня произвела тогда колоссальное впечатление скромная обстановка, всюду наваленные статистические сборники, молча сидевший в глубине комнаты Михаил Степанович и горячие речи Екатерины Михайловны, убеждавшей меня стать народоволкой. Я рассказывала об этом Владимиру Ильичу перед приездом Екатерины Михайловны. У нас началась полоса увлечения ею. У Владимира Ильича постоянно бывали такие полосы увлечения людьми. Подметит в человеке какую-нибудь ценную черту и вцепится в него. Екатерина Михайловна поехала из Лондона в Париж. Искровкой она оказалась не очень стойкой — на II партийном съезде не без ее участия плелась сеть оппозиции против «захватнических» намерений Ленина, потом она была в примиренческом ЦК, потом сошла с политической сцены.

Из приезжавших в Лондон из России товарищей помню еще Бориса Гольдмана — Адель и Доливо-Добровольского — Дно.

Бориса Гольдмана я еще знала по Питеру, где он работал по «технике», печатая листки «Союза борьбы». Человек чрезвычайно колеблющийся, в то время он был искровцем. Дно поражал своей тихостью. Сидит, бывало, тихо, как мышь. Он вернулся в Питер, но скоро сошел с ума, а потом, выздоровев наполовину, застрелился. Трудна тогда была жизнь нелегала, не всякий мог ее вынести.

Всю зиму шла усиленная работа по подготовке съезда. В ноябре 1902 г. конституировался Организационный комитет по подготовке съезда (в ОК вошли представители «Южного рабочего», «Северного союза», Краснуха, И. И. Радченко, Красиков, Ленгник, Кржижановский; Бунд вначале воздержался от вхождения).

Название «Организационный» соответствовало сути дела. Без ОК никогда не удалось бы созвать съезда. Нужно было при труднейших полицейских условиях произвести сложную работу по увязке организационной и идейной только еще оформившихся и продолжавших оформляться коллективов, по увязке мест с заграницей. Вся работа по сношениям с ОК в подготовке съезда фактически легла на Владимира Ильича. Потресов был болен, его легкие не были приспособлены к лондонским туманам, и он где-то лечился. Мартов тяготился Лондоном, его замкнутой жизнью и, поехав в Париж, застрял там. Должен был жить в Лондоне Дейч, бежавший с каторги старый член группы «Освобождение труда». Группа «Освобождение труда» надеялась на него как на крупного организатора. «Вот приедет Женька (кличка Дейча),— говорила Вера Ивановна,— он наладит все сношения с Россией как нельзя лучше». На него надеялись и Плеханов и Аксельрод, считая, что это будет их представитель в редакции «Искры», который за всем будет следить. Однако, когда приехал Дейч, оказалось, что долгие годы оторванности от русских условий наложили на него свой отпечаток. Для сношений с Россией он оказался совершенно неприспособленным, не знал новых условий, его тянуло на людей, он вошел в заграничную лигу русских социал-демократов, повел широкие сношения с заграничными колониями и тоже вскоре уехал в Париж[1].

Постоянно жила в Лондоне Вера Ивановна, она охотно слушала рассказы о русской работе, но сама вести сношения с Россией не могла, не умела. Все легло на Владимира Ильича. Переписка с Россией ужасно трепала ему нервы. Ждать неделями, месяцами ответов на письма, ждать постоянно провала всего дела, постоянно пребывать в неизвестности, как развертывается дело,— все это как нельзя менее соответствовало характеру Владимира Ильича. Его письма в Россию переполнены просьбами писать аккуратно: «Еще раз: усердно и настоя-

---

[1] Н.К. Крупская в своих воспоминаниях, напечатанных 16 апреля 1925 г. в газете «Правда» № 87, пишет: «Стремление группы «Освобождение труда» поставить для надзора за сношениями с Россией Дейча потерпело окончательный крах после того, как Лев Григорьевич от имени заграничного отдела ОК, ведавший лишь заграничными колониями, куда входили и представители «Рабочего дела» и Бунд, составил письмо О К к организациям на местах с просьбой сноситься не через редакцию «Искры», а непосредственно с ЗООК по вопросам съезда, широко раздать адрес ЗООК и т. д. Это было такое нарушение самой элементарной конспирации, что приходилось только руками разводить. Я укоряла Веру Ивановну: «Что ж, Ваш практик-то хваленый, ахнул». Вера Ивановна говорила: «Да-а-а», и при этом мимика ее была очень выразительна. «Раньше он, знаете, очень умел все налаживать»,— оправдывалась она. Кроме недостатка конспирации заявление говорило о недостатке доверия к части редакции, которая вела переписку с Россией, представляло собою наивную попытку организовать контроль. Такое отношение не могло не волновать». — *Примеч. ред.*

тельно просим и молим Женю[1] писать нам чаще и подробнее, в частности, немедленно, непременно в тот же день, как получится письмо, известить нас хоть парой строк о получении...»[2] Переполнены письма просьбами действовать скорее. Ночи не спал Ильич после каждого письма из России, сообщавшего о том, что «Соня молчит, как убитая», или что «Зарин вовремя не вошел в комитет», или что «нет связи со Старухой». Остались у меня в памяти эти бессонные ночи. Владимир Ильич страстно мечтал о создании единой сплоченной партии, в которой растворились бы все обособленные кружки со своими основывавшимися на личных симпатиях и антипатиях отношениями к партии, в которой не было бы никаких искусственных перегородок, в том числе и национальных. Отсюда борьба с Бундом. Бунд в то время в своем большинстве стоял на рабочедельской точке зрения. И Владимир Ильич не сомневался, что, если Бунд войдет в партию и сохранит только автономию в своих чисто национальных делах, ему неминуемо придется идти в ногу с партией. А Бунд хотел сохранить за собой полную самостоятельность во всех вопросах, он говорил о своей, особой от РСДРП, политической партии, он соглашался примкнуть лишь на федеративных началах. Такая тактика была убийственна для еврейского пролетариата. В одиночку еврейский пролетариат не мог никогда победить. Только слившись с пролетариатом всей России, мог он стать силой. Бундовцы этого не понимали. И потому редакция «Искры» вела с Бундом ярую борьбу. Это была борьба за единство, за сплоченность рабочего движения. Борьбу вела вся редакция, но бундовцы знали, что самым страстным сторонником борьбы за единство является Владимир Ильич.

Вскоре группа «Освобождение труда» вновь поставила вопрос о переезде в Женеву, и на этот раз уже один только Владимир Ильич голосовал против переезда туда. Начали собираться. Нервы у Владимира Ильича так разгулялись, что он заболел тяжелой нервной болезнью «священный огонь», которая заключается в том, что воспаляются кончики грудных и спинных нервов.

Когда у Владимира Ильича появилась сыпь, взялась я за медицинский справочник. Выходило, что по характеру сыпи это — стригущий лишай. Тахтарев — медик не то четвертого, не то пятого курса — подтвердил мои предположения, и я вы-

---

[1] Женя — конспиративное название группы «Южный рабочий». — *Примеч. ред.*
[2] Ленин В. И. Полн. собр. соч. Т. 46. С. 252.

мазала Владимира Ильича йодом, чем причинила ему мучительную боль. Нам и в голову не приходило обратиться к английскому врачу, ибо платить надо было гинею. В Англии рабочие обычно лечатся своими средствами, так как доктора очень дороги. Дорогой в Женеву Владимир Ильич метался, а по приезде туда свалился и пролежал две недели.

Из работ, которые не нервировали Владимира Ильича в Лондоне, а дали ему известное удовлетворение, было писание брошюры «К деревенской бедноте»[1]. Крестьянские восстания 1902 г. привели Владимира Ильича к мысли о необходимости написать брошюру для крестьян. В ней он растолковывал, чего хочет рабочая партия, объяснял, почему крестьянской бедноте надо идти с рабочими. Это была первая брошюра, в которой Владимир Ильич обращался к крестьянству.

---

[1] Там же. Т. 7. С. 129—203.

ЖЕНЕВА

1903 г.

В апреле 1903 г. мы переехали в Женеву.

В Женеве мы поселились в пригороде, в рабочем поселке Secheron,— целый домишко заняли: внизу большая кухня с каменным полом, наверху три маленьких комнатушки. Кухня была у нас и приемной. Недостаток мебели пополнялся ящиками из-под книг и посуды. Игнат (Красиков) в шутку назвал как-то нашу кухню «притоном контрабандистов». Толчея у нас сразу образовалась непротолченная. Когда надо было с кем потолковать в особицу, уходили в рядом расположенный парк или на берег озера.

Понемногу стали съезжаться делегаты. Приехали Дементьевы. Костя (жена Дементьева) прямо поразила Владимира Ильича своими познаниями транспортного дела. «Вот это настоящий транспортер! — повторял он,— вот это дело, а не болтовня». Приехала Любовь Николаевна Радченко, с которой мы лично были очень близко связаны, разговорам не было конца. Потом приехали ростовские делегаты — Гусев и Локерман, затем Землячка, Шотман (Берг), Дяденька, Юноша (Дмитрий Ильич). Каждый день кто-нибудь приезжал. С делегатами толковали по вопросам программы. Бунда, слушали их рассказы. У нас постоянно сидел Мартов, не устававший говорить с делегатами.

Надо было осветить делегатам позицию «Южного рабочего», который, прикрываясь фирмой популярной газеты, хотел сохранить для себя право на обособленное существование. Надо было выяснить, что при условии нелегального существования популярная газета не может стать массовой, не может рассчитывать на массовое распространение.

В редакции «Искры» пошли всякие недоразумения. Положение стало невыносимым. Делилась редакция обычно на две тройки: Плеханов, Аксельрод, Засулич — с одной стороны, Ленин, Мартов, Потресов — с другой. Владимир Ильич внес опять предложение, которое он вносил уже в марте, о кооптации в редакцию седьмого члена. Временно, до съезда, кооптировали Красикова: надо было иметь в редакции седьмого. В связи с этим Владимир Ильич стал обдумывать вопрос о тройке. Это был очень больной вопрос, и с делегатами об этом не говорилось. О том, что редакция «Искры» в ее прежнем составе стала неработоспособной, об этом слишком тяжело было говорить.

Приехавшие жаловались на членов ОК: одного обвиняли в резкости, халатности, другого — в пассивности, мелькало недовольство тем, что «Искра»-де стремится слишком командовать, но казалось, что разногласий нет и что после съезда дела пойдут прекрасно.

Делегаты съезжались, не приехали только Клэр и Курц.

ВТОРОЙ СЪЕЗД

Июль — август 1903 г.

Первоначально съезд предполагалось устроить в Брюсселе, там и происходили первые заседания. В Брюсселе жил в то время Кольцов — старый плехановец. Он взял на себя устройство всего дела. Однако устроить съезд в Брюсселе оказалось не так-то легко. Явка была назначена у Кольцова. Но после того как к нему пришло штуки четыре россиян, квартирная хозяйка заявила Кольцовым, что больше она этих хождений не потерпит и, если придет еще хоть один человек, пусть они немедленно же съезжают с квартиры. И жена Кольцова стояла целый день на углу, перехватывала делегатов и направляла их в социалистическую гостиницу «Золотой петух» (так она, кажись, называлась).

Делегаты шумным лагерем расположились в этом «Золотом петухе», а Гусев, хватив рюмочку коньяку, таким могучим голосом пел по вечерам оперные арии, что под окнами отеля собиралась толпа (Владимир Ильич очень любил пение Гусева, особенно «Нас венчали не в церкви»).

Со съездом переконспирировали. Бельгийская партия придумала для ради конспирации устроить съезд в громадном мучном складе. Своим вторжением мы поразили не только крыс, но и полисменов. Заговорили о русских революционерах, собирающихся на какие-то тайные совещания.

На съезде было 43 делегата с решающим голосом и 14 — с совещательным. Если сравнить этот съезд с теперешними, где представлены в лице многочисленных делегатов сотни тысяч членов партии, он кажется маленьким, но тогда он казался большим: на I съезде в 1898 г. было всего ведь 9 человек... Чувствовалось, что за 5 лет порядочно ушли вперед. Главное, организации, от которых приехали делегаты, не были уже полумифическими, они были уже оформлены, они были связаны с начинавшим широко развертываться рабочим движением.

Как мечтал об этом съезде Владимир Ильич! Всю жизнь — до самого конца — он придавал партийным съездам исключительно большое значение; он считал, что партийный съезд — это высшая инстанция, на съезде должно быть отброшено все личное, ничто не должно быть затушевано, все сказано открыто. К партийным съездам Ильич всегда особенно тщательно готовился, особенно заботливо обдумывал к ним свои речи. Теперешняя молодежь, которая не знает, что значит годами ждать возможности обсудить сообща, со всей партией в целом, самые основные вопросы партийной программы и тактики, которая не представляет себе, с какими трудностями связан был созыв нелегального съезда в те времена,— вряд ли поймет до конца это отношение Ильича к партийным съездам.

Так же страстно, как Ильич, ждал съезда и Плеханов. Он открывал съезд. Большое окно мучного склада около импровизированной трибуны было завешено красной материей. Все были взволнованы. Торжественно звучала речь Плеханова, в ней слышался неподдельный пафос. И как могло быть иначе! Казалось, долгие годы эмиграции уходили в прошлое, он присутствовал, он открывал съезд Российской социал-демократической рабочей партии.

По существу дела II съезд был учредительным. На нем ставились коренные вопросы теории, закладывался фундамент партийной идеологии. На I съезде было принято только название партии и манифест о ее образовании. Вплоть до II съезда программы у партии не было. Редакция «Искры» эту программу подготовила. Долго обсуждалась она в редакции. Обосновывалось, взвешивалось каждое слово, каждая фраза, шли горячие споры. Между мюнхенской и швейцарской частью редакции месяцами велась переписка о программе. Многим практикам казалось, что эти споры носят чисто кабинетный характер, и что совсем не важно, будет стоять в программе какое-нибудь «более или менее», или его стоять не будет.

Мы вспоминали однажды с Владимиром Ильичем одно сравнение, приведенное где-то Л. Толстым: идет он и видит издали — сидит человек на корточках и машет как-то нелепо руками; он подумал — сумасшедший, подошел ближе, видит — человек нож о тротуар точит. Так бывает и с теоретическими спорами. Слушать со стороны: зря люди препираются, вникнуть в суть — дело касается самого существенного. Так и с программой было.

Когда в Женеву стали съезжаться делегаты, больше всего, детальнее всего с ними обсуждался вопрос о программе. На съезде этот вопрос прошел наиболее гладко.

Другой вопрос громадной важности, обсуждавшийся на II съезде, был вопрос о Бунде. На I съезде было постановлено, что Бунд составляет часть партии, хотя и автономную. В течение пяти лет, которые прошли со времени I съезда, партии как единого целого, в сущности, не было, и Бунд вел обособленное существование. Теперь Бунд хотел закрепить эту обособленность, установив с РСДРП лишь федеративные отношения. Подкладка этого заключалась в том, что Бунд, отражая настроение ремесленников еврейских местечек, гораздо больше интересовался борьбой экономической, чем политической, и потому гораздо больше симпатизировал «экономистам», чем «Искре». Вопрос шел о том, быть ли в стране единой сильной рабочей партии, тесно сплачивающей вокруг себя рабочих всех национальностей, проживающих на территории России, или же быть в стране нескольким обособленным по национальности рабочим партиям. Вопрос шел об интернациональном сплочении внутри страны. Редакция «Искры» стояла за интернациональное сплочение рабочего класса. Бунд — за национальную обособленность и лишь дружественные договорные отношения между национальными рабочими партиями России.

Вопрос о Бунде также детально обсуждался с приехавшими делегатами и также решен был в духе «Искры» громадным большинством.

Позднее факт раскола заслонил перед многими те громадной важности принципиальные вопросы, которые были поставлены и разрешены на II съезде. Владимир Ильич во время обсуждения этих вопросов чувствовал особую близость к Плеханову. Речь Плеханова о том, что основным демократическим принципом должно являться положение: «высший закон — благо революции» и что даже на принцип всеобщего избирательного права надо смотреть с точки зрения этого основного принципа, произвела на Владимира Ильича глубокое впечатление. Он вспоминал о ней, когда 14 лет спустя перед большевиками встал во весь рост вопрос о роспуске Учредительного собрания.

И другая речь Плеханова — о значении народного образования, о том, что оно есть «гарантия прав пролетариата», была созвучна с мыслями Владимира Ильича.

Плеханов на съезде тоже чувствовал близость к Ленину.

Отвечая Акимову, ярому рабочедельцу, жаждавшему посеять рознь между Плехановым и Лениным, Плеханов шутя говорил: «У Наполеона была страстишка разводить своих маршалов с их женами; иные маршалы уступали ему, хотя и любили своих жен. Тов. Акимов в этом отношении похож на Наполеона,— он во что бы то ни стало хочет развести меня с Лениным. Но я проявлю больше характера, чем наполеоновские маршалы: я не стану разводиться с Лениным, и надеюсь, и он не намерен разводиться со мной». Владимир Ильич смеялся и отрицательно качал головой.

При обсуждении первого пункта порядка дня (о конституировании съезда), по вопросу о приглашении представителя группы «Борьба» (Рязанов, Невзоров, Гуревич), неожиданно разыгрался инцидент. ОК пожелал выступить на съезде с особым мнением. Дело было вовсе не в группе «Борьба», а в том, что ОК попытался связать своих членов особой дисциплиной — перед лицом съезда. ОК захотел выступить как группа, предварительно решающая в своей среде, как надо голосовать, и выступающая на съезде как группа. Таким образом, высшей инстанцией для члена съезда являлась бы группа, а не сам съезд. Владимир Ильич вскипел прямо от возмущения. Но не только он поддержал Павловича (Красикова), восставшего против такой попытки, поддержали его и Мартов и другие. Хотя ОК был съездом распущен, однако инцидент был знаменателен и предвещал всяческие осложнения. Впрочем, временно инцидент отодвинулся на задний план, поскольку на первый план выдвинулись вопросы колоссальной принципиальной важности — вопрос о месте Бунда в партии и вопрос о Программе. По вопросу о Бунде и редакция «Искры», и ОК, и делегаты с мест выступили очень дружно. Представитель «Южного рабочего», член ОК Егоров (Левин), также со всей решительностью выступал против Бунда. Плеханов во время перерыва говорил ему всяческие комплименты, говорил, что его речь надо-де «распубликовать по всем коммунам». Бунд клали на обе лопатки. Прочно устанавливалось положение, что национальные особенности не должны мешать единству партийной работы, монолитности социал-демократического движения.

Тем временем пришлось перебираться в Лондон. Брюссельская полиция стала придираться к делегатам и выслала даже Землячку и еще кого-то. Тогда снялись все. В Лондоне устройству съезда всячески помогли Тахтаревы. Полиция лондонская не чинила препятствий.

Продолжал обсуждаться вопрос о Бунде. Затем, пока подрабатывался в комиссии вопрос о Программе, перешли к четвертому пункту порядка дня, к вопросу об утверждении Центрального Органа. Таковым — при возражениях со стороны рабочедельцев — единодушно признана была «Искра». «Искру» горячо приветствовали. Даже представитель ОК Попов (Розанов) говорил о том, что «вот здесь, на съезде, мы видим единую партию; созданную в значительной степени деятельностью «Искры»». Это было десятое заседание, а их было 37. Над съездом начинали понемногу скопляться тучи. Предстоял выбор тройки в ЦК. Основного ядра ЦК не было еще налицо. Несомненной была кандидатура Глебова (Носкова), зарекомендовавшего себя как неутомимого организатора. Другой несомненной кандидатурой была бы кандидатура Клэра (Кржижановского), если бы он был на съезде. Но на съезде его не было. За него и за Курца (Ленгника) приходилось голосовать заглазно, «по доверию», что было весьма даже неудобно. Между тем на съезде было слишком много «генералов», кандидатов в ЦК. Таковыми были Жак (Штейн — Александрова), Фомин (Крохмаль), Штерн (Костя — Роза Гальберштадт), Попов (Розанов), Егоров (Левин). Все это — кандидаты на два места в цекистскую тройку. Кроме того, все знали друг друга не только как партийных работников, но знали и личную жизнь друг друга. Тут была целая сеть личных симпатий и антипатий. Чем ближе подходили выборы, тем напряженнее становилась атмосфера. Обвинения, бросавшиеся Бундом и «Рабочим делом», в желании командовать, диктовать свою волю из заграничного центра и пр., хотя и встречали дружный отпор вначале, делали свое дело, влияя на центр, на колеблющихся,— может быть, даже помимо их сознания. Боялись командования, чьего? Конечно, не Мартова, Засулич, Старовера и Аксельрода. Боялись командования Ленина и Плеханова. Но знали, что в вопросе о составе, о русской работе будет определять Ленин, а не Плеханов, стоявший в стороне от практической работы.

Съезд утвердил направление «Искры», но предстояло еще утверждать редакцию «Искры».

Владимир Ильич выдвинул проект о том, чтобы редакцию «Искры» составить из трех лиц. Об этом проекте Владимир Ильич ранее сообщил Мартову и Потресову. Мартов отстаивал перед съезжавшимися делегатами редакционную тройку как наиболее деловую. Тогда он понимал, что тройка направлена была главным образом против Плеханова. Когда Владимир Ильич передал Плеханову записку с проектом редакционной тройки, Плеханов не сказал ни слова и, прочитав записку, молча положил ее в карман. Он понял, в чем дело, но шел на это. Раз партия — нужна деловая работа.

Мартов больше всех членов редакции вращался среди членов ОК. Очень скоро его уверили, что тройка направлена против него и что, если он войдет в тройку, он предаст Засулич, Потресова, Аксельрода. Аксельрод и Засулич волновались до крайности.

В такой атмосфере споры о § 1 Устава приняли особо острый характер. Ленин и Мартов политически и организационно разошлись по вопросу о § 1 партийного Устава. Они нередко расходились и раньше, но раньше эти расхождения происходили в рамках тесного кружка и быстро изживались, теперь разногласия выступили на съезде, и все те, кто имел зуб против «Искры», против Плеханова и Ленина, постарались раздуть расхождение в крупный принципиальный вопрос. На Ленина стали нападать за статью «С чего начать?», за книжку «Что делать?», изображать честолюбцем и пр. Владимир Ильич выступал на съезде резко. В своей брошюре «Шаг вперед, два шага назад» он писал: «Не могу не вспомнить по этому поводу одного разговора моего на съезде с кем-то из делегатов «центра». «Какая тяжелая атмосфера царит у нас на съезде!» — жаловался он мне.— «Эта ожесточенная борьба, эта агитация друг против друга, эта резкая полемика, это нетоварищеское отношение!..» «Какая прекрасная вещь — наш съезд!» — отвечал я ему.— «Открытая, свободная борьба. Мнения высказаны. Оттенки обрисовались. Группы наметились. Руки подняты. Решение принято. Этап пройден. Вперед! — вот это я понимаю. Это — жизнь. Это — не то, что бесконечные, нудные интеллигентские словопрения, которые кончаются не потому, что люди решили вопрос, а просто потому, что устали говорить...»

Товарищ из «центра» смотрел на меня недоумевающими глазами и пожимал плечами. Мы говорили на разных языках»[1].

В этой цитате весь Ильич.

С самого начала съезда нервы его были напряжены до крайности. Бельгийская работница, у которой мы поселились в Брюсселе, очень огорчалась, что Владимир Ильич не ест той чудесной редиски и голландского сыру, которые она подавала ему по утрам, а ему было и тогда уже не до еды. В Лондоне же он дошел до точки, совершенно перестал спать, волновался ужасно.

Как ни бешено выступал Владимир Ильич в прениях,— как председатель он был в высшей степени беспристрастен, не позволял себе ни малейшей несправедливости по отношению к противнику. Другое дело Плеханов. Он, председательствуя, особенно любил блистать остроумием и дразнить противника.

Хотя громадное большинство делегатов не разошлось по вопросу о месте Бунда в партии, по вопросу о Программе, о признании направления «Искры» своим знаменем, но уже к середине съезда почувствовалась определенная трещина, углубившаяся к концу его. Собственно говоря, серьезных разно-

[1] *Ленин В.И.* Полн. собр. соч. Т. 8. С. 333. Примечание.

гласий, мешавших совместной работе, делавших ее невозможной, на II съезде еще не выявилось, они были еще в скрытом состоянии, в потенции, так сказать. А между тем съезд распадался явным образом на две части. Многим казалось, что во всем виноваты нетактичность Плеханова, «бешенство» и честолюбие Ленина, шпильки Павловича, несправедливое отношение к Засулич и Аксельроду,— и они примыкали к обиженным, из-за лиц не замечали сути. В их числе был и Троцкий, превратившийся в ярого противника Ленина. А суть была в том, что товарищи, группировавшиеся около Ленина, гораздо серьезнее относились к принципам, хотели во что бы то ни стало осуществить их, пропитать ими всю практическую работу; другая же группа была более обывательски настроена, склонна была к компромиссам, к принципиальным уступкам, более взирала на лица.

Борьба во время выборов носила крайне острый характер. Осталась в памяти пара предвыборных сценок. Аксельрод корит Баумана (Сорокина) за недостаток якобы нравственного чутья, поминает какую-то ссыльную историю, сплетню. Бауман молчит, и слезы стоят у него на глазах.

И другая сценка. Дейч что-то сердито выговаривает Глебову (Носкову), тот поднимает голову и, блеснув загоревшимися глазами, с досадой говорит: «Помолчали бы вы уж в тряпочку, папаша!»

Съезд кончился. В ЦК выбрали Глебова, Клэра и Курца, причем из 44 решающих голосов 20 воздержались от голосования, в ЦО выбрали Плеханова, Ленина и Мартова. Мартов от участия в редакции отказался. Раскол был налицо.

ПОСЛЕ ВТОРОГО СЪЕЗДА

1903—1904 гг.

В Женеве, куда мы вернулись со съезда, началась тяжелая канитель. Прежде всего хлынула в Женеву эмигрантская публика из других заграничных колоний. Приезжали члены Лиги и спрашивали: «Что случилось на съезде? Из-за чего был спор? Из-за чего раскололись?»

Плеханов, которому страшно надоели эти расспросы, рассказывал однажды: «Приехал NN. Расспрашивает и все повторяет: «Я — как буриданов осел». А я его спрашиваю: «Почему же, собственно, буриданов?..»

Стали приезжать и из России. Приехал, между прочим, из Питера Ерема, на имя которого Владимир Ильич адресовал год тому назад письмо к питерской организации. Он сразу встал на сторону меньшевиков, зашел к нам. Приняв архитрагический вид, при встрече он воскликнул, обращаясь к Владимиру Ильичу: «Я — Ерема», — и стал говорить о том, что меньшевики правы... Помню также члена Киевского комитета, который все добивался: какие изменения в технике обусловили раскол на съезде? Я таращила глаза — столь примитивного понимания соотношения между «базой» и «надстройкой» я никогда не видывала, не предполагала никогда даже, что оно может существовать.

Те, кто помогал деньгами, явками и пр., под влиянием агитации меньшевиков отказывали в помощи. Помню, приехала в Женеву к сестре со своей старушкой-матерью одна моя старая знакомая. В детстве мы с ней так чудесно играли в путешественников, в диких, живущих на деревьях, что я ужасно обрадовалась, когда узнала об ее приезде. Теперь это была уже немолодая девушка, совсем чужая. Зашел разговор о помощи, которую их семья всегда оказывала социал-демократам. «Мы не можем вам дать теперь свою квартиру под явки,— заявила она,— мы очень отрицательно относимся к расколу между большевиками и меньшевиками. Эти личные дрязги очень вредно отзываются на деле». Ну уж и посылали же мы с Ильичем ко всем чертям этих «сочувствующих», не входящих ни в какие организации и воображающих, что они своими явками и грошами могут повлиять на ход дела в нашей пролетарской партии!

Владимир Ильич тотчас же написал в Россию о случившемся Клэру и Курцу. В России ахали, но присоветовать ничего путного не могли, всерьез предлагали, например, вызвать Мартова в Россию, спрятать его где-нибудь в глуши и засадить за писание популярных брошюр. Курца решено было выписать за границу.

После съезда Владимир Ильич не возражал, когда Глебов предложил кооптировать старую редакцию,— лучше уж маяться по-старому, чем раскол. Меньшевики отказались. В Женеве Владимир Ильич пробовал сговориться с Мартовым, писал Потресову, убеждал его, что расходиться не из-за чего. Писал по поводу раскола Владимир Ильич и Калмыковой (Тетке) — рассказывал ей, как было дело. Ему все не верилось, что нельзя было найти выхода. Срывать решения съезда, ставить на карту русскую работу, дееспособность только что сложившейся партии казалось Владимиру Ильичу просто безумием, чем-то совершенно невероятным. Бывали минуты, когда он ясно видел, что разрыв неизбежен. Раз он начал писать Клэру о том, что тот не представляет себе совершенно настоящего положения, надо отдать себе отчет в том, что отношения старые в корне изменились, что старой дружбе с Мартовым теперь конец, о старой дружбе надо забыть, начинается борьба. Этого письма не докончил и не послал Владимир Ильич. Ему чрезвычайно трудно было рвать с Мартовым. Период питерской работы, период работы в старой «Искре» тесно связывал их. Впечатлительный до крайности, Мартов в те времена умел чутко подхватывать мысли Ильича и талантливо развивать их. Потом Владимир Ильич яростно боролся с меньшевиками, но каждый раз, когда линия Мартова хоть чуточку выпрямлялась, у него просыпалось старое отношение к Мартову. Так было, например, в 1910 г. в Париже, когда Мартов и Владимир Ильич работали вместе в редакции «Социал-демократа». Приходя из редакции, Владимир Ильич не раз рассказывал довольным тоном, что Мартов берет правильную линию, выступает даже против Дана. И потом, уже в России, как доволен был Владимир Ильич позицией Мартова в июльские дни не потому, что от этого была польза большевикам, а потому, что Мартов держится с достоинством — так, как подобает революционеру.

Когда Владимир Ильич был уже тяжело болен, он мне как-то грустно сказал: «Вот и Мартов тоже, говорят, умирает».

Большинство делегатов съезда (большевиков) уехало в Россию на работу. Меньшевики уехали не все, напротив, приехал к ним еще Дан. За границей число их сторонников росло.

Большевики, оставшиеся в Женеве, периодически собирались. Самую непримиримую позицию на этих собраниях занимал Плеханов. Он весело шутил и подбадривал публику.

Приехал наконец член ЦК Курц, он же Васильев (Ленгник), и почувствовал себя совершенно придавленным той склокой, которая царила в Женеве. На него навалилась целая куча дел по разбору конфликтов, посылке в Россию людей и т. д.

Меньшевики имели успех у заграничной публики и решили дать бой большевикам, созвав съезд Лиги русских социал-демократов за границей для заслушания доклада делегата Лиги на II съезде, Ленина. В то время в правление Лиги входили Дейч, Литвинов и я. Дейч настаивал на созыве съезда Лиги. Литвинов и я были против, не сомневаясь, что при наличных условиях съезд превратится в сплошной скандал. Тогда Дейч вспомнил, что в правление входит еще Вечеслов, живший в Берлине, и Лейтейзен, живший в Париже. Они фактически последнее время непосредственно в работе правления Лиги не принимали участия, но официально из него не вышли. Привлекли их к голосованию, и они голоснули за съезд.

Владимир Ильич перед съездом Лиги, задумавшись, наехал на велосипеде на трамвай и чуть не выбил себе глаз. Повязанный, бледный, ходил он на съезд Лиги. С бешеной ненавистью нападали на него меньшевики. Помню одну дикую сцену — запомнились яростные лица Дана, Крохмаля и др., которые, вскочив, бешено стучали пюпитрами.

На съезде Лиги меньшевики были численно сильнее большевиков, кроме того, среди меньшевиков было больше «генералов». Меньшевики приняли такой устав Лиги, который делал из Лиги оплот меньшевизма, обеспечивал меньшевикам свое издательство, делал Лигу независимой от ЦК. Тогда Курд (Васильев) от имени ЦК потребовал изменения устава, а так как Лига этому не подчинилась, то объявил Лигу распущенной.

Плехановские нервы не выдержали скандала, устроенного меньшевиками, он заявил: «Не могу стрелять по своим».

На собрании большевиков Плеханов заявил, что надо идти на уступки. «Бывают моменты,— заявил он,— когда и самодержавие вынуждено делать уступки». «Тогда и говорят, что оно колеблется»,— подала реплику Лиза Кнуньянц. Плеханов метнул на нее сердитый взгляд.

Плеханов решил для спасения мира в партии, как он говорил, кооптировать старую редакцию «Искры». Владимир Ильич ушел из редакции, заявив, что он не отказывается от сотрудничества и даже не настаивает на опубликовании об его уходе из редакции. Пусть делает Плеханов попытку помириться, он не станет становиться поперек дороги миру в партии. Незадолго перед тем Владимир Ильич писал в письме к Калмыковой: «Нет хуже тупика, как отход от работы». Уходя из редакции, он становился на этот путь, он понимал это. Оппозиция потребовала еще кооптации представителей в ЦК, двух мест в Совете[1] и признания законными постановлений съезда Лиги. ЦК соглашался двух представителей оппозиции кооптировать в ЦК, передать им одно место в Совете, постепенно реорганизовать Лигу. Мира никакого не получалось. Уступка Плеханова окрылила оппозицию. Плеханов настаивал на уходе из Совета второго представителя ЦК — Ру (Коняга, настоящая фамилия Гальперин), чтобы очистить место меньшевикам. Владимир Ильич долго колебался перед этой новой уступкой. Помню, как мы втроем — Владимир Ильич, Коняга и я — стояли вечером на берегу разбушевавшегося Женевского озера. Коняга уговаривал Владимира Ильича согласиться на его отставку. Наконец Владимир Ильич решился — пошел к Плеханову говорить о том, что Ру выйдет из Совета[2].

Мартов выпустил брошюру «Осадное положение», наполненную самыми дикими обвинениями. Троцкий также выпустил брошюру «Отчет сибирской делегации», где события освещались совершенно в мартовском духе, Плеханов изображался пешкой в руках Ленина и т. д.

Владимир Ильич засел за ответ Мартову, за писание брошюры «Шаг вперед, два шага назад», где подробно анализировал события на съезде.

Тем временем в России также шла борьба. Большевистские делегаты делали доклады о съезде. Принятая на съезде Программа и большинство резолюций съезда были встречены местными организациями с большим удовлетворением. Тем непонятнее казалась им позиция меньшевиков. Принимались резолюции с требованием подчинения постановлениям съезда. Из наших делегатов в этот период особенно энергич-

---

[1] Совет партии (1903—1905), согласно Уставу партии, принятому на II съезде РСДРП, был создан как высшее партийное учреждение, призванное согласовывать и объединять деятельность ЦК и редакции ЦО, восстанавливать ЦК и редакцию ЦО в случае, если выбывает весь состав одного из этих учреждений, а также представлять партию в сношениях с другими партиями. Совет партии состоял из пяти членов. — *Примеч. ред.*

[2] Н.К. Крупская в своих воспоминаниях, напечатанных 27 ноября 1925 г. в газете «Правда» № 271, пишет: «Вспоминается один разговор с Конягой, Владимира Ильича не было дома, а Коняга развивал план: ему и Владимиру Ильичу — отойти окончательно от партийной деятельности и поселиться где-то в предместье Берлина. Уйти от партийной работы... Коняга, как показало дальнейшее, мог это сделать, Ильич — не мог». — *Примеч. ред.*

но работала Дяденька, которая, как старая революционерка, не могла прямо понять, как допустимо такое неподчинение съезду. Она и другие товарищи из России писали ободряющие письма. Комитеты один за другим становились на сторону большинства.

Приехал Клэр. Он не представлял себе той стены, которая уже выросла между большевиками и меньшевиками, и думал, что можно помирить большевиков и меньшевиков, пошел говорить с Плехановым, увидел полную невозможность примирения и уехал в подавленном настроении. Владимир Ильич еще больше помрачнел.

В начале 1904 г. приехали в Женеву Циля Зеликсон, представитель питерской организации Барон (Эссен), рабочий Макар. Все они были сторонниками большевиков. С ними часто виделся Владимир Ильич. Разговоры шли не только о склоке с меньшевиками, но и о российской работе. Барон, тогда совсем молодой парень, был увлечен питерской работой. «У нас,— говорил он,— теперь организация строится на коллективных началах, работают отдельные коллективы: коллектив пропагандистов, коллектив агитаторов, коллектив организаторов». Владимир Ильич слушал. «Сколько человек у вас в коллективе пропагандистов?» — спросил он. Барон несколько смущенно отвечал: «Пока я один». «Маловато,— заметил Ильич.— А в коллективе агитаторов?» Покраснев до ушей, Барон отвечал: «Пока я один». Ильич неистово хохотал, смеялся и Барон. Ильич всегда какой-нибудь парой вопросов, попадавших в самое больное место, умел из гущи красивых схем, эффектных отчетов вышелушить реальную действительность.

Потом приехал Ольминский (Мих. Ст. Александров), ставший на сторону большевиков, приехала бежавшая из далекой ссылки Зверь[1].

Зверь, вырвавшаяся из ссылки на волю, была полна веселой энергией, которой она заражала всех окружающих. Никаких сомнений, никакой нерешительности в ней не было и следа. Она дразнила всякого, кто вешал нос на квинту, кто вздыхал по поводу раскола. Заграничные дрязги как-то не задевали ее. В это время мы придумали устраивать у себя в Сешероне раз в неделю «журфиксы», для сближения большевиков. На этих «журфиксах», однако, настоящих разговоров не выходило, зато очень разгоняли они навеянную всей этой склокой с меньшевиками тоску, и весело было слушать, как залихватски затягивала Зверка какого-нибудь «Ваньку» и подхватывал

---

[1] М. М. Эссен. — *Примеч. ред.*

песню высокий лысый рабочий Егор. Он ходил было поговорить по душам с Плехановым — даже воротнички по этому случаю надел,— но ушел он от Плеханова разочарованный, с тяжелым чувством. «Не унывай, Егор, валяй «Ваньку»,— наша возьмет»,— утешала его Зверка. Ильич веселел: эта залихватость, эта бодрость рассеивали его тяжелые настроения.

Появился на горизонте Богданов. Тогда Владимир Ильич еще мало был знаком с его философскими работами, не знал его совершенно как человека. Было видно, однако, что это работник цекистского масштаба. Он приехал за границу временно, в России у него были большие связи. Кончался период безысходной склоки.

Больше всего было Ильичу тяжело рвать окончательно с Плехановым.

Весной Ильич познакомился со старым революционером на-родоправцем Натансоном и его женой. Натансон был великолепным организатором старого типа. Он знал массу людей, знал прекрасно цену каждому человеку, понимал, кто на что способен, к какому делу кого можно приставить. Что особенно поразило Владимира Ильича,— он знал прекрасно состав не только своих, но и наших с.-д. организаций, лучше, чем многие наши тогдашние цекисты. Натансон жил в Баку, знал Красина, Постоловского и др. Владимиру Ильичу показалось, что Натансона можно бы убедить стать социал-демократом. Натансон очень был близок к социал-демократической точке зрения. Потом кто-то рассказывал, как этот старый революционер рыдал, когда в Баку впервые в жизни увидал грандиозную демонстрацию. Об одном не мог Владимир Ильич сговориться с Натансоном. Не согласен Натансон был с подходом социал-демократии к крестьянству. Недели две продолжался роман с Натансоном. Натансон хорошо знал Плеханова, был с ним на «ты». Владимир Ильич разговорился с ним как-то о наших партийных делах, о расколе с меньшевиками. Натансон предложил поговорить с Плехановым. От Плеханова вернулся каким-то растерянным: надо идти на уступки...

Порвался роман с Натансоном. Владимиру Ильичу досадно стало на себя, что он с человеком чужой партии стал говорить о делах социал-демократии, что тот посредником каким-то явился. Досадовал на себя, досадовал на Натансона.

Тем временем ЦК в России вел двойственную примиренческую политику, комитеты стояли за большевиков. Надо было, опираясь на Россию, созвать новый съезд.

В ответ на июльскую декларацию ЦК[1], которая лишала Владимира Ильича возможности защищать свою точку зрения и сноситься с Россией, Владимир Ильич вышел из ЦК, группа большевиков — 22 человека — приняла резолюцию о необходимости созыва III съезда.

Мы с Владимиром Ильичем взяли мешки и ушли на месяц в горы. Сначала пошла было с нами и Зверка, но скоро отстала, сказала: «Вы любите ходить там, где ни одной кошки нет, а я без людей не могу». Мы, действительно, выбирали всегда самые дикие тропинки, забирались в самую глушь, подальше от людей. Пробродяжничали мы месяц: сегодня не знали, где будем завтра, вечером, страшно усталые, бросались в постель и моментально засыпали.

Деньжат у нас было в обрез, и мы питались больше всухомятку — сыром и яйцами, запивая вином да водой из ключей, а обедали лишь изредка. В одном социал-демократическом трактирчике один рабочий посоветовал: «Вы обедайте не с туристами, а с кучерами, шоферами, чернорабочими: там вдвое дешевле и сытнее». Мы так и стали делать. Тянущийся за буржуазией мелкий чиновник, лавочник и т. п. скорее готов отказаться от прогулки, чем сесть за один стол с прислугой. Это мещанство процветает в Европе вовсю. Там много говорят о демократии, но сесть за один стол с прислугой не у себя дома, а в шикарном отеле — это выше сил всякого выбивающегося в люди мещанина. И Владимир Ильич с особенным удовольствием шел обедать в застольную, ел там с особым аппетитом и усердно похваливал дешевый и сытный обед. А потом мы одевали наши мешки и шли дальше. Мешки были тяжеловаты: в мешке Владимира Ильича уложен был тяжелый французский словарь, в моем — столь же тяжелая французская книга, которую я только что получила для перевода. Однако ни словарь, ни книга ни разу даже не открывались за время нашего путешествия; не в словарь смотрели мы, а на покрытые вечным снегом горы, синие озера, дикие водопады.

После месяца такого времяпрепровождения нервы у Владимира Ильича пришли в норму. Точно он умылся водой из

---

[1] Так называли резолюцию, принятую примиренческой частью ЦК, проводившей к этому времени меньшевистскую политику, и меньшевиками в отсутствие Ленина. Резолюция содержала 26 пунктов, но из них опубликованы были лишь 9 в № 72 «Искры» от 25 августа 1904 г. В ответе редакции «Искры» Ленину, возмущенному сокрытием от партии решений ее руководящего органа, Плеханов отстаивал мысль, что местные комитеты не должны знать всех подробностей о разногласиях вождей: «Стараться сделать пролетариат судьей в бесчисленных распрях, возникающих между кружками, значит склоняться к самому худшему изо всех видов псевдодемократизма» («Искра» № 53 от 25 ноября 1903 г.).

горного ручья и смыл с себя всю паутину мелкой склоки. Август мы провели вместе с Богдановым, Ольминским, Первухиными в глухой деревушке около озера Lac de Bre. С Богдановым сговорились о плане работы; к литературной работе Богданов намечал привлечь Луначарского, Степанова, Базарова. Наметили издавать свой орган за границей и развивать в России агитацию за съезд[1].

Ильич совсем повеселел, и по вечерам, когда он возвращался домой от Богдановых, раздавался неистовый лай — то Ильич, проходя мимо цепной собаки, дразнил ее.

Осенью, вернувшись в Женеву, мы из предместья Женевы перебрались поближе к центру. Владимир Ильич записался в «Societe de Lecture» («Общество любителей чтения». — *Примеч. ред.*), где была громадная библиотека и прекрасные условия для работы, получалась масса газет и журналов на французском, немецком, английском языках. В этом «Societe de Lecture» было очень удобно заниматься, члены общества — по большей части старички-профессора — редко посещали эту библиотеку; в распоряжении Ильича был целый кабинет, где он мог писать, ходить из угла в угол, обдумывать статьи, брать с полок любую книгу. Он мог быть спокоен, что сюда не придет ни один русский товарищ и не станет рассказывать, как меньшевики сказали то-то и то-то и там-то и там-то подложили свинью. Можно было, не отвлекаясь, думать. Подумать было над чем.

Россия начала японскую войну, которая выявляла с особой яркостью всю гнилость царской монархии. В японскую войну пораженцами были не только большевики, но и меньшевики, и даже либералы. Снизу поднималась волна народного возмущения. Рабочее движение вступило в новую фазу. Все чаще и чаще приходили известия о массовых народных собраниях, устраиваемых вопреки полиции, о прямых схватках рабочих с полицией.

Перед лицом нарастающего массового революционного движения мелкие фракционные дрязги уже не волновали так, как волновали еще недавно. Правда, эти дрязги принимали иногда совершенно дикий характер. Например, приехал с Кавказа большевик Васильев и захотел сделать доклад о положении дел в России. Но в начале собрания меньшевики потребовали выборов президиума, хотя это был простой доклад, на который мог придти любой член партии, а не организаци-

---

[1] Один из пунктов этой декларации гласил: «ЦК решительно высказывается против созыва в настоящее время экстренного съезда, против агитации за этот съезд». — *Н. К.*

онное собрание. Попытка со стороны меньшевиков превратить каждый доклад в какую-то избирательную схватку была попыткой «демократическим способом» заткнуть рот большевикам. Дело дошло чуть не до рукопашной, до борьбы из-за кассы. В сумятице кто-то изодрал даже тальму на Наталье Богдановне (жене Богданова), кто-то кого-то зашиб. Но теперь это все гораздо меньше волновало, чем раньше.

Теперь мысли были в России. Чувствовалась громадная ответственность перед развивающимся там, в Питере, в Москве, в Одессе и пр., рабочим движением.

Все партии — либералы, эсеры — особенно ярко стали выявлять свою настоящую сущность. Выявили свое лицо и меньшевики. Теперь уже ясно стало, что разделяет большевиков и меньшевиков.

У Владимира Ильича была глубочайшая вера в классовый инстинкт пролетариата, в его творческие силы, в его историческую миссию. Эта вера родилась у Владимира Ильича не вдруг, она выковалась в нем в те годы, когда он изучал и продумывал теорию Маркса о классовой борьбе, когда он изучал русскую действительность, когда он в борьбе с мировоззрением старых революционеров научился героизму борцов-одиночек противопоставлять силу и героизм классовой борьбы. Это была не слепая вера в неведомую силу, это была глубокая уверенность в силе пролетариата, в его громадной роли в деле освобождения трудящихся, уверенность, покоившаяся на глубоком знании дела, на добросовестнейшем изучении действительности. Работа среди питерского пролетариата облекла в живые образы эту веру в мощь рабочего класса[1].

В конце декабря стала выходить большевистская газета «Вперед». В редакцию, кроме Ильича, вошли Ольминский, Орловский[2]. Вскоре на подмогу приехал Луначарский. Его пафосные статьи и речи были созвучны с тогдашним настроением большевиков.

Нарастало в России революционное движение, а вместе с тем росла и переписка с Россией. Она скоро дошла до 300 писем в месяц, по тогдашним временам это была громадная цифра. И сколько материалу она давала Ильичу! Он умел читать письма рабочих. Помню одно письмо, писанное рабочими одесских каменоломен. Это было коллективное письмо, написанное несколькими первобытными почерками, без

---

[1] В своих воспоминаниях, напечатанных 27 ноября 1925 г. в газете «Правда» № 271, Н.К. Крупская добавляет: «Этот план более соответствовал характеру Ильича, чем план, предлагавшийся Конягой». — *Примеч. ред.*

[2] В.В. Боровский. — *Примеч. ред.*

подлежащих и сказуемых, без запятых и точек, но дышало оно неисчерпаемой энергией, готовностью к борьбе до конца, до победы, письмо красочное в каждом своем слове, наивном и убежденном, непоколебимом. Я не помню теперь, о чем писалось в этом письме, но помню его вид, бумагу, рыжие чернила. Много раз перечитывал это письмо Ильич, глубоко задумавшись, шагал по комнате. Не напрасно старались рабочие одесских каменоломен, когда писали Ильичу письмо: тому написали, кому нужно было, тому, кто лучше всех их понял.

Через несколько дней после письма рабочих одесских каменоломен пришло письмо от одесской начинающей пропагандистки Танюши, которая добросовестно и подробно описывала собрание одесских ремесленников. И это письмо читал Ильич и тотчас сел отвечать Танюше: «Спасибо за письмо. Пишите чаще. Нам чрезвычайно важны письма, описывающие будничную, повседневную работу. Нам чертовски мало пишут таких писем».

Чуть не в каждом письме Ильич просит русских товарищей давать побольше связей. «...Сила революционной организации в числе ее связей»,— пишет он Гусеву. Просит Гусева связывать большевистский заграничный центр с молодежью. «...Среди нас есть, — пишет он,— какая-то идиотская, филистерская, обломовская боязнь молодежи»[1]. Ильич пишет своему старому знакомому по Самаре — Алексею Андреевичу Преображенскому, который жил в то время в деревне, и просит у него связей с крестьянами. Он просит питерцев посылать письма рабочих в заграничный центр не в выдержках, не в изложении, а в подлинниках. Эти письма рабочих яснее всего говорили Ильичу о том, что революция близится, нарастает. У порога стоял уже пятый год.

<hr />

[1] *Ленин В.И.* Полн. собр. соч. Т. 47. С. 12, 13.

ПЯТЫЙ ГОД. В ЭМИГРАЦИИ

Уже в ноябре 1904 г., в брошюре «Земская кампания и план «Искры»», и затем в декабре, в статьях в №№ 1—3 «Вперед»[1] Ильич писал о том, что близится время настоящей, открытой борьбы масс за свободу. Он ясно чувствовал приближение революционного взрыва. Но одно дело чувствовать это приближение, а другое — узнать, что революция уже началась. И потому, когда пришла весть в Женеву о 9-м Января, когда дошла весть о той конкретной форме, в которой началась революция,— точно изменилось все кругом, точно далеко куда-то в прошлое ушло все, что было до этого времени. Весть о событиях 9-го Января долетела до Женевы на следующее утро. Мы с Владимиром Ильичем шли в библиотеку и по дороге встретили шедших к нам Луначарских. Запомнилась фигура жены Луначарского, Анны Александровны, которая не могла говорить от волнения и лишь беспомощно махала муфтой. Мы пошли туда, куда инстинктивно потянулись все большевики, до которых долетела весть о питерских событиях,— в эмигрантскую столовку Лепешинских. Хотелось быть вместе. Собравшиеся почти не говорили между собой, слишком все были взволнованы. Запели «Вы жертвою пали...», лица были сосредоточенны. Всех охватило сознание, что революция уже началась, что порваны путы веры в царя, что теперь совсем уже близко то время, когда «падет произвол, и восстанет народ, великий, могучий, свободный...»

Мы зажили той своеобразной жизнью, какой жила в то время вся женевская эмиграция: от одного выпуска местной газеты «Трибунки»[2] до другого.

Все мысли Ильича были прикованы к России.

Вскоре приехал в Женеву Гапон. Попал он сначала к эсерам, и те старались изобразить дело так, что Гапон их человек, да и все рабочее движение Питера также дело их рук. Они страшно рекламировали Гапона, восхваляли его. В то вре-

---

[1] *Ленин В.И.* Полн. собр. соч. Т. 47. С. 75—98, 126—149, 151—166, 1 74 >J0
[2] Речь идет о газете «Женевская трибуна», выходившей на французском языке.

мя Гапон стоял в центре всеобщего внимания, и английский «Times» (газета «Время») платил ему бешеные деньги за каждую строчку.

Через некоторое время после приезда Гапона в Женеву к нам пришла под вечер какая-то эсеровская дама и передала Владимиру Ильичу, что его хочет видеть Гапон. Условились о месте свидания на нейтральной почве, в кафе. Наступил вечер. Ильич не зажигал у себя в комнате огня и шагал из угла в угол.

Гапон был живым куском нараставшей в России революции, человеком, тесно связанным с рабочими массами, беззаветно верившими ему, и Ильич волновался этой встречей.

Один товарищ недавно возмутился: как это Владимир Ильич имел дело с Гапоном!

Конечно, можно было просто пройти мимо Гапона, решив наперед, что от попа не будет никогда ничего доброго. Так это и сделал, например, Плеханов, принявший Гапона крайне холодно. Но в том-то и была сила Ильича, что для него революция была живой, что он умел всматриваться в ее лицо, охватывать ее во всем ее многообразии, что он знал, понимал, чего хотят массы. А знание массы дается лишь соприкосновением с ней. Ильича интересовало, чем мог Гапон влиять на массу.

Владимир Ильич, придя со свидания с Гапоном, рассказывал о своих впечатлениях. Тогда Гапон был еще обвеян дыханием революции. Говоря о питерских рабочих, он весь загорался, он кипел негодованием, возмущением против царя и его приспешников. В этом возмущении было немало наивности, но тем непосредственнее оно было. Это возмущение было созвучно с возмущением рабочих масс. «Только учиться ему надо,— говорил Владимир Ильич.— Я ему сказал: «Вы, батенька, лести не слушайте, учитесь, а то вон где очутитесь,— показал ему под стол»».

8 февраля Владимир Ильич писал в № 7 «Вперед»: «Пожелаем, чтобы Г. Гапону, так глубоко пережившему и перечувствовавшему переход от воззрений политически бессознательного народа к воззрениям революционным, удалось доработаться до необходимой для политического деятеля ясности революционного миросозерцания».

Гапон никогда не доработался до этой ясности. Он был сыном богатого украинского крестьянина, до конца сохранил связь со своей семьей, со своим селом. Он хорошо знал нужды крестьян, язык его был прост и близок серой рабочей массе; в этом его происхождении, в этой его связи с деревней, может быть, одна из тайн его успеха; но трудно было встретить человека, так насквозь проникнутого поповской психологией, как Гапон. Раньше он никогда не знал революционной среды, а по натуре своей был не революционером, а хитрым попом, шедшим на какие угодно компромиссы. Он рассказывал как-то: «Одно время нашли на меня сомнения, поколебалась во мне вера. Совсем расхворался, поехал в Крым. В то время был там старец, говорили, святой жизни. Поехал я к нему, чтобы в вере укрепиться. Пришел я к старцу; у ручья народ собравшись, и старец молебен служит. В ручье ямка, будто конь Георгия Победоносца тут ступил. Ну, глупость, конечно. Но, думаю, не в этом дело,— вера у старца глубока. Подхожу после молебна к старцу благословиться. А он скидает ризу да говорит: «А мы тут лавку свечную поставили, наторговали сколько!» Вот те и вера! Еле живой я домой дошел. Был у меня приятель тогда, художник Верещагин, говорит: «Брось священство!» Ну, подумал я: сейчас на селе родителей уважают, отец — старшина, ото всех почет, а тогда станут все в глаза бросать: сын — расстрига! Не сложил я сана».

В этом рассказе весь Гапон.

Учиться он не умел. Он уделял немало времени, чтобы учиться стрелять в цель и ездить верхом, но с книжками дело у него плохо ладилось. Правда, он, по совету Ильича, засел за чтение плехановских сочинений, но читал их как бы по обязанности. Из книг Гапон учиться не умел. Но не умел он учиться и из жизни. Поповская психология застилала ему глаза. Попав вновь в Россию, он скатился в бездну провокаторства.

С первых же дней революции Ильичу стала сразу ясна вся перспектива. Он понял, что теперь движение будет расти как лавина, что революционный народ не остановится на полпути, что рабочие ринутся в бой с самодержавием. Победят ли рабочие, или будут побеждены,— это видно будет в результате схватки. А чтобы победить, надо быть как можно лучше вооруженным.

У Ильича было всегда какое-то особое чутье, глубокое понимание того, что переживает в данную минуту рабочий класс.

Меньшевики, ориентируясь на либеральную буржуазию, которую надо было еще раскачивать, толковали о том, что надо «развязать» революцию,— Ильич знал, что рабочие уже решились бороться до конца. И он был с ними. Он знал, что остановиться на полдороге нельзя, что это внесло бы в рабочий класс такую деморализацию, такое понижение энергии в борьбе, принесло бы такой громадный ущерб делу, что на это нельзя было идти ни под каким видом. И история показала, что в революции пятого года рабочий класс потерпел поражение, но побежден не был, его готовность к борьбе не была сломлена. Этого не понимали те, кто нападал на Ленина за его прямолинейность, кто после поражения не умел ничего сказать, кроме того, что «не нужно было браться за оружие». Оставаясь верным своему классу, нельзя было не браться за оружие, нельзя было авангарду оставлять свой борющийся класс.

И Ильич неустанно звал авангард рабочего класса — партию — к борьбе, к организации, к работе над вооружением масс. Он писал об этом во «Вперед», в письмах в Россию.

«Девятое января 1905 года обнаружило весь гигантский запас революционной энергии пролетариата и всю недостаточность организации социал-демократов»,— писал Владимир Ильич в начале февраля в своей статье «Должны ли мы организовать революцию?»[1], каждая строка которой дышит призывом перейти от слов к делу.

Ильич не только перечитал и самым тщательным образом проштудировал, продумал все, что писали Маркс и Энгельс о революции и восстании,— он прочел немало книг и по военному искусству, обдумывая со всех сторон технику вооруженного восстания, организацию его. Он занимался этим делом гораздо больше, чем это знают, и его разговоры об ударных группах во время партизанской войны, «о пятках и десятках» были не болтовней профана, а обдуманным всесторонне планом.

Служащий «Societe de Lecture» был свидетелем того, как раненько каждое утро приходил русский революционер в подвернутых от грязи на швейцарский манер дешевеньких брюках, которые он забывал отвернуть, брал оставленную со вчерашнего дня книгу о баррикадной борьбе, о технике наступления, садился на привычное место к столику у окна, приглаживал привычным жестом жидкие волосы на лысой голове и погружался в чтение. Иногда только вставал, чтобы взять с полки большой словарь и отыскать там объяснение незнакомого термина, а потом ходил все взад и вперед и, сев к столу, что-то быстро, сосредоточенно писал мелким почерком на четвертушках бумаги.

Большевики изыскивали все средства, чтобы переправлять в Россию оружие, но то, что делалось, была капля в море. В России образовался Боевой комитет (в Питере), но работал он медленно. Ильич писал в Питер: «В таком деле менее всего пригодны схемы, да споры и разговоры о функциях Боевого комитета и правах его. Тут нужна бешеная энергия и еще

---

[1] *Ленин В.И.* Полн. собр. соч. Т. 9. С. 282.

энергия. Я с ужасом, ей-богу с ужасом, вижу, что о бомбах говорят больше полгода и ни одной не сделали! А говорят ученейшие люди... Идите к молодежи, господа! вот одно единственное, всеспасающее средство. Иначе, ей-богу, вы опоздаете (я это по всему вижу) и окажетесь с «учеными» записками, планами, чертежами, схемами, великолепными рецептами, но без организации, без живого дела... Не требуйте никаких формальностей, наплюйте, христа ради, на все схемы, пошлите вы, бога для, все «функции, права и привилегии» ко всем чертям»[1].

И большевики делали в смысле подготовки вооруженного восстания немало, проявляя нередко колоссальный героизм, рискуя каждую минуту жизнью. Подготовка вооруженного восстания — таков был лозунг большевиков. О вооруженном восстании толковал и Гапон.

Вскоре по приезде он выступает с проектом боевого соглашения революционных партий. В № 7 «Вперед» (от 8 февраля 1905 г.) Владимир Ильич дает оценку предложения Гапона и подробно освещает весь вопрос о боевых соглашениях[2].

Гапон взял на себя задачу снабдить питерских рабочих оружием. В распоряжение Гапона поступали всякого рода пожертвования. Он закупал в Англии оружие. Наконец дело было слажено. Найден был пароход — «Джон Графтон», капитан которого согласился везти оружие и сгрузить его на одном из островов невдалеке от русской границы. Не имея представления, как ведутся нелегальные транспортные дела, Гапон представлял себе дело гораздо проще, чем оно было в действительности. Чтобы организовать дело, он взял у нас нелегальный паспорт и связи и отправился в Питер. Владимир Ильич видел во всем предприятии переход от слов к делу. Оружие нужно рабочим во что бы то ни стало. Из всего предприятия, однако, ничего не вышло. «Графтон» сел на мель, и вообще подъехать к намеченному острову оказалось невозможным. Но и в Питере Гапон ничего не смог сделать. Ему пришлось скрываться в убогих квартирах рабочих. Пришлось жить под чужим име-

---

[1] См.: *Ленин В.И.* О боевом соглашении для восстания // Полн. собр. соч. Т. 9. С. 274—282.

[2] Так как примиренчески-меньшевистский ЦК упорно отказывался созвать съезд и вообще не отражал воли партии, в большинстве стоявшей на позиции «большинства», то на «совещании 22-х» в Женеве (август 1904 г.) было решено создать большевистский орган для борьбы за созыв III съезда партии. Намеченные этим совещанием кандидаты (Гусев, Богданов, Землячка. Литвинов, Лядов) были затем утверждены на трех нелегальных конференциях в России — Северной, Южной и Кавказской. Так было создано Бюро комитетов большинства (БКБ). Наряду с агитацией за созыв съезда БКБ руководило фактически практической работой большевистских организаций в России. — *Н.К.*

нем, все сношения были страшно затруднены, адреса эсеров, где надо было условиться о приеме транспорта, оказались мифическими. Только большевики послали на остров своих людей. На Гапона все это произвело ошеломляющее впечатление. Жить нелегально, впроголодь, никому не показываясь, совсем не то, что выступать, ничем не рискуя, на тысячных собраниях. Налаживать конспиративную доставку оружия могли лишь люди совершенно иного революционного закала, чем Гапон, готовые идти на всякую безвестную жертву...

Другой лозунг, выдвинутый Ильичем, это — поддержка борьбы крестьян за землю. Эта поддержка дала бы рабочему классу возможность опираться в своей борьбе на крестьянство. Крестьянскому вопросу Владимир Ильич всегда уделял много внимания. В свое время, при обсуждении Программы партии ко II съезду, Владимир Ильич выдвинул — и горячо его отстаивал — лозунг возвращения крестьянам «отрезков» земли, отрезанной у них при реформе 1861 года.

Ему казалось, что для того, чтобы увлечь за собой крестьянство, надо выставить возможно более близкое крестьянам конкретное требование. Подобно тому как агитацию среди рабочих начинали социал-демократы с борьбы за кипяток, за сокращение рабочего дня, за своевременную выплату заработной платы, так и крестьянство надо сорганизовать вокруг конкретного лозунга.

Пятый год заставил Ильича пересмотреть этот вопрос. Беседы с Гапоном — крестьянином по происхождению, сохранившим связь с деревней; беседы с Матюшенко — матросом с «Потемкина», с рядом рабочих, приезжавших из России и близко знавших, что делается в деревне, показали Ильичу, что лозунг об «отрезках» уже недостаточен, что нужно выдвинуть более широкий лозунг — конфискации помещичьих, удельных и церковных земель. Недаром Ильич в свое время так усердно рылся в статистических сборниках и детально вскрывал экономическую связь между городом и деревней, между крупной и мелкой промышленностью, между рабочим классом и крестьянством. Он видел, что настал момент, когда эта экономическая связь должна послужить базой могущественного политического влияния пролетариата на крестьянство. Революционным до конца классом он считал лишь пролетариат.

Запомнилась мне такая сценка. Однажды Гапон попросил Владимира Ильича прослушать написанное им воззвание, которое он начал с большим пафосом читать. Воззвание было переполнено проклятиями царю. «Не нужно нам царя,— говорилось в воззвании,— пусть будет один хозяин у земли — бог, а вы все у него будете арендатели!» (в то время крестьянское движение еще шло как раз по линии борьбы за понижение арендной платы). Владимир Ильич расхохотался,— больно уж наивен был образ, а с другой стороны, очень уж выпукло выступило то, чем Гапон был близок массе: сам крестьянин, он разжигал у рабочих, наполовину еще сохранивших связь с деревней, исконную затаенную жажду земли.

Смех Владимира Ильича смутил Гапона. «Может, не так что,— сказал он,— скажите, я поправлю». Владимир Ильич сразу стал серьезен. «Нет,— сказал он,— это не выйдет, у меня весь ход мысли другой, пишите уж своим языком, по-своему».

Вспоминается другая сцена. Дело было уже после III съезда, после восстания «Потемкина»[1]. Потемкинцы были интернированы в Румынии, страшно бедствовали. Гапон в то время получал много денег,— и за свои воспоминания, и пожертвования ему всякие передавали на дело революции,— он целыми днями возился с закупкой одежи для потемкинцев. Приехал в Женеву один из самых видных участников восстания на «Потемкине» — матрос Матюшенко. Он сразу сошелся с Гапоном, ходили они неразлучно.

В то время приехал к нам парень из Москвы (я не помню уж его клички), молодой краснощекий приказчик из книжного склада, недавно ставший социал-демократом. Привез поручение из Москвы. Парень рассказал, как и почему он стал социал-демократом, а потом стал распространяться, почему правильна Программа социал-демократической партии, и излагать ее — с горячностью вновь обращенного — пункт за пунктом. Владимиру Ильичу стало скучно, и он ушел в библиотеку, оставив меня поить парня чаем и выуживать из него что можно. Парень продолжал излагать Программу. В это время пришли Гапон и Матюшенко. Я было и их собралась поить чаем, да парень в это время дошел как раз до изложения «отрезков». Услыша изложение этого пункта, причем парень стал доказывать, что дальше борьбы за «отрезки» идти крестьяне не должны,— Матюшенко и Гапон вскипели: «Вся земля народу!»

Не знаю, до чего бы это дело дошло, если бы не пришел Ильич. Быстро разобравшись, о чем идет спор, он не стал говорить по существу, а увел Гапона и Матюшенко к себе. Я постаралась поскорее сплавить парня.

---

[1] Работа III съезда РСДРП проходила с 12 по 27 апреля (25 апреля — 10 мая) 1905 г.— *Примеч. ред.*

В крестьянстве поднималось широкое революционное движение. На декабрьской Таммерфорсской конференции[1] Ильич внес предложение: пункт об «отрезках» вовсе выбросить из Программы[2].

Вместо него введен был пункт о поддержке революционных мероприятий крестьянства, вплоть до конфискации помещичьих, казенных, церковных, монастырских и удельных земель[3].

Иначе посмотрел на дело пользовавшийся тогда громадным влиянием немецкий социал-демократ Каутский. Он написал тогда в «Neue Zeit»[4], что в России революционное городское движение должно оставаться нейтральным в вопросе об отношениях между крестьянством и помещиком.

Теперь Каутский — один из самых видных предателей рабочего дела, но тогда он считался революционным социал-демократом. Когда другой немецкий социал-демократ, Бернштейн, поднял в конце девяностых годов знамя борьбы с марксизмом, стал доказывать, что надо пересмотреть учение Маркса, что многое в учении Маркса устарело, отжило свой век, что цель (социализм) — ничто, а движение — все,— Каутский тогда выступил против Бернштейна в защиту учения Маркса[5]. Благодаря этому имя Каутского было в то время окружено ореолом наиболее революционного и последовательного ученика Маркса. Утверждение Каутского, однако, не поколебало убеждения Ильича, что русская революция может победить, только опираясь на крестьянство.

Утверждение Каутского побудило Ильича проверить, правильно ли излагает Каутский точку зрения Маркса и Энгельса. Владимир Ильич стал на опыте изучать отношение Маркса к аграрному движению в Америке в 1848 г., отношение Энгельса в 1885 г. к Генри Джорджу[6]. В апреле Влади-

---

[1] Первая конференция РСДРП состоялась в Таммерфорсе 12—17 (25—30) декабря 1905 г. — *Примеч. ред.*

[2] *Ленин В.И.* Полн. собр. соч. Т. 9. С. 264—265.

[3] Удельные земли — земли, принадлежавшие царю и членам царской семьи. — *Примеч. ред.*

[4] «Die Neue Zeit» («Новое время») — теоретический журнал Германской социал-демократической партии, выходивший в Штутгарте с 1883 по 1923 г. Ред.

[5] В своих воспоминаниях, опубликованных 6 декабря 1925 г. в газете «Правда» № 279, Н.К. Крупская далее пишет: «Книжку Каутского против Бернштейна («Anti-Bernstein») на немецком языке прислал Владимиру Ильичу в ссылку Потресов; она чрезвычайно понравилась Владимиру Ильичу. Мы стали переводить ее и перевели в две недели для товарищей по ссылке». — *Примеч. ред.*

[6] Джордж Генри (1839—1897) — американский экономист, публицист. Буржуазный радикал, распространял среди рабочих буржуазно-реформистские взгляды. Выдвигал идею «единого земельного налога» как средства обеспечения

мир Ильич дает уже статью «Маркс об американском «черном переделе»»[1].

Он кончает эту статью словами: «Вряд ли найдется другая страна в мире, где бы крестьянство переживало такие страдания, такое угнетение и надругательство, как в России. Чем беспросветнее было это угнетение, тем более могучим будет теперь его пробуждение, тем непреоборимее будет его революционный натиск. Дело сознательного революционного пролетариата всеми силами поддержать этот натиск, чтобы он не оставил камня на камне в старой, проклятой, крепостнически-самодержавной рабьей России, чтобы он создал новое поколение свободных и смелых людей, создал новую республиканскую страну, в которой развернется на просторе наша пролетарская борьба за социализм»[2].

В Женеве большевистский центр гнездился на углу знаменитой, населенной русскими эмигрантами, Каружки (Rue de Carouge) и набережной реки Арвы. Тут помещалась редакция «Вперед», экспедиция, большевистская столовка Лепешинских, тут жили Бонч-Бруевич, Лядовы (Мандельштамы), Ильины. У Бонч-Бруевичей бывали постоянно Орловский, Ольминский и др. Богданов, вернувшись в Россию, сговорился с Луначарским, который и приехал в Женеву и вступил в редакцию «Вперед». Луначарский оказался блестящим оратором, очень много содействовал укреплению большевистских позиций. С той поры Владимир Ильич стал очень хорошо относиться к Луначарскому, веселел в его присутствии и был к нему порядочно-таки пристрастен даже во времена расхождения с впередовцами. Да и Анатолий Васильевич в его присутствии всегда был особенно оживлен и остроумен. Помню, как однажды — кажется в 1919 или 1920 г.— Анатолий Васильевич, вернувшись с фронта, описывал Владимиру Ильичу свои впечатления и как блестели глаза у Владимира Ильича, когда он его слушал.

Луначарский, Воровский, Ольминский — хорошая это была подкрепа «Впереду». Владимир Дмитриевич Бонч-Бруевич, заведовавший всей хозяйственной частью, непрерывно сиял, строил разные грандиозные планы, возился с типографией.

Чуть не каждый вечер собирались большевики в кафе Ландольт и подолгу засиживались там за кружкой пива, обсуждая события в России, строя планы.

_____

всеобщего достатка и «социального мира», которую Ф. Энгельс назвал насквозь буржуазной (см.: *Маркс К., Энгельс Ф.* Соч. 2-е изд. Т. 36. С. 78). — *Примеч. ред.*

[1] См.: *Ленин В.И.* Полн. собр. соч. Т. 10. С. 53—60.

[2] Там же. С. 60.

Уезжали многие, многие готовились к отъезду.

В России шла агитация за III съезд. Так многое изменилось со времени II съезда, так много новых вопросов выдвинула жизнь, что новый съезд стал прямо необходим. Большинство комитетов высказывались за съезд. Образовалось Бюро комитетов большинства ЦК накооптировал массу новых членов, в том числе и меньшевиков,— в массе своей он был примиренческим и всячески тормозил созыв III съезда. После провала ЦК, имевшего место в Москве на квартире у писателя Леонида Андреева, оставшиеся на воле члены ЦК согласились на созыв съезда.

Съезд устроен был в Лондоне. На нем явное большинство было за большевиками. И потому меньшевики на съезд не пошли, а своих делегатов собрали на конференцию в Женеву.

На съезд от ЦК приехал Зоммер (он же Марк — Любимов) и Винтер (Красин). Марк имел архимрачный вид. Красин — такой, точно ничего не случилось. Делегаты бешено нападали на ЦК за его примиренческую позицию. Марк сидел темнее тучи и молчал. Молчал и Красин, подперев рукой щеку, но с таким невозмутимым видом, точно все эти ядовитые речи не имели к нему ровно никакого отношения. Когда дошла до него очередь, он спокойным голосом сделал доклад, не возражая даже на обвинения,— и всем ясно стало, что больше говорить не о чем, что было у него примиренческое настроение и прошло, что отныне он становится в ряды большевиков, с которыми пойдет до конца.

Партийцы знают теперь ту большую и ответственную работу, которую нес Красин во время революции пятого года по вооружению боевиков, по руководству подготовкой боевых снарядов и пр. Делалось все это конспиративно, без шума, но вкладывалась в это дело масса энергии. Владимир Ильич больше чем кто-либо знал эту работу Красина и с тех пор всегда очень ценил его.

С Кавказа приехало четверо: Миха Цхакая, Алеша Джапаридзе, Леман и Каменев. Мандата было три. Владимир Ильич допрашивал: кому же принадлежат мандаты,— мандатов три, а человека четыре? Кто получил большинство голосов? Миха возмущенно отвечал: «Да разве у нас на Кавказе голосуют?! Мы дела все решаем по-товарищески. Нас послали четырех, а сколько мандатов — не важно». Миха оказался старейшим членом съезда — ему было в то время 50 лет. Ему и поручили открыть съезд. От Полесского комитета был Лева Владимиров. Много раз писали мы ему в Россию о расколе, и никаких реплик не получали. В ответ на письма, где описывались выходки мартовцев, мы получали письма, где рассказывалось, сколько и каких листовок распространено, где были в Полесье стачки, демонстрации. На съезде Лева держался твердым большевиком.

Были на съезде из России еще Богданов, Постоловский (Вадим), Румянцев (П. П.), Рыков, Саммер, Землячка, Литвинов, Скрыпник, Бур (А. М. Эссен), Шкловский, Крамольников и др.

На съезде чувствовалось во всем, что в России переживается разгар рабочего движения. Были приняты резолюции о вооруженном восстании, о временном революционном правительстве, об отношении к тактике правительства накануне переворота, по вопросу об открытом выступлении РСДРП, об отношении к крестьянскому движению, об отношении к либералам, об отношении к национальным социал-демократическим организациям, о пропаганде и агитации, об отколовшейся части партии и т. д.

По предложению Владимира Ильича, делавшего доклад по аграрному вопросу, пункт об «отрезках» был перенесен в комментарии, на первый же план выдвинут был вопрос о конфискации помещичьих, удельных и церковных земель.

Еще два вопроса были характерны для III съезда — вопрос о двух центрах и вопрос об отношении между рабочими и интеллигентами.

На II съезде преобладали литераторы и практические работники, много поработавшие для партии в той или иной форме, но связанные с русскими организациями, только еще складывавшимися, весьма слабыми узами.

III съезд носил уже иную физиономию. В России организации к этому времени уже вполне оформились,— это были нелегальные комитеты, работавшие при страшно тяжелых конспиративных условиях. Комитеты почти нигде, в силу этих условий, не включали в себя рабочих, но влияние на рабочее движение они имели большое. Листки, «распоряжения» комитета, были созвучны настроению рабочих масс,— они чувствовали руководство; комитеты пользовались поэтому у них большой популярностью, причем действия их облекались для большинства рабочих дымкой таинственности. Рабочие нередко собирались отдельно от интеллигентов для обсуждения коренных вопросов движения. На III съезд было прислано заявление 50 одесских рабочих по основным вопросам расхождений между меньшевиками и большевиками, причем сообщалось, что на собрании, где обсуждался этот вопрос, не было ни одного интеллигента.

Комитетчик был обычно человеком довольно самоуверенным,— он видел, какое громадное влияние на массы имеет работа комитета; комитетчик, как правило, никакого внутрипартийного демократизма не признавал: провалы одни от этого демократизма только получаются, с движением мы и так-де связаны,— говорили комитетчики; комитетчик всегда внутренне презирал немного заграницу, которая-де с жиру бесится и склоки устраивает: «посадить бы их в русские условия». Комитетчик не желал засилья заграницы. Вместе с тем он не хотел новшеств. Приспособляться к быстро менявшимся условиям комитетчик не хотел и не умел.

В период 1904—1905 гг. комитетчики вынесли на своих плечах колоссальную работу, но многие из них с громадным трудом приспособлялись к условиям растущих легальных возможностей и открытой борьбы.

На III съезде не было рабочих — по крайней мере, не было ни одного сколько-нибудь заметного рабочего. Кличка Бабушкин относилась вовсе не к рабочему Бабушкину, который в это время был в Сибири, а, насколько помню, к т. Шкловскому. Зато комитетчиков на съезде было много. Тот, кто упустит из виду эту физиономию III съезда, многого в протоколах съезда не поймет.

Вопрос об «обуздании заграницы» ставился не только комитетчиками, но и другими видными работниками. Во главе оппозиции загранице шел Богданов.

Многое тут говорилось зря, но Владимир Ильич не особенно близко принимал это к сердцу. Он считал, что благодаря развивающейся революции значение заграницы ежечасно падает, знал, что и сам он «не жилец» уже за границей, и о чем только он заботился, так это о том, чтобы ЦК быстро осведомлял ЦО (ЦО должен был отныне называться «Пролетарием» и пока что издаваться за границей). Он настаивал также, чтобы были организованы периодические свидания между заграничной и русской частью ЦК.

Острее стоял вопрос о введении рабочих в комитеты.

За введение рабочих в комитеты особенно горячо стоял Владимир Ильич. За — были также Богданов, «заграничники» и литераторы, против — комитетчики. Горячился Владимир Ильич, горячились комитетчики. Комитетчики настояли, чтобы резолюция по этому поводу не выносилась: нельзя же, в самом деле, было выносить резолюцию, что рабочих не надо вводить в комитет!

Выступая в прениях, Владимир Ильич говорил: «Я думаю, что надо взглянуть на дело шире. Вводить рабочих в комитеты есть не только педагогическая, но и политическая задача. У рабочих есть классовый инстинкт, и при небольшом политическом навыке рабочие довольно скоро делаются выдержанными социал-демократами. Я очень сочувствовал бы тому, чтобы в составе наших комитетов на каждых 2-х интеллигентов было 8 рабочих. Если совет, высказанный в литературе,— по возможности вводить рабочих в комитеты,— оказался недостаточным, то было бы целесообразно, чтобы такой совет был высказан от имени съезда. Если вы будете иметь ясную и определенную директиву съезда, то вы будете иметь радикальный способ для борьбы с демагогией: вот ясная воля съезда»[1].

Владимир Ильич и раньше многократно отстаивал необходимость вводить рабочих в возможно большем числе в комитеты. Он писал об этом и в своем «Письме товарищу» еще в 1902 году. Теперь, защищая на съезде ту же точку зрения, он ужасно горячился, вставлял цвишенруфы[2]. Когда Михайлов (Постоловский) сказал: «Таким образом, на практике к интеллигентам предъявляются очень низкие требования, а к рабочим непомерно высокие»,— Владимир Ильич вскрикнул: «Совершенно верно!» Его восклицание было покрыто хором комитетчиков: «Неверно!»[3].

Когда Румянцев сказал: «В Петербургском комитете только один рабочий, несмотря на то, что работа в Петербурге ведется лет 15», Владимир Ильич крикнул: «Безобразие!»[4].

И потом, при заключении дебатов, Ильич говорил: «Я не мог сидеть спокойно, когда говорили, что рабочих, годных в члены комитета, нет. Вопрос оттягивается; очевидно в партии есть болезнь. Рабочих надо вводить в комитеты»[5]. Если Ильич не очень огорчался по поводу того, что его точка зрения провалилась с таким треском на съезде, так только потому, что он знал: надвигающаяся революция радикально вылечит партию от неумения орабочивать комитеты.

И еще один большой вопрос стоял на съезде: о пропаганде и агитации.

Как-то, помню, к нам в Женеву приехала девица из Одессы и жаловалась: «Рабочие предъявляют к комитету невозможные требования: хотят, чтобы мы давали им пропаганду. Разве это возможно? Мы можем давать им только агитацию!»

[1] *Ленин В.И.* Полн. собр. соч. Т. 10. С. 163.
[2] Цвишенруф — возглас с места, реплика. — *Примеч. ред.*
[3] См.: Третий съезд РСДРП. Апрель—май 1905 года. Протоколы. М., 1959. С. 263.
[4] См. там же. С. 267.
[5] *Ленин В.И.* Полн. собр. соч. Т. 10. С. 174.

На Ильича сообщение одесской девицы произвело довольно сильное впечатление. Оно оказалось как бы введением в прения о пропаганде. Оказалось, об этом говорили и Землячка, и Миха Цхакая, и Десницкий, старые формы пропаганды умерли, пропаганда превратилась в агитацию. С колоссальным ростом рабочего движения устная пропаганда и даже агитация вообще не могли удовлетворить потребностей движения: нужна была популярная литература, популярная газета, литература для крестьян, для народностей, говорящих на других языках...

Сотни новых вопросов выдвигала жизнь, которые нельзя было разрешить в рамках прежней нелегальной организации. Их можно было разрешить лишь путем постановки в России ежедневной газеты, путем широкого легального издательства. Однако пока что свобода печати не была еще завоевана. Решено было издавать в России нелегальную газету, образовать там группу литераторов, обязанных заботиться о популярной газете. Но ясно, что все это были паллиативы.

На съезде немало говорили о разгоравшейся революционной борьбе. Были приняты резолюции о событиях в Польше и на Кавказе. «А движение это становится все шире и шире,— рассказывал уральский делегат.— Давно пора перестать смотреть на Урал, как на отсталый, сонный край, неспособный двинуться. Политическая стачка в Лысьве, многочисленные стачки по разным заводам, разнообразные признаки революционного настроения, вплоть до аграрно-заводского террора в самых разнообразных формах, мелких стихийных демонстраций,— все это признаки, что Урал накануне крупного революционного движения. Что это движение примет на Урале форму вооруженного восстания, это весьма вероятно. Урал был первый, где рабочие пустили в ход бомбы, выставили даже пушки (на Боткинском заводе). Товарищи, не забывайте об Урале!»[1]

Само собой, Владимир Ильич долго толковал с уральским делегатом.

В общем и целом III съезд правильно наметил линии борьбы. Меньшевики те же вопросы разрешали по-другому. Принципиальную разницу между резолюциями III съезда и резолюциями меньшевистской конференции Владимир Ильич осветил в брошюре «Две тактики социал-демократии в демократической революции»[2].

---

[1] Третий съезд РСДРП. Апрель — май 1905 года. Протоколы. С. 377.
[2] См.: Ленин В. И. Полн. собр. соч. Т. 11. С. 1 — 131.

Вернулись мы в Женеву. Я попала в комиссию по редактированию протоколов съезда вместе с Камским и Орловским. Камский уехал. Орловский оказался страшно занят. В Женеве, куда приехало после съезда порядочное число делегатов, организовали проверку протоколов. В те времена никаких стенографисток не было, специальных секретарей также, протокол писали по очереди по два члена съезда, сдавая потом мне. Не все члены съезда были хорошими секретарями. На съезде протоколы зачитывать, само собой, не удавалось. В Женеве, в столовке Лепешинских, устроена была проверка протоколов совместно с делегатами. Само собою, каждый делегат находил, что его мысль записана неверно, и хотел делать вставки. Вставки делать не разрешалось, вносить поправки можно было лишь тогда, когда остальные делегаты признавали правомерность поправки. Работа была очень трудна. Не обходилось и без столкновений. Скрыпник (Щенский) требовал выдачи ему протоколов на дом, и когда я ему сказала, что тогда протоколы надо выдавать всем на руки — и от протоколов останутся рожки да ножки, Скрыпник возмутился и печатными буквами написал протест в ЦК по поводу невыдачи ему протоколов.

Когда черновая работа была закончена, немало ушло времени на редактирование протоколов и у Орловского.

В июле пришли первые протоколы заседания нового ЦК. В них писалось о том, что российские меньшевики не согласны с «Искрой» и также будут проводить бойкот, что ЦК хотя обсуждал вопрос о поддержке крестьянского движения, но пока еще ничего не предпринял, хочет советоваться с агрономами.

Письмо показалось страшно скупым.

Следующее письмо о работе ЦК было еще скупее. Ильич страшно нервничал. Подышав на съезде русской атмосферой, труднее было переносить оторванность от русской работы.

В половине августа в письме к ЦК Ильич убеждал ЦК «перестать быть немым», не ограничиваться обсуждением вопросов промеж себя. «...В работе ЦК есть какой-то внутренний дефект...»,— писал он русским цекистам[1].

В последующих письмах он жестоко ругается за то, что не выполняется постановление о регулярном осведомлении ЦО.

В сентябрьском письме, обращенном к Августу, Ильич пишет: «Дожидаться полной солидарности в ЦК или в среде его агентов — утопия. «Не кружок, а партия», милый друг!»[1].

В письме к Гусеву от 13 октября 1905 г. он указывает на необходимость вести, наряду с подготовкой к вооруженному восстанию, и профессиональную борьбу, но вести эту борьбу в большевистском духе, давая и тут бой меньшевикам

На женевском горизонте появились предвестники свободы печати. Появились издатели, наперебой предлагавшие издать легально вышедшие за границей нелегально брошюры. Одесский «Буревестник», издательство Малых и др. — все предлагали свои услуги.

ЦК предлагал воздерживаться от заключения каких бы то ни было договоров, так как предполагал наладить свое издательство.

В начале октября возник вопрос о поездке Ильича в Финляндию, где предполагалось свидание с ЦК, но развивавшиеся события поставили вопрос иначе — Владимир Ильич собрался ехать в Россию. Я должна была еще остаться на пару недель в Женеве, чтобы ликвидировать дела. Вместе с Ильичем разобрали мы его бумаги и письма, разложили по конвертам, Ильич надписал собственноручно каждый конверт. Все было уложено в чемодан и сдано на хранение, кажется т. Карпинскому. Этот чемодан сохранился и был доставлен уже после смерти Ильича в Институт Ленина. В нем была масса документов и писем, бросающих яркий свет на историю партии.

В сентябре Ильич писал в ЦК:

«Относительно Плеханова сообщаю Вам для осведомления здешние слухи. Он явно озлобился на нас за разоблачение перед Международным бюро. Ругается, как извозчик, в № 2 «Дневника Социал-Демократа». Говорят то о его особой газете, то о возвращении его в «Искру». Вывод: недоверие к нему должно усилиться»[2].

И 8 октября Владимир Ильич продолжает: «Усердно прошу: бросьте теперь совсем мысль о Плеханове и назначьте

_____
кос н ове н н ос ть личности и т. п., не могут быть удовлетворены, большинство из них отказалось от участия в выборах депутатов и призвало рабочих Петербурга к забастовке. Комиссия Шидловского, не приступившая к работе, была распущена. — _Примеч. ред._

[1] Письмо «Центральному Комитету РСДРП» написано 28 июня (11 июля) 1905 г. (см.: Ленин В. И. Полн. собр. соч. Т. 47. С. 39—40). — _Примеч. ред._

[2] _Ленин В.И._ Полн. собр. соч. Т. 47. С. 65.

своего делегата из большинства... Хорошо бы назначить Орловского»[1].

Но когда пришли вести, что есть возможность в России наладить ежедневную газету, когда Ильич собрался уже ехать, он написал Плеханову горячее письмо, где звал Плеханова сотрудничать в газете: «...тактические разногласия наши революция сама сметает с поразительной быстротой...», «...все это создаст новую почву, на которой всего легче будет забыть старое, спеться на живом деле»[2]. В конце Ильич просил Плеханова о свиданьи. Не помню, имело ли оно место. Вероятно нет, потому что тогда этот факт вряд ли забылся бы.

Плеханов в Россию в 1905 г. не ездил.

26 октября Ильич уже сговорился детально в письме о своем возвращении в Россию. «Хорошая у нас в России революция, ей-богу!»,— пишет он там. И, отвечая на вопрос о сроке восстания, он говорит: «Я бы лично охотно оттянул его до весны,.. Но ведь нас все равно не спрашивают»[3].

[1] Речь идет о посылке представителя в Международное социалистическое бюро II Интернационала. Представителем РСДРП в Международном социалистическом бюро с 1905 по 1912 г. был В.И. Ленин. — *Примеч. ред.*

[2] См.: *Ленин В.И.* Полн. собр. соч. Т. 47. С. 88—92.

[3] *Ленин В.И.* Полн. собр. соч. Т. 47. С. 106, 105.

СНОВА В ПИТЕРЕ

Было условлено, что в Стокгольм приедет человек и привезет для Владимира Ильича документы на чужое имя, с которыми он мог бы переехать через границу и поселиться в Питере. Человек, однако, не ехал и не ехал, и Ильичу приходилось сидеть и ждать у моря погоды, в то время как в России революционные события принимали все более и более широкий размах. Две недели просидел он в Стокгольме и приехал в Россию в начале ноября. Я приехала вслед за ним дней через десять, устроив предварительно все дела в Женеве. За мной увязался шпик, который сел со мной на пароход в Стокгольме и потом в поезд, шедший из Ханко на Гельсингфорс. В Финляндии революция была уже во всем разгаре. Я хотела было дать телеграмму в Питер, но улыбающаяся веселая финка ответила, что телеграммы она принять не может: шла почтово-телеграфная забастовка. В вагонах все громко разговаривали, я ввязалась в разговор с каким-то финским активистом[1], почему-то говорившим по-немецки. Он описывал успехи революции. «Шпиков,— говорил он,— мы арестовали всех и посадили в тюрьму». Мой взгляд упал на сопровождавшего меня шпика. «Но могут приехать новые»,— засмеялась я, выразительно взглянув на своего соглядатая. Финн догадался. «О,— воскликнул он,— только скажите, если кого заметите, мы его сейчас арестуем!» Мы подъезжали к какой-то маленькой станции. Мой шпик встал и сошел на станции, где поезд стоит лишь одну минуту. Больше я его не видала...

Четыре года почти прожила я за границей и смертельно стосковалась по Питеру. Он теперь весь кипел, я это знала, и тишина Финляндского вокзала, где я сошла с поезда, находилась в таком противоречии с моими мыслями о Питере и революции, что мне вдруг показалось, что я вылезла из поезда не в Питере, а в Парголове. Смущенно я обратилась к одному

---

[1] Активисты — финская партия активного сопротивления — радикально-буржуазная партия Финляндии, ставившая целью добиваться восстановления автономии Финляндии и даже полного отделения ее от России путем «активного сопротивления». После революции 1905 г. «активисты» сошли со сцены, а в 1917 г. они оказались на стороне белых. — *Примеч. ред.*

из стоявших тут извозчиков и спросила: «Какая это станция?» Тот даже отступил, а потом насмешливо оглядел меня и, подбоченясь, ответил: «Не станция, а город Санкт-Петербург».

На крыльце вокзала меня встретил Петр Петрович Румянцев. Он сказал, что Владимир Ильич живет у них, и мы поехали с ним куда-то на Пески. Петра Петровича Румянцева я видела первый раз на похоронах Шелгунова, тогда он был молодягой, с кудрявой шевелюрой — шел впереди демонстрации и пел. В 1896 г. я встретила его в Полтаве, он стоял в центре полтавских социал-демократов, только что вышел из тюрьмы, был бледен и нервен. Он выделялся своим умом, пользовался большим влиянием и казался хорошим товарищем.

В 1900 г. я видела его в Уфе, куда он приезжал из Самары и имел какой-то разочарованный и томный вид.

В 1905 г. он вновь появился на горизонте, был он уже литератором, человеком с положением и брюшком, бонвивановских[1] повадок, но выступал умно и дельно. Он отлично провел кампанию по бойкоту комиссии Шидловского, держал себя твердым большевиком. Вскоре после III съезда был кооптирован в ЦК.

У него была хорошая, хорошо обставленная семейная квартира, и первое время Ильич жил там без прописки.

Владимира Ильича всегда крайне стесняло пребывание в чужих квартирах, мешало его работоспособности. По моем приезде Ильич стал торопить поселиться вместе, и мы поселились в каких-то меблированных комнатах на Невском, без прописки. Я, помню, разговорилась с прислуживавшими девушками, они мне нарассказали о том, что делается в Питере, с массой живых, говорящих подробностей. Я, конечно, сейчас же все пересказала Ильичу. Ильич лестно отозвался о моих обследовательских способностях, и с тех пор я стала его усердным репортером. Обычно, когда мы жили в России, я могла много свободнее передвигаться, чем Владимир Ильич, говорить с гораздо большим количеством людей. По двум-трем поставленным им вопросам я уже знала, что ему хочется знать, и глядела вовсю. И теперь еще не изжилась привычка — каждое свое впечатление формулировать мысленно для Ильича.

На другой же день у меня оказалась в этом отношении довольно богатая пожива. Я отправилась искать нам пристанище и на Троицкой улице, осматривая пустую квартиру, разговорилась с дворником. Долго он мне рассказывал про деревню, про помещика, про то, что земля должна отойти от бар крестьянам.

---

[1] Бонвиван — человек, любящий весело пожить. — *Примеч. ред.*

Тем временем мы решили поселиться легально. Мария Ильинична устроила нас где-то на Греческом проспекте у знакомых. Как только мы прописались, целая туча шпиков окружила дом. Напуганный хозяин не спал всю ночь напролет и ходил с револьвером в кармане, решив встретить полицию с оружием в руках. «Ну его совсем. Нарвешься зря на историю»,— сказал Ильич. Поселились нелегально, врозь. Мне дали паспорт какой-то Прасковьи Евгеньевны Онегиной, по которому я и жила все время. Владимир Ильич несколько раз менял паспорта.

Когда Владимир Ильич приехал в Россию, там уже выходила легальная ежедневная газета «Новая жизнь». Издателем была Мария Федоровна Андреева (жена Горького), редактором был поэт Минский, принимали участие: Горький, Леонид Андреев, Чириков, Бальмонт, Тэффи и др. В качестве сотрудников вошли туда большевики: Богданов, Румянцев, Рожков, Гольденберг, Орловский, Луначарский, Базаров, Каменев и др. Секретарем «Новой жизни» и всех последующих большевистских газет того времени был Дмитрий Ильич Лещенко, он же заведовал хроникой, был корреспондентом, дававшим сведения с заседаний Думы, выпускающим и пр.

Первая статья Владимира Ильича появилась 10 ноября. Она начинается словами: «Условия деятельности нашей партии коренным образом изменяются. Захвачена свобода собраний, союзов, печати»[1],— и Ильич торопится воспользоваться этими новыми условиями деятельности, чтобы сразу же смелыми штрихами набросать основные линии «нового курса». Конспиративный аппарат партии должен быть сохранен. Безусловно необходимо наряду с конспиративным аппаратом создавать новые и новые, открытые и полуоткрытые, партийные (и примыкающие к партии) организации. Надо влить в партию широкие кадры рабочих.

Рабочий класс инстинктивно, стихийно социал-демократичен, а более чем десятилетняя работа социал-демократии очень и очень уж немало сделала для превращения этой стихийности в сознательность. «На III съезде партии,— писал Владимир Ильич в примечании к этой статье,— я выражал пожелание, чтобы в комитетах партии приходилось, примерно, 8 рабочих на 2 интеллигентов. Как устарело это пожелание! Теперь надо желать, чтобы в новых организациях партии на одного члена партии из социал-демократической интел-

---

[1] *Ленин В.И.* Т. 47. С. 100.

лигенции приходилось несколько сот рабочих социал-демократов»[1].

И, обращаясь к комитетчикам, боявшимся, как бы партия не растворилась в массе, Владимир Ильич писал: «Не стройте себе воображаемых ужасов, товарищи!»[2]. Социал-демократическая интеллигенция должна теперь идти в «народ». «Теперь инициатива самих рабочих будет проявляться в таких размерах, о которых мы, вчерашние конспираторы и «кружковики», не смели и мечтать»[3]. «Наша задача теперь не столько выдумывать нормы для организации на новых началах, сколько развернуть самую широкую и смелую работу...»[4]. «Чтобы поставить организацию на новое основание, необходим новый съезд партии»[5].

Таково было содержание первой «легальной» статьи Ильича.

Со старой кружковщиной необходимо было вести борьбу,— она проглядывала во всем.

Конечно, в первые же дни по приезде я поехала за Невскую заставу, в бывшие вечерне-воскресные смоленские классы. В них теперь преподавалась уже не география, не естествознание,— по классам, переполненным рабочими и работницами, шла пропагандистская работа. Партийные пропагандисты читали лекции. Мне запомнилась одна из них. Молодой пропагандист излагал по Энгельсу тему «Развитие социализма от утопии к науке». Рабочие сидели не шевелясь, добросовестно стараясь усвоить излагаемое оратором. Никто никаких вопросов не задавал. Внизу наши партийные девицы устраивали для рабочих клуб, расставляли привезенные из города стаканы.

Когда я рассказывала Ильичу о своих впечатлениях от виденного, он задумчиво молчал. Он хотел другого: активности самих рабочих. Не то чтобы ее не было, но она выявлялась не на партсобраниях. Токи, по которым шли партработа и самодеятельность рабочих, как-то не смыкались. Рабочие колоссально за эти годы выросли. Я это каждый раз особенно чувствовала, когда встречала своих бывших «учеников»-воскресников. Раз как-то на улице меня окликнул булочник, оказалось, мой бывший ученик, «социалист Бакин», который 10 лет тому назад был выслан по этапу на родину за то, что наивно стал толковать с управляющим фабрики Максвель о том,

---

[1] *Ленин В.И.* Полн. собр. соч. Т. 12. С. 83.
[2] Там же. С. 90. Примечание.
[3] Там же. С. 86.
[4] Там же. С. 90.
[5] Там же. С. 91.

что при переходе с двух мюль на три «интенсивность труда» возрастает. Теперь это был вполне сознательный социал-демократ, и мы долго толковали с ним о совершающейся революции, об организации рабочих масс, он мне рассказывал о забастовке булочников.

Первая же статья Ильича, где он прямо писал о партийном съезде, о партийном конспиративном аппарате, превращала «Новую жизнь» в открыто партийный орган. Само собой, что пребывание в нем минских, бальмонтов и пр. стало немыслимо, произошло размежевание, и газета целиком перешла в руки большевиков. Она и организационно стала партийной, стала работать под контролем и руководством партии.

Следующая статья Ильича в «Новой жизни» была посвящена коренному вопросу русской революции, взаимоотношениям между пролетариатом и крестьянством. Не только меньшевики неправильно понимали эти взаимоотношения, но и в среде большевиков был еще у некоторых товарищей известный «отрезочный уклон». «Отрезки» из исходного пункта агитации превращались ими в самоцель, продолжали поддерживаться ими и тогда, когда жизнь сделала возможной и необходимой агитацию и борьбу совсем уже на другой базе.

Статья «Пролетариат и крестьянство» была директивной статьей, дававшей ясный партийный лозунг: пролетариат России вместе с крестьянством борется за землю и волю, вместе с международным пролетариатом и сельскохозяйственными рабочими борется за социализм[1].

Эту точку зрения стали проводить представители большевиков и в Совете рабочих депутатов. Совет рабочих депутатов возник тогда, когда Владимир Ильич был еще за границей — 13 октября, возник как боевой орган борющегося пролетариата. Я не помню выступления Владимира Ильича в Совете рабочих депутатов[2]. Помню одно собрание в Вольно-экономическом обществе, куда набралось много партийной публики в ожидании выступления Владимира Ильича. Ильич делал доклад по аграрному вопросу. Там впервые познакомился он с Алексинским. Почти все, относящееся к этому собранию, стерлось у меня в памяти. Мелькает какая-то се-

---

[1] См.: *Ленин В.И.* Пролетариат и крестьянство // Полн. собр. соч. Т. 12. С. 94—98.

[2] В.И. Ленин выступил на заседании Петербургского Совета рабочих депутатов 13(26) ноября 1905 г. по вопросу о мерах борьбы с локаутом, объявленным капиталистами в ответ на введение рабочими явочным порядком 8-часового рабочего дня. Ленин предложил резолюцию по этому вопросу, на основе которой Исполнительный комитет Петербургского Совета рабочих депутатов принял 14(27) ноября постановление о мерах борьбы с локаутом. — *Примеч. ред.*

рая дверь, в которую куда-то к выходу через толпу пробирается Владимир Ильич. Другие товарищи припомнят, вероятно, лучше. Я помню только, что это собрание было в ноябре, что был на нем Владимир Иванович Невский.

То, что Советы рабочих депутатов были боевыми организациями восстающего народа, это Владимир Ильич сразу же отметил в своих ноябрьских статьях. Он выдвинул тогда же мысль, что временное революционное правительство может вырасти только в огне революционной борьбы, с одной стороны, с другой стороны, что социал-демократическая партия должна всячески стремиться обеспечить свое влияние в Советах рабочих депутатов.

С Ильичем мы, по условиям конспирации, жили врозь. Он работал целыми днями в редакции, которая собиралась не только в «Новой жизни», но на конспиративной квартире или в квартире Дмитрия Ильича Лещенко, на Глазовской улице, но по условиям конспирации ходить туда было не очень удобно. Виделись где-нибудь на нейтральной почве, чаще всего в редакции «Новой жизни». Но в «Новой жизни» Ильич всегда был занят. Только когда Владимир Ильич поселился под очень хорошим паспортом на углу Бассейной и Надеждинской, я смогла ходить к нему на дом. Ходить надо было через кухню, говорить вполголоса, но все же можно было потолковать обо всем.

Оттуда он ездил в Москву. Тотчас по его приезде я зашла к нему. Меня поразило количество шпиков, выглядывавших изо всех углов. «Почему за тобой началась такая слежка?» — спрашивала я Владимира Ильича. Он еще не выходил из дома по приезде и этого не знал. Стала разбирать чемодан и неожиданно обнаружила там большие круглые синие очки. «Что это?» Оказалось, в Москве Владимира Ильича урядили в эти очки, снабдили желтой финляндской коробкой и посадили в последнюю минуту в поезд-молнию. Все полицейские ищейки бросились по его следам, приняв его, по-видимому, за экспроприатора. Надо было скорее уходить. Вышли под ручку, как ни в чем не бывало, пошли в обратную сторону против той, куда нам было нужно, переменили трех извозчиков, прошли через проходные ворота и приехали к Румянцеву, освободившись от слежки. Пошли на ночевку, кажется, к Витмерам, моим старым знакомым. Проехали на извозчике мимо дома, где жил Владимир Ильич, шпики около дома продолжали стоять. На эту квартиру Ильич больше не возвращался. Недели через две послали какую-то девицу забрать его вещи и расплатиться с хозяйкой.

В то время я была секретарем ЦК и сразу впряглась в эту работу целиком. Другим секретарем был Михаил Сергеевич — М.Я. Вайнштейн. Помощницей моей была Вера Рудольфовна Менжинская. Таков был секретариат. Михаил Сергеевич ведал больше военной организацией, всегда был занят выполнением поручений Никитича (Л. Б. Красина). Я ведала явками, сношениями с комитетами, людьми. Теперь трудно представить себе, какая тогда у секретариата ЦК была упрощенная техника. На заседаниях ЦК мы, помнится, не бывали, никто нами «не ведал», протоколов никаких не велось, были в спичечных коробках, в переплетах и т. п. хранилищах шифрованные адреса. Брали памятью. Народу валило к нам уйма, мы его всячески охаживали, снабжали чем надо: литературой, паспортами, инструкциями, советами. Теперь даже не представляешь себе, как это мы тогда справлялись и как это мы распоряжались, никем не контролируемые, и жили, что называется «на всей божьей воле». Обычно, встречаясь с Ильичем, я рассказывала ему подробно обо всем. Наиболее интересных товарищей по наиболее интересным делам направляли непосредственно к цекистам.

Схватка с правительством приближалась. Ильич открыто писал в «Новой жизни» о том, что армия не может и не должна быть нейтральной, писал о всеобщем народном вооружении. 26 ноября был арестован Хрусталев-Носарь. Заменил его Троцкий. 2 декабря Совет рабочих депутатов выпустил манифест с призывом отказываться от уплаты казенных платежей. 3 декабря за напечатание этого манифеста было закрыто восемь газет, в том числе «Новая жизнь». Когда я 3-го, по обыкновению, отправилась на явку в редакцию, нагруженная всякой нелегальщиной, у подъезда меня остановил газетчик. «Газета «Новое время»»,— громко выкрикивал он и между двумя выкриками вполголоса предупредил: «В редакции идет обыск!» «Народ за нас»,— заметил по этому поводу Владимир Ильич.

В середине декабря состоялась Таммерфорсская конференция. Как жаль, что не сохранились протоколы этой конференции! С каким подъемом она прошла! Это был самый разгар революции, каждый товарищ был охвачен величайшим энтузиазмом, все готовы к бою. В перерывах учились стрелять. Раз вечером мы были на финском массовом собрании, происходившем при свете факелов, и торжественность этого собрания соответствовала целиком настроению делегатов. Вряд ли кто из бывших на этой конференции делегатов забыл о ней. Там были Лозовский, Баранский, Ярославский, многие другие. Мне запомнились эти товарищи потому, что уж больно интересны были их «доклады с мест».

На Таммерфорсской конференции, где собрались только большевики, была принята резолюция о необходимости немедленной подготовки и организации вооруженного восстания.

В Москве это восстание уже шло вовсю, и потому конференция была очень краткосрочной. Если память мне не изменяет, мы вернулись как раз накануне отправки Семеновского полка в Москву. По крайней мере, у меня в памяти осталась такая сцена. Неподалеку от Троицкой церкви с сумрачным лицом идет солдат-семеновец. А рядом с ним идет, сняв шапку и горячо в чем-то убеждая семеновца, о чем-то его прося, молодой рабочий. Так выразительны были лица, что ясно было, о чем просил рабочий семеновца — не выступать против рабочих, и ясно было, что не соглашался на это семеновец.

ЦК призывал пролетариат Питера поддержать восставший московский пролетариат, но дружного выступления не получилось. Выступил, например, такой сравнительно серый район, как Московский, и не выступил такой передовой район, как Невский. Помню, как рвал и метал тогда Станислав Вольский, выступавший с агитацией как раз в этом районе. Он сразу впал в крайне мрачное настроение, чуть ли не усомнился в революционности пролетариата. Он не учитывал, как устали питерские рабочие от предыдущих забастовок, а главное, что они чувствовали, как плохо они организованы для окончательной схватки с царизмом, как плохо вооружены. А что дело пойдет о борьбе не на живот, а на смерть, это они видели уже по Москве.

ПИТЕР И ФИНЛЯНДИЯ

1905—1907 гг.

Декабрьское восстание было подавлено, правительство жестоко расправлялось с восставшими.

Владимир Ильич в статье от 4 января 1906 г. («Рабочая партия и ее задачи при современном положении») так расценивал создавшееся положение: «Гражданская война кипит. Политическая забастовка, как таковая, начинает исчерпывать себя, отходить в прошлое, как изжитая форма движения. В Питере, напр., истощенные и обессиленные рабочие оказались не в состоянии провести декабрьской стачки. С другой стороны, движение в целом, будучи сдавлено в данный момент реакцией, несомненно поднялось на гораздо более высокую ступень». «Дубасовские пушки революционизировали в невиданных размерах новые массы народа». «Что же теперь? Будем смотреть прямо в лицо действительности. Теперь предстоит новая работа усвоения и переработки опыта последних форм борьбы, работа подготовки и организации сил в главнейших центрах движения»[1]. Ильич тяжело переживал московское поражение. Явно было, что рабочие были плохо вооружены, что организация была слаба, даже Питер с Москвой был плохо связан. Я помню, как слушал Ильич рассказ Анны Ильиничны, встретившей на Московском вокзале московскую работницу, горько укорявшую питерцев: «Спасибо вам, питерцы, поддержали нас: семеновцев прислали».

И как бы в ответ на этот укор Ильич писал: «Правительству крайне выгодно было бы подавлять по-прежнему разрозненные выступления пролетариев. Правительству хотелось бы немедленно вызвать рабочих на бой и в Питере, при самых невыгодных для них условиях. Но рабочие не поддадутся на эту провокацию и сумеют удержаться на своем пути самостоятельной подготовки следующего всероссийского выступления»[2].

Ильич думал, что весной 1906 г. поднимется крестьянство, что это отразится и на войсках. И он говорил: «Надо опре-

---

[1] *Ленин В.И.* Полн. собр. соч. Т. 12. С. 150—151.
[2] Там же. С. 151.

деленнее, практически поставить колоссальные задачи нового активного выступления, готовясь к нему более выдержанно, более систематически, более упорно, сберегая, елико возможно, силы пролетариата, истощенного стачечной борьбой»[1].

«Пусть же ясно встанут перед рабочей партией ее задачи. Долой конституционные иллюзии! Надо собирать новые, примыкающие к пролетариату. Надо «собрать опыт» двух великих месяцев революции (ноябрь и декабрь). Надо приспособиться опять к восстановленному самодержавию, надо уметь везде, где надо, опять залезть в подполье»[2].

В подполье мы залезали. Плели сети конспиративной организации. Со всех концов России приезжали товарищи, с которыми сговаривались о работе, о линии, которую надо проводить. Сначала публика приходила на явку, где принимали публику или я с Верой Рудольфовной или Михаил Сергеевич. Наиболее близкой и ценной публике я устраивала свидания с Ильичем, или же по боевой части — устраивал свидание с Никитичем (Красиным) Михаил Сергеевич. Явки устраивались в разных местах: то у зубного врача Доры Двойрес (где-то на Невском), то у зубного врача Лаврентьевой (на Николаевской), то в книжном складе «Вперед»[3], у разных сочувствующих.

Помню два эпизода. Однажды мы с Верой Рудольфовной Менжинской расположились принимать приезжих в складе «Вперед», где нам для этой цели отвели особую комнату. К нам пришел какой-то районщик с пачкой прокламаций, другой сидел в ожидании своей очереди, как вдруг дверь открылась, в нее просунулась голова пристава, который сказал: «Ага», и запер нас на ключ. Что было делать? Лезть в окно было нецелесообразно, сидели и недоуменно смотрели друг на друга. Потом решили пока что сжечь прокламации и другую всяческую нелегальщину, что и сделали, сговорились сказать, что мы отбираем популярную литературу для деревни. Так и сказали. Пристав поглядел на нас с усмешечкой, но не арестовал. Записал фамилии наши и адреса. Мы сказали, конечно, адреса и фамилии фиктивные.

Другой раз я чуть не влетела, отправившись первый раз на явку к Лаврентьевой. Вместо номера дома 32 дали № 33. Подхожу к двери и удивляюсь — карточка почему-то сорвана. Странная, думаю, конспирация... Двери мне отворяет какой-то денщик, я, ничего не спрашивая, нагруженная всякими шиф-

---

[1] Там же. С. 152—153.
[2] Там же. С. 152.
[3] Книжный склад и издательство «Вперед» принадлежали ЦК партии. — *Примеч. ред.*

рованными адресами и литературой, пру прямо по коридору. За мной следом, страшно побледнев, весь дрожа, бросается денщик. Я останавливаюсь: «Разве сегодня не приемный день? У меня зубы болят». Заикаясь, денщик говорит: «Г-на полковника дома нет». «Какого полковника?» «Полковника-с Римана». Оказывается, я залезла в квартиру Римана, полковника Семеновского полка, усмирявшего московское восстание, чинившего расправу на Московско-Казанской ж. д.

Он, очевидно, боялся покушения, потому была сорвана карточка на двери, а я ворвалась к нему в квартиру и устремилась по коридору без доклада.

«Я не туда зашла, значит, мне к доктору надо»,— сказала я и повернула обратно.

Ильич маялся по ночевкам, что его очень тяготило. Он вообще очень стеснялся, его смущала вежливая заботливость любезных хозяев, он любил работать в библиотеке или дома, а тут надо было каждый раз приспособляться к новой обстановке.

Встречались мы с ним в ресторане «Вена», но так как там разговаривать на людях было не очень-то удобно, то мы, посидев там или встретившись в условленном месте на улице, брали извозчика и ехали в гостиницу (она называлась «Северная»), что против Николаевского вокзала, брали там особый кабинет и заказывали ужин. Помню, раз увидали на улице Юзефа (Дзержинского), остановили извозчика и пригласили его с собой. Он сел на облучок. Ильич все беспокоился, что ему неудобно сидеть, а он смеялся, рассказывал, что вырос в деревне и на облучке саней-то уж ездить умеет.

Наконец Ильичу надоела вся эта маета и мы поселились с ним вместе на Пантелеймоновской (большой дом против Пантелеймоновской церкви) у какой-то черносотенной хозяйки.

Из выступлений Ильича, относящихся к тому времени, помню собрание на квартире у Книповичей пропагандистов от разных районов. Ильич говорил о деревне. Помню, ему задал какой-то вопрос Николай из-за Невской заставы. Помню, мне ужасно не понравилась тогда и шаблонная постановка вопроса и манера говорить Николая. После собрания я расспрашивала Дяденьку, которая была организатором за Невской заставой, что за работник Николай. Она говорила о нем как о талантливом парне, крепко связанном с деревней, но жаловалась, что он не умеет работать систематически с массой, а возится лишь с небольшой группой рабочих. В 1905 и 1906 гг. Николай был все же одним из активных работников. В годы реакции он стал провокатором, но не выдержал и покончил с собой. Николай принадлежал к группе товарищей, которые стремились проникать во все слои беднейшего населения. Помню, он ходил в ночлежку вести агитацию. Тов. Крыленко, который тогда был совсем молодым задиристым парнем, попал как-то на собрание сектантов, которые чуть его не поколотили, Сергей Войтинский также постоянно ввязывался во всякие истории.

За Ильичем началась слежка. Однажды он был на каком-то собрании (кажется, у адвоката Чекеруль-Куша), где делал доклад. За ним началась такая слежка, что он решил домой не возвращаться. Так и просидела я у окна всю ночь до утра, решив, что его где-то арестовали. Ильич еле-еле ушел от слежки и при помощи Баска (тогда видного члена Спилки) перебрался в Финляндию и там прожил до Стокгольмского съезда[1].

Там в апреле написал Ильич брошюру «Победа кадетов и задачи рабочей партии»[2]. Подготовлял резолюции к Объединительному съезду, обсуждались они в Питере, куда приехал Ильич, в квартире Витмер, там была гимназия, и дело происходило в одном из классов.

После II съезда большевики и меньшевики собирались впервые вместе на съезде. Хотя меньшевики за последние месяцы уже достаточно выявили свое лицо, но Ильич еще надеялся, что новый подъем революции, в котором он не сомневался, захватит их и примирит с большевистской линией.

Я на съезд несколько запоздала. Ехала туда вместе с Тучапским, которого раньше знала по подготовке I съезда, с Клавдией Тимофеевной Свердловой. Свердлов тоже собирался на съезд. На Урале он пользовался громадным влиянием. Рабочие не хотели ни за что отпустить его. У меня был мандат от Казани, но не хватало небольшого числа голосов. Мандатная комиссия дала поэтому мне лишь совещательный голос. Недолгое присутствие в мандатной комиссии сразу же заставило окунуться в атмосферу съезда — она была достаточна фракционна.

Большевики держались очень сплоченно. Их объединяла уверенность, что революция, несмотря на временное поражение, идет на подъем.

Помню хлопоты Дяденьки, которая хорошо знала шведский язык и на которую поэтому пала вся возня с устройством делегатов. Помню Ивана Ивановича Скворцова и Владимира

---

[1] IV (Объединительный) съезд РСДРП состоялся в Стокгольме 10—25 апреля (23 апреля — 8 мая) 1906 г. — *Примеч. ред.*

[2] *Ленин В.И.* Полн. собр. соч. Т. 12. С. 271—352.

Александровича Базарова, у которого в боевые моменты особенно поблескивали глаза. Я помню, как Владимир Ильич в связи с этим говорил о том, что у Базарова сильна политическая жилка, что его увлекает борьба. Помню какую-то прогулку на лоно природы, в которой принимали участие Рыков, Строев и Алексинский, говорили о настроениях рабочих. На съезде были также Ворошилов (Володя Антимеков) и К. Самойлова (Наташа Большевикова). Уж одни эти две последние клички, проникнутые молодым задором, характерны для настроений большевистских делегатов на Объединительном съезде. Со съезда большевистские делегаты ехали еще больше сплоченными, чем раньше.

27 апреля открылась I Государственная дума, была демонстрация безработных, среди которых работал Войтинский, с большим подъемом прошло 1 Мая. В конце апреля открылась вместо «Новой жизни» газета «Волна», стал выходить большевистский журнальчик «Вестник жизни». Движение шло опять на подъем.

По возвращении со Стокгольмского съезда мы поселились на Забалканском, я по паспорту Прасковьи Онегиной, Ильич по паспорту Чхеидзе. Двор был проходной, жить там было удобно, если бы не сосед, какой-то военный, который смертным боем бил жену и таскал ее за косу по коридору, да не любезность хозяйки, которая усердно расспрашивала Ильича о его родных и уверяла, что знала его, когда он был четырехлетним мальчуганом, только тогда он был черненьким...

Ильич писал отчет питерским рабочим об Объединительном съезде, ярко освещая все разногласия по самым существенным вопросам. «Свобода обсуждения, единство действия,— вот чего мы должны добиться»,— писал Ильич в этом отчете,— «...в поддержках революционных выступлений крестьянства, в критике мелкобуржуазных утопий все с.-д. согласны между собой». «При выборах (в Думу. — Н. К.) обязательно полное единство действий. Съезд решил,— будем выбирать все, где предстоят выборы. Во время выборов никакой критики участия в выборах. Действие пролетариата должно быть едино»[1].

Отчет вышел в изд. «Вперед» в мае месяце.

9 мая Владимир Ильич первый раз в России выступил открыто на громадном массовом собрании в Народном доме Паниной под фамилией Карпова. Рабочие со всех районов

---

[1] См.: *Ленин В.И.* Полн. собр. соч. Т. 13.

наполняли зал. Поражало отсутствие полиции. Два пристава, повертевшись в начале собрания в зале, куда-то исчезли. «Как порошком их посыпало»,— шутил кто-то. После кадета Огородникова председатель предоставил слово Карпову. Я стояла в толпе. Ильич ужасно волновался. С минуту стоял молча, страшно бледный. Вся кровь прилила у него к сердцу. И сразу почувствовалось, как волнение оратора передается аудитории. И вдруг зал огласился громом рукоплесканий — то партийцы узнали Ильича. Запомнилось недоумевающее, взволнованное лицо стоявшего рядом со мной рабочего. Он спрашивал: кто, кто это? Ему никто не отвечал.

Аудитория замерла. Необыкновенно подъемное настроение охватило всех присутствующих после речи Ильича, в эту минуту же думали о предстоящей борьбе до конца.

Красные рубахи разорвали на знамена и с пением революционных песен разошлись по районам.

Была белая майская возбуждающая питерская ночь. Полиции, которую ждали, не было. С собрания Ильич пошел ночевать к Дмитрию Ильичу Лещенко.

Не удалось Ильичу больше выступать открыто на больших собраниях в ту революцию.

24 мая была закрыта «Волна». 26 мая она возобновилась под именем газеты «Вперед». «Вперед» просуществовала до 14 июня.

Только 22 июня удалось приступить к изданию новой большевистской газеты «Эхо», просуществовавшей до 7 июля. 8 июля была распущена Государственная дума.

В конце июня приезжала в Питер только что освободившаяся из варшавской тюрьмы Роза Люксембург. С ней виделись тогда Владимир Ильич и наша большевистская руководящая публика. Квартиру под свидание дал домовладелец Папа Роде, старик, с дочерью которого я вместе учительствовала за Невской заставой, а потом одновременно с ней сидела в тюрьме. Старик старался помогать, чем мог, и на этот раз отвел под собрание большую пустую квартиру, в которой для ради конспирации велел замазать белой краской все окна, чем, конечно, привлек внимание всех дворников. На этом совещании говорили о создавшемся положении, о той тактике, которой надо было держаться. Из Питера Роза поехала в Финляндию, а оттуда за границу.

В мае, когда движение нарастало, когда Дума стала отражать крестьянские настроения, Ильич уделял ей очень большое внимание. За это время им написаны статьи: «Рабочая группа в Государственной думе», «Крестьянская или «трудовая» группа и РСДРП», «Вопрос о земле в Думе», «Ни земли, ни воли», «Правительство, Дума и народ», «Кадеты мешают Думе обратиться к народу», «Горемычники, октябристы и кадеты», «Плохие советы», «Кадеты, трудовики и рабочая партия»; все эти статьи имеют в виду одно — смычку рабочего класса с крестьянством, необходимость поднять крестьян на борьбу за землю и волю, необходимость не дать кадетам возможности заключить сделки с правительством.

Ильич не раз выступал в это время с докладами по этому вопросу.

Выступал Ильич с докладом перед представителями Выборгского района в Союзе инженеров на Загородном. Пришлось долго ждать. Один зал был занят безработными, в другом собрались катали, организатором их был Сергей Малышев, в последний раз пытавшиеся договориться с предпринимателями, но и на этот раз не договорились. Только когда они ушли, можно было приступить к докладу.

Помню также выступление Ильича перед группой учителей. Среди учителей господствовали тогда эсеровские настроения, большевиков на учительский съезд не пустили, но было организовано собеседование с несколькими десятками учителей. Дело происходило в какой-то школе. Из присутствовавших запомнилось лицо одной учительницы, небольшого роста, горбатенькой,— это была эсерка Кондратьева. На этом собеседовании выступал т. Рязанов с докладом о профсоюзах. Владимир Ильич делал доклад по аграрному вопросу. Ему возражал эсер Бунаков, уличая его в противоречиях, стараясь с цитатами из Ильина (тогдашний литературный псевдоним Ильича) побивать Ленина. Владимир Ильич внимательно слушал, делал записи, а потом довольно сердито отвечал на эту эсеровскую демагогию.

Когда встали во весь рост вопросы о земле, когда открыто выявилось, говоря словами Ильича, «объединение чиновников и либералов против мужиков», колеблющаяся трудовая группа пошла за рабочими. Правительство почувствовало, что Дума не будет надежной опорой правительства, и перешло в наступление, начались избиения мирных демонстраций, поджоги домов с народными собраниями, начались еврейские погромы. 20 июня выпущено было правительственное сообщение по аграрному вопросу с резкими выпадами по адресу Государственной думы.

Наконец 8 июля Дума была распущена, социал-демократические газеты закрыты, начались всякие репрессии, аресты. В Кронштадте и в Свеаборге разразилось восстание[1]. Наши принимали там самое активное участие. Иннокентий (Дубровинский) еле-еле выбрался из Кронштадта и выскользнул из рук полиции, притворившись вдрызг пьяным. Вскоре арестовали нашу военную организацию, в среде которой оказался провокатор. Это было как раз во время Свеаборгского восстания[2]. В этот день мы безнадежно ждали телеграмм о ходе восстания.

Сидели в квартире Менжинских. Вера Рудольфовна и Людмила Рудольфовна Менжинские жили в то время в очень удобной, отдельной квартире. К ним часто приходили товарищи. Постоянно у них бывали тт. Рожков, Юзеф, Гольденберг. На этот раз там также собралось несколько товарищей, в том числе Ильич. Ильич направил Веру Рудольфовну к Шлихтеру, чтобы сказать, что нужно немедля выехать в Свеаборг. Кто-то вспомнил, что в кадетской «Речи» служит корректором товарищ Харрик. Пошла я к нему узнавать, нет ли телеграмм. Его не застала, телеграммы получила от другого корректора. Он посоветовал мне сговориться с Харриком, который живет неподалеку — в Гусевом переулке, и даже адрес Харрика надписал на гранках с телеграммами. Я пошла в Гусев переулок. Около дока под ручку ходили две женщины. Они остановили меня: «Если вы идете в такой-то номер, не ходите, там засада, всех хватают». Я поторопилась предупредить нашу публику. Как потом оказалось, там арестована была наша военная организация, в том числе и Вячеслав Рудольфович Менжинский. Восстание было подавлено. Реакция наглела. Большевики возобновили издание нелегального «Пролетария», ушли в подполье — меньшевики забили отбой, стали писать в буржуазной прессе, выкинули демагогический лозунг рабочего беспартийного съезда, который при данных условиях означал ликвидацию партии. Большевики требовали экстренного съезда.

Ильичу пришлось перебраться в «ближнюю эмиграцию», в Финляндию. Он поселился там у Лейтейзенов на станции Ку-

---

[1] Восстание матросов и солдат в Кронштадте началось 19 июля (1 августа) 1906 г. после гого, как там были получены известия о восстании в Свеаборге, которое вспыхнуло стихийно в ночь с 17(30) на 18(31) июля. Правительство через провокаторов получило сведения о сроке восстания в Кронштадте и поэтому заранее подготовилось к сражению. Успешному ходу восстания мешала также дезорганизаторская деятельность эсеров. К утру 20 июля (2 августа) восстание было подавлено.

[2] Восстание в Свеаборге продолжалось три дня. Однако сказалась общая неподготовленность выступления, и 20 июля (2 августа), после обстрела крепости военными кораблями, Свеаборгское восстание также было подавлено. — *Примеч. ред.*

оккала, неподалеку от вокзала. Неуютная большая дача «Ваза» давно уже служила пристанищем для революционеров. Перед тем там жили эсеры, приготовлявшие бомбы, потом поселился там большевик Лейтейзен (Линдов) с семьей. Ильичу отвели комнату в сторонке, где он строчил свои статьи и брошюры и куда к нему приезжали и цекисты, и пекисты, и приезжие из провинции. Ильич из Куоккалы руководил фактически всей работой большевиков. Через некоторое время я тоже туда переселилась, уезжала ранним утром в Питер и возвращалась поздно вечером. Потом Лейтейзены уехали, мы заняли весь низ — приехала к нам моя мать, потом Мария Ильинична жила у нас одно время. Наверху поселились Богдановы, а в 1907 г.— и Дубровинский (Иннокентий). В то время русская полиция не решалась соваться в Финляндию, и мы жили очень свободно. Дверь дачи никогда не запиралась, в столовой на ночь ставились кринка молока и хлеб, на диване стелилась на ночь постель, на случай, если кто приедет с ночным поездом, чтобы мог, никого не будя, подкрепиться и залечь спать. Утром очень часто в столовой мы заставали приехавших ночью товарищей.

К Ильичу каждый день приезжал специальный человек с материалами, газетами, письмами. Ильич, просмотрев присланное, садился сейчас же писать статью и отправлял ее с тем же посланным. Почти ежедневно приезжал на «Вазу» Дмитрий Ильич Лещенко. Вечером я привозила каждодневно всяческие питерские новости и поручения.

Конечно, Ильич рвался в Питер, и как ни старались держать с ним постоянную самую тесную связь, а другой раз нападало такое настроение, что хотелось чем-нибудь перебить мысли. И вот, бывало так, что все обитатели дачи «Вазы» засаживались играть... в дураки. Расчетливо играл Богданов, расчетливо и с азартом играл Ильич, до крайности увлекался Лейтейзен. Иногда приезжал в это время кто-нибудь с поручением, какой-нибудь районщик, смущался л недоумевал: цекисты с азартом играют в дураки. Впрочем, это только полоса такая была.

Я редко видала в это время Ильича, проводя целые дни в Питере. Возвращаясь поздно, заставала Ильича всегда озабоченным и ни о чем его уж не спрашивала, больше рассказывала ему о том, что приходилось видеть и слышать.

Эту зиму мы с Верой Рудольфовной имели постоянную явку в столовой Технологического института. Это было очень удобно, гак как через столовку за день проходила масса народу. В день перебывает другой раз больше десятка человек. Никто не обращал на нас внимания. Раз только пришел на явку Камо. В народном кавказском костюме он нес в салфетке какой-то шарообразный предмет. Все в столовке бросили есть и принялись рассматривать необычайного посетителя. «Бомбу принес»,— мелькала, вероятно, у большинства мысль. Но это оказалась не бомба, а арбуз. Камо принес нам с Ильичем гостинцев — арбуз, какие-то засахаренные орехи. «Тетка прислала»,— пояснял как-то застенчиво Камо. Этот отчаянной смелости, непоколебимой силы воли, бесстрашный боевик был в то же время каким-то чрезвычайно цельным человеком, немного наивным и нежным товарищем. Он страстно был привязан к Ильичу, Красину и Богданову. Бывал у нас в Куоккале. Подружился с моей матерью, рассказывал ей о тетке, о сестрах[1]. Камо часто ездил из Финляндии в Питер, всегда брал с собой оружие, и мама каждый раз особо заботливо увязывала ему револьверы на спине.

С осени стал выходить в Выборге нелегальный «Пролетарий», которому Ильич уделял много времени и внимания. Сношения велись через т. Шлихтер. Нелегальный «Пролетарий» («Пролетарий» — большевистская нелегальная газета. Выходила с 21 августа (3 сентября) 1906 г. по 28 ноября (11 декабря) 1909 г. под редакцией В.И. Ленина, вышло 50 номеров. — *Примеч. ред.*) привозился в Питер и распространялся там по районам. Переправкой занималась т. Ирина (Лидия Гоби). Хотя перевозка и распределение были налажены — литература шла через легальную большевистскую типографию «Дело», но все же надо было добывать адреса, куда переправлять литературу. Нам с Верой Рудольфовной понадобилась помощница. Один из районщиков, Комиссаров, предложил в качестве помощницы свою жену — Катю. Пришла скромного вида стриженая женщина. Странное чувство в первую минуту овладело мной — чувство какого-то острого недоверия, откуда взялось это чувство — не осознала, скоро оно стерлось. Катя оказалась очень дельной помощницей, все делала очень аккуратно, конспиративно, быстро, не проявляла никакого любопытства, ни о чем не расспрашивала. Помню только раз, когда я спросила ее о том, куда она едет на лето, ее как-то передернуло и она посмотрела на меня злыми глазами. Потом оказалось, что Катя и ее муж — провокаторы. Катя, достав оружие в Питере, повезла его на Урал, и следом за ее появлением приходила полиция, отбирала привезенное Катей оружие, всех арестовывала. Об этом мы узнали много позже. А ее муж,

---

[1] Речь идет о Е. Баччиевой, Джаваире и Тер-Петросян. — *Примеч. ред.*

Комиссаров, стал управляющим у Симонова, домовладельца дома № 9 по Загородному проспекту. Симонов помогал социал-демократам. У него жил одно время Владимир Ильич, потом в этом доме был устроен большевистский клуб, потом там поселился Алексинский. В более позднее время — в годы реакции — Комиссаров устраивал в доме всяких нелегалов, снабжал их паспортами — и потом эти нелегалы очень быстро, «случайно» как-то проваливались на границе. В эту ловушку попал, например, однажды Иннокентий, вернувшись из-за границы на работу в Россию. Конечно, трудно установить момент, когда Комиссаров и его жена стали провокаторами. Во всяком случае, полиция не знала все же очень и очень много-го, например местожительства Владимира Ильича. Полицейский аппарат был в 1905-м и весь 1906 г. еще порядочно дезорганизован. Созыв II Государственной думы назначен был на 20 февраля 1907 г.

Еще на ноябрьской конференции 14 делегатов, в том числе и делегаты от Польши и Литвы, с Владимиром Ильичем во главе, высказались за выборы в Государственную думу, но против всяких блоков с кадетами (за что были меньшевики)[1]. Под таким лозунгом и шла работа большевиков по выборам в Думу. Кадеты потерпели поражение на выборах. Во II Думу у них прошла лишь половина того количества депутатов, которые проходили от них в I Думу. Выборы прошли с большим опозданием. Казалось, поднимается новая революционная волна. В начале 1907 г. Ильич писал:

«Как мизерны стали вдруг наши недавние «теоретические» споры, освещенные прорвавшимся теперь ярким лучом восходящего революционного солнца!»[2]

Депутаты II Думы довольно часто приезжали в Куоккалу потолковать с Ильичем. Работой депутатов-большевиков непосредственно руководил Александр Александрович Богданов, но он жил в Куоккале на той же даче «Ваза»,— там же, где и мы, и обо всем столковывался с Ильичем.

Я помню, как однажды, возвращаясь поздно вечером из Питера в Куоккалу, я встретилась в вагоне с Павлом Борисовичем Аксельродом. Он заговорил о том, что большевистские депутаты, в частности Алексинский, выступают в Думе совсем неплохо. Заговорил о рабочем съезде. Меньшевики вели довольно усиленную агитацию за рабочий съезд, надеясь, что

---

[1] Вторая конференция РСДРП («Первая Всероссийская») состоялась в Таммерфорсе 3—7 (16—20) ноября 1906 г. — *Примеч. ред.*

[2] *Ленин В.И.* Полн. собр. соч. Т. 14. С. 382.

широкий рабочий съезд поможет справиться со все растущим влиянием большевиков. Большевики настаивали на ускорении партийного съезда. Он назначен был наконец на апрель. Съезд получился очень многочисленный[1]. Гуртом ехали на него делегаты, вереницей являясь на явку, где представителями от большевиков были я и Михаил Сергеевич, а от меньшевиков — Крохмаль и жена Хинчука М.М. Шик. Полиция учинила слежку. На Финляндском вокзале арестовали Марата (Шанцер) и еще нескольких делегатов. Пришлось принимать сугубые меры предосторожности. Ильич и Богданов уже уехали на съезд. В Куоккалу я не торопилась. Приезжаю в воскресенье только к вечеру и что же вижу? Сидят у нас 17 делегатов, холодные, голодные, не пивши, не евши! Домашняя работница, которая жила у нас, была финкой, социал-демократкой, по воскресеньям уходила на целый день — ставили они спектакли в Нардоме и пр.,— пока я их напоила, накормила, прошло немало времени. Сама я на съезде не была. Не на кого было оставить секретарскую работу, а время было трудное. Полиция наглела, публика стала побаиваться пускать большевиков на ночевки и явки. Я встречалась иногда с публикой в «Вестнике жизни». Петр Петрович Румянцев, редактор журнала, постеснялся мне сказать сам, чтобы я явок в «Вестнике жизни» не устраивала, и напустил на меня сторожа — рабочего, с которым мы частенько говорили о делах. Досадно стало, зачем не сказал сам.

Со съезда Ильич приехал позже других. Вид у него был необыкновенный: подстриженные усы, сбритая борода, большая соломенная шляпа.

Тотчас после съезда Ильич выступил с докладом в Териоках в гостинице финна Какко (эта гостиница потом сгорела) перед приехавшими в большом количестве из Питера рабочими. 3 июня была разогнана II Дума. Вся большевистская фракция приехала поздно вечером в Куоккалу, просидели всю ночь, обсуждая создавшееся положение. От съезда Ильич устал до крайности, нервничал, не ел. Я снарядила его и отправила в Стирсудден, в глубь Финляндии[2], где жила семья Дяденьки, а сама спешно стала ликвидировать дела. Когда приехала в Стирсудден — Ильич уже отошел немного. Про него рассказывали: первые дни ежеминутно засыпал — сядет под ель и через минуту уже спит. Дети его «дрыхалкой» прозвали.

---

[1] Имеется в виду V съезд РСДРП, состоявшийся в Лондоне 30 апреля — 19 мая (13 мая — 1 июня) 1907 г. — *Примеч. ред.*

[2] В.И. Ленин уехал в Стирсудден в июне, ранее 15(28) 1907 г. — *Примеч. ред.*

В Стирсуддене мы чудесно провели время — лес, море, дичее дикого, рядом только была большая дача инженера Зябицкого, где жили Лещенко с женой и Алексинский. Ильич избегал разговоров с Алексинским — хотелось отдохнуть,— тот обижался. Иногда у Лещенко собирались послушать музыку. Ксения Ивановна — родственница Книповичей — обладала чудесным голосом, она была певица, и Ильич слушал с наслаждением ее пение. Добрую часть дня мы проводили с Ильичем у моря или ездили на велосипеде. Велосипеды были старые, их постоянно надо было чинить, то с помощью Лещенки, то без его помощи,— чинили старыми калошами и, кажется, больше чинили, чем ездили.

Но ездить было чудесно. Дяденька усиленно подкармливала Ильича яичницей да оленьим окороком, Ильич понемногу отошел, отдохнул, пришел в себя.

Из Стирсуддена поехали на конференцию в Териоки[1]. Обдумав на свободе всесторонне положение, Ильич на конференции выступил против бойкота III Думы. Началась война еще на новом фронте, война с бойкотистами, не хотевшими считаться с горькой действительностью и опьянявшими себя звонкими фразами. В маленькой дачке горячо защищал свою позицию Ильич. Подъехал на велосипеде Красин и, стоя у окна, внимательно слушал Ильича. Потом, не входя в дачу, задумчиво пошел прочь... Да, было над чем подумать.

Подошел Штутгартский конгресс[2]. Ильич им был очень доволен. Доволен резолюциями о профсоюзах и об отношении к войне.

[1] Петербургская общегородская конференция РСДРП в Териоках (Финляндия) проходила 8 и 14 (21 и 27) июля 1007 г. — *Примеч. ред.*
[2] Международный социалистический конгресс в Штутгарте — VII конгресс II Интернационала проходил 5—11 (18—24) августа 1907 г. — *Примеч. ред.*

ИЗ РОССИИ ЗА ГРАНИЦУ

Конец 1907 г.

Ильичу пришлось перебраться в глубь Финляндии. На даче «Ваза» (в Куоккале) оставались еще Богдановы, Иннокентий (Дубровинский) и я. Уже в Териоках были обыски, ждали их в Куоккале. Мы с Натальей Богдановой «чистились», разбирали всякие архивы, отбирали ценное, отдавали это ценное прятать финским товарищам, а остальное жгли. Жгли так усердно, что однажды я с удивлением увидела, что снег вокруг нашей «Вазы» усеян пеплом. Впрочем, если бы нагрянули жандармы, они все же нашли бы, вероятно, чем поживиться: очень уж большие залежи накопились в «Вазе». Пришлось предпринимать специальные меры предосторожности. Раз утром прибежала хозяйка дачи, рассказала, что в Куоккалу приехали жандармы, взяла, сколько смогла захватить, всякой нелегальщины, чтобы спрятать у себя. Александра Александровича Богданова и Иннокентия мы отправили гулять в лес, а сами стали ждать обыска. На этот раз на «Вазу» с обыском не пошли, искали боевиков.

Ильича товарищи отправили в глубь Финляндии, он жил в то время в Огльбю (небольшая станция около Гельсингфорса) у каких-то двух сестер финок[1]. Чужим чувствовал он себя в изумительно чистенькой и холодной, по-фински уютной, с кружевными занавесочками комнате, где все стояло на своем месте, где за стеною все время шел смех, игра на рояле и болтовня на финском языке.

Ильич писал целыми днями свою работу по аграрному вопросу[2], тщательно обдумывая опыт пережитой революции. Часами ходил из угла в угол на цыпочках, чтобы не беспокоить хозяек. Я как-то была у него в Огльбю.

Ильича полиция уже искала по всей Финляндии, надо было уезжать за границу. Ясно было, что реакция затянет-

---

[1] Имеются в виду сестры Винстен. — *Примеч. ред.*
[2] Имеется в виду книга «Аграрная программа социал-демократии в первой русской революции 1905— 1907 годов» // Ленин В. И. Полн. собр. соч. Т. 16. С. 193— 413. — *Примеч. ред.*

ся на годы. Надо было опять податься в Швейцарию. Больно неохота было, но другого выхода не было. Да и необходимо было наладить за границей издание «Пролетария», поскольку издание его в Финляндии стало невозможно. Ильич должен был при первой возможности уехать в Стокгольм и там дожидаться меня. Мне надо было устроить в Питере больную старушку-мать, устроить ряд дел в Питере, условиться о сношениях и потом уже выехать следом за Ильичем.

Пока я возилась в Питере, Ильич чуть не погиб при переезде в Стокгольм. Дело в том, что его выследили так основательно, что ехать обычным путем, садясь в Або на пароход, значило наверняка быть арестованным[1]. Бывали уже случаи арестов при посадке на пароход. Кто-то из финских товарищей посоветовал сесть на пароход на ближайшем острове. Это было безопасно в том отношении, что русская полиция не могла там заарестовать, но до острова надо было идти версты три по льду, а лед, несмотря на то что был декабрь, был не везде надежен. Не было охотников рисковать жизнью, не было проводников. Наконец Ильича взялись проводить двое подвыпивших финских крестьян которым море было по колено[2]. И вот, пробираясь ночью по льду, они вместе с Ильичем чуть не погибли — лед стал уходить в одном месте у них из-под ног. Еле выбрались.

Потом финский товарищ Борго, расстрелянный впоследствии белыми, через которого я переправилась в Стокгольм, говорил мне, как опасен был избранный путь и как лишь случайность спасла Ильича от гибели. А Ильич рассказывал, что, когда лед стал уходить из-под ног, он подумал: «Эх, как глупо приходится погибать». Россияне — большевики, меньшевики, эсеры — вновь перебирались за границу. На одном пароходе со мной в Швецию ехали Дан, Лидия Осиповна Цедербаум, пара каких-то эсеров.

Пробыв несколько дней в Стокгольме, мы с Ильичем двинулись на Женеву через Берлин. В Берлине накануне нашего приезда у русских были обыски и аресты, потому встретивший нас член берлинской группы т. Аврамов не посоветовал нам идти к кому-нибудь на квартиру, а водил нас целый день из кафе в кафе. Вечер мы провели у Розы Люксембург. Штутгартский конгресс, где Владимир Ильич и Роза Люксем-

---

[1] Пароходы из Финляндии в Швецию ходили и зимой, разрезая лед ледоколами. — *Н.К.*

[2] Гидеон Сёдерхольм и Сванте Бергман. — *Примеч. ред.*

бург выступали солидарно по вопросу о войне, очень сблизил их. Было это еще в 1907 г., а они на конгрессе уже говорили о том, что борьба против войны должна ставить себе целью не только борьбу за мир, она должна иметь целью замену капитализма социализмом. Порожденный войной кризис необходимо будет использовать для ускорения свержения буржуазии. «Штутгартский съезд,— писал Владимир Ильич, давая его характеристику,— рельефно сопоставил по целому ряду крупнейших вопросов оппортунистическое и революционное крыло международной социал-демократии и дал решение этих вопросов в духе революционного марксизма»[1]. На Штутгартском конгрессе Роза Люксембург и Ильич шли заодно. И потому разговор в тот вечер между ними носил особо дружеский характер.

В гостиницу, где мы остановились, мы пришли вечером больные, у обоих шла белая пена изо рта и напала на нас слабость какая-то. Как потом оказалось, мы, перекочевывая из ресторана в ресторан, где-то отравились рыбой. Пришлось ночью вызывать доктора. Владимир Ильич был прописан финским поваром, а я американской гражданкой, и потому прислуживающий позвал к нам американского доктора. Тот осмотрел Владимира Ильича, сказал, что дело очень серьезно, посмотрел меня, сказал: «Ну, вы будете живы!», надавал кучу лекарств и, почуяв, что тут что-то неладно, слупил с нас бешеную цену за визит. Провалялись мы пару дней и полубольные потащились в Женеву, куда приехали 7 января 1908 г. 25 декабря 1907 г.). Ильич потом писал Горькому, что мы дорогой «простудились».

Неприютно выглядела Женева. Не было ни снежинки, но дул холодный резкий ветер — биза. Продавались открытки с изображением замерзшей на лету воды, около решеток набережной Женевского озера. Город выглядел мертвым, пустынным. Из товарищей в это время в Женеве жили Миха Цхакая, В. А. Карпинский и Ольга Равич. Миха Цхакая ютился в небольшой комнатешке, перебивался в большой нужде, хворал и с трудом поднялся с постели, когда мы пришли. Как-то не говорилось. Карпинские жили в это время в русской библиотеке, бывшей Куклина[2], которой заведовал Карпинский.

---

[1] *Ленин В.И.* Полн. собр. соч. Т. 16. С. 74.

[2] Г.А. Куклин — социал-демократ, издатель социал-демократической литературы. С 1903 г. издавал за границей «Библиотеку русского пролетария». С 1905 г. большевик. В Женеве организовал большую библиотеку революционной литературы, которая с 1902 г. функционировала как общедоступная. После смерти Куклина (умер в 1907 г.) библиотека и издания по его завещанию перешли к партии большевиков. — *Примеч. ред.*

Когда мы пришли, у него был сильнейший припадок головной боли, от которой он щурился все время, все ставни были закрыты, так как свет раздражал его. Когда мы шли от Карпинского по пустынным, ставшим такими чужими, улицам Женевы, Ильич обронил: «У меня такое чувство, точно в гроб ложиться сюда приехал».

Началась наша вторая эмиграция, она была куда тяжелее первой.

ЧАСТЬ II

ВТОРАЯ ЭМИГРАЦИЯ

Вторая эмиграция распадается на три периода:

Первый период (1908—1911 гг.) был годами, когда в России царила самая бешеная реакция. Царское правительство жестоко расправлялось с революционерами. Тюрьмы были переполнены, в них царил самый каторжный режим, происходили постоянные избиения, смертные приговоры следовали один за другим. Нелегальные организации вынуждены были уйти в глубокое подполье. Это плохо удавалось. За время революции состав партии стал иным: партия пополнилась кадрами, не знавшими дореволюционного подполья и не привыкшими к конспирации. С другой стороны, царское правительство не жалело денег на организацию провокатуры. Вся система провокатуры была чрезвычайно продумана, разветвлена, окружала центральные органы партии. Информация у правительства была образцовая.

Параллельно с этим систематически преследовалась деятельность всяких легальных обществ, профессиональных союзов, печати. Правительство всеми силами стремилось отнять у рабочих масс завоеванные ими за годы революции «права», права собираться, обсуждать интересующие их вопросы, организовываться. Но вернуть старые времена было невозможно, революция для масс не прошла бесследно, и рабочая самодеятельность прорывалась вновь и вновь через каждую щель.

Эти годы были годами величайшего идейного развала в среде социал-демократии. Стали делаться попытки пересмотра самых основ марксизма, возникли философские течения, пытавшиеся пошатнуть материалистическое мировоззрение, на котором зиждется весь марксизм. Действительность была мрачна. И вот стали делаться попытки найти выход в измышлении какой-то новой утонченной религии, философски обосновать ее. Во главе новой философской школы, открывавшей двери всякому богоискательству, богостроительству, стоял Богданов, к нему примыкали Луначарский, Базаров и др. Маркс пришел к марксизму через философию, через борьбу с идеализмом. Плеханов в свое время уделил вопросу обоснования материалистического мировоззрения громадное внимание. Ленин изучал их работы, усиленно занимался философией еще в ссылке. Он не мог не учесть значения философской ревизии марксизма, ее удельный вес в годы реакции.

И Ленин со всей резкостью выступал против Богданова и его школы.

Богданов был противником не только на философском фронте. Он группировал около себя отзовистов и ультиматистов. Отзовисты говорили, что Государственная дума стала настолько реакционна, что надо отозвать социал-демократическую фракцию из Думы; ультиматисты считали, что надо предъявить ей ультиматум, чтобы она с думской трибуны выступала так, чтобы ее вышибли из Думы. По существу дела разницы между отзовистами и ультиматистами не было... К ультиматистам принадлежали Алексинский, Марат и другие. Отзовисты и ультиматисты были также против участия большевиков в профессиональных союзах и легальных обществах. Нельзя-де идти на компромиссы. Большевики-де должны быть твердокаменными, несгибаемыми. Ленин считал такую точку зрения ошибочной. Она вела к отстранению от всякой практической работы, от масс, от организации их на живом деле. Большевики умели использовать в период до революции 1905 г. каждую легальную возможность, умели в тяжелейших условиях пробиваться вперед и вести за собой массы. От борьбы за кипяток, за вентиляцию вели они шаг за шагом массы к всенародному вооруженному восстанию. Умение приспосабливаться к самой трудной обстановке и, приспособляясь, сохранять принципиальную выдержку, не сдавать революционных позиций — таковы были традиции ленинизма. Отзовисты рвали с большевистскими традициями. Борьба с отзовизмом была борьбой за испытанную большевистскую, ленинскую тактику.

И наконец, эти годы, 1908—1911, были годами острой борьбы за партию, за ее нелегальную организацию.

Вполне естественно, что в период реакции признаки упаднических настроений стали прежде всего сказываться среди меньшевиков-практиков, и раньше всегда склонных плыть по течению, склонных урезывать революционные лозунги, связанных тесными узами с либеральной буржуазией. Эти упаднические настроения выразились чрезвычайно ярко в стремлении очень широких слоев меньшевиков ликвидировать партию. Ликвидаторы уверяли, что нелегальная партия ведет лишь к провалам, суживает размах рабочего движения. А на деле ликвидация нелегальной партии означала бы отказ от самостоятельной политики пролетариата, снижение революционного настроения пролетарской борьбы, ослабление организации и единства действий пролетариата. Ликвидация партии означала отказ от учения Маркса, от всех его установок.

Конечно, такие меньшевики, как Плеханов, так много сделавший в свое время для пропаганды марксизма, для борьбы с оппортунизмом, не могли не видеть всей реакционности ликвидаторских настроений, и, когда проповедь ликвидации партии стала перерастать в проповедь ликвидации самых основ марксизма, он всячески стал от них отгораживаться и образовал свою группу — группу меньшевиков-партийцев.

(В рукописи далее следует: «Товарищам-практикам, мало интересовавшимся философией, было не ясно, чего это так горячится Ленин, чего это он бешено так ругается, из-за чего рвет с недавними соратниками — Богдановым и К, чего ради блокируется он с Плехановым, на чем свет ругавшим большевиков, писавшим, что не нужно было в декабре i 905 г. браться за оружие. Шла борьба за марксизм, за его основы». — *Примеч. ред.*)

Развернувшаяся борьба за партию внесла ясность в целый ряд организационных вопросов, уточнила, углубила в широких рядах партийцев понимание роли партии, обязанностей ее членов.

Борьба за материалистическое мировоззрение, за связь с массами, за ленинскую тактику, борьба за партию происходила в тяжелейших условиях эмигрантской обстановки.

В годы реакции эмиграция страшно разрослась, не переставая пополнялась она людьми, бежавшими за границу от свирепых преследований царского правительства, людьми с истрепанными, надорванными нервами, без перспектив впереди и без гроша денег, без какой-либо помощи из России. Все это придавало происходящей борьбе особо тяжелый характер. Склоки, свары было больше чем достаточно.

Теперь, много лет спустя, до прозрачности ясно, из-за чего шла борьба. Теперь, когда жизнь подтвердила так наглядно правильность ленинской линии, эта борьба кажется уже многим малоинтересной. А между тем без этой борьбы партия не могла бы так быстро развернуть свою работу в годы подъема, ее путь к победе был бы затруднен. Борьба происходила в условиях, когда вышеуказанные течения только еще складывались, происходила между людьми, недавно еще боровшимися рука об руку, и многим казалось, что все дело в неуживчивости Ленина, в его резкости, в его плохом характере. А на деле шла борьба за существование партии, за выдержанность ее линии, за правильность ее тактики. Резкость форм полемики диктовалась также запутанностью вопросов, и Ильич часто особо резко ставил вопросы потому, что без резкой постановки оставалась бы в тени самая суть вопроса.

Годы 1908—1911 были не просто годами проживания за границей, они были годами напряженной борьбы на важнейшем фронте — на фронте идеологической борьбы.

Второй период второй эмиграции, годы 1911—1914, были годами подъема в России. Рост стачечной борьбы, ленские события, вызвавшие единодушное выступление рабочего класса, развитие рабочей печати, выборы в Думу и работа думской фракции — все это вызвало к жизни новые формы партийной работы, придало ей совершенно новый размах, сделало партию гораздо более рабочей по составу, приблизило ее к массам.

Быстро стали укрепляться связи с Россией, росло влияние на русскую работу. Пражская партийная конференция января 1912 I. исключила ликвидаторов, оформила нелегальную партийную организацию. Плеханов с большевиками не пошел.

В 1912 г. мы переехали в Краков. Борьба за партию, за ее укрепление шла уже не среди заграничных группок. Краковский период был периодом, когда в России на деле, на практике ленинская тактика целиком оправдывала себя. Вопросы практической работы партии с массами целиком захватывают Ильича. Но в то же время, как в России широко развертывалось рабочее движение, на международном фронте поблескивали уж зарницы приближавшейся грозы, все больше и больше начинало попахивать войной. И Ильич думает уже о тех новых взаимоотношениях, которые должны установиться между различными национальностями, когда имеющая разразиться война превратится в гражданскую. Живя в Кракове, Ильичу пришлось ближе столкнуться с польскими социал-демократами, с их взглядами на национальный вопрос. Он настойчиво ведет борьбу с их ошибками, заостряет, уточняет формулировки. В краковский период большевиками принят ряд резолюций по национальному вопросу, имевших чрезвычайно большое значение.

Третий период второй эмиграции (1914—1917) охватывает годы войны, когда резко переменился опять весь характер нашей эмигрантской жизни. Это был период, когда вопросы международного характера приобрели решающее значение, когда только под углом зрения между народного движения могли трактоваться и наши российские дела.

Другая база, гораздо более широкая, база интернациональная, неизбежно должна была теперь лечь в их основу. Делалось все, что можно было сделать, сидючи в нейтральной стране, для пропаганды борьбы с империалистской войной, для пропаганды превращения ее в войну гражданскую, для закладки первых камней нового Интернационала. Эта работа поглощала все силы Ленина в первые годы войны (конец 1914 и 1915 год).

Но параллельно с этим у него — под влиянием окружающих событий — пробуждается ряд новых мыслей: его тянет к углубленной работе над вопросами об империализме, о характере войны, о новых формах государственной власти, которая сложится на другой день после победы пролетариата, о диалектическом методе в его применении к политике и тактике рабочего класса. Мы перебираемся из Берна в Цюрих, где удобнее было работать. Ильич вплотную берется за писание, целые дни проводит в библиотеках, пока не приходит весть о Февральской революции и не начинаются сборы в Россию.

ГОДЫ РЕАКЦИИ. ЖЕНЕВА

1908 г.

Вечером в день приезда в Женеву Ильич написал письмо Алексинскому — большевистскому депутату II Думы, осужденному вместе с другими большевистскими депутатами на каторгу, по эмигрировавшему за границу и жившему в это время в Австрии,— в ответ на его письмо, полученное еще в Берлине, а через пару дней ответил А.М. Горькому, который усиленно звал Ильича приехать к нему в Италию, на Капри.

На Капри ехать было невозможно, надо было налаживать нелегальный Центральный Орган партии «Пролетарий». Надо было это делать как можно скорее, чтобы быстрее наладить в это трудное время реакции систематическое руководство через Центральный Орган. Ехать нельзя было, но Ильич в письме мечтал: «Действительно, важно было бы закатиться на Капри!» И дальше писал он: «К Вам приехать, я думаю, лучше тогда, когда у Вас не будет большой работы, чтобы можно было шляться и болтать вместе». Много за последнее время было пережито и передумано Ильичем, и хотелось ему поговорить с Горьким по душам, но поездку приходилось отложить.

Еще не было решено, будет ли издаваться «Пролетарий» в Женеве или где-либо в другом месте за границей. Было написано в Австрию австрийскому социал-демократу Адлеру и Юзефу (Дзержинскому), жившему там же. Австрия ближе к границе, там было бы в некотором отношении удобнее печататься, лучше можно было бы наладить транспорт, но Ильич мало надеялся на то, что можно будет поставить издание ЦО где-либо в другом месте, кроме Женевы, и предпринимал шаги для налаживания дела в Женеве. К нашему удивлению, мы узнали, что в Женеве от прежнего времени у нас оставалась наборная машина, что сокращало расходы и упрощало дело.

Объявился прежний наборщик, набиравший раньше в Женеве до революции большевистскую газету «Вперед»,— т. Владимиров. Общие хозяйственные заботы были возложены на Д.М. Котляренко.

К февралю уже съехались в Женеву все товарищи, посланные из России ставить «Пролетарий», т. е. Владимир Ильич, Богданов и Иннокентий (Дубровинский).

В письме от 2 февраля Владимир Ильич писал А. М. Горькому: «Все налажено, на днях выпускаем анонс. В сотрудники ставим Вас. Черкните пару слов, могли ли бы Вы дать что-либо для первых номеров (в духе ли заметок о мещанстве из «Новой Жизни» или отрожки из повести, которую пишете, и т. п.)»[1]. Ильич еще в 1894 г. в своей книжке «Что такое «друзья народа» и как они воюют против социал-демократов?»[2] писал о буржуазной культуре, о мещанстве, которое он глубоко ненавидел и презирал. И потому заметки Горького о мещанстве ему особенно нравились[3].

Луначарскому, устроившемуся на Капри у Горького, Ильич писал: «Черкните, устроились ли вполне и стали ли работоспособны?»[4]

Редакционная тройка (Ленин, Богданов, Иннокентий) послала письмо в Вену Троцкому, приглашая сотрудничать в «Пролетарии». Троцкий отказался, не захотел работать с большевиками, но не сказал прямо, а мотивировал свой отказ занятостью.

Начались заботы о налаживании транспорта для «Пролетария». Разыскивали старые связи. Когда-то транспорт наш шел морем, через Марсель и пр. Ильич думал, что теперь наладить транспорт можно бы, пожалуй, через Капри, где жил Горький. Он писал Марии Федоровне Андреевой, жене Горького, о том, как наладить через пароходных служащих и рабочих переправку литературы в Одессу. Списывался о транспор-

---

[1] Далее в рукописи следует: «Не помню, встречался ли Ильич с Горьким до Лондонского съезда, но начиная с Лондонского съезда, на котором присутствовал Горький, у Ильича всегда светлело лицо и мягчели глаза, когда он говорил о Горьком».

[2] *Ленин В.И.* Полн. собр. соч. Т. 47. С. 120.

[3] В воспоминаниях, опубликованных 22 апреля 1928 г. в газете «Правда» № 94, Н. К. Крупская пишет: «Письма Ильича к Горькому, относящиеся к началу 1908 г., написаны как-то особенно дружественно. Ильич молчал о том, как тяжело было ему вновь приспосабливаться к оторванности от России, к постоянному ожиданию писем из Питера, Москвы и т. д., ко всей эмигрантской атмосферишке, но само собой тянуло поговорить с человеком, который так много умеет понять, как умел это А. М. Горький.

Но глубоко ошибся бы тот, кто подумал бы, что невеселые личные переживания Ильича хоть в малейшей мере отразились на его готовности к борьбе, хоть на минуту вызвали в нем упадочные настроения, сомнения в том, что поражение пролетариата только временное». — *Примеч. ред.*

[4] В.И. Ленин впервые встретился с А.М. Горьким в Петербурге в ноябре 1905 г. — *Примеч. ред.*

те через Вену с Алексинским, мало, впрочем, надеясь на успех. Алексинский для таких дел был весьма мало пригоден. Стали звать за границу из России нашего «спеца» по транспортным делам, Пятницкого, теперешнего работника Коминтерна, наладившего в свое время очень хорошо транспорт через германскую границу. Но пока ему удалось уйти из-под слежки, из-под ареста, перебраться через границу, прошло чуть не восемь месяцев. По приезде за границу, Пятница пробовал наладить транспорт через Львов, но там устроить ничего не удалось. Осенью 1908 г. он приехал в Женеву. Сговорились, что он опять поселится там, где жил раньше, в Лейпциге, и будет налаживать транспорт опять через германскую границу, восстановит старые связи.

Алексинский решил переехать в Женеву. Жену Алексинского, Татьяну Ивановну, предполагалось привлечь в мои помощницы по переписке с Россией. Но это все были лишь планы. Что касается писем, то мы их больше ждали, чем получали. Вскоре после нашего приезда в Женеву произошла история с разменом денег.

В июле 1907 г. была совершена экспроприация в Тифлисе на Эриванской площади. В разгар революции, когда шла борьба развернутым фронтом с самодержавием, большевики считали допустимым захват царской казны, допускали экспроприацию. Деньги от тифлисской экспроприации были переданы большевистской фракции. Но их нельзя было использовать. Они были в пятисотках, которые надо было разменять. В России этого нельзя было сделать, ибо в банках всегда были списки номеров, взятых при экспроприации пятисоток. Теперь, когда реакция свирепствовала вовсю, надо было устраивать побеги из тюрем, где царское правительство мучило революционеров, надо было, для того чтобы не дать заглохнуть движению, ставить нелегальные типографии и т. п. Деньги нужны были до зарезу. И вот группой товарищей была организована попытка разменять пятисотки за границей одновременно в ряде городов. Как раз через несколько дней после нашего приезда за границу была сделана ими попытка разменять эти деньги. Знал об этом, принимал участие в организации этого размена провокатор Житомирский. Тогда никто не знал, что Житомирский провокатор, и все относились к нему с полным доверием. А он уже провалил в это время в Берлине т. Камо, у которого был взят чемодан с динамитом и которому пришлось долго сидеть потом в немецкой тюрьме, а затем германское правительство выдало Камо России. Житомирский предупредил полицию, и пытавшиеся произвести размен были арестованы. В Стокгольме был арестован латыш[1], член Цюрихской группы, в Мюнхене — Ольга Равич, член Женевской группы, наша партийка, недавно вернувшаяся из России, Богдасарян и Ходжамирян.

В самой Женеве был арестован Н.А. Семашко, в адрес которого пришла открытка на имя одного из арестованных.

Швейцарские обыватели были перепуганы насмерть. Только и разговоров было, что о русских экспроприаторах. Об этом с ужасом говорили за столом в том пансионе, куда мы с Ильичем ходили обедать. Когда к нам пришел в первый раз живший в это время в Женеве Миха Цхакая, самый что ни на есть мирный житель, его кавказский вид так испугал нашу квартирную хозяйку, решившую, что это и есть самый настоящий экспроприатор, что она с криком ужаса захлопнула перед ним дверь.

Швейцарская партия была в то время настроена архиоппортунистически, и швейцарские социал-демократы говорили по случаю ареста Н.А. Семашко о том, что у них — самая демократическая страна, что правосудие стоит у них на высоте, и они не могут терпеть на своей территории преступлений против собственности.

Русское правительство требовало выдачи арестованных. Шведские социал-демократы готовы были вмешаться в дело, но требовали только, чтобы Цюрихская группа, в которую входил арестованный товарищ, подтвердила, что арестованный в Стокгольме парень — социал-демократ и все время жил в Цюрихе. Цюрихская группа, где преобладали меньшевики, отказалась это сделать. В местной бернской газете меньшевики торопились тоже отгородиться от Семашко, изображая дело так, будто он не социал-демократ и не представлял Женевскую группу на Штутгартском конгрессе.

Меньшевики осуждали Московское восстание 1905 г., они были против всего, что могло отпугнуть либеральную буржуазию. То, что буржуазная интеллигенция отхлынула от революции в момент ее поражения, они объясняли не ее классовой природой, а считали, что ее напугали большевики своими методами борьбы. Утверждение большевиков, что в момент подъема революционной борьбы допустима была экспроприация на революционные цели средств у экспроприирующих, резко осуждалось ими. Большевики, по их мнению, отпугнули либеральную буржуазию. Необходима была борьба с большевиками. В этой борьбе все средства были хороши.

---

[1] Я.Я. Страуян. — *Примеч. ред.*

В письме от 26 февраля 1908 г., адресованном Плеханову, П.Б. Аксельрод развивал план, как дискредитировать большевиков в глазах иностранцев, использовав для этой цели всю эту историю: составить доклад, перевести его на немецкий и французский языки, послать немецкому партийному правлению (форштанду), Каутскому, Адлеру, Интернациональному бюро, в Лондон и т. д.[1].

Это опубликованное много лет спустя, в 1925 г., письмо Аксельрода как нельзя лучше рисует, как далеко разошлись уже к этому времени дороги большевиков и меньшевиков.

После ареста Н.А. Семашко Владимир Ильич послал официальное заявление, как представитель РСДРП, в Международное бюро[2]. Он писал также Горькому, что если тот знает Семашко лично по Нижнему, то ему надо бы выступить в защиту его в швейцарской печати[3]. Н.А. Семашко вскоре выпустили.

Трудно было нам после революции вновь привыкнуть к эмигрантской атмосферке. Целые дни Владимир Ильич просиживал в библиотеке, но по вечерам мы не знали, куда себя приткнуть. Сидеть в неуютной холодной комнате, которую мы себе наняли, было неохота, тянуло на людей, и мы каждый день ходили то в кино, то в театр, хотя редко досиживали до конца, а уходили обычно с половины спектакля бродить куда-нибудь, чаще всего к озеру.

Наконец в феврале вышел первый, изданный уже в Женеве (21-й) номер «Пролетария». Характерна в нем первая статья Владимира Ильича.

«Мы умели,— писал он,— долгие годы работать перед революцией. Нас недаром прозвали твердокаменными. Социал-демократы сложили пролетарскую партию, которая не падет духом от неудачи первого военного натиска, не потеряет головы, не увлечется авантюрами. Эта партия идет к социализму, не связывая себя и своей судьбы с исходом того или иного периода буржуазных революций. Именно поэтому она свободна и от слабых сторон буржуазных революций. И эта пролетарская партия идет к победе»[4].

Эти слова принадлежали Владимиру Ильичу. И они выражали то, чем он тогда жил. В момент поражения он думал о ве-

---

[1] См.: Переписка Г.В. Плеханова и П.Б. Аксельрода. М., 1925. Т. 2. С. 256—258. — *Примеч. ред.*

[2] Заявление было послано в редакцию газеты «Berner Tagwacht» («Бернский часовой») и напечатано 5 февраля 1908 г. в № 29 (см.:*Ленин В.И.* Полн. собр. соч. Т. 47. С. 128—129). — *Примеч. ред.*

[3] *Ленин В.И.* Полн. собр. соч. Т. 47. С. 123.

[4] См. там же. С. 129—131.

личайших победах пролетариата. По вечерам, когда мы ходили по набережным Женевского озера, он говорил об этом.

Тов. Адоратского, который был в 1906 г. выслан за границу и уехал в Россию в начале 1908 г., мы еще застали в Женеве. Он вспоминает разговоры с Ильичем о характере следующей революции, о том, что эта революция несомненно даст власть в руки пролетариата. Эти воспоминания т. Адоратского вполне соответствуют и духу вышеприведенной статьи и всему тому, что говорил тогда Ильич. Что поражение пролетариата только временное — в этом Ильич не сомневался ни минуты.

Тов. Адоратский вспоминает также и то, что Владимир Ильич заставил его «...написать подробные воспоминания о 1905 годе, об октябрьских днях и особенно о тех уроках, которые относились к вопросам о вооружении рабочих, о боевых дружинах, об организации восстания и о взятии власти»[1].

Владимир Ильич считал, что надо самым внимательным, тщательным образом изучать опыт революции, что этот опыт сослужит службу в дальнейшем. Он вцеплялся в каждого участника недавней борьбы, подолгу толковал с ним. Он считал, что на русский рабочий класс легла задача: «Сохранить традиции революционной борьбы, от которой спешат отречься интеллигенция и мещанство, развить и укрепить эти традиции, внедрить их в сознание широких масс народа, донести их до следующего подъема неизбежного демократического движения»[2].

«Сами рабочие,— писал он,— стихийно ведут именно такую линию. Они слишком страстно переживали великую октябрьскую и декабрьскую борьбу. Они слишком явно видели изменение своего положения только в зависимости от этой непосредственно революционной борьбы. Они говорят теперь или, по крайней мере, чувствуют все, как тот ткач, который заявил в письме в свой профессиональный орган: фабриканты отобрали наши завоевания, подмастерья опять по-прежнему издеваются над нами, погодите, придет опять 1905 год.

Погодите, придет опять 1905 год. Вот как смотрят рабочие. Для них этот год борьбы дал образец того, что делать. Для интеллигенции и ренегатствующего мещанства, это — «сумасшедший год», это образец того, чего не делать. Для пролетариата переработка и критическое усвоение опыта революции должны состоять в том, чтобы научиться применять тогдаш-

---

[1] Воспоминания о Владимире Ильиче Ленине: В 5 т. 3-е изд. М., 1984. Т. 2. С. 171.

[2] *Ленин В.И.* Полн. собр. соч. Т. 16. С. 420.

ние методы борьбы более успешно, чтобы ту же октябрьскую стачечную и декабрьскую вооруженную борьбу сделать более широкой, более сосредоточенной, более сознательной»[1].

Предстоящие годы представлялись Ильичу как годы подготовки к новому наступлению.

Нужно было использовать «передышку» в революционной борьбе для дальнейшего углубления ее содержания.

Прежде всего надо было выработать линию борьбы в условиях реакции. Надо было обдумать, как, переведя партию на подпольное положение, в то же время удержать за ней возможность действовать легальными способами, сохранить возможность через посредство думской трибуны говорить с широкими массами рабочих и крестьян. Ильич видел, что у многих из большевиков, у так называемых отзовистов, есть стремление до чрезвычайности упростить дело: желая во что бы то ни стало сохранить формы борьбы, оказавшиеся целесообразными в момент наивысшего развития революции, они по существу дела отходили от борьбы в тяжелой обстановке реакции, от всех трудностей приспособления работы к новым условиям. Ильич расценивал отзовизм как ликвидаторство слева[2]. Наиболее откровенным отзовистом был Алексинский. Когда он вернулся в Женеву, у них с Ильичем очень быстро испортились отношения. По целому ряду вопросов приходилось Ильичу иметь с ним дело, и теперь более, чем когда-либо, Ильичу претила самоуверенная ограниченность этого человека. До того, чтобы думская трибуна и при реакции могла быть способом общения с широкими слоями рабочих и крестьянских масс, Алексинскому было очень мало дела. Он, Алексинский, не мог ведь уже больше, после разгона II Думы, выступать с этой трибуны. На женевском фоне самовлюбленное хулиганство этого человека выступало как-то особенно выпукло, не заслоняемое ничем, а ведь он считался тогда еще большевиком. Помню такую картину. Иду по улице Каруж («Каружка» искони была эмигрантским центром) и вижу растерянно стоящих посредине тротуара двух бундовцев. Они входили вместе с Алексинским в комиссию по редактированию протоколов Лондонского съезда (эти протоколы впервые вышли в 1908 г. в Женеве),— зашел спор о какой-то формулировке, и вот Алексинский что-то накричал, захватил со стола все протоколы и убежал. Я оглянулась — вдали увидела заворачивающую за угол быстро шагающую низенькую

---

[1] *Ленин В.И.* Полн. собр. соч. Т. 17. С. 40.
[2] Там же. С. 40—41.

фигуру Алексинского с гордо поднятой головой и громадными папками бумаг под мышками. Было даже не смешно.

Но не в одном Алексинском было дело. Чувствовалось, что в большевистской фракции нет уже прежней сплоченности, что надвигается раскол, в первую голову раскол с А.А. Богдановым.

В России вышли «Очерки по философии марксизма» со статьями А. Богданова, Луначарского, Базарова, Суворова, Бермана, Юшкевича и Гельфонда[1]. Эти «Очерки» были попыткой ревизии материалистического мировоззрения, материалистического, марксистского понимания развития человечества, понимания классовой борьбы.

Новая философия открывала двери всякой мистике. В годы реакции ревизионизм мог развернуться особо пышным цветом, упадочнические настроения среди интеллигенции помогали бы этому всячески. Тут размежевание было неизбежно.

Ильич всегда интересовался вопросами философии, занимался ею много в ссылке, шал хорошо все высказывания в этой области К. Маркса, Ф. Энгельса, Плеханова, изучал Гегеля, Фейербаха, Канта. Еще в ссылке он яро спорил с товарищами, склонявшимися к Канту, следил за тем, что писалось по этому вопросу в «Neue Zeit», и вообще по части философии был довольно серьезно подкован.

В письме к Горькому от 25 февраля (10 марта) Ильич изложил историю своих разногласий с Богдановым. Еще в ссылке Ильич читал книжку Богданова «Основные элементы исторического взгляда на природу», но тогдашняя позиция Богданова была лишь переходом к позднейшим его философским взглядам. Позже, когда в 1903 г. Ильич работал с Плехановым, Плеханов не раз ругал ему Богданова за его философские высказывания В 1904 г. вышла книжка Богданова «Эмпириомонизм», и Ильич напрямик заявил Богданову, что он считает правильными взгляды Плеханова, а не его, Богданова.

«Летом и осенью 1904 г. мы окончательно сошлись с Богдановым, как беки[2],— писал Ильич Горькому,— и заключили тот молчаливый и молчаливо устраняющий философию, как нейтральную область, блок, который просуществовал все время революции и дал нам возможность совместно провести в революцию ту тактику революционной социал-демокра-

---

[1] См.: Очерки по философии марксизма: Философский сборник. СПб., 1908. — *Примеч. ред.*

[2] Большевики. — *Примеч. ред.*

тии (= большевизма), которая, по моему глубочайшему убеждению, была единственно правильной.

Философией заниматься в горячке революции приходилось мало. В тюрьме в начале 1906 г. Богданов написал еще одну вещь,— кажется, III выпуск «Эмпириомонизма». Летом 1906 г. он мне презентовал ее, и я засел внимательно за нее. Прочитав, озлился и взбесился необычайно: для меня еще яснее стало, что он идет архиневерным путем, не марксистским. Я написал ему тогда «объяснение в любви», письмецо по философии в размере трех тетрадок. Выяснял я там ему, что я, конечно, рядовой марксист в философии, но что именно его ясные, популярные, превосходно написанные работы убеждают меня окончательно в его неправоте по существу и в правоте Плеханова. Сии тетрадочки показал я некоторым друзьям (Луначарскому в том числе) и подумывал было напечатать под заглавием: «Заметки рядового марксиста о философии», но не собрался. Теперь жалею о том, что тогда тотчас не напечатал.

...Теперь вышли «Очерки философии марксизма». Я прочел все статьи, кроме суворовской (ее читаю), и с каждой статьей прямо бесновался от негодования... Я себя дам скорее четвертовать, чем соглашусь участвовать в органе или в коллегии, подобные вещи проповедующей.

Меня опять потянуло к «Заметкам рядового марксиста о философии» и я их начал писать, а Ал. Ал—чу — в процессе моего чтения «Очерков» — я свои впечатления, конечно, излагал прямо и грубо»[1].

Так описывал дело Владимир Ильич Горькому.

Уже ко времени выхода первого заграничного номера «Пролетария» (13 февраля 1908 г.) отношения с Богдановым у Ильича испортились до крайности[2].

---

[1] Далее в рукописи следует: «..но сотрудничество с ним в целях борьбы с ревизионизмом считал возможным». — *Примеч. ред.*

[2] Далее в рукописи сказано: «В этом номере уже было помещено заявление следующего содержания- «В № 20 «Neue Zeit» в предисловии неизвестного нам переводчика статьи А. Богданова об Эрнсте Махе мы прочитали следующее: «в русской социал-демократии обнаруживается, к сожалению, сильная тенденция сделать то или иное отношение к Маху вопросом фракционного деления в партии. Очень серьезные тактические разногласия большевиков и меньшевиков обостряются спором по вопросу, совершенно, по нашему мнению, с этими разногласиями не связанному, именно: согласуется ли марксизм в теоретико-познавательном отношении с учением Спинозы и Гольбаха, или Маха и Авенариуса?»

По поводу этого редакция «Пролетария», как идейная представительница большевистского течения, считает необходимым заявить следующее. В действительности этот философский спор фракционным не является и, по мнению редакции, быть не должен; всякая попытка представить эти разногласия, как фракционные, ошибочна в корне. В среде той и другой фракции есть сторон-

Еще в конце марта Ильич считал, что можно и нужно отделить философские споры от политической группировки во фракции большевиков. Он считал, что философские споры внутри фракции покажут лучше всего, что нельзя ставить знак равенства между большевизмом и богдановской философией.

Однако с каждым днем становилось яснее, что скоро большевистская фракция распадется.

В это тяжелое время Ильич особенно сблизился с Иннокентием (Дубровинским)[1].

До 1905 г. мы знали Иннокентия только понаслышке. Его хвалила Дяденька (Лидия Михайловна Книпович), знавшая его по астраханской ссылке, нахваливали его самарцы (Кржижановские), но встречаться с ним не пришлось. Переписки также не было. Однажды только, когда после II съезда партии разгорелась склока с меньшевиками, получилось от него письмо, где он писал о важности сохранить партийное единство. Потом он входил в примиренческий ЦК и провалился вместе с другими цекистами на квартире у Леонида Андреева.

В 1905 г. Ильич увидал Иннокентия на работе. Он видел, как беззаветно был предан Иннокентий делу революции, как брал на себя всегда самую опасную, самую тяжелую работу — оттого и не удалось Иннокентию побывать ни на одном партийном съезде: перед каждым съездом он систематически проваливался. Видел Ильич, как решителен Иннокентий в борьбе — он участвовал в Московском восстании, был во время восстания в Кронштадте. Иннокентий не был литератором, он выступал на рабочих собраниях, на фабриках, его речи воодушевляли рабочих в борьбе, но само собой ра-

---

ники обоих философских направлений». (*Ленин В.И.* Полн. собр. соч. Т. 16. С. 421). — *Примеч. ред.*

[Н]а этом заявлении сошлись все три редактора, посланные за границу издавать «Пролетарий» — Ильич, Богданов, Иннокентий (Дубровинский).

[В]сем им казалось, что это заявление сделать необходимо ввиду того, что среди меньшевиков росло и креп;о стремление «приспособиться» к наступившей реакции, ввиду чего распустить все нелегальные ячейки, перестать издавать нелегальную литературу и т. д. Фактически это предложение сводилось к ликвидации партии, к отказу от всякой сколько-нибудь серьезной борьбы, к полной сдаче позиции. Для борьбы с ликвидаторством надо было сохранить фракцию.

[И]льич надеялся, что можно отделить философские споры от фракции.

[Е]ще в конце марта Ильич надеялся, что можно найти выход. Он писал Горькому: «Я говорю: отделить драку от фракции. Конечно, на живых людях это отделение сделать трудненько, больненько. Нужно время. Нужны заботливые товарищи. Тут помогут практики, ту г должны помочь Вы, тут «психология», Вам и книги в руки». (Ленин В. И. Полн собр. соч. Т. 47. С. 152). — *Примеч. ред.*

[1] И.Ф. Дубровинский был делегатом V (Лондонского) съезда РСДРП, на который смог приехать лишь в последний день его работы. — *Примеч. ред.*

зумеется, никто их не записывал, не стенографировал. Ильич очень ценил беззаветную преданность Иннокентия делу и очень был рад его приезду в Женеву. Их многое сближало. И тот, и другой придавали громадное значение партии и считали, что необходима самая решительная борьба с ликвидаторами, толковавшими, что нелегальную партию надо ликвидировать, что она только мешает работать. И тот, и другой чрезвычайно ценили Плеханова, были рады, что Плеханов не солидаризируется с ликвидаторами. И тот, и другой считали, что Плеханов прав в области философии, и полагали, что в области философских вопросов надо решительно отгородиться от Богданова, что теперь такой момент, когда борьба на философском фронте приобрела особое значение. Ильич видел, что никто так хорошо с полуслова не понимает его, как Иннокентий. Иннокентий приходил к нам обедать, и они долго после обеда обдумывали планы работы, обсуждали создавшееся положение. По вечерам сходились в кафе Ландольт и продолжали начатые разговоры. Ильич заражал Иннокентия своим «философским запоем», как он выражался. Все это сближало. Ильич в то время сильно привязался к Иноку (Иннокентию).

Время было трудное. В России шел развал организаций. При помощи провокатуры вылавливала полиция наиболее видных работников. Большие собрания и конференции стали невозможны. Уйти в подполье людям, которые еще недавно были у всех на виду, было не так-то просто. Весной (в апреле — мае) были арестованы на улице Каменев и Барский (польский социал-демократ, ближайший товарищ Дзержинского, Тышки и Розы Люксембург); через несколько дней на улице же был арестован Зиновьев и, наконец, Н. А. Рожков (член нашего ЦК — большевик). Массы ушли в себя.

Им хотелось осмыслить все происшедшее, продумать его, агитация общего характера приелась, никого уже не удовлетворяла. Охотно шли в кружки, но руководить кружками было некому. На почве этого настроения имел известный успех отзовизм. Боевые группы, оставаясь без руководства организации, действуя не на фоне массовой борьбы, а вне ее, независимо от нее, вырождались, и Иннокентию пришлось разбирать не одно тяжелое дело, возникшее на этой почве.

Горький звал Владимира Ильича на Капри, где жили тогда Богданов, Базаров и др., чтобы договориться всем вместе, но Ильич не ехал, ибо предчувствовал, что договориться нельзя. В письме от 16 апреля Ильич писал Горькому:

«Ехать мне бесполезно и вредно: разговаривать с людьми, пустившимися проповедовать соединение научного социализма с религией, я не могу и не буду. Время тетрадок прошло. Спорить нельзя, трепать зря нервы глупо»[1].

В мае Ильич поехал все же на Капри, уступая настояниям Горького. Пробыл там буквально пару дней[2]. Поездка не принесла, конечно, примирения с философскими взглядами Богданова. Ильич потом вспоминал, как он говорил Богданову, Базарову: придется годика на два, на три разойтись, а жена Горького, Мария Федоровна, смеясь, призвала его к порядку.

Было много народу, было шумно, суетно, играли в шахматы, катались на лодке. Ильич мало как-то рассказывал о своей поездке. Больше говорил о красоте моря и о тамошнем вине, о разговорах же на больные темы, бывших на Капри, говорил скупо: тяжеловато это ему было.

Опять засел Ильич за философию.

Вот как характеризует Владимир Ильич создавшееся положение в письме, писанном летом 1908 г. к Воровскому, товарищу по работе во «Вперед» и по работе во время революции 1905 года. Воровский жил в это время в Одессе.

«Дорогой друг!

Спасибо за письмо. Ваши «подозрения» оба неверны. Я не нервничал, но положение у нас трудное. Надвигается раскол с Богдановым. Истинная причина — обида на резкую критику на рефератах (отнюдь не в редакции) его философских взглядов. Теперь Богданов выискивает всякие разногласия. Вытащил на свет божий бойкот вместе с Алексинским, который скандалит напропалую и с которым я вынужден был порвать все сношения. Они строят раскол на почве эмпириомонистической-бойкотистской. Дело разразится быстро. Драка на ближайшей конференции неизбежна. Раскол весьма вероятен. Я выйду из фракции, как только линия «левого» и истинного «бойкотизма» возьмет верх. Вас я звал, думая, что Ваш быстрый приезд поможет утихомирить. В августе нового стиля все же непременно рассчитываем на Вас, как участника конференции. Обязательно устройте так, чтобы могли съездить за границу. Деньги вышлем на поездку всем большевикам. На местах дайте лозунг: мандаты давать только местным и только действительным работникам. Убедительно просим

[1] *Ленин В.И.* Полн. собр. соч. Т. 47. С. 142, 143.
[2] В.И. Ленин был у А. М. Горького на о. Капри в апреле 1908 г. — *Примеч. ред.*

писать для нашей газеты. Можем платить теперь за статьи и будем платить аккуратно.

Жму Вашу руку.

Не знаете ли какого-нибудь издателя, который взялся бы издать мою философию, которую я напишу?»[1]

В это время большевики получили прочную материальную базу.

Двадцатитрехлетний Николай Павлович Шмидт, племянник Морозова, владелец мебельной фабрики в Москве на Пресне, в 1905 г. целиком перешел на сторону рабочих и стал большевиком. Он давал деньги на «Новую жизнь», на вооружение, сблизился с рабочими, стал их близким другом. Полиция называла фабрику Шмидта «чертовым гнездом». Во время Московского восстания эта фабрика сыграла крупную роль. Николай Павлович был арестован, его всячески мучили в тюрьме, возили смотреть, что сделали с его фабрикой, возили смотреть убитых рабочих, потом зарезали его в тюрьме. Перед смертью он сумел передать на волю, что завещает свое имущество большевикам.

Младшая сестра Николая Павловича — Елизавета Павловна Шмидт — доставшуюся ей после брата долю наследства решила передать большевикам. Она, однако, не достигла еще совершеннолетия, и нужно было устроить ей фиктивный брак, чтобы она могла располагать деньгами по своему благоусмотрению. Елизавета Павловна вышла замуж за т. Игнатьева, работавшего в боевой организации, но сохранившего легальность, числилась его женой — могла теперь с разрешения мужа распоряжаться наследством, но брак был фиктивным. Елизавета Павловна была женой другого большевика, Виктора Таратуты. Фиктивный брак дал возможность сразу же получить наследство, деньги переданы были большевикам. Вот почему и говорил Ильич так уверенно о том, что «Пролетарий» будет платить за статьи, и делегатам будут высланы деньги на дорогу[2].

Виктор Таратута летом приехал в Женеву, стал помогать в хозяйственных делах и вел переписку с другими заграничными центрами в качестве секретаря Заграничного бюро Центрального Комитета.

Понемногу налаживались связи с Россией, завязывалась переписка, но времени у меня было все же очень много сво-

---

[1] *Ленин В.И.* Полн. собр. соч. Т. 47. С. 155.
[2] *Ленин В.И.* Полн. собр. соч. Т. 47. С. 159—160.

бодного. Чувствовалось, что долго придется еще жить за границей, и я решила взяться за изучение вплотную французского языка, чтобы примкнуть к работе местной социал-демократической партии. Поступила на курсы французского языка, которые устраивались летом для иностранцев-педагогов, преподавателей французского языка, при Женевском университете. Понаблюдала иностранных педагогов, поучилась на курсах не только французскому языку, но и швейцарскому умению деловито, напряженно, добросовестно работать[1].

Ильич, устав от работы над своей философской книжкой, брал мои французские грамматики и книжки по истории языка, по изучению особенностей французской речи и часами читал их, лежа в постели, пока не придут в покой нервы, взвинченные философскими спорами.

Стала я также изучать постановку школьного дела в Женеве. Впервые я поняла, что такое буржуазная «народная» школа. Смотрела, как в прекрасных зданиях, с большими светлыми окнами, воспитывались из детей рабочих послушные рабы. Наблюдала, как в одном и том же классе учителя бьют, дают затрещины ребятам рабочих и оставляют в покое детей богатых, как душат всякую самостоятельную мысль ребенка, как все заполняет мертвая зубрежка и как на каждом шагу внушается ребятам преклонение перед силой, богатством. Никогда не могла представить себе ничего подобного в демократической стране. Подробно рассказывала я Ильичу о своих впечатлениях. Он внимательно слушал.

В первую эмиграцию — до 1905 г.— внимание Ильича, когда он наблюдал окружающую заграничную жизнь, приковывалось главным образом к рабочему движению, его особенно интересовали рабочие собрания, демонстрации и пр. У нас в России этого не было до отъезда Ильича за границу в 1900 г. Теперь, после революции 1905 г., после пережитого колоссального подъема рабочего движения в России, борьбы партий, после опыта Думы и особенно после возникновения Советов рабочих депутатов, наряду с интересом к формам рабочего движения, Ильич особенно стал интересоваться и тем, что же такое представляет из себя по сути дела буржуазная демократическая республика, какова в ней роль рабочих масс, как велико в ней влияние рабочих, как велико влияние других партий.

_____
[1] Далее в рукописи: «...— ничего похожего на нашу российскую расхлябанность; взасос зачитываться стала французскими классиками: Гюго, Мопассаном. Флобером и пр.». — _Примеч. ред_.

Мне запомнилось, каким полуудивленным, полупрезрительным тоном передавал Ильич слова швейцарского депутата, говорившего (в связи с арестом Семашко), что республика их существует сотни лет, и она не может допустить нарушения прав собственности.

«Борьба за демократическую республику» была пунктом нашей тогдашней программы, буржуазная демократическая республика стала для Ильича особо ярко теперь вырисовываться как более утонченное, чем царизм, но все же как несомненное орудие порабощения трудящихся масс. Организация власти в демократической республике всячески способствовала тому, что вся жизнь насквозь пропиталась буржуазным духом.

Мне думается, не пережив революции 1905 г., не пережив второй эмиграции, Ильич не смог бы написать свою книгу «Государство и революция».

Развернувшаяся дискуссия по философским вопросам требовала скорейшего выпуска той философской книжки, которую начал писать Ильич[1]. Ильичу надо было достать некоторые материалы, которых не было в Женеве, да и склочная эмигрантская атмосфера здорово мешала Ильичу работать, поэтому он поехал в Лондон, чтобы поработать там в Британском музее и докончить начатую работу.

Во время его отсутствия был объявлен реферат Луначарского. На нем выступал Иннокентий. Ильич прислал тезисы, в которые Иннокентий внес свои поправки. Он очень волновался перед выступлением, сидел у нас целыми днями, обложившись книгами, делал выписки. Выступил он удачно, заявил от имени своего и Ленина, что большевизм ничего общего не имеет с философским направлением Богданова (эмпириомонизмом), что он и Ленин являются сторонниками диалектического материализма и солидаризируются с Плехановым.

Хотя реферат читал Луначарский, но главным защитником эмпириокритицизма на этом реферате был Богданов, и он особо резко напал на Инока. Он хорошо знал Инока, знал, что Инок был за открытую, прямую борьбу на философском фронте, знал, как присуще было Иноку чувство революционной чести, и, возражая ему, он старался ударить по чувству. «Выехал,— говорил он про докладчика,— рыцарь в венке из

---

[1] См.: *Ленин В.И.* Материализм и эмпириокритицизм // Полн. собр. соч. Т. 18. — *Примеч. ред.*

роз, но ему был нанесен удар сзади». Этот выпад не смутил, конечно, Инока. Подробно рассказал он о реферате Ильичу, вернувшемуся вскоре из Лондона.

Своей поездкой в Лондон Ильич был доволен — удалось собрать нужный материал, его подработать.

Вскоре по возвращении Ленина, 24 августа, состоялся пленум Центрального Комитета.

На пленуме ЦК было решено ускорить созыв партийной конференции. Организовывать конференцию поехал в Россию Иннокентий. К этому времени ярко уже стала выявляться и крепнуть линия ликвидаторства, охватившая широкие слои меньшевиков.

Ликвидаторы хотели ликвидировать партию, ее нелегальную организацию, которая вела, по их мнению, только к провалам: они хотели держать курс на легальную и только легальную деятельность в профессиональных союзах, разных обществах и пр. В условиях реакции это был полный отказ от всякой революционной деятельности, отказ от руководства, сдача всех позиций. С другой стороны, в рядах большевистской фракции ультиматисты и отзовисты ударялись в противоположную крайность: они были против участия не только в Думе, но и в культурно-просветительных обществах, в клубной работе, в школах и легальных профессиональных союзах, в страховых кассах. Они совершенно отходили от широкой работы в массах, от руководства ими.

Иннокентий и Ильич немало толковали между собой по поводу необходимости сочетать партийное руководство (для чего необходимо было сохранить во что бы то ни стало нелегальный аппарат) с широкой работой в массах. На очереди стояла подготовка партийной конференции, на почве выборов на нее надо было вести широкую агитацию против ликвидаторства и справа и слева.

Инок и поехал в Россию, чтобы провести все это в жизнь. Он поселился в Питере, наладил там работу цекистской пятерки, куда входил и он, Мешковский (Гольденберг), меньшевик М.И. Бройдо, представитель Бунда, представитель латышей. Наладил Инок бюро, куда входил, между прочим, Голубков, бывший потом делегатом от Бюро ЦК на партийной конференции.

Сам Инок на конференцию, состоявшуюся в декабре 1908 г., не попал, недели за две до конференции он собрался ехать за границу, но был арестован на Варшавском вокзале и сослан в Вологодскую губернию.

О поездке Иннокентия в Россию полиция оказалась очень хорошо осведомлена. Несомненно, о поездке Иннокентия сообщил департаменту полиции Житомирский. Кроме того, к работе Бюро ЦК, которое сорганизовал Иннокентий, была привлечена жена депутата II Думы Серова — Люся. Эта Люся, как вскоре оказалось, была провокаторшей[1].

Ильич закончил свою философскую книжку в сентябре, уже после отъезда Иннокентия в Россию. Вышла она много позже, лишь в мае 1909 г.[2]

Мы было обосновались окончательно в Женеве.

Приехала моя мать, и мы устроились по-домашнему — наняли небольшую квартиру, завели хозяйство. Внешне жизнь как бы стала входить в колею. Приехала из России Мария Ильинична, стали приезжать и другие товарищи. Помню, приезжал т. Скрыпник, изучавший в то время вопросы кооперации. Я ходила вместе с ним в качестве переводчицы к швейцарскому депутату Сиггу (ужасному оппортунисту). Говорил с ним т. Скрыпник о кооперации, но разговор дал очень мало, ибо у Сигга и у Скрыпника был разный подход к вопросу о кооперации. Скрыпник подходил с точки зрения революционера, Сигг же ничего не видел в кооперации, кроме хорошо налаженной «купцовой лавочки».

Приехали из России Зиновьев и Лилина. У них родился сынишка, занялись они семейным устройством. Приехал Каменев с семьей. После Питера все тосковали в этой маленькой тихой мещанской заводи — Женеве. Хотелось перебраться в крупный центр куда-нибудь. Меньшевики, эсеры перебрались уже в Париж. Ильич колебался: в Женеве-де жить дешевле, лучше заниматься. Наконец, приехали из Парижа Лядов и Житомирский и стали уговаривать ехать в Париж. Приводились разные доводы: 1) можно будет принять участие во французском движении, 2) Париж большой город — там будет меньше слежки. Последний аргумент убедил Ильича. Поздней осенью стали мы перебираться в Париж.

---

[1] Далее в рукописи: «Приехав в Питер, он остановился в доме Симонова № 9 по Загородному проспекту, где управляющим был некто Комиссаров. Он считался членом партии, всячески помогал нелегалам, устраивал у себя, снабжал паспортами. Никто и не подозревал, что это провокатор, ибо аресты происходили не у него на квартире, а в других местах. Иннокентий был арестован на Варшавском вокзале и отправлен в Вологодскую губернию». — *Примеч. ред.*

[2] В рукописи далее следует: «Иннокентий уехал, а в сентябре Ильич закончил уже свою книжку. Вскоре она была напечатана, но распространена только в 300—400 экз., так как издатель книжки был арестован и книжка лежала у него на складе. Ильич, погруженный в партийные дела, в большую научную работу, все же внимательно присматривался к окружающей жизни». — *Примеч. ред.*

В Париже пришлось провести самые тяжелые годы эмиграции. О них Ильич всегда вспоминал с тяжелым чувством. Не раз повторял он потом: «И какой черт понес нас в Париж!» Не черт, а потребность развернуть борьбу за марксизм, за ленинизм, за партию в центре эмигрантской жизни. Таким центром в годы реакции был Париж[1].

---

[1] В конце главы в рукописи далее сказано: «Говорил это и много лет спустя. Помню, как меня удивило, что Ильич стал поминать лихом Париж, как-то раз в последние уже годы своей жизни, когда Париж и вся эмиграция далеко, бесконечно далеко уж ушли в прошлое. Видно, очень уж тяжелы были те годы». — *Примеч. ред.*

ПАРИЖ

1909—1910 гг.

В половине декабря двинулись мы в Париж. 21-го должна была состояться там совместная с меньшевиками партийная конференция. Все мысли Владимира Ильича были поглощены этой конференцией. Надо было дать правильную оценку моменту, выровнять партийную линию — добиться, чтобы партия осталась партией класса, осталась авангардом, умеющим даже в самые трудные времена не оторваться от низов, от масс, помочь им преодолеть все трудности, организоваться для новых боев. Надо было дать отпор ликвидаторам[1]. С русскими организациями связи были слабы, конференция не могла рассчитывать на особую поддержку русских организаций (из россиян приехали на конференцию только пара москвичей: с Урала был Батурин да на второй день приехал из Питера член III Думы Полетаев). Отзовисты организовывались особо и нервничали вовсю. Меньшевики собрали перед партийной конференцией съезд своих заграничных групп в Базеле, где принят был ряд раскольнических резолюций. Атмосфера была накалена.

Владимир Ильич смотрел отсутствующими глазами на всю нашу возню с домашним устройством в новом логовище: не до того ему было. Квартира была нанята на краю города, около самого городского вала, на одной из прилегающих к Авеню д'Орлеан улиц, на улице Бонье, недалеко от парка Монсури. Квартира была большая, светлая и даже с зеркалами над каминами (это было особенностью новых домов). Была там комната для моей матери, для Марии Ильиничны, которая приехала в это время в Париж в Сорбонну, учиться языку, наша комната с Владимиром Ильичем и приемная. Но эта довольно шикарная квартира весьма мало соответствовала нашему жизненному укладу и нашей привезенной из Жене-

---

[1] В рукописи далее следует текст: «надо было дать отпор отзовистам. На поляков можно было положиться. Только что прошел 6-й съезд социал-демократии Польши и Литвы, который занял правильную линию. Но связи» (далее по тексту книги). — *Примеч. ред.*

вы «мебели». Надо было видеть, с каким презрением глядела консьержка на наши белые столы, простые стулья и табуретки. В нашей «приемной» стояла лишь пара стульев да маленький столик, было неуютно до крайности.

На мою долю сразу выпало много всякой хозяйственной возни — моя старуха-мать как-то растерялась в суматохе большого города. В Женеве все хозяйственные дела улаживались гораздо проще, а тут пошла какая-то канитель: газ надо было открыть, так пришлось раза три ездить куда-то в центр, чтобы добиться соответствующей бумажки. Бюрократизм во Франции чудовищный. Чтобы получить книжки из коммунальной библиотеки, надо было поручительство домохозяина, а он — ввиду нашей убогой обстановки — не решался за нас поручиться. С хозяйством на первых порах была большая возня. Хозяйка я была плохая — только Владимир Ильич да Инок были другого мнения, а люди, привыкшие к заправскому хозяйству, весьма критически относились к моим упрощенным подходам[1].

В Париже жилось очень толкотливо. В то время в Париж стягивалась отовсюду эмигрантская публика. Ильич сидел мало дома в этот год. До поздней ночи просиживала наша публика в кафе. Особым любителем кафе был Таратута. Понемногу втянулись и другие.

На декабрьской партийной конференции после больших споров наметилась все же общая линия. «Социал-демократ» должен был стать общим органом. На пленуме, состоявшемся после конференции, была выбрана новая редакция «Социал-демократа»: Ленин, Зиновьев, Каменев, Мартов, Мархлевский. В течение года выпустили девять номеров. Мартов в новой редакции был в одиночестве, он часто забывал о своем меньшевизме. Помню, как однажды Владимир Ильич с довольным видом говорил, что с Мартовым хорошо работать, что он на редкость талантливый журналист. Но это было, пока не приехал Дан.

Что касается положения внутри большевистской фракции, то с отзовистами отношения обострялись все больше и больше. Отзовисты выступали очень напористо. В кон-

---

[1] В рукописи далее читаем: «Как-то в феврале, помнится, приехал из своего путешествия по Японии Марк Тимофеевич — муж Анны Ильиничны, обедал у нас. Посмотрел он, как мы хлопочем около кухни, как по очереди с Марией Ильиничной моем посуду, и говорит: «Лучше бы вы «Машу» какую завели». Но мы тогда жили на партийное жалование, поэтому экономили каждую копейку, а кроме того французские «Маши» не мирились с русской эмигрантской сутолокой. Потом я понемногу приспособилась, но из-за переезда не была даже на декабрьской партконференции». — *Примеч. ред.*

це февраля отношения с ними порваны были окончательно[1]. Года три шла перед этим с Богдановым и богдановцами работа рука об руку,— не просто работа, а совместная борьба. Совместная борьба сближает так, как ничто. Ильич же имел еще ту особенность, что умел, как никто, увлекать людей своими идеями, заражать их своей страстностью и в то же время он умел будить в них их лучшие стороны, брать от них то, чего не могли взять другие. В каждом из товарищей по работе была как бы частица Ильича — потому, может быть, он чувствовался таким близким[2]. Разгоравшаяся внутрифракционная борьба здорово трепала нервы. Помню, пришел раз Ильич после каких-то разговоров с отзовистами домой, лица на нем нет, язык даже черный какой-то стал. Решили мы, что поедет он на недельку в Ниццу, отдохнет там вдали от сутолоки, посидит на солнышке. Поехал, отошел[3].

Заниматься в Париже было очень неудобно. Национальная библиотека была далеко. Ездил туда Владимир Ильич обычно на велосипеде, но езда по такому городу, как Париж, не то, что езда по окрестностям Женевы,— требует большого напряжения. Ильич очень уставал от этой езды. На обеденный перерыв библиотека закрывалась. С выпиской нужных книг была также большая бюрократическая канитель, выдавали нужные книги лишь через день, через два. Ильич на чем свет ругал Национальную библиотеку, а попутно и Париж. Написала я письмо французскому профессору, который преподавал летом на женевских курсах французского языка, прося указать другие хорошие библиотеки. Моментально получила ответ, где были все нужные справки; Ильич обошел все указанные библиотечки, но нигде не приспособился. В конце концов, у него украли велосипед. Он оставлял его на лестнице соседнего с Национальной библиотекой дома, платя за это консьержке 10 сантимов, но, придя однажды за велосипедом, его не нашел. Консьержка заявила, что она не бралась стеречь велосипед, а разрешала только его ставить на лестницу.

---

[1] В рукописи далее следует: «...несмотря на то, что личной близости у него почти ни с кем не было. Были простые, близкие, товарищеские отношения и только. Всякие разрывы сношений с товарищами по работе Ильич переживал крайне тяжело». — *Примеч. ред.*

[2] Далее в рукописи: «В № 42 «Пролетария» начата была открытая борьба с богостроительством, Ильичу тяжело было рвать с Богдановым и другими отзовистами». — *Примеч. ред.*

[3] В.И. Ленин отдыхал в Ницце между 13(26) февраля и 23 февраля (8 марта) 1909 г. — *Примеч. ред.*

С ездой на велосипедах в Париже и под Парижем нужна была большая осторожность. Раз Ильич по дороге в Жювизи попал под автомобиль, еле успел соскочить, а велосипед был совершенно изломан.

Приехал бежавший из Сольвычегодска Инок. Житомирский предложил ему любезно поселиться в его квартире. Инок приехал совсем больной: ему кандалы, когда он шел в ссылку, так натерли ноги, что на ногах образовались раны. Посмотрели наши врачи ногу Иннокентия и наговорили всякой всячины. Ильич поехал посоветоваться к французскому профессору Дюбуше, прекрасному хирургу, работавшему в качестве врача во время революции 1905 г. в России, в Одессе. Ильич ездил к Дюбуше с Наташей Гопнер, которая знала его по Одессе. Услышав, каких страстей наговорили наши товарищи-врачи Иноку, Дюбуше расхохотался. «Ваши товарищи-врачи хорошие революционеры, но как врачи они — ослы!» Ильич хохотал до слез и потом часто повторял эту характеристику. Все же Иноку пришлось долго лечить ногу.

Ильич очень обрадовался приезду Инока. Оба они торжествовали, что Плеханов стал отмежевываться очень решительно от ликвидаторов. Плеханов заявил уже о своем выходе из редакции «Голоса Социал-демократа», где верх взяли ликвидаторы, еще в декабре 1908 г., потом взял это заявление обратно, но все время у него отношения с ликвидаторами обострялись, и когда вышел в 1909 г. первый том меньшевистского сборника «Общественное движение в России в начале XX века», где была помещена статья Потресова, в которой он отрицал ведущую роль пролетариата в буржуазно-демократической революции, Плеханов окончательно вышел 26 мая из редакции «Голоса». И Ильич и Инок надеялись еще, что возможна будет с Плехановым совместная работа. Более молодое поколение не испытывало к Плеханову того чувства, как старшее поколение марксистов, в жизни которых Плеханов сыграл решающую роль. Борьбу на философском фронте Ильич и Инок принимали близко к сердцу. Для них обоих философия была орудием борьбы, была органически связана с вопросом расценки всех явлений с точки зрения диалектического материализма, с вопросами практической борьбы по всем линиям. Ильич торопил Анну Ильиничну с изданием книжки, писал ей в Россию. Намечалось расширенное заседание редакции «Пролетария», где предполагалось окончательно размежеваться также с отзовистами. «У нас дела печальны,— писал Владимир Ильич сестре Анне Ильиничне 26

159

мая: — Spaltung верно, будет; надеюсь через месяц дать тебе об этом точные сведения»[1].

В мае вышла книжка Ильича «Материализм и эмпириокритицизм». Все точки были поставлены над i. Вопросы философии для Ильича неразрывно были связаны с вопросами борьбы с религией[2]. Вот почему Ильич в мае прочел в клубе «Пролетария» реферат на тему «Религия и рабочая партия», написал для № 45 «Пролетария» статью «Об отношении рабочей партии к религии» и для № 6 «Социал-демократа» «Классы и партии в их отношении к религии и церкви»[3]. Эти статьи, особенно статья в «Пролетарии», имеют значение и по сию пору. В них со всей силой подчеркивается классовый характер религии, указывается на то, что в руках буржуазии религия — средство отвлекать массы от классовой борьбы, туманить их сознание. Нельзя проходить пассивно мимо этого фронта борьбы, недооценивать его. Но нельзя подходить к этому вопросу упрощенно, надо вскрывать социальные корни религии, брать вопрос во всей его сложности.

Вред религии понял Ильич еще пятнадцатилетним мальчиком. Сбросил с себя крест, перестал ходить в церковь. В те времена это было не так просто, как теперь.

Но особо вредной считал Ленин утонченную религию, очищенную от разных несуразиц, бросающихся всякому в глаза, очищенную от внешних рабских форм[4]. Такая утонченная религия способна сильнее влиять. Такой утонченной религией считал он богостроительство, попытки выдумать какую-то новую религию, новую веру[5].

В июне стали понемногу съезжаться уже делегаты на расширенную редакцию «Пролетария». Расширенной редакцией «Пролетария» назывался по сути дела Большевистский центр, куда в то время входили также и впередовцы.

Приехал из Москвы Голубков (Давыдов), партийный работник, работавший в России в Бюро ЦК под руководством Иннокентия и присутствовавший на парижской партийной конференции 1908 г. Приехал Шулятиков (Донат), депутат Думы Шурканов (он оказался потом провокатором). По-

---

[1] Раскол. — *Примеч. ред.*

[2] Далее в рукописи: «Не заняв определенной позиции в области религии, нельзя понять страстности борьбы в философских вопросах». — *Примеч. ред.*

[3] *Ленин В.И.* Полн. собр. соч. Т. 55. С. 292.

[4] В рукописи читаем: «Он ненавидел всякое богостроительство, ибо считал всякую религию дурманом для масс, а он не мог стерпеть, чтобы кто-нибудь морочил голову массам». — *Примеч. ред.*

[5] *Ленин В.И.* Полн. собр. соч. Т. 17. С. 415—426, 429—438.

следний, впрочем, не на совещание. По французскому обычаю, пошли наши с ними в кафе. Шурканов дул пиво кружку за кружкой, пил и Шулятиков. Но Шулятикову пить нельзя было, у него был наследственный алкоголизм. Пиво вызвало у него острый нервный припадок. Выйдя из кафе, он вдруг бросился с палкой на Шурканова. Еле справились с ним Иннокентий и Голубков. Привели к нам. Я осталась с ним сидеть, пока они пошли отыскивать доктора и комнату, где бы его поселить за городом. Нашли комнату в Фонтеней-о-Роз, где жили Семашко и Владимирский, которые его отходили к заседанию расширенного совещания редакции «Пролетария».

Часа два просидела я с больным Шулятиковым в нашей пустой приемной. Он нервно метался, вскакивал, ему все виделась его повешенная сестра. Приходилось его успокаивать, отвлекать его мысли, держать его руку и тихо ее гладить. Как только выпускала его руку, так начинал он метаться. Еле дождалась прихода Иннокентия и Голубкова, которые пришли за ним.

В заседании расширенной редакции «Пролетария» принимали участие члены редакции — Ленин, Зиновьев, Каменев, Богданов, представители местных большевистских организаций — Томский (Петербург), Шулятиков (Москва), Накоряков (Урал); члены ЦК Иннокентий, Рыков, Гольденберг, Таратута и Марат (Шанцер). Кроме того, на совещании присутствовали Скрыпник (Щур), Любимов (Зоммер, Марк), Полетаев (член III Государственной думы) и Давыдов-Голубков. Заседания расширенной редакции происходили с 21 по 30 июня.

Были приняты резолюции об отзовистах-ультиматистах, за единство партии, против специально большевистского съезда. Особо стоял вопрос о Каприйской школе. Богданов ясно видел, что большевистская фракция неизбежно распадется, и заранее подбирал, организовывал свою фракцию. Богданов, Алексинский, Горький и Луначарский организовали на Капри высшую социал-демократическую пропагандистскую школу для рабочих. Учеников для школы подбирал в России рабочий Вилонов — крепких, надежных. Они приехали учиться. Рабочие после пережитой революции остро ощущали необходимость теоретической подготовки, да и время было такое, когда непосредственная борьба замерла. Они ехали учиться, но для всякого искушенного в партийной работе было ясно, что школа на Капри заложит основы новой фракции. И совещание расширенной редакции «Пролетария» осудило эту организацию новой фракции. Богданов заявил о своем неподчинении решениям совещания и был исключен из большевистской фракции. На его защиту встал Красин[1]. Большевистская фракция распадалась.

Весной, еще до заседания расширенной редакции «Пролетария», очень серьезно захворала Мария Ильинична. Ильич ужасно волновался. Но удалось вовремя захватить болезнь, сделать операцию. Операцию делал Дюбуше. Поправка, однако, шла медленно. Надо было отдохнуть где-нибудь вне Парижа, на лоне природы.

Совещание взяло немало сил у Ильича, и после совещания необходимо было поехать и ему куда-нибудь пожить на травке, туда, где не было эмигрантской склоки и сутолоки.

Ильич стал просматривать французские газеты, отыскивая объявления о дешевых пансионах. Нашел такой пансион в деревушке Бомбон, в департаменте Сены и Марны, где за четверых надо было платить лишь 10 франков в день. Съездил посмотреть. Оказалось все очень удобно. Мы прожили там около месяца[2].

В Бомбоне Ильич не занимался и о делах мы старались не говорить. Ходили гулять, гоняли чуть не каждый день на велосипедах в Кламарский лес за 15 километров. Наблюдали также французские нравы. В пансионе, в котором мы поселились, жили разные мелкие служащие, продавщица из большого модного магазина с мужем и дочкой, камердинер какого-то графа и т. п. Небезынтересно было наблюдать эту обывательскую публику, насквозь проникнутую мелкобуржуазной психологией. С одной стороны, это была публика архипрактическая, смотревшая, чтобы кормили сытно и чтобы все было устроено удобно. С другой стороны, у всех них было стремление походить на настоящих господ[3]. Особо типична была мадам Лагуретт (так звали продавщицу), явно прошедшая огонь, воду и медные трубы, сыпавшая двусмысленными анекдотами и в то же время мечтавшая, как она поведет к первому причастию свою дочку Марту, как это будет трогательно и т. д. и т. п. Конечно, в большом количестве это мещанство надоедало. Хорошо было, что можно было жить обособленно, по-своему. В общем, отдохнул в Бомбоне Ильич неплохо[4].

---

[1] Далее в рукописи: «Многие из сторонников Богданова, например Марат, колебались». — *Примеч. ред.*

[2] В рукописи далее: «...должно быть. Отдохнули здорово. Приезжал туда только раз приехавший из России по транспортным делам Зефир — близкий товарищ». — *Примеч. ред.*

[3] Далее в рукописи: «Мы за обедом практиковались во французском языке и слушали болтовню мадам Лагуретт». — *Примеч. ред.*

[4] В деревушке Бомбон, под Парижем, В.И. Ленин с семьей отдыхал в августе — первой половине сентября 1909 г. — *Примеч. ред.*

Осенью мы переменили квартиру, поселились в тех же краях, на глухой улочке Мари-Роз, две комнаты и кухня, окна выходили в какой-то сад[1]. «Приемной» нашей теперь была кухня, где и велись все задушевные разговоры[2]. С осени у Владимира Ильича было рабочее настроение. Он завел «прижим», как он выражался, вставал в 8 часов утра, ехал в Национальную библиотеку, возвращался в 2 часа. Много работал дома. Я усиленно его охраняла от публики. У нас всегда бывало много народу, была толчея непротолченная, особенно теперь, когда благодаря реакции, тяжелейшим условиям работы в России, русская эмиграция быстро росла. Приезжали из России, с воодушевлением рассказывали, что там делается, потом публика быстро как-то увядала. Засасывала эмигрантщина, забота о заработке, о житейских мелочах[3].

Осенью ученики Каприйской школы приглашали Ильича приехать на Капри читать лекции. Ильич категорически отказался, объясняя им фракционный характер школы, и звал в Париж. Внутри Каприйской школы стала разгораться фракционная борьба. В начале ноября пятеро учеников (всего их было двенадцать) Каприйской школы, в том числе Вилонов, организатор школы, оформились уже как определенные ленинцы и были исключены из школы. Этот факт как нельзя лучше характеризовал, как прав был Ильич, указывая на фракционный характер школы. Исключенные ученики приехали в Париж. Помню первую встречу с Вилоновым. Начал он рассказывать о своей работе в Екатеринославе. Из Екатеринослава нам часто писал раньше корреспонденции какой-то рабочий, подписывавшийся «Миша Заводский». Корреспонденции были очень хороши, касались самых животрепещущих вопросов партийной и заводской жизни. «Не знаете ли вы Мишу Заводского?» — спросила я Вилонова. «Да это я и есть»,— ответил он. Это сразу настроило Ильича дружески к Михаилу, и они долго проговорили в тот день. А вечером того же дня Ильич писал Горькому: «Дорогой Алексей Максимо-

---

[1] Далее в рукописи следует: «Маня поправлялась понемногу после болезни, поправилась и моя мать». — *Примеч. ред.*

[2] Далее в рукописи: «Маня уехала в Россию и нам не нужна уже была большая квартира». — *Примеч. ред.*

[3] Далее в рукописи: «По утрам приходила «femme de menage» (домашняя работница. — *Примеч. ред.*), вообще хозяйство вошло в свою колею, мама тоже приспособилась. Владимир завел режим. «Володя стал большой домосед. Эту зиму много работает. Встает в 8 часов, едет в библиотеку, возвращается в 2 часа»,— писала я домой. Эту зиму начала приезжать в большом количестве публика из России. Там свирепствовала реакция — многим товарищам приходилось эмигрировать. Парижская колония росла». — *Примеч. ред.*

вич! Я был все время в полнейшем убеждении, что Вы и тов. Михаил — самые твердые фракционеры новой фракции, с которыми было бы нелепо мне пытаться поговорить по-дружески. Сегодня увидал в первый раз т. Михаила, покалякал с ним по душам и о делах, и о Вас и увидел, что ошибался жестоко. Прав был философ Гегель, ей-богу: жизнь идет вперед противоречиями, и живые противоречия во много раз богаче, разностороннее, содержательнее, чем уму человека спервоначалу кажется. Я рассматривал школу только как центр новой фракции. Оказалось, это неверно — не в том смысле, чтобы она не была центром новой фракции (школа была этим центром и состоит таковым сейчас), а в том смысле, что это неполно, что это не вся правда. Субъективно некие люди делали из школы такой центр, объективно была она им, а кроме того школа черпнула из настоящей рабочей жизни настоящих рабочих передовиков». И какой страстной верой в силы рабочего класса дышит конец этого письма, где Ильич пишет о том, что рабочему классу приходится выковывать партию из разнородных и разнокалиберных элементов. «Выкует во всяком случае, выкует превосходную революционную социал-демократию в России, выкует скорее, чем кажется иногда с точки зрения треклятого эмигрантского положения, выкует вернее, чем представляется, если судить по некоторым внешним проявлениям и отдельным эпизодам. Такие люди, как Михаил, тому порукой».

Вместе с Михаилом приехало еще пять учеников Каприйской школы. Среди них особо выдавался Ваня Казанец (Панкратов) своей активностью и прямолинейностью. Он резче всех был настроен против Каприйской школы. Были еще Люшвин (Пахом), Козырев (Фома), Устинов (Василий), Романов (Аля Алексинский). Ильич читал приехавшим лекции очень усердно. Ученики уехали в Россию. У Михаила был туберкулез легких, нажитый им в Николаевских арестантских ротах, где его всячески истязали. Михаила устроили в Давос. Недолго он прожил там, умер 1 мая 1910 г.

В конце декабря приехали в Париж по окончании занятий на Капри и остальные ученики — и им читал Ильич лекции. Он говорил им о текущем моменте, о столыпинской реформе и ее курсе на «крепкого» крестьянина, о ведущей роли пролетариата и о думской фракции. Кто-то из каприйцев, по словам т. Козырева, бывшего тогда в числе учеников, пытался вначале уличить Ильича в том, что он теперь ставит работу Государственной думы выше агитации в войсках. Ильич улыбнулся и заговорил о важности думской работы. Конечно, он нисколько не думал, что нужно в какой-нибудь мере ослаблять работу в войсках, но считал, что ее нужно как можно глубже законспирировать. Об этой работе надо было не говорить, а делать ее. Как раз в это время пришло письмо из Тулона от группы моряков социал-демократов с крейсера «Слава», которые просили литературу и особенно человека, который помогал бы вести революционную работу среди моряков. Ильич направил туда одного товарища, знавшего хорошо условия конспиративной работы, который и поселился в Тулоне. Ильич ни словом об этом не обмолвился, конечно, ученикам.

Живя мыслью в России, Ильич в то же время внимательно изучал и французское рабочее движение. Французская социалистическая партия была в то время насквозь оппортунистической. Например, весной 1909 г. происходила громадная стачка почтарей. Весь город был взволнован, а партия стояла в стороне: это-де дело профессиональных союзов, а не наше. Нам, россиянам, это разделение труда, это самоустранение партии от участия в экономической борьбе казалось прямо чудовищным.

Особенно внимательно наблюдал Ильич предвыборную кампанию. В ней все тонуло в личной склоке, взаимных разоблачениях, политические вопросы отодвигались на задний план[1]. Актуальные вопросы политической жизни не обсуждались почти совершенно. Только некоторые собрания были интересны. На одном из них я видела Жореса, его громадное влияние на толпу, но его выступление мне не очень понравилось — слишком уж рассчитано было каждое слово. Больше понравилось выступление Вайяна. Старый коммунар, он пользовался особой любовью рабочих. Запомнилась фигура высокого рабочего, пришедшего с работы с еще засученными рукавами. С глубочайшим вниманием слушал этот рабочий Вайяна. «Вот он, наш старик, как говорит!» — воскликнул он. И с таким же восхищением смотрели на Вайяна двое подростков, сыновей рабочего. Но не везде ведь выступали Жоресы и Вайяны. А рядовые ораторы крутили, приспособлялись к аудитории, в рабочей аудитории говорили одно, в интеллигентской другое. Посещение французских предвыборных собраний дало яркую картину, что такое выборы в «демократической республике». Со стороны это прямо поражало. Поэтому так нравились Ильичу песни революционных шансонеточников, высмеивавших выборную кампанию. Помню одну пе-

[1] Далее в рукописи: «Вот она, парламентская-то машина!» — сказал как-то Ильич после одного из предвыборных собраний». — *Примеч. ред.*

сенку, в которой описывалось, как депутат ездит собирать голоса в деревню, выпивает вместе с крестьянами, разводит им всякие турусы на колесах, и подвыпившие крестьяне выбирают его и подпевают: «T'as bien dit, mon ga! (правильно, парень, говоришь!)». А затем, заполучив голоса крестьян, депутат начинал получать 15 тысяч франков депутатского жалованья и предавал в палате депутатов их крестьянские интересы.

К нам приходил как-то депутат французской палаты, социалист Дюма, рассказывал, как он объезжал перед выборами деревни, и невольно вспоминались шансонеточники. Самым видным из шансонеточников был Монтегюс, сын коммунара, любимец фобуров (рабочих окраин). В его песнях была какая-то смесь мелкобуржуазной сентиментальности с подлинной революционностью.

Любил Ильич ходить в театр на окраины города, наблюдать рабочую толпу. Помню, мы ходили раз смотреть пьесу, описывающую истязания штрафных солдат в Марокко. Интересен был зрительный зал: больно уж непосредственно реагировали на все наполнявшие театр рабочие. Спектакль еще не начался. Вдруг весь театр в такт завопил: «Шляпа! Шляпа!» Оказалось, в театр вошла какая-то дама в высокой модной шляпе с перьями. Это публика требовала, чтобы дама сняла шляпу, ей пришлось подчиниться. Начался спектакль. В пьесе солдата берут и отправляют в Марокко, а его мать и сестра остаются в нищете. Хозяин квартиры согласен освободить их от платы за квартиру, если сестра солдата станет его наложницей. «Скотина! Собака!» — несется со всех сторон. Я не помню уже подробно содержания пьесы. Изображено там было, как мучают в Марокко неподчиняющихся начальству солдат. Кончалась пьеса восстанием и пением «Интернационала». Эту пьесу запрещали играть в центре, но на окраинах Парижа ее играли, и она вызывала бурю аплодисментов. В 1909 г. в связи с авантюрой в Марокко была стотысячная демонстрация протеста. Мы ходили ее смотреть. Демонстрация происходила с разрешения полиции. Ее возглавляли депутаты — представители социалистической партии, перевязанные красными шарфами. Рабочие были очень воинственно настроены, грозили кулаками, проходя мимо богатых кварталов, кое-где спешно закрывали в этих домах ставни, но прошла демонстрация как нельзя более мирно. Не походила эта демонстрация на демонстрацию протеста.

Владимир Ильич через Шарля Раппопорта связался с Лафаргом, зятем Маркса, испытанным борцом, мнение которого он особенно ценил. Поль Лафарг вместе с своей женой

Лаурой, дочерью Маркса, жили в Дравейль, в 20—25 верстах от Парижа. Они уже отошли от непосредственной работы. Помню, раз ездили мы с Ильичем на велосипедах к Лафаргам. Лафарги встретили нас очень любезно. Владимир стал разговаривать с Лафаргом о своей философской книжке, а Лаура Лафарг повела меня гулять по парку. Я очень волновалась — дочь ведь это Маркса была передо мной; жадно вглядывалась я в ее лицо, в ее чертах искала невольно черты Маркса. В смущении я лопотала что-то нечленораздельное об участии женщин в революционном движении, о России; она отвечала, но разговора настоящего как-то не вышло. Когда мы вернулись, Лафарг и Ильич говорили о философии. «Скоро он докажет,— сказала Лаура про мужа,— насколько искренни его философские убеждения», и они как-то странно переглянулись. Смысл этих слов и этого взгляда я поняла, когда узнала в 1911 г. о смерти Лафаргов. Они умерли, как атеисты, покончив с собой, потому что пришла старость и ушли силы, необходимые для борьбы.

1910 год начался расширенным пленумом Центрального Комитета. Еще на расширенном заседании редакции «Пролетария» были приняты резолюции за единство партии, против специального большевистского съезда. Эту линию вел Ильич и сплотившаяся вокруг него группа товарищей и на пленуме Центрального Комитета. В период реакции существование партии, смело говорившей всю правду хотя бы из подполья, было особо важно. Это было время, когда реакция громила партию, когда партию захлестывала оппортунистическая стихия, когда важно было удержать во что бы то ни стало знамя партии. У ликвидаторов в России был свой сильный легальный оппортунистический центр. Партия была нужна, чтобы противостоять ему. Опыт с Каприйской школой показывал, как часто относительна, своеобразна была в то время фракционность рабочих. Важно было, чтобы был единый партийный центр, около которого сплачивались бы все социал-демократические рабочие массы. В 1910 г. шла борьба за самое существование партии, за влияние через партию на рабочие массы. Владимир Ильич не сомневался, что внутри партии большевики будут в большинстве, что партия в конце концов пойдет по большевистскому пути, но это должна была быть партия, а не фракция. Эту линию проводил Ильич и в 1911 г., когда устраивалась под Парижем партийная школа, куда принимались и впередовцы, и меньшевики-партийцы. Эта линия проводилась и на Пражской партийной конференции 1912 г. Не фракция, а партия, проводящая большевистскую линию.

Конечно, в этой партии не было места ликвидаторам, для борьбы с которыми собирались силы. Конечно, в партии не место было тем, кто заранее решал, что не будет подчиняться постановлениям партии. Борьба за партию, однако, у ряда товарищей перерастала в примиренчество, упускавшее из виду цель объединения и соскользавшее на обывательское стремление объединить всех и вся, невзирая на то, кто за что боролся. Даже Иннокентий, стоявший целиком на точке зрения Ильича, считавший, что основное — это объединение с меньшевиками-партийцами, с плехановцами, увлеченный страстным желанием добиться сохранения партии, соскальзывал на примиренческую точку зрения. Ильич поправлял его.

В общем, единогласно были приняты резолюции. Смешно думать, что Ильича просто заголосовали примиренцы, и он сдал позиции. Пленум продолжался три недели. Ильич считал, что надо было, не сдавая ни на йоту принципиальной позиции, идти на максимальные уступки в области организационной. Фракционный большевистский орган «Пролетарий» был закрыт. Оставшиеся пятисотки сожжены. Большевистские фракционные деньги были переданы так называемым «держателям» — трем немецким товарищам: Каутскому, Мерингу и Цеткин, с тем чтобы эти деньги выдавались ими лишь на общепартийные цели. В случае если произойдет раскол, оставшиеся деньги должны были быть возвращены большевикам. Каменев был послан в Вену, где должен был являться представителем большевиков в троцкистской «Правде»[1]. «Последнее время было у нас очень «бурное», но кончилось попыткой мира с меньшевиками,— писал Владимир Ильич Анне Ильиничне,— да, да, как это ни странно; закрыли фракционный орган и пробуем сильнее двинуть объединение»[2].

В Россию поехали Инок и Ногин организовывать русскую (т. е. работавшую в России) коллегию Центрального Комитета. Ногин был примиренцем, желавшим объединить все и вся, и его речи встречали отпор среди большевиков. Инок вел другую линию, но Россия не заграница, где каждое слово на виду, его слова истолковывались в ногинском смысле, об этом очень старались все небольшевики. В ЦК были кооптированы Линдов и В.П. Милютин. Инок был вскоре арестован, Линдов стоял на ногинской точке зрения, был мало активен. С русским ЦК дело было в 1910 г. хуже не надо.

---

[1] Речь идет о фракционном органе Троцкого, издававшемся в 1908—1912 годах. — *Примеч. ред.*

[2] *Ленин В.И.* Полн. собр. соч. Т. 47. С. 250—251.

За границей дело также плохо ладилось. Марк (Любимов) и Лева (Владимиров) были «примиренцами вообще», очень часто поддавались всяким россказням о склочности и нелояльности большевиков. Марк особо много их слышал, так как входил в объединенное Заграничное бюро ЦК (ЗБЦК), где были представители всех фракций.

Впередовцы продолжали организовываться. Группа Алексинского ворвалась раз на заседание большевистской группы, собравшейся в кафе на Авеню д'Орлеан. Алексинский с нахальным видом уселся за стол и стал требовать слова и, когда ему было отказано, свистнул. Пришедшие с ним впередовцы бросились на наших. Члены нашей группы Абрам Сковно и Исаак Кривой ринулись было в бой, но Николай Васильевич Сапожков (Кузнецов), страшный силач, схватил Абрама под мышку, Исаака — под другую, а опытный по части драк хозяин кафе потушил огонь. Драка не состоялась. Но долго после этого, чуть не всю ночь, бродил Ильич по улицам Парижа, а вернувшись домой, не мог заснуть до утра.

«Вот и выходит так,— писал Ильич Горькому 11 апреля 1910 г.,— что «анекдотическое» в объединении сейчас преобладает, выдвигается на первый план, подает повод к хихиканью, смешкам и пр...

Сидеть в гуще этого «анекдотического», этой склоки и скандала, маеты и «накипи» тошно; наблюдать все это — тоже тошно. Но непозволительно давать себя во власть настроению. Эмигрантщина теперь во 100 раз тяжелее, чем было до революции. Эмигрантщина и склока неразрывны.

Но склока отпадет; склока остается на 9/10 за границей: склока, это — аксессуар. А развитие партии, развитие с.-д. движения идет и идет вперед через все дьявольские трудности теперешнего положения. Очищение с.-д. партии от ее опасных «уклонений», от ликвидаторства и отзовизма идет вперед неуклонно; в рамках объединения оно подвинулось значительно дальше, чем прежде».

И далее: «Могу себе представить, как тяжело наблюдать этот тяжелый рост нового с.-д. движения тем, кто не видал и не пережил тяжелого роста конца 80-х и начала 90-х годов. Тогда подобных с.-д. были десятки, если не единицы. Теперь — сотни и тысячи. Отсюда — кризис и кризисы. И социал-демократия в целом изживает их открыто и изживет их честно».

Склока вызывала стремление отойти от нее. Лозовский, например, целиком ушел во французское профессиональное движение. Тянуло и нас поближе стать к французскому движению. Думалось, что этому поможет, если пожить во французской партийной колонии. Она была на берегу моря, недалеко от небольшого местечка Порник в знаменитой Вандее. Сначала поехала туда я с матерью. Но в колонии у нас житье не вышло. Французы жили очень замкнуто, каждая семья держалась обособленно, к русским относились недружелюбно как-то, особенно заведующая колонией. Поближе я сошлась с одной французской учительницей. Рабочих там почти не было. Вскоре приехали туда Костицыны и Саввушка — впередовцы — и сразу вышел у них скандал с заведующей. Тогда мы все решили перебраться в Порник и кормиться там сообща. Наняли мы с матерью две комнатушки у таможенного сторожа. Вскоре приехал Ильич. Много купался в море, много гонял на велосипеде — море и морской ветер он очень любил,— весело болтал о всякой всячине с Костицыными, с увлечением ел крабов, которых ловил для нас хозяин. Вообще к хозяевам он воспылал большой симпатией. Толстая громкоголосая хозяйка — прачка — рассказывала о своей войне с ксендзами. У хозяев был сынишка — ходил он в светскую школу, но так как мальчонка прекрасно учился, был бойким, талантливым парнишкой, то ксендзы всячески старались убедить мать отдать его учиться к ним в монастырь. Обещали стипендию. И возмущенная прачка рассказывала, как она выгнала вон приходившего ксендза: не для того она сына рожала, чтобы подлого иезуита из него сделать. Оттого так и подхваливал крабов Ильич. В Порник Ильич приехал 1 августа [1], а 26-го уже был в Копенгагене, куда он поехал на заседание Международного социалистического бюро и на международный конгресс[2]. Характеризуя работу конгресса, Ильич писал: «Разногласия с ревизионистами наметились, но до выступления ревизионистов с самостоятельной программой еще далеко. Борьба с ревизионизмом отсрочена, но эта борьба придет неизбежно»[3]. Русская делегация на конгрессе была многочисленна —20 человек: 10 социал-демократов, 7 социалистов-революционеров, 3— от профессиональных союзов. В социал-демократической группе были представители всех направлений: Ленин, Зиновьев, Каменев, Плеханов, Барский, Мартов, Мартынов; с совещательными голосами были: Троцкий, Луначарский, Коллонтай и т. д. Много было гостей. Во время конгресса состоялось совещание, в котором приняли участие Ленин, Плеханов, Зиновь-

---

[1] В.И. Ленин с семьей жил в городке Порник с 9 июля по 10 августа (с 22 июля по 23 августа) 1910 г. — *Примеч. ред.*

[2] Международный социалистический конгресс в Копенгагене состоялся 15—21 августа (28 августа — 3 сентября) 1910 г.

[3] *Ленин В.И.* Полн. собр. соч. Т. 19. С. 354.

ев, Каменев, члены III Думы Полетаев и И.П. Покровский. На совещании было решено издавать заграничный популярный орган — «Рабочую газету». Плеханов дипломатничал, но дал все же для первого номера статью «Наше положение».

После Копенгагенского конгресса Ильич ездил в Стокгольм повидаться с матерью и Марией Ильиничной, где и пробыл десять дней[1]. Последний раз видел он в этот раз свою мать, предвидел он это и грустными глазами провожал уходящий пароход. Когда в 1917 г.— семь лет спустя — он вернулся в Россию, ее не было уже в живых.

Ильич по возвращении в Париж рассказывал, что на конгрессе удалось ему хорошо поговорить с Луначарским. К Луначарскому Ильич всегда относился с большим пристрастием — больно его уже подкупала талантливость Анатолия Васильевича. Однако вскоре в «Peuple»[2] появилась статья Луначарского «Тактические течения в нашей партии», где все вопросы освещались с отзовистской точки зрения. Ильич посмотрел и промолчал, потом ответил в статье. Другие участники конгресса также давали свои оценки. В связи с международным конгрессом Троцкий поместил в «Vorwärts»[3] анонимную статейку, где нападал всячески на большевиков и выхвалял свою венскую «Правду». Против помещения этой статьи в «Vorwärts» протестовали* делегаты съезда Плеханов, Ленин, Варский. Плеханов с первых же шагов появления Троцкого за границей, еще в 1903 г., перед II съездом, враждебно настроен был против Троцкого. Перед II съездом они сердито поспорили по вопросу о популярной газете. Плеханов на Копенгагенском конгрессе безоговорочно подписал протест против выступления Троцкого, а Троцкий поднял кампанию против «Рабочей газеты», которую стали издавать большевики, объявил ее узкофракционным органом, делал на эту тему доклад в Венском клубе, в результате чего Каменев вышел из редакции троцкистской «Правды», куда был послан работать после январского пленума. Парижские примиренцы с Марком во главе под влиянием нападок Троцкого подняли также кампанию против «Рабочей газеты», боясь фракционности. Терпеть не мог Ильич расплывчатого, беспринципного примиренчества, примиренчества со всеми, с кем угодно, равнявшегося сдаче позиций в разгар борьбы.

---

[1] В.И. Ленин пробыл в Стокгольме с 30 августа по 12 сентября (12—25 сентября) 1910 г. — *Примеч. ред.*

[2] «Народ». — *Примеч. ред.*

[3] «Вперед». — *Примеч. ред.*

В № 50 «Neue Zeit» за 1910 г. появилась статья Троцкого «Тенденции развития русской социал-демократии», а в № 51— статья Мартова «Прусская дискуссия и русский опыт». Владимир Ильич написал ответ «Исторический смысл внутрипартийной борьбы в России», но редакторы «Neue Zeit» — Каутский и Вурм — отклонили статью Ленина. Ответил Троцкому и Мартову Мархлевский (Карский), предварительно списавшись с Владимиром Ильичем.

В 1911 г. к нам в Париж приехал арестованный в Берлине в начале 1908 г. с чемоданом с динамитом т. Камо. Он просидел в немецкой тюрьме более полугода, симулировал сумасшедшего, потом в октябре 1909 г. был выдан России, отправлен в Тифлис, где просидел в Метехском замке еще 1 год и 4 месяца. Был признан безнадежно больным психически и переведен в Михайловскую психиатрическую больницу, откуда бежал, а потом нелегально, прячась в трюме, поехал в Париж потолковать с Ильичем. Он страшно мучился тем, что произошел раскол между Ильичем, с одной стороны, и Богдановым и Красиным — с другой. Он был горячо привязан ко всем троим. Кроме того, он плохо ориентировался в сложившейся за годы его сидения обстановке. Ильич ему рассказывал о положении дел.

Камо попросил меня купить ему миндалю. Сидел в нашей парижской гостиной-кухне, ел миндаль, как он это делал у себя на родине, и рассказывал об аресте в Берлине, придумывал казни тому провокатору, который его выдал, рассказывал о годах симуляции, когда он притворялся сумасшедшим, о ручном воробье, с которым он возился в тюрьме. Ильич слушал и остро жалко ему было этого беззаветно смелого человека, детски-наивного, с горячим сердцем, готового на великие подвиги и не знающего после побега, за какую работу взяться. Его проекты работы были фантастичны. Ильич не возражал, осторожно старался поставить Камо на землю, говорил о необходимости организовать транспорт и т. д. В конце концов было решено, что Камо поедет в Бельгию, сделает себе там глазную операцию (он косил, и шпики сразу его узнавали по этому признаку), а потом морем проберется на юг, потом на Кавказ. Осматривая пальто Камо, Ильич спросил: «А есть у вас теплое пальто, ведь в этом вам будет холодно ходить по палубе?» Сам Ильич, когда ездил на пароходах, неустанно ходил по палубе взад и вперед. И когда выяснилось, что никакого другого пальто у Камо нет, Ильич притащил ему свой мягкий серый плащ, который ему в Стокгольме подарила мать и который Ильичу особенно нравился. Разговор с

Ильичем, ласка Ильича немного успокоили Камо. Потом, в период гражданской войны, Камо нашел свою «полочку», опять стал проявлять чудеса героизма. Правда, с переходом на новую экономическую политику он вновь выбился из колеи, все толковал о необходимости учиться и в то же время мечтал о разных подвигах. Он погиб во время последней болезни Ильича. Ехал в Тифлис по Верийскому спуску на велосипеде, натолкнулся на автомобиль и был убит.

В 1910 г. в Париж приехала из Брюсселя Инесса Арманд и сразу же стала одним из активных членов нашей Парижской группы. Вместе с Семашко и Бритманом (Казаковым) она вошла в президиум группы и повела обширную переписку с другими заграничными группами. Она жила с семьей, двумя девочками — дочерьми и сынишкой. Она была очень горячей большевичкой, и очень быстро около нее стала группироваться наша парижская публика.

Вообще наша Парижская группа стала крепнуть понемногу. Идейное сплочение шло. Только бедствовали многие ужасно. Рабочие кое-как устраивались, положение же интеллигенции было крайне тяжелое. Переходить на рабочее положение не всегда было посильно. Жить на средства эмигрантской кассы, питаться в долг в эмигрантской столовке было архинепереносно. Помню несколько тяжелых случаев. Один товарищ заделался лакировщиком, но умение давалось не сразу, приходилось менять места работы. Жил он в рабочем квартале, вдали от эмигрантской гущи. И вот дело дошло до того, что он так обессилел от голода, что не мог уже встать с постели, написал письмишко, чтобы принесли ему денег, но не заходили к нему, а оставили у консьержки.

Трудно было Николаю Васильевичу Сапожкову (Кузнецову); он с женой нашли работу — красить глиняную посуду какую-то, но зарабатывали гроши, и видно было, как у этого здорового человека, высокого силача, от голодовки постепенно ложились на лицо морщины, хотя никогда и не жаловался он на свое положение. Много было таких случаев. Тяжелее всего был случай с т. Пригара, участником Московского восстания. Жил он где-то в рабочем предместье, и товарищи мало знали о нем. Раз приходит к нам и начинает возбужденно, не останавливаясь, говорить что-то несуразное — о колесницах, полных снопами, о прекрасной девушке, стоявшей на колеснице, и т. п. и т. д. Явно человек с ума сошел. Первая мысль была: это от голода. Мама стала спешно готовить ему, побледневший Ильич остался с Пригарой, а я побежала за знакомым доктором-психиатром. Он пришел, поговорил с больным, потом сказал, что это — тяжелая форма помешательства на почве голода; сейчас ничего, а когда перейдет в манию преследования, может покончить с собой, тогда надо следить. Мы даже адреса его не знали. Бритман пошел провожать его до дому, но Пригара дорогой от него ушел. Подняли на ноги нашу группу — пропал человек. Потом нашли его труп в Сене с привязанными к шее и ногам камнями — покончил человек с собой. Пожить бы еще годика два в атмосфере склоки да эмигрантщины, можно было надорваться. Но на смену годам реакции пришли годы подъема. В связи со смертью Л. Толстого начались демонстрации, вышел № 1 газеты «Звезда», в Москве стала выходить большевистская «Мысль». Ильич сразу ожил. Его статья «Начало демонстраций» от 31 декабря 1910 г. дышит неистощимой энергией. Она кончается призывом: «За работу же, товарищи! Беритесь везде и повсюду за постройку организаций, за создание и укрепление рабочих с.-д. партийных ячеек, за развитие экономической и политической агитации. В первой русской революции пролетариат научил народные массы бороться за свободу, во второй революции он должен привести их к победе!»[1]

---

[1] Статья «Исторический смысл внутрипартийной борьбы в России» была опубликована только 29 апреля (12 мая) 1911 г. в № 3 «Дискуссионного листка» (приложение к Центральному Органу РСДРП «Социал-демократ») (см.: *Ленин В.И.* Полн. собр. соч. Т. 19. С. 358—376). — *Примеч. ред.*

ГОДЫ НОВОГО РЕВОЛЮЦИОННОГО ПОДЪЕМА. ПАРИЖ

1911—1912 гг.

Уже конец 1910 г. прошел под знаком революционного подъема. Годы 1911—1914 были годами, когда вплоть до начала войны, до августа 1914 г., каждый месяц приносил факты нарастания рабочего движения. Только рост этого движения совершался в иных условиях, чем рост рабочего движения перед 1905 годом. Он совершался на базе опыта революции 1905 года. Пролетариат был уже не тот. Он многое пережил — полосу забастовок, ряд вооруженных восстаний, громадное массовое движение, пережил годы поражения. В этом был гвоздь вопроса. Это ярко сказывалось во всем, и Ильич, впивавшийся в живую жизнь со всей страстностью, умевший расшифровывать значение каждой фразы, сказанной рабочим, удельный ее вес, чувствовал всем своим существом этот рост пролетариата. Но, с другой стороны, он знал, что не только пролетариат, но и вся обстановка уж не та, что была раньше. Интеллигенция стала уже другой. В 1905 г. широкие слои интеллигенции всячески поддерживали рабочих. Теперь было не то. Характер борьбы, которую поведет пролетариат, был уже ясен. Борьба будет жестокая, непримиримая, пролетариат будет сбрасывать все, что будет стоять на его пути. И нельзя будет бороться его руками за куцую конституцию, как того хотела либеральная буржуазия, не даст рабочий класс сделать ее куцей. Он поведет, а не его поведут. Да и условия борьбы стали другие. Правительство царское тоже имело за плечами опыт революции 1905 г. Теперь оно опутывало всю рабочую организацию целою сетью провокатуры. Это были уже не старые шпики, торчавшие на углах улиц, от которых можно было спрятаться, это были Малиновские, Романовы, Брендинские, Черномазовы, занимавшие ответственные партийные посты. Слежка, аресты — все делалось правительством не наобум, а строго продуманно.

Такая обстановка была настоящим садком для выводки оппортунистов самой высокой марки. Курс ликвидаторов на ликвидацию партии, передового, ведущего отряда рабочего класса, поддерживался широкими слоями интеллигенции. Ликвидаторы как грибы росли и справа, и слева. Каждый кадетишка ладил плюнуть по адресу нелегальной партии. Нельзя было не вести с ними бешеной борьбы. Условия борьбы были неравные. У ликвидаторов сильный легальный центр в России, возможность вести широкую ликвидаторскую работу в массах, у большевиков — борьба за каждую пядь в тяжелейших условиях тогдашнего подполья.

1911 год начался с прорыва цензурных рогаток, с одной стороны, с энергичной борьбы за укрепление партийной нелегальной организации — с другой. Борьба началась внутри заграничного объединения, созданного январским пленумом 1910 г., но скоро перехлестнула через его рамки, пошла своим путем.

Страшно радовал Ильича выход «Звезды» в Питере и «Мысли» в Москве. Заграничные нелегальные газеты доходили до России из рук вон плохо, хуже, чем в период до 1905 г.; заграница и Россия были насыщены провокаторами, благодаря которым все проваливалось. И потому выход в России легальных газет и журналов, где можно было писать большевикам, страшно радовал Ильича.

В редакцию «Звезды» входили В. Бонч-Бруевич (большевик), Н. Иорданский (тогда плехановец) и И. Покровский (от думской фракции, сочувствовал большевикам). Газета считалась органом думской фракции. В первом номере был помещен фельетон Плеханова. Первый номер не очень удовлетворил Владимира Ильича, показался ему тусклым. Зато понравился ему очень № 1 московской «Мысли».

«Вся наша и радует меня безмерно» — писал Ильич о ней Горькому. Усиленно стал писать Ильич для «Звезды» и «Мысли». Издавать легальные газеты в то время было не так-то легко. В феврале в Москве был арестован Скворцов-Степанов, а в Питере Бонч-Бруевич и Лидия Михайловна Книпович, работавшая с Полетаевым и др. В апреле «Мысль» была закрыта, а в июне на 25-м номере прекратилась и «Звезда» как орган думской фракции. Восстановлена была только в ноябре (№ 26 «Звезды» вышел 5 ноября). Правда, она стала тогда уже определенно большевистской. В Баку также стала издаваться большевистская «Современная жизнь».

В июле стали сговариваться с т. Савельевым об издании в Питере легального журнала «Просвещение». Поставить журнал удалось лишь к концу 1911 г.

Владимир Ильич самым усиленным образом следил за этими изданиями, писал для них.

Что касается связи с рабочими, то сначала была попытка повторить опыт занятий с каприйцами в отношении учеников Болонской школы, но дело не вышло.

Еще в ноябре 1910 г. отзовисты организовали школу в Болонье, в Италии; ученики послали приглашение ряду лекторов, в том числе Дану, Плеханову, Ленину. Владимир Ильич ответил отказом и звал приехать в Париж. Но, умудренные каприйским опытом, впередовцы начали крутить, потребовали официального приглашения со стороны Заграничного бюро ЦК (в ЗБЦК в это время преобладали меньшевики), а приехав в Париж, вместе с вольнослушателями, которые должны были противостоять ленинскому влиянию, болонцы потребовали автономии. Занятия в конце концов не состоялись, и ЗБЦК отправило приехавших в Россию.

Весной 1911 г. наконец удалось устроить под Парижем свою партийную школу. В школу принимались рабочие и меньшевики-партийцы и рабочие-впередовцы (отзовисты), но и тех и других было очень небольшое меньшинство.

Первыми приехали питерцы — два рабочих-металлиста — Бело-стоцкий (Владимир), другой — Георгий (фамилии не помню), вперед овец и работница Вера Васильева. Публика все приехала развитая, передовая. В первый вечер, когда они появились на горизонте, Ильич повел их ужинать куда-то в кафе, и я помню, как горячо проговорил он с ними весь вечер, расспрашивая о Питере, о их работе, нащупывал в их рассказах признаки подъема рабочего движения. Пока что Николай Александрович Семашко устроил их неподалеку от себя в пригороде Парижа Фонтеней-о-Роз, где они подчитывали разную литературу в ожидании, когда подъедут остальные ученики. Затем приехали двое москвичей: один — кожевник, Присягин, другой — текстильщик, не помню фамилии. Питерцы скоро сошлись с Присягиным. Был он незаурядным рабочим, в России уже перед тем редактировал нелегальную газету кожевников «Посадчик», хорошо писал, но был он ужасно застенчив: начнет говорить, и руки у него дрожат от волнения. Белостоцкий его поддразнивал, но очень мягко, добродушно.

Во время гражданской войны Присягин был расстрелян Колчаком как председатель губпрофсовета в Барнауле.

Но совсем уж недобродушно насмехался Белостоцкий над другим москвичом — текстильщиком. Тот был мало раз-

177

вит, но был очень самоуверен. Писал стихи, старался выражаться помудренее. Помню, пришла я как-то в школьное общежитие, встретила москвича. Он стал созывать публику: «Мистер Крупская пришла». За этого «мистер Крупская» поднял Белостоцкий парня на смех. Постоянно возникали у них конфликты. Кончилось тем, что питерцы стали настаивать, чтобы парня убрали из школы: «Он ничего не понимает, про проституцию черт знает что несет». Попробовали мы убеждать, что парень подучится, но питерцы настаивали на отсылке москвича обратно. Временно устроили мы его на работу в Германии.

Школу решили организовать в деревне Лонжюмо, в 15 километрах от Парижа, в местности, где не жило никаких русских, никаких дачников. Лонжюмо представляло собою длинную французскую деревню, растянувшуюся вдоль шоссе, по которому каждую ночь непрерывно ехали возы с продуктами, предназначенными для насыщения «брюха Парижа». В Лонжюмо был небольшой кожевенный заводишко, а кругом тянулись поля и сады. План поселения был таков: ученики снимают комнаты, целый дом снимает Инесса. В этом доме устраивается для учеников столовая. В Лонжюмо поселяемся мы и Зиновьевы. Так и сделали. Хозяйство все взяла на себя Катя Мазанова, жена рабочего, бывшего в ссылке вместе с Мартовым в Туруханске, а потом нелегально работавшего на Урале. Катя была хорошей хозяйкой и хорошим товарищем. Все шло как нельзя лучше. В доме, который сняла Инесса, поселились тогда наши вольнослушатели: Серго (Орджоникидзе), Семен (Шварц), Захар (Бреслав). Серю незадолго перед тем приехал в Париж. До этого жил он одно время в Персии, и я помню обстоятельную переписку, которая с ним велась по выяснению линии, которую занял Ильич по отношению к плехановцам, ликвидаторам и впередовцам. С группой кавказских большевиков у нас всегда была особенно дружная переписка. На письмо о происходящей за границей борьбе долго что-то не было ответа, а потом раз приходит консьержка и говорит: «Пришел какой-то человек, ни слова не говорит по-французски, должно быть к вам». Я спустилась вниз — стоит кавказского вида человек и улыбается. Оказался Серго. С тех пор он стал одним из самых близких товарищей. Семена Шварца мы знали давно. Его особенно любила моя мать, в присутствии которой он рассказывал как-то, как впервые, молодым девятнадцатилетним парнем, распространял листки на заводе, представившись пьяным. Был он николаевским рабочим. Бреслава знали также с 1905 г. по Питеру, где он работал в Московском районе.

Таким образом, в доме Инессы жила все своя публика. Мы жили на другом конце села и ходили обедать в общую столовую, где хорошо было поболтать с учениками, порасспросить их о разном, можно было регулярно обсуждать текущие дела.

Мы нанимали пару комнат в двухэтажном каменном домишке (в Лонжюмо все дома были каменные) у рабочего-кожевника и могли наблюдать быт рабочего мелкого предприятия. Рано утром уходил он на работу, приходил к вечеру совершенно измученный. При доме не было никакого садишка. Иногда выносили на улицу ему стол и стул, и он подолгу сидел, опустив усталую голову на истомленные руки. Никогда никто из товарищей по работе не заходил к нему. По воскресеньям он ходил в костел, возвышавшийся наискось от нас. Музыка захватывала его. В костел приходили петь монахини с чудесными оперными голосами, пели Бетховена и пр., и понятно, как захватывало это рабочего-кожевника, жизнь которого протекала так тяжело и беспросветно. Невольно напрашивалось сравнение с Присягиным, тоже кожевником по профессии, жизнь которого была не легче, но который был сознательным борцом, общим любимцем товарищей. Жена французского кожевника с утра надевала деревянные башмаки, брала в руки метлу и шла работать в соседний замок, где она была поденщицей. Дома за хозяйку оставалась девочка-подросток, которая целый день возилась в полутемном, сыром помещении с хозяйством и с младшими братишками и сестренками. И к ней никогда не приходили никакие подруги, и у ней тоже были в будни только возня по хозяйству, в праздники — костел. Никогда никому в семье кожевника не приходила в голову мысль о том, что неплохо бы кое-что изменить в существующем строе. Бог ведь создал богачей и бедняков, значит, так и надо — рассуждал кожевник.

Нянька-француженка, которую Зиновьевы взяли к своему трехлетнему сынишке, держалась тех же взглядов, и когда мальчонка стремился проникнуть в парк замка, находившегося рядом с Лонжюмо, она ему объясняла: «Это не для нас, это для господ». Мы очень потешались над малышом, когда он глубокомысленно повторял это изречение своей нянюшки.

Скоро съехались все ученики: николаевский рабочий Андреев, уже прошедший в ссылке, кажется вологодской, своеобразный курс учебы. Ильич в шутку называл его первым учеником. Догадов из Баку (Павел), Сема (Семков). Из Киева приехали двое: Андрей Малиновский и Чугурин — плехановцы. Андрей Малиновский оказался, как позднее выяснилось, провокатором. Он ничем не выдавался, кроме своего прекрасного голоса; был он парень совсем молодой, малонаблюдательный. Рассказывал он мне, как ушел, направляясь в Париж, от слежки. Показалось мне что-то мало правдоподобным, но особых подозрений не вызвало. Другой, Чугурин, считал себя плехановцем. Это был сормовский рабочий, сидевший долго в тюрьме, очень развитой рабочий, большой нервняга. Скоро стал он большевиком. Из Екатеринослава приехал также плехановец Савва (Зевин). Когда мы нанимали квартиру ученикам, мы говорили, что это русские сельские учителя. Савва во время своего пребывания в Лонжюмо болел тифом. Лечивший его доктор-француз потом говорил с улыбкой: «Какие у вас странные учителя». Больше всего французов удивляло, что наши «учителя» ходят сплошь и рядом босиком (жарища тем летом стояла невероятная).

Зевин принимал полгода спустя участие в Пражской партийной конференции, потом долго боролся в рядах большевиков, пока не был убит в числе 26 бакинских комиссаров белыми.

Из Иваново-Вознесенска приехал Василий (С. Искрянистов). Он очень хорошо занимался, но держался как-то странно, сторонился всех, запирался в своей комнате и, когда ехал в Россию, наотрез отказался брать какие-либо поручения. Он был очень дельным работником. В течение ряда лет занимал ответственные посты. Бедовал здорово. На фабрики и заводы его, как «неблагонадежного», никуда не брали, ему никак не удавалось найти заработок, и он с женою и двумя детьми очень долго жил только на очень маленький заработок своей жены — ткачихи. Как потом выяснилось, Искрянистов не выдержал и стал провокатором. Стал здорово запивать. В Лонжюмо не пил. Вернувшись из Лонжюмо, не выдержал, покончил с собой. Раз вечером прогнал из дома жену и детей, затопил печку, закрыл трубу, наутро его нашли мертвым. Получил он за свою «работу» какие-то гроши, рублей десять, числился провокатором меньше года.

От поляков был Олег (Прухняк). В половине занятий приехал в Лонжюмо Манцев.

Занятия происходили очень регулярно. Владимир Ильич читал лекции по политической экономии (30 лекций), по аграрному вопросу (10 лекций), теорию и практику социализма (5 лекций)[1] Семинарскую работу по политической экономии вела Инесса. Зиновьев и Каменев читали историю партии, пару лекций читал Семашко. Из других лекторов — Рязанов читал лекции по истории западноевропейского рабочего движения, Шарль Раппопорт — по французскому движению, Стеклов и Финн-Енотаевский — по государственному праву и бюджету, Луначарский — по литературе и Станислав Вольский — по газетной технике.

Занимались много и усердно. По вечерам иногда ходили в поле, где много пели, лежали под скирдами, говорили о всякой всячине. Ильич тоже иногда ходил с ними.

Каменев не жил в Лонжюмо, приезжал туда только читать лекции. Писал он в то время свою книжку «Две партии». Он обсуждал ее с Ильичем. Помню, как они лежали на траве в логу за селом и Ильич развивал Каменеву свои мысли. Он написал предисловие к этой книжке[2].

Мне приходилось довольно часто ездить в Париж, в экспедицию, где видалась по делам с публикой. Это было необходимо, чтобы избежать приездов в Лонжюмо. Ученики все собирались ехать немедля в Россию на работу, и надо было принимать меры, чтобы хоть несколько законспирировать их пребывание в Париже. Ильич был очень доволен работой школы. В свободное время ездили мы с ним по обыкновению на велосипеде, поднимались на гору и ехали километров за пятнадцать, там был аэродром. Заброшенный вглубь, он был гораздо менее посещаем, чем аэродром Жювизи. Мы были часто единственными зрителями, и Ильич мог вволю любоваться маневрами аэропланов.

В половине августа мы переехали обратно в Париж.

Сколоченное с таким трудом в январе 1910 г. объединение всех фракций стало быстро разваливаться. По мере того как вставали практические задачи работы в России, делалось все яснее, что совместная работа невозможна. Требования практической работы срывали маску партийности, которой прикрывались некоторые меньшевики. Вылезла на свет божий суть «лояльности» Троцкого, под маской лояльности стремившегося объединить ликвидаторов и впередовцев. Когда стала ощущаться необходимость организоваться в России

---

[1] В.И. Ленин прочел 29 лекций по политической экономии, 12 — по аграрному вопросу и 12 — по теории и практике социализма в России. — *Примеч. ред.*

[2] См.: *Ленин В.И.* Полн. собр. соч. Т. 20. С. 295—298.

получше для работы, тут-то и сказалась искусственность всего объединения. Еще в конце декабря 1910 г. Ленин, Зиновьев и Каменев подали заявление в ЗБЦК о необходимости созыва за границей пленума Центрального Комитета. Только через месяц с лишком получили они ответ на свое заявление: меньшевистский ЗБЦК отклонил сделанное предложение. Переговоры на эту тему затянулись до конца мая 1911 г. Явно было — с ЗБЦК каши не сваришь. Входивший в ЗБЦК представитель большевиков, т. Семашко, вышел из состава ЗБЦК, и большевики стали созывать совещание членов ЦК, находившихся в то время за границею. Таких членов было в июне 1911 г. девять. Бундист Ионов был болен, остальные съехались к 10 июня, но меньшевик Горев и бундист Ли-бер ушли с совещания. Остальные обсудили наиболее настоятельные вопросы, обсудили вопросы созыва партийной конференции[1], постановили создать в России Российскую организационную комиссию по созыву партийной конференции (РОК). В августе поехали в Россию: Бреслав (Захар) — в Питер и Москву, Семен Шварц — на Урал и в Екатеринослав, Серго — на юг. Поехал также Рыков, который был арестован тотчас по приезде на улице. В газетах было помещено сообщение, что у Рыкова было взято много адресов. Это было не так. Действительно, был арестован одновременно с Рыковым ряд большевиков, но потом выяснилось, что в Лейпциге, где в то время работал Пятницкий по транспорту и куда заезжал Рыков перед отъездом в Россию, в это время жил Брендинский, наш транспортер[2]. Потом оказалось, что Брендинский был провокатором. Он зашифровывал Рыкову адреса. Вот почему, хотя у Рыкова ничего при обыске не взяли, все адреса были провалены.

В Баку было созвано совещание. Оно лишь случайно не было арестовано, так как были арестованы член совещания, видный бакинский работник Степан Шаумян и ряд других бакинских работников. Совещание было перенесено в Тифлис, там оно и прошло. Были представители от пяти организаций; присутствовали на нем Шварц, Серго и др. На совещании были представлены большевики и плехановцы. Присутствовал на совещании также Черномазов, оказавшийся потом провокатором. Российская организационная комиссия сдела-

---

[1] Речь идет о VI (Пражской) Всероссийской конференции РСДРП, состоявшейся 5—17 (18—30) января 1912 г. — *Примеч. ред.*

[2] В своей книге «Воспоминания о Ленине» (М., 1931. С. 64) Н. К. Крупская далее пишет: «...к которому Пятницкий и Марк относились с полным доверием». — *Примеч. ред.*

ла, однако, свое дело — партийная конференция была созвана в январе 1912 г.

Парижская большевистская группа представляла собою в 1911 г. довольно сильную организацию. Туда входили тт. Семашко, Владимирский, Антонов (Бритман), Кузнецов (Сапожков), Беленькие (Абрам, потом и его брат Гриша), Инесса, Сталь, Наташа Гопнер, Котляренко, Чернов (настоящей фамилии не помню), Ленин, Зиновьев, Каменев, Лилина, Таратута, Марк (Любимов), Лева (Владимиров) и др. Всего было свыше 40 человек. В общем и целом у группы были порядочные связи с Россией и большой революционный опыт. Борьба с ликвидаторами, с троцкистами и др. закаляла группу. Группа оказывала немало содействия русской работе, вела кое-какую работу среди французов и среди широкой рабочей эмигрантской публики. Такой публики было довольно много в Париже. Одно время мы пробовали с т. Сталь повести работу среди женской эмигрантской массы работниц: шляпочниц, швеек и пр. Был целый ряд собраний, но мешала недооценка этой работы. На каждом собрании кто-либо непременно заводил «бузу»: «А почему нужно созывать непременно женское собрание?»,— так и завяло это дело, хотя известную долю пользы оно, может быть, и принесло. Ильич считал это дело нужным.

В конце сентября Владимир Ильич ездил в Цюрих на заседание Международного бюро[1]. Обсуждалось письмо Молькенбура в ЦК германской социал-демократии о том, что в связи с выборами не следует из-за марокакских событий выпячивать критику колониальной политики. Роза Люксембург опубликовала это письмо. Бебель возмущался этим. Владимир Ильич защищал Розу. Оппортунистическая политика германской социал-демократии уже ярко проявилась на этом заседании.

В эту свою поездку Ильич прочитал в Швейцарии ряд рефератов.

В октябре покончили с собой Лафарги[2]. Эта смерть произвела на Ильича сильное впечатление. Вспоминали мы нашу поездку к ним[3]. Ильич говорил: «Если не можешь больше для партии работать, надо уметь посмотреть правде в глаза и умереть так, как Лафарги». И хотелось ему сказать над телом Лафаргов, что недаром прошла их работа, что дело, начатое

---

[1] Заседание Международного социалистического бюро в Цюрихе проходило 10—11 (23—24) сентября 1911 г. — *Примеч. ред.*
[2] Это случилось в ноябре, в ночь на 13(26) 1911 г. — *Примеч. ред.*
[3] См. настоящий том. С. 134—135. — *Примеч. ред.*

ими, дело Маркса, с которым и Поль Лафарг, и Лаура Лафарг так тесно были связаны, ширится, растет и перекидывается в далекую Азию. В Китае как раз поднималась в это время волна массового революционного движения. Владимир Ильич написал речь, Инесса ее перевела. Я помню, как, волнуясь, он говорил ее от имени РСДРП на похоронах[1].

Перед Новым годом большевики собрали совещание большевистских заграничных групп. Настроение было бодрое, хотя нервы у всех порядком-таки расшатала эмиграция.

---

[1] См.: *Ленин В.И.* Речь, произнесенная от имени РСДРП на похоронах Поля и Лауры Лафарг 20 ноября (3 декабря) 1911 г. // Полн. собр. соч. Т. 20. С. 387—388. — *Примеч. ред.*

НАЧАЛО 1912 года

Шла усиленная подготовка к конференции. Владимир Ильич списался с чешским представителем социал-демократии в Международном социалистическом бюро Немецом об устройстве конференции в Праге. Прага представляла то преимущество, что там не было русской колонии, что важно было с конспиративной точки зрения, да и Владимир Ильич знал Прагу по первой эмиграции, когда он жил там некоторое время у Модрачека.

Из воспоминаний, связанных с Пражской конференцией, у меня остались два (на самой конференции я не была). Одно — спор между Саввой (Зевиным), делегатом от Екатеринослава, бывшим учеником Лонжюмовской школы, с делегатом от Киева — Давидом (Шварцманом) и, кажись, Серго. В памяти осталось взволнованное лицо Саввы. Я не помню точно содержания разговора, но Савва был плехановцем. Плеханов на конференцию не поехал. «Состав Вашей конференции,— писал он в ответ на приглашение,— до такой степени однообразен, что мне лучше, т. е. сообразнее с интересами единства партии, не принимать в ней участия». Савву он тоже соответствующим образом настрополил, и тот во время конференции вносил протесты за протестами в духе Плеханова. Потом, как известно, Савва стал большевиком. Другой плехановец, Давид, держался с большевиками. Разговор, обстановка которого осталась у меня в памяти, тогда шел о том, ехать ли Савве на конференцию или нет. В Лонжюмо Савва всегда был веселым, очень уравновешенным, и потому так поразило меня его волнение.

Другое воспоминание. Владимир Ильич уже уехал в Прагу. Приехал Филипп (Голощекин) вместе с Брендинским, чтобы ехать на партийную конференцию. Бренди некого я знала лишь по имени, он работал по транспорту. Жил он в Двинске. Его главная функция была переправлять полученную литературу в организации, главным образом в Москву. У Филиппа явились сомнения относительно Брендинского. У него в Двинске жили отец и сестра. Перед поездкой за границу Филипп заезжал к отцу. Брендинский нанимал комнату у сестры Филиппа. И вот старик предупреждал Филиппа: не доверяй этому человеку, он как-то странно ведет себя, живет не по средствам, швыряется деньгами. За две недели до конференции Брендинский был арестован, его выпустили через несколько дней. Но пока он сидел, к нему приезжало несколько человек, которые были арестованы; кто именно был арестован — не выяснено. Вызвала у Филиппа подозрение и совместная переправа через границу. Филипп пришел к нам на квартиру вместе с Брендинским, я им обрадовалась, но Филипп многозначительно пожал мне руку, выразительно посмотрел на меня, и я поняла, что он мне что-то хочет сказать о Брендин-ском. Потом в коридоре он сказал мне о своих сомнениях. Мы условились, что он уйдет и мы повидаемся с ним позже, а пока я поговорю с Брендинским, позондирую почву, а потом решим, как быть.

Разговор с Брендинским у нас вышел очень странный. Мы получали от Пятницы извещения, что литература благополучно переправлена, что литература доставлена в Москву, а москвичи жаловались, что они ни черта не получают. Я стала спрашивать Брендинского, по какому адресу, кому он передает литературу, а он смутился, сказал, что передает не организации, ибо теперь это опасно, а своим знакомым рабочим. Я стала спрашивать фамилии. Он стал называть явно наобум — адресов-де не помнит. Видно было — врет человек. Я стала расспрашивать о его объездах, спросила что-то о каком-то городе, кажется Ярославле; он сказал, что не может туда ездить, ибо там был арестован. Я спрашиваю: «По какому делу?» А он отвечает: «По уголовному». Я так и опешила. Чем дальше, тем путанее были его ответы. Я ему чего-то наплела, что конференция будет в Бретани, что Ильич и Зиновьев туда уже уехали, а потом сговорилась с Филиппом, что они с Григорием уедут ночью в Прагу, и он оставит записку Бренди не кому, что уезжает в Бретань. Так и сделали. Потом я откомандировалась к Бурцеву, который специализировался в то время на раскрытии провокаторов: «Явный-де провокатор»,— говорила я ему. Бурцев выслушал и предложил: «Пошлите его ко мне». Посылать провокатора к Бурцеву было ни к чему. Потом пришла телеграмма от Пятницкого, у которого также явились подозрения, он писал в телеграмме, чтобы Брендинского на конференцию не пускать, позднее прислал подробное письмо. Так Брендинский на конференцию и не попал. В Россию он больше не вернулся, царское правительство купило для него виллу под Парижем за 40 тысяч франков.

Я очень гордилась тем, что уберегла конференцию от провокатора. Я не знала, что на Пражской конференции присутствовали и без того два провокатора: Роман Малиновский и Романов (Аля Алексинский) — бывший каприец.

Пражская конференция была первой партийной конференцией с русскими работниками, которую удалось созвать после 1908 г. и на ней деловым образом обсудить вопросы, касающиеся русской работы, выработать четкую линию этой работы. Резолюции были приняты о современном моменте и задачах партии, о выборах в IV Государственную думу, о думской социал-демократической фракции, о характере и организационных формах партийной работы, о задачах социал-демократии в борьбе с голодом, об отношении к думскому законопроекту о государственном страховании рабочих, о петиционной кампании.

Четкая партийная линия по вопросам русской работы, настоящее руководство практической работой — вот что дала Пражская конференция.

В этом было ее громадное значение[1]. На конференции был выбран ЦК, куда вошли Ленин, Зиновьев, Орджоникидзе (Серго), Шварцман (Давид), Голощекин (Филипп), Спандарян[2], Малиновский. Были намечены кандидатуры на случай

---

[1] Далее в рукописи следует: «На Пражской конференции участвовали рабочие, стоявшие в гуще рабочего движения, участвовал, например, в числе других, рабочий Обухове кою завода Евгений Онуфриев, близкий товарищ Петра Грибакина, занимавшегося в 1895 г. в кружке Ильича и потом в 1909 г. замученного в царской тюрьме». — *Примеч. ред.*

[2] Сурен Спандарян был делегатом от Баку. Когда Ильич после конференции был в Берлине, был там и Сурен, познакомил он Ильича со старым другом своей семьи — Воски-Иоаннисян, которая оказывала всякие услуги партии. Через нее предполагалось вести переписку с Россией. Недолго продержался Сурен, уже в конце апреля пришло сообщение об его аресте. В Париже жил отец Сурена. Мы пошли с Ильичем к нему, чтобы поподробнее узнать об аресте сына. Отец Сурена, больной старик, жил одиноко и заброшенно, не было у него денег, нечем ему было даже заплатить за квартиру, память ему изменяла: напишет письмо, а адрес забудет написать. Ильичу ужасно стало жалко старика. И из Баку вести были нерадостные. Сурен сидел в очень тяжелых условиях, некому было о нем позаботиться. Когда пришли мы домой, Ильич тотчас написал письмо Воски, прося позаботиться об обоих Спандарянах, писал о старике, что «положение его самое печальное, даже отчаянное. Мы ему помогли небольшим займом. Но я все же решил Вам написать. Вероятно, у Вас есть знакомые и друзья Спандаряна и в Баку и в Париже... Не знаете ли Вы кого-либо в Баку, кому можно бы написать про Сурена и попросить позаботиться о нем? Далее, если у Вас есть общие знакомые, крайне бы было важно позаботиться и об отце... Надеюсь, Вы сделаете, что можете, для обоих Спандарянов и черкнете мне об этом пару слов». — *Н. К.* (см.: *Ленин В.И.* Полн. собр. соч. Т. 48. С. 62—63. — *Примеч. ред.*)

После победы Октябрьской революции Н. К. Крупская проявила заботу о Сергее Спандаряне — сыне Сурена Спандаряна, погибшего в ссылке в 1916 г.

ареста. Вскоре после конференции в ЦК были кооптированы Сталин и Белостоцкий, питерский рабочий (ученик Лонжюмовской школы), в ЦК было создано то единство, без которого невозможна была работа в это трудное время. Несомненно, конференция была крупным шагом вперед: клала конец развалу русской работы. Злопыхательство ликвидаторов, Троцкого, дипломатия Плеханова, бундовцев и др.— все это хотя и требовало резкого отпора, разоблачения, однако удельный вес этих споров снижался, главный центр внимания переносился теперь на работу в России. И полбеды было, что в ЦК входил Малиновский, полбеды было, что совещание, которое было устроено в Лейпциге после конференции с представителями III Думы — Полетаевым и Шуркановым, было тоже детально известно полиции: Шурканов оказался также провокатором. Несомненно, провокатура губила работников, ослабляла организацию, но полиция была бессильна остановить подъем рабочего движения, а правильно намеченная линия вливала движение в правильное русло и растила все новые и новые силы.

Из Лейпцига, куда Ильич ездил на свидание с Полетаевым и Шуркановым, он поехал в Берлин, чтобы там договориться с «держателями» о возвращении денег, которые теперь были особенно нужны для работы. Тем временем приехал к нам в Париж Шотман. Он работал в последнее время в Финляндии. Пражская конференция приняла резолюцию, резко осуждавшую политику царизма и III Думы по отношению к Финляндии, и подчеркнула единство задач рабочих Финляндии и России в борьбе с царизмом и русской контрреволюционной буржуазией. В Финляндии в это время работала нелегально наша организация. Среди моряков Балтийского флота шла работа, и вот Шотман приехал сказать, что в Финляндии все готово к восстанию, нелегальная организация, работающая в наших войсках, уже готова к бою (предполагалось захватить Свеаборгскую и Кронштадтскую крепости). Ильич еще не вернулся. Когда он приехал, он с интересом стал расспрашивать Шотмана об организации, которая была сама по себе интересным фактом (в организации работали Рахья, С. В. Воробьев, Кокко), но указывал на нецелесообразность в данный момент таких выступлений. Было сомнительно, чтобы восстание в этот момент поддержали питерские рабочие. До выступлений — как вскоре выяснилось — дело не дошло: ор-

---

Она написала письмо с просьбой поместить его в интернат и обеспечить всем необходимым. — *Примеч. ред.*

ганизация быстро провалилась, вскоре начались повальные аресты, и было привлечено к суду 52 человека за подготовку восстания. До восстания дело было еще далеко, конечно, но ленские события, разразившиеся в половине апреля, повсеместные стачки протеста ярко выявили, как вырос за эти годы пролетариат, как ничего не забыто им, выявили, что сейчас уже движение подымается на высшую ступень, что создается уже совсем иная обстановка для работы.

Ильич стал другим, сразу стал гораздо менее нервным, более сосредоточенным, думал больше о задачах, вставших перед русским рабочим движением. Настроение Ильича вылилось, пожалуй, полнее всего в его статье о Герцене, написанной им в начале мая. В этой статье очень много от Ильича, от того Ильичевского горячего пафоса, который так увлекал, так захватывал. «Чествуя Герцена, мы видим ясно три поколения, три класса, действовавшие в русской революции,— писал он.— Сначала — дворяне и помещики, декабристы и Герцен. Узок круг этих революционеров. Страшно далеки они от народа. Но их дело не пропало. Декабристы разбудили Герцена. Герцен развернул революционную агитацию.

Ее подхватили, расширили, укрепили, закалили революционеры-разночинцы, начиная с Чернышевского и кончая героями «Народной воли». Шире стал круг борцов, ближе их связь с народом. «Молодые штурманы будущей бури» — звал их Герцен. Но это не была еще сама буря.

Буря, это — движение самих масс. Пролетариат, единственный до конца революционный класс, поднялся во главе их и впервые поднял к открытой революционной борьбе миллионы крестьян. Первый натиск бури был в 1905 году. Следующий начинает расти на наших глазах»[1]. Еще несколько месяцев тому назад Владимир Ильич как-то с грустью говорил Анне Ильиничне, приезжавшей в Париж: «Не знаю уж, придется ли дожить до следующего подъема»,— теперь он ощущал уже всем существом своим эту поднимающуюся бурю — движение самих масс.

Когда вышел первый номер «Правды»[2], мы стали собираться в Краков; Краков был во многих отношениях удобнее Парижа. Удобнее было в полицейском отношении. Французская полиция всячески содействовала русской полиции. Польская полиция относилась к полиции русской, как и ко всему рус-

[1] *Ленин В.И.* Полн. собр. соч. Т. 21. С. 261.
[2] Первый номер газеты «Правда» вышел 22 апреля (5 мая) 1912 г. — *Примеч. ред.*

скому правительству, враждебно. В Кракове можно было быть спокойным в том отношении, что письма не будут вскрываться, за приезжими не будет слежки. Да и русская граница была близка. Можно было часто приезжать из России. Письма и пакеты шли в Россию без всякой волокиты. Мы спешно собирались. Владимир Ильич повеселел, особенно внимателен был к остающимся товарищам. Наша квартира превратилась в проходной двор.

Помню, пришел и Курнатовский. Мы Курнатовского знали по ссылке в Шуше. Это была уже третья ссылка, которую он отбывал; он кончил Цюрихский университет, был инженером-химиком и работал на сахарном заводе около Минусинска. Вернувшись в Россию, он скоро опять влетел в Тифлисе, два года просидел в тюрьме в Метехском замке, потом был отправлен в Якутку, по дороге попал в «романовскую историю»[1] и был приговорен в 1904 г. к 12 годам каторги. В 1905 г. был амнистирован, организовал Читинскую республику[2], был захвачен Меллером-Закомельским[3], потом передан Ренненкампфу. Его приговорили к смертной казни и возили в поезде, чтобы он видел расстрелы. Потом смертную казнь заменили вечным поселением. В 1906 г. Курнатовскому удалось бежать из Нерчинска в Японию. Оттуда он перебрался в Австралию, где очень нуждался, одно время был лесорубом, простудился, началось у него какое-то воспаление уха, надорвал он все силы. Еле добрался до Парижа.

Исключительно тяжелая доля скрутила его вконец. Осенью 1910 г., по его приезде, мы с Ильичем ходили к нему в больницу — у него были страшные головные боли, мучился он ужасно. Его навещала Екатерина Ивановна Окулова с дочуркой Ириной, которая детскими каракулями писала что-

---

[1] «Романовской историей» называлось вооруженное нападение на ссыльных Якутской области в 1904 г., совершенное по распоряжению властей за то, что ссыльные заявили протест против неслыханного гнета и произвола администрации по отношению к политическим ссыльным. Протестовавшие заперлись 18 февраля в доме якута Романова (отчего протест назван «романовским»). Во время перестрелки, происходившей с обеих сторон, был убит ссыльный т. Матлахов и трое ранены, со стороны солдат было убито двое. 7 марта «романовцы» сдались. Участников протеста судил якутский суд. Каждый из 55 подсудимых был приговорен к каторжным работам на 12 лет. — *Н. К.*

[2] Читинская, или Забайкальская, республика — период фактического захвата власти в Чите в конце 1905 г. рабочими железнодорожных мастерских, к которым примкнули возвращавшиеся из Маньчжурии после окончания русско-японской войны солдаты. 21 января в Читу прибыл карательный отряд с ген. Ренненкампфом во главе и затопил в крови движение. — *Н. К.*

[3] Генерал Меллер-Закомельский прославился своими карательными экспедициями в Прибалтийском крае и в Сибири в 1905—1906 гг. — *Н. К.*

то Курнатовскому, наполовину оглохшему. Потом он поправился немного. Попал он к примиренцам и как-то в разговоре стал говорить тоже что-то примиренческое. После этого у нас на время расстроилось знакомство: нервы плохие у всех были. Но осенью 1911 г. я зашла раз к нему,— он нанимал комнатку на бульваре Монпарнас,— занесла наши газеты, рассказала про школу в Лонжюмо, и мы долго проговорили с ним по душам. Он безоговорочно соглашался уже с линией Центрального Комитета. Ильич обрадовался и последнее время частенько заходил к Курнатовскому. Курнатовский смотрел, как мы укладывались, как весело паковала что-то моя мать, и сказал: «Есть вот ведь энергия у людей». Осенью 1912 г., уже когда мы были в Кракове, Курнатовский умер.

Мы передавали нашу квартиру какому-то поляку, краковскому регенту, который брал квартиру с мебелью и усиленно допрашивал Ильича о хозяйственных делах: «А гуси почем? А телятина почем?» Ильич не знал, что сказать: «Гуси??.. Телятина??..» Мало имел Ильич отношения к хозяйству, но и я ничего не могла сказать о гусях и телятине, ибо в Париже ни того, ни другого мы не ели, а ценой конины и салата регент не интересовался.

У нашей парижской публики была в то время сильная тяга в Россию: собирались туда Инесса, Сафаров и др. Мы пока перебирались только поближе к России.

КРАКОВ

1912—1914 гг.

Краковская эмиграция не походила на парижскую или швейцарскую. По существу дела это была полуэмиграция. В Кракове мы почти целиком жили интересами русской работы. Связи с Россией установились очень быстро самые тесные. Газеты из Питера приходили на третий день. В России стала в это время выходить «Правда». «А в России революционный подъем, не иной какой-либо, а именно революционный,— писал Владимир Ильич Горькому.— И нам удалось-таки поставить ежедневную «Правду» — между прочим, благодаря именно той (январской) конференции, которую лают дураки»[1]. С «Правдой» налажены были самые тесные отношения. Чуть не ежедневно писал Ильич в «Правду» статьи, посылал туда письма, следил за работой «Правды», вербовал для нее сотрудников. Настаивал он всячески, чтобы принимал в ней участие Горький. Писал также регулярно в «Правду» и Зиновьев, и Лилина, которая подбирала для нее интересный заграничный материал. Ни из Парижа, ни из Швейцарии было бы немыслимо наладить такое планомерное сотрудничество. Переписка с Россией была также быстро налажена. Краковские товарищи научили нас, как наиболее конспиративно наладить это дело. Важно, чтобы на письмах не было заграничного штемпеля, тогда на них русская полиция обращала меньше внимания. Крестьянки, приезжавшие на базар из России, за небольшую плату брали наши письма и бросали их в ящик уже в России.

В Кракове жило около 4 тысяч польских эмигрантов.

Когда мы приехали в Краков, нас встретил товарищ Багоцкий — польский эмигрант, политкаторжанин, который сразу же взял шефство над нами и помогал нам во всех житейских и конспиративных делах. Он научил нас, как пользоваться полупасками (так назывались проходные свидетельст-

---

[1] Об истории раскола в польской социал-демократии В.И. Ленин писал в заявлении «В секретариат Международного социалистического бюро», в статье «Раскол в польской социал-демократии» и в письме И. А. Пятницкому (см.:*Ленин В.И.* Полн. собр. соч. Т. 22. С. 45—46, 288—292; Т. 48. С. 145—148). — *Примеч. ред.*

ва, по которым ездили жители приграничной полосы и с русской, и с галицийской стороны). Полупаски стоили гроши, а самое главное — они до чрезвычайности облегчали переезд через границу нашей нелегальной публике. Мы переправляли по полупаскам многих товарищей. Переправили таким путем Варвару Николаевну Яковлеву. Она перед тем бежала за границу из ссылки, где захворала туберкулезом, чтобы подлечиться и повидаться с братом, который жил в Германии. Обратно она ехала через Краков, надо было условиться о переписке, о работе. Проехала она благополучно. Только недавно я узнала, что при переезде через границу жандармы обратили внимание на то, что у нее большой чемодан, и хотели выяснить, туда ли она едет, куда взят был билет. Но кондуктор предупредил ее об этом и за определенную плату предложил купить ей билет до Варшавы, с которым она благополучно и проследовала дальше. По полупаску переправляли мы раз и Сталина. Надо было, когда на границе вызывают владельца полупасков, вовремя откликнуться по-польски и сказать «естем» («тут»). Помню, как я старалась обучить сей премудрости товарищей. Очень быстро налажен был и нелегальный переход через границу. С русской стороны были налажены явки через т. Крыленко, который жил в это время недалеко от границы — в Люблине. Таким путем можно было переправлять и нелегальную литературу. Надо сказать, что в Кракове полиция не чинила никакой слежки, не просматривала писем и вообще не находилась ни в какой связи с русской полицией. Однажды мы убедились в этом. К нам приехал как-то московский рабочий т. Шумкин за литературой, которую он хотел провезти в панцире (особо сшитом и набитом литературой жилете). Был он большой конспиратор. Ходил по улице, нахлобучив фуражку на глаза. Мы пошли на митинг, повели и его с собой. Но он не пошел с нами, находя, что это неконспиративно, а пошел следом на известном расстоянии. Своим конспиративным видом он обратил на себя внимание краковской полиции. Пришел на другой день к нам полицейский чиновник и спросил, знаем ли мы приехавшего к нам человека и ручаемся ли за него. Мы сказали, что ручаемся. Шумкин настаивал на том, что он все же возьмет литературу; мы его пробовали отговаривать, но он настоял на своем и проехал благополучно.

Мы приехали летом, и т. Багоцкий присоветовал нам поселиться в краковском предместье, так называемом Звежинце, где мы поселились в одном доме с Зиновьевыми. Грязь там была невероятная, но близко была река Висла, где можно было великолепно купаться, и километрах в пяти Вольский ляс — громадный чудесный лес, куда мы частенько ездили с Ильичем на велосипедах. Осенью мы переехали в другой конец города, во вновь отстроенный квартал, где поселились и Багоцкий, и Зиновьевы.

Краков Ильичу очень нравился, он напоминал Россию. Новая обстановка, отсутствие эмигрантской сутолоки успокоили немного нервы. Внимательно вглядывался Ильич в мелочи быта краковского населения, его бедноты, его рабочего люда. Мне тоже Краков нравился. Когда-то в раннем детстве, в возрасте от двух до пяти лет, я жила в Польше, кое-что осталось в памяти, и мне милы казались деревянные открытые галерейки во дворах, напоминали они мне те галерейки, на ступеньках которых я играла когда-то с польскими и еврейскими ребятами; мне милы казались «огрудки» (садики), в которых продавалось «квасьне млеко с земняками» (кислое молоко с картофелем). Матери моей тоже это напоминало ее молодые годы, а Ильич радовался тому, что вырвался из парижского пленения; он весело шутил, подхваливал и «квасьне млеко», и польскую «моцну старку» (крепкую водку).

Из нас лучше всех польский язык знала Лилина; я знала плоховато, кое-что помнила с детства да в Сибири и Уфе немного занималась польским языком, но говорить сразу же пришлось по хозяйственной линии. С хозяйством дело было много труднее, чем в Париже. Не было газа, надо было топить плиту. Я попробовала было по парижскому обычаю спросить в мясной мяса без костей.

Мясник воззрился на меня и заявил: «Господь бог корову сотворил с костями, так разве могу я продавать мясо без костей?» На понедельник булки надо было запасать заранее, потому что в понедельник булочники опохмелялись, и булочные были закрыты и т. д. и т. п. Надо было уметь торговаться. Были лавки польские и были лавки еврейские. В еврейских лавках все можно было купить вдвое дешевле, но надо было уметь торговаться, уходить из лавки, возвращаться и пр., терять на это массу времени.

Евреи жили в особом квартале, ходили в особой одежде. В больнице, в ожидании приема у доктора, ожидающие больные всерьез вели дискуссию о том, еврейское дитя такое же, как польское, или нет, проклято оно или нет. И тут же сидел молча еврейский мальчик и слушал эту дискуссию. Власть католического духовенства — ксендзов — в Кракове была безгранична. Ксендзы оказывали материальную помощь погорельцам, старухам, сиротам, монастыри женские подыскивали места прислуге и защищали ее права перед хозяевами, церковные службы были единственным развлечением забитого, темного населения. В Галиции прочно еще держались крепостнические обычаи, которые католическая церковь поддерживала. Например, барыня в шляпке на базаре нанимает прислугу. Стоит человек десять крестьянок, желающих наняться в прислуги, и все целуют у барыни руку. За все полагалось давать на чай. Получив на чай, столяр или извозчик валятся на колени и кланяются в землю. Но зато и ненависть к барам здоровая жила в массах. Няня, которую взяли Зиновьевы к своему малышу, каждое утро ходила в костел, была прямо прозрачная от постов и молитв, и все же раз, когда разговорилась я с ней как-то, рассказала, что ненавидит она бар, что она жила три года у какой-то офицерши, которая, как и все баре, спала до 11 часов, пила кофе в кровати и заставляла прислугу одевать ее, натягивать чулки, и фанатически богомольная няня говорила, что, если будет революция, она первая пойдет на бар с вилами в руках. Нищета, затоптанность крестьян и бедного люда проглядывала во всех мелочах и была еще больше, чем в то время даже у нас в России.

В Кракове Владимир Ильич встретился с т. Ганецким, который был в свое время делегатом от Социал-демократии Польши и Литвы на II, а потом на Стокгольмском и на Лондонском съездах нашей партии, был туда делегирован от Главного правления. От Ганецкого и от других польских товарищей узнал Владимир Ильич подробности раскола, происшедшего среди польской социал-демократии. Главное правление подняло кампанию против Варшавского комитета, который поддерживала вся варшавская организация. Варшавский комитет требовал от Главного правления более принципиальной линии, определенной позиции в отношении к внутрипартийным делам РСДРП. Главное правление распустило Варшавский комитет и стало распространять слухи, что Варшавский комитет имеет связи с охранкой. Владимир Ильич взял сторону Варшавского комитета («розламовцев»), написал в их защиту статью, написал в Международный социалистическое бюро, протестуя против действий Главного правления Варшавский комитет был крепко связан с массами Варшавы и других рабочих центров (Лодзи и др.). Владимир Ильич не считал, что дело «розламовцев» какое-то чужое дело,— оно было неразрывно связано со всей, такой острой в тот момент, внутрипартийной борьбой, и потому Владимир Ильич не мог остаться в стороне. Но главное внимание его было все же поглощено русскими делами.

В Питер для подготовки избирательной кампании из наших заграничников поехали из Парижа близкие товарищи — Сафаров и Инесса. Ехали с чужими паспортами. Инесса заезжала к нам в Краков, когда мы жили еще в Звежинце. Два дня прожила у нас, сговорились с ней обо всем, снабдили ее всякими адресами, связями, обсудили они с Ильичем весь план работы. По дороге Инесса должна была заехать к Николаю Васильевичу Крыленко, который жил в Польше неподалеку от галицийской границы, в Люблине, чтобы организовать через него переход через границу для едущих в Краков. Через Инессу и Сафарова знали мы довольно подробно о том, что делается в Питере. Они там, разыскав связи, повели большую массовую работу по ознакомлению рабочих с резолюциями Пражской конференции и теми задачами, которые стоят теперь перед партией. Нарвский район стал их базой. Восстановлен был Петербургский комитет (ПК), а потом образовано Северное областное бюро, куда кроме Инессы и Сафарова вошли Шотман и его товарищи Рахья и Правдин. С ликвидаторами шла в Питере острая борьба. Работа Северного областного бюро подготовила почву для выборов в депутаты от Питера Бадаева — большевика, рабочего-железнодорожника. В рабочих массах Питера ликвидаторы теряли влияние; рабочие видели, что вместо революционной борьбы ликвидаторы становились на путь реформы, по существу дела стали вести линию либеральной рабочей политики. С ликвидаторами необходима была непримиримая борьба. Вот почему Владимира Ильича так волновало, что «Правда» вначале упорно вычеркивала из его статей полемику с ликвидаторами. Он писал в «Правду» сердитые письма. Лишь постепенно ввязалась «Правда» в эту борьбу.

В Петербурге выборы уполномоченных по рабочей курии были назначены на воскресенье 16 сентября. Полиция готовилась к выборам. 14-го были арестованы Инесса и Сафаров. Но не знала еще полиция, что 12-го приехал бежавший из ссылки Сталин. Выборы по рабочей курии прошли с большим успехом, они не дали ни одного правого кандидата, повсюду приняты были резолюции политического характера.

Весь октябрь все внимание было приковано к выборам. Рабочая масса по традиции и в силу отсталости в целом ряде мест относилась еще равнодушно к выборам, не придавала им значения, нужна была широкая агитация. Все же везде прошли в депутаты от рабочих социал-демократы. Выборы во всех рабочих куриях крупнейших промышленных центров дали победу большевикам. Прошли рабочие партийцы, пользовавшиеся большим авторитетом. Большевистских депутатов в Думу попало шесть человек, меньшевиков — семь, но рабочие депутаты-большевики были представителями от миллиона рабочих, меньшевики — менее чем от ^{1}Д миллиона. Кроме того, с первых же шагов почувствовалась большая организованность, большая сплоченность больше ви стс к и х депутатов. Дума открылась 18 октября и сопровождалась рабочими демонстрациями и забастовками. Большевистским депутатам приходилось работать в Думе вместе с меньшевиками. Между тем за последнее время внутрипартийные отношения обострились. В январе состоялась Пражская конференция, которая сыграла крупную роль в организации большевистских сил.

В конце августа 1912 г. по инициативе и при активном участии Троцкого в Вене была созвана так называемая партийная конференция. Она созывалась под лозунгом объединения всех социал-демократических сил; совершенно не учитывалось, насколько разошлись дороги ликвидаторов и большевиков, как глубоко противоречило партийной линии поведение ликвидаторов. На конференцию были приглашены также и вперед овцы. Конференция, как наперед можно было сказать, носила архиликвидаторский характер. В ней не принимали участия большевики, группировавшиеся около ЦК, отказались принимать в ней участие даже меньшевики-плехановцы и большевики-примиренцы, группировавшиеся около издаваемого за границей плехановского журнала «За партию». Не принимали участия и поляки, а приехавший на конференцию от группы «Вперед» Алексинский разоблачал слабый состав конференции. Громадное большинство участников конференции состояло из лиц, проживавших за границей, двое кавказских делегатов посланы были от Кавказского областного бюро, вообще все делегаты были выбраны очень узкими коллективами. Резолюции конференции были самые ликвидаторские. Из избирательной платформы исключен был лозунг демократической республики, лозунг конфискации помещичьей земли был заменен лозунгом «пересмотра аграрного законодательства III Государственной думы».

Борис Гольдман (Горев), один из основных докладчиков, говорил, что старой партии не существует, что данная конференция должна стать «учредительной». Даже Алексинский запротестовал. Августовское объединение, Августовский блок, как его стали называть, противопоставлял себя ЦК, старался дискредитировать решения Пражской конференции. Под маской объединения социал-демократических сил было проведено объединение против большевиков.

А в России рабочее движение шло на подъем. Это показали выборы.

Тотчас после выборов к нам приехал т. Муранов, приехал нелегально, перешел через границу. Ильич так и ахнул. «Вот был бы скандал,— говорил он Муранову,— если бы вы провалились! Вы депутат, обладаете неприкосновенностью, ничего не могло бы вам повредить, если бы вы приехали легально. А так мог бы произойти скандал». Муранов рассказал много интересного о выборах в Харькове, о своей партийной работе, о том, как он распространял листки через жену, как она ходила с ними на базар и пр. Муранов был заядлым конспиратором, как-то не укладывалось у него в голове понятие «депутатская неприкосновенность». Поговорив с ним о предстоящей думской работе, Ильич стал торопить Муранова ехать обратно. В дальнейшем депутаты приезжали уже открыто.

Первое совещание с депутатами состоялось в конце декабря — начале января.

Первым приехал Малиновский, приехал какой-то очень возбужденный. В первую минуту он мне очень не понравился, глаза показались какими-то неприятными, не понравилась его деланная развязность, но это впечатление стерлось при первом же деловом разговоре. Затем подъехали еще Петровский и Бадаев. Депутаты рассказали о первом месяце своей работы, о своей работе с массами. Я помню, как Бадаич, стоя в дверях и размахивая фуражкой, говорил: «Массы, они ведь подросли за эти годы». Малиновский производил впечатление очень развитого, влиятельного рабочего. Бадаев и Петровский, видимо, смущались, но сразу было видно — настоящие, надежные пролетарии, на которых можно положиться. Намечен был на этом совещании план работы, обсужден характер выступлений, характер работы с массами, необходимость самой тесной увязки с работой партии, с ее нелегальной деятельностью. На Бадаева была возложена обязанность заботиться о «Правде». Приезжал тогда с депутатами т. Медведев, рассказывал про свою работу по печатанию листков и пр. Ильич был страшно доволен. «Малиновский, Петровский и Бадаев,— писал он Горькому 1 января 1913 г.,— шлют Вам горячий привет и лучшие пожелания». И добавил: «Краковская база оказалась полезной: вполне «окупился» (с точки зрения дела) наш переезд в Краков»[1].

Осенью, в связи с вмешательством в балканские дела «великих держав», очень сильно запахло войной. Международ-

---

[1] См.: *Ленин В.И.* Полн. собр. соч. Т. 23. С. 260—277.

ное бюро организовало повсюду митинги протеста. Были они и в Кракове. Но в Кракове митинг протеста был довольно своеобразный. Он гораздо больше был митингом, организующим ненависть масс к России, чем митингом протеста против войны.

Международное социалистическое бюро назначило на 11 — 12 ноября чрезвычайный конгресс Социалистического Интернационала в Базеле. Представителем от ЦК РСДРП на Базельском конгрессе был Каменев.

Возмутила Владимира Ильича статья Каутского, помещенная в «Neue Zeit», статья насквозь оппортунистическая, в которой говорилось, что было бы ошибкой, если бы рабочие стали организовывать против войны вооруженные восстания или забастовки. Об организующей роли забастовок в революции 1905 г. Владимир Ильич уже тогда много писал. После статьи Каутского еще тщательнее — в ряде статей — стал он освещать этот вопрос. Придавал он забастовкам громадное значение, как и всякому непосредственному активному действию рабочих масс.

На Штутгартском конгрессе 1907 г., за пять лет перед Базельским конгрессом, уже рассматривался вопрос о войне и был решен в духе революционного марксизма. За эти пять лет оппортунизм сделал колоссальные успехи. Статья Каутского была яркой иллюстрацией тому. Однако на Базельском конгрессе принят был еще единогласно манифест против войны, была организована многолюдная антивоенная демонстрация. И лишь 1914 год показал, как насквозь заражен был II Интернационал оппортунизмом.

В краковский период — в годы перед началом империалистской войны — Владимир Ильич уделял очень много внимания национальному вопросу. С ранней молодости привык он ненавидеть всякий национальный гнет. Слова Маркса, что нет большего несчастья для нации, как покорить себе другую нацию, были для него близки и понятны.

Надвигалась война, росли националистические настроения буржуазии, национальную вражду разжигала буржуазия всячески. Надвигавшаяся война несла с собой угнетение слабых национальностей, подавление их самостоятельности. Но война должна будет неминуемо — для Ильича это было несомненно — перерасти в восстание, угнетенные национальности будут отстаивать свою независимость. Это их право. Еще в 1896 г. Лондонский международный конгресс подтвердил это право. В такой момент, как конец 1912 г.— начало 1913 г., перед лицом надвигавшейся войны недооценка права наций на самоопределение вызывала у Владимира Ильича негодование. Августовский блок не только не поднялся на ту высоту, которую требовал текущий момент, не только не заострил этого вопроса, а принял постановление, что культурно- национальная автономия[1], по поводу которой шли споры еще в 1903 г. во время II съезда партии и которая тогда была провалена, совместима-де с пунктом программы, говорящим о праве наций на самоопределение. Это была сдача позиций в национальном вопросе, ограничение всей борьбы одной только борьбой за культуру, точно не ясно, что культура тысячью нитей неразрывно связана со всем политическим укладом. Ильич видел в этом оппортунизм, дальше которого нельзя было идти. Но главные споры в вопросе о праве наций на самоопределение шли с поляками. Они утверждали — и Роза Люксембург, и «розламовцы»,— что право наций на самоопределение не значит право на отделение. Ильич понимал корни польской настороженности в вопросе права на самоопределение. Ненависть к царизму жила в польских массах — это приходилось наблюдать каждодневно в Кракове: один вспоминал, что пережил его отец, который во время польского восстания еле избежал виселицы; другой вспоминал, как царские власти издевались над могилами его близких, пуская на кладбище свиней, и т. д. и т. п. Русский царизм не просто угнетал, не было границ его издевательствам.

Надвигалась война, и рос не только черносотенный национализм, не только шовинизм буржуазии господствующих стран, росли и надежды на освобождение угнетенных национальностей. ППС (Польская партия социалистична) все больше и больше мечтала о независимости Польши. Растущий сепаратизм ППС — партии насквозь мелкобуржуазной — вызывал опасения польской социал-демократии. И польские социал-демократы возражали против отделения. Ильич встречался с польскими пепеэсовцами, несколько раз говорил с одним из их видных работников — И од ко, слышал выступления Дашинского, поэтому он понимал, что вызывает опасения поляков. «Но нельзя же, — говорил он,— подходить к вопросу о праве наций на самоопределение только с польской точки зрения!»

---

[1] Требование культурно-национальной автономии было выдвинуто в 1905 г. Бундом и формулировано им следующим образом: изъятие из ведения государства и органов местного и областного самоуправления функций, связанных с вопросами культуры (народное образование и пр.), и передача их нации в лице особых учреждений местных и центральных, избираемых всеми ее членами на основе всеобщего, равного, прямого и тайного голосования. — *Н.К.*

Споры по национальному вопросу, возникшие еще во время II съезда нашей партии, развернулись с особой остротой перед войной, в 1913—1914 гг., потом продолжались в 1916 г., в разгар империалистской войны. Ильич в этих спорах играл ведущую роль, четко и твердо ставил вопросы, и эти споры не прошли бесследно. Они дали возможность нашей партии правильно разрешить национальный вопрос в рамках Советского государства, создав Союз Советских Социалистических Республик, который не знает неравноправных национальностей, какого-либо сужения их прав. Мы видим в нашей стране быстрый культурный рост национальностей, находившихся раньше под нестерпимым гнетом, мы видим, как все теснее и теснее растет смычка всех национальностей в СССР, объединяющихся на общей социалистической стройке.

Было бы ошибкой, однако, думать, что национальный вопрос заслонял в краковский период у Ильича такие вопросы, как крестьянский вопрос, которому он всегда придавал громадное значение. За краковский период Владимир Ильич написал более 40 статей по крестьянскому вопросу. Для депутата Шагова Ильич написал обстоятельный доклад «К вопросу об аграрной политике (общей) современного правительства»[1], написал доклад для Г. И. Петровского «К вопросу о смете министерства земледелия»[2]; в Кракове начал он большую работу на основе изучения американских данных «Новые данные о законах развития капитализма в земледелии»[3].

Америка славится точностью и богатством своей статистики. Эта работа Ильича имела в виду опровергнуть взгляды Гиммера (Гиммер — фамилия столь известного теперь по линии вредительства Суханова). «Гиммер,— пишет Владимир Ильич,— не первый встречный, не случайный автор случайной журнальной статейки, а один из самых видных экономистов, представляющих наиболее демократическое, крайнее левое буржуазное направление русской и европейской общественной мысли. Именно поэтому взгляды г. Гиммера способны иметь — а среди непролетарских слоев населения уже отчасти имеют — особенно широкое распространение и влияние. Ибо это не его личные взгляды, не его индивидуальные ошибки, а лишь особенно демократизированное, особенно подкрашенное якобы социалистической фразеологией выражение общебуржуазных взглядов, к которым легче всего при-

---

[1] См.: *Ленин В.И.* Полн. собр. соч. Т. 25. С. 171—176.
[2] * См. там же. Т. 27. С. 129—227.
[3] См. там же.

ходит в обстановке капиталистического общества и казенный профессор, идущий по проторенной дорожке, и мелкий земледелец, выделяющийся своей сознательностью из миллионов ему подобных.

Теория некапиталистической эволюции земледелия в капиталистическом обществе, защищаемая г. Гиммером, есть в сущности теория громадного большинства буржуазных профессоров, буржуазных демократов и оппортунистов в рабочем движении всего мира»[1].

Начатая в Кракове брошюра об американском земледелии была закончена в 1915 г., а напечатана лишь в 1917 г.

Восемь лет спустя, в 1923 г., уже больной, Ильич листал записки Суханова о революции и диктовал по поводу них статью («О нашей революции» — назвала ее «Правда»). Он говорил в этой статье: «В настоящее время уже нет сомнений, что в основном мы одержали победу»[2]. Суханов этого не понял. Ильич диктовал: «Перелистывал эти дни записки Суханова о революции. Бросается особенно в глаза педантство всех наших мелкобуржуазных демократов, как и всех героев II Интернационала. Уже не говоря о том, что они необыкновенно трусливы... бросается в глаза их рабская подражательность прошлому.

Они все называют себя марксистами, но понимают марксизм до невозможной степени педантски. Решающего в марксизме они совершенно не поняли: именно, его революционной диалектики...

Во всем своем поведении они обнаруживают себя, как трусливые реформисты, боящиеся отступить от буржуазии, а тем более порвать с ней»[3]. И далее Ильич говорил о том, что мировая империалистическая война создала такие условия, «когда мы могли осуществить именно тот союз «крестьянской войны» с рабочим движением, о котором, как об одной из возможных перспектив, писал такой «марксист», как Маркс, в 1856 году по отношению к Пруссии»[4].

Прошло еще восемь лет. Ильича нет уже в живых. Суханов по-прежнему не понимает, какие предпосылки для строительства социализма создал Октябрь, активно стремится помешать тому, чтобы вырваны были с корнем остатки капитализма, не видит, как изменилось лицо нашей страны. Крепнут колхозы и совхозы, поднимают целину тракторы, старые непаханые по-

[1] *Ленин В.И.* Полн. собр. соч. Т. 27. С. 134—135.
[2] Там же. Т. 45. С. 381.[4]
[3] Там же. С. 378.
[4] Там же. С. 380.

лосоньки уходят в далекое прошлое, по-новому организуется труд, изменился весь облик сельского хозяйства.

В многочисленных своих статьях, писанных за краковский период, Ильич охватывает целый ряд важнейших вопросов, дающих яркую картину положения крестьянского и помещичьего хозяйств, рисующих аграрную программу различных партий, вскрывающих характер правительственных мероприятий, будящих внимание к целому ряду вопросов чрезвычайной важности: тут и переселенческое дело, и наемный труд в сельском хозяйстве, и детский труд, и торговля землей, и мобилизация крестьянских земель и пр. Знал деревню и крестьянские нужды Ильич очень хорошо, и всегда чувствовали, видели это и рабочие, и крестьяне.

Подъем революционного рабочего движения в конце 1912 г. и та роль, которую играла в этом подъеме «Правда», был очевиден для всех, в том числе и для впередовцев.

В ноябре 1912 г. Алексинский обратился в редакцию «Правды» от имени Парижской группы впередовцев, предлагая сотрудничество в «Правде». Алексинский написал ряд статей для «Правды», а в сборнике впередовцев «На темы дня» № 3 писал даже о необходимости прекращения борьбы внутри большевиков и блока всех большевиков для борьбы с ликвидаторами. Редакция «Правды» поместила в список сотрудников не только членов Парижской группы, в которую входил Алексинский, но и Богданова. Об этом Ильич узнал лишь из газет. Особенностью Ильича было то, что он умел отделять принципиальные споры от склоки, от личных обид и интересы дела умел ставить выше всего. Пусть Плеханов ругал его ругательски, но если с точки зрения дела важно было с ним объединиться, Ильич на это шел. Пусть Алексинский с дракой врывался на заседания группы, всячески безобразил, но если он понял, что надо работать вовсю в «Правде», пойти против ликвидаторов, стоять за партию, Ильич искренне этому радовался. Таких примеров можно привести десятки. Когда Ильича противник ругал, Ильич кипел, огрызался вовсю, отстаивая свою точку зрения, но когда вставали новые задачи и выяснялось, что с противником можно работать вместе, тогда Ильич умел подойти ко вчерашнему противнику как к товарищу. И для этого ему не нужно было делать никаких усилий над собой. В этом была громадная сила Ильича. При всей своей принципиальной настороженности он был большой оптимист по отношению к людям. Ошибался он другой раз, но в общем и целом этот оптимизм был для дела очень полезен.

Но, если принципиальной спетости не получалось, не было и примирения.

В письме к Горькому Ильич писал: «Вашу радость по поводу возврата впередовцев от всей души готов разделить, ежели... ежели верно Ваше предположение, что «махизм, богостроительство и все эти штуки увязли навсегда», как Вы пишете. Если это так, если это впередовцы поняли или поймут теперь, тогда я к Вашей радости по поводу их возврата присоединяюсь горячо. Но я подчеркиваю «ежели», ибо это пока еще пожелание больше, чем факт... Не знаю, способны ли Богданов, Базаров, Вольский (полуанархист), Луначарский, Алексинский научиться из тяжелого опыта 1908—1911? Поняли ли они, что марксизм штука посерьезнее, поглубже, чем им казалось, что нельзя над ней глумиться, как делывал Алексинский, или третировать ее как мертвую вещь, как делали остальные? Ежели поняли — тысячу им приветов, и все личное (неизбежно внесенное острой борьбой) пойдет в минуту насмарку. Ну, а ежели не поняли, не научились, тогда не взыщите: дружба дружбой, а служба службой. За попытки поносить марксизм или путать политику рабочей партии воевать будем не щадя живота.

Я очень рад, что нашлась дорога к постепенному возврату впередовцев именно через «Правду», которая непосредственно их не била. Очень рад. Но именно в интересах прочного сближения надо теперь идти к нему медленно, осторожно. Так я написал и в «Правду». На это должны направить свои усилия и друзья воссоединения впередовцев с нами: осторожный, опытом проверяемый, возврат впередовцев от махизма, отзовизма, богостроительства может дать чертовски многое. Малейшая неосторожность и «рецидив болезни махистской, отзовистской и пр.» — и борьба вспыхнет еще злее... Не читал новой «Философии живого опыта» Богданова: наверное, тот же махизм в новом наряде...»[1]

Когда читаешь теперь эти строки, так и встает в памяти весь путь борьбы с впередовцами в весь этот период глубочайшего развала с 1908 по 1911 год. Теперь, когда этот период развала был уже позади, когда Ильич жил уже целиком русской работой, был захвачен нарастающим подъемом, он говорил уже более спокойно о впередовцах, только верил он мало или, вернее сказать, вовсе не верил, что Алексинский способен учиться у жизни, что Богданов перестанет быть махистом. Как Ильич ожидал, гак и случилось. С Богдановым вышел ско-

---

[1] *Ленин В.И.* Полн. собр. соч. Т. 22. С. 383.

ро острый конфликт: под видом популярного разъяснения слова «идеология» он попытался протащить в «Правду» свою философию. Дело кончилось тем, что Богданов перестал числиться сотрудником «Правды».

В краковский период мысли Владимира Ильича шли уже по линии социалистического строительства. Конечно, сказать это можно только очень условно, ибо неясен был в то время даже еще путь социалистической революции в России, и все же без краковского периода полуэмиграции, когда руководство политической борьбой думской фракции наталкивало на все вопросы хозяйственной и культурной жизни во всей их конкретности, трудно было бы в первое время после Октября сразу схватывать все необходимые звенья советского строительства. Краковский период был своеобразной «нулевой группой» (приготовительным классом) социалистического строительства. Конечно, пока это была лишь самая черновая постановка этих вопросов, но она была так жизненна, что имеет значение и по сию пору.

Очень много в это время Владимир Ильич уделял внимания вопросам культуры. В конце декабря в Питере были аресты и обыски среди учащихся гимназии Витмер. Гимназия Витмер не походила, конечно, на другие гимназии. Заведующая гимназией и ее муж в 90-х годах принимали активное участие в первых марксистских кружках, в 1905—1907 гг. они оказывали разные услуги большевикам. В гимназии Витмер никто не запрещал учащимся заниматься политикой, устраивать кружки и пр. Вот на эту-то гимназию и устроила набег полиция. Относительно арестов учащихся был сделан запрос в Думе. Министр Кассо давал объяснения; большинством голосов его объяснения признаны были неудовлетворительными.

В статье, написанной для 3-го и 4-го номеров «Просвещения» за 1913 г., «Возрастающее несоответствие», в главе 10, Владимир Ильич, отмечая, что Государственная дума в связи с арестом учащихся гимназии Витмер выразила недоверие министру народного просвещения Кассо, пишет, что не только это надо знать народу. «Народу и демократии надо знать мотивы недоверия, чтобы понимать причины явления, признаваемого ненормальным в политике, и чтобы уметь найти выход к нормальному»[1]. И Ильич разбирает формулы перехода к очередным делам различных партий. Разобрав формулу перехода социал-демократов, Владимир Ильич пишет:

---

[1] Там же. С. 387—388.

«Едва ли можно признать безупречной и эту формулу. Нельзя не пожелать ей более популярного и более обстоятельного изложения, нельзя не пожалеть, что не указана законность занятия политикой и т. д. и т. п.

Но наша критика всех формул вовсе не направлена на частности редактирования, а исключительно на основные политические идеи авторов. Демократ должен был сказать главное: кружки и беседы естественны и отрадны. В этом суть. Всякое осуждение вовлечения в политику, хотя бы и «раннего», есть лицемерие и обскурантизм. Демократ должен был поднять вопрос от «объединенного министерства» к государственному строю. Демократ должен был отметить «неразрывную связь», во-1-х, с «господством охранной полиции», во-2-х, с господством в экономической жизни класса крупных помещиков феодального типа»[1]. Так учил Владимир Ильич конкретные вопросы культуры связывать с большими политическими вопросами.

Говоря о культуре, Ильич всегда подчеркивал связь культуры с общим политическим и экономическим укладом. Резко выступая против лозунга культурно-национальной автономии, Ильич писал:

«Пока разные нации живут в одном государстве, их связывают миллионы и миллиарды нитей экономического, правового и бытового характера. Как же можно вырвать школьное дело из этих связей? Можно ли его «изъять из ведения» государства, как гласит классическая, по рельефному подчеркиванию бессмыслицы, бундовская формулировка? Если экономика сплачивает живущие в одном государстве нации, то попытка разделить их раз навсегда для области «культурных» и в особенности школьных вопросов нелепа и реакционна. Напротив, надо добиваться соединения наций в школьном деле, чтобы в школе подготовлялось то, что в жизни осуществляется. В данное время мы наблюдаем неравноправие наций и неодинаковость их уровня развития; при таких условиях разделение школьного дела по национальностям фактически неминуемо будет ухудшением для более отсталых наций. В Америке в южных, бывших рабовладельческих, штатах до сих пор выделяют детей негров в особые школы, тогда как на севере белые и негры учатся вместе»[2].

В феврале 1913 г. Владимир Ильич написал специальную статью «Русские и негры», в которой стремился показать, как

---

[1] *Ленин В.И.* Полн. собр. соч. Т. 24. С. 175.
[2] Там же. С. 220.

бескультурье, культурная отсталость одной национальности заражает культуру другой национальности, как культурная отсталость одного класса накладывает печать на культуру всей страны.

Чрезвычайно интересно то, что говорил в то время Владимир Ильич о пролетарской политике в школьном деле. Возражая против культурно-национальной автономии, «изъятия из ведения государства» школьного дела, он писал: «Интересы демократии вообще, а интересы рабочего класса в особенности, требуют как раз обратного: надо добиваться слияния детей всех национальностей в единых школах данной местности; надо, чтобы рабочие всех национальностей сообща проводили ту пролетарскую политику в школьном деле, которую так хорошо выразил депутат владимирских рабочих Самойлов от имени российской социал-демократической рабочей фракции Государственной думы»[2] (Самойлов требовал отделения церкви от государства и школы от церкви, требовал полной светскости школы). Владимир Ильич говорил также о том, что обслуживание национальных меньшинств в деле изучения учащимися своей культуры легко будет наладить при действительной демократии, при полном изгнании бюрократизма и «передоновщины»[1] из школы.

Для т. Бадаева летом 1913 г. Ильич написал проект речи в Думе «К вопросу о политике министерства народного просвещения», которую Бадаев и произнес, но председатель не дал ему ее договорить и лишил его слова.

В этом проекте Ильич приводил ряд цифровых данных, рисующих чудовищную культурную отсталость страны, ничтожность средств, отпускаемых на народное образование, показывал, как политика царского правительства заграждает девяти десятым населения путь к образованию. В этом проекте писал Ильич о бесшабашном, бесстыдном, отвратительном произволе правительства в обращении с учителями[2]. И опять приводил сравнения с Америкой. В Америке 11 % неграмотных, а среди негров 44% неграмотных. «Но американские негры все же более чем вдвое лучше поставлены в отношении «народного просвещения», чем русские крестьяне»[3]. Негры

---

[1] Передонов — учитель гимназии — герой романа Сологуба «Мелкий бес» — мещанин до мозга костей, пошлый и грязный, одержимый прислужничеством, мелкозлобный, пользующийся случаем. чтобы всем напакостить, бюрократ и самодур. — *Н. К.*

[2] См.: *Ленин В.И.* Полн. собр. соч. Т. 23. С. 134.

[3] Там же. С. 128.

потому в 1910 г. были грамотнее русских крестьян, что американский народ полвека тому назад разбил наголову американских рабовладельцев. И русскому народу надо было прогнать свое правительство для того, чтобы стать страной грамотной, культурной.

В речи, написанной для т. Шагова, Ильич писал о том, что только передача помещичьей земли крестьянам может помочь России стать грамотной. В статье, написанной в тот же период: «Что можно сделать для народного образования», Ильич подробно описывал постановку библиотечного дела в Америке, писал о необходимости наладить так дело и у нас. В июне же месяце он написал свою статью «Рабочий класс и неомальтузианство», где писал: «Мы боремся лучше, чем наши отцы. Наши дети будут бороться еще лучше, и они победят.

Рабочий класс не гибнет, а растет, крепнет, мужает, сплачивается, просвещается и закаляется в борьбе. Мы — пессимисты насчет крепостничества, капитализма и мелкого производства, но мы — горячие оптимисты насчет рабочего движения и его целей. Мы уже закладываем фундамент нового здания, и наши дети достроят его»[1].

Не только на вопросы культурного строительства обращал внимание Ильич, но и на целый ряд других вопросов, имеющих практическое значение в деле строительства социализма.

Характерны именно для краковского периода такие статьи, как «Одна из великих побед техники», где Владимир Ильич сравнивает роль великих изобретений при капитализме и при социализме. При капитализме изобретения ведут к обогащению кучки миллионеров, для рабочих — к ухудшению общего их положения, к росту безработицы. «При социализме применение способа Рамсея, «освобождая» труд миллионов горнорабочих и т. д., позволит сразу сократить для всех рабочих день с 8 часов, к примеру, до 7, а то и меньше. «Электрификация» всех фабрик и железных дорог сделает условия труда более гигиеничными, избавит миллионы рабочих от дыма, пыли и грязи, ускорит превращение грязных отвратительных мастерских в чистые, светлые, достойные человека лаборатории. Электрическое освещение и электрическое отопление каждого дома избавят миллионы «домашних рабынь» от необходимости убивать три четверти жизни в смрадной кухне.

---

[1] Там же. С. 256—257.

Техника капитализма с каждым днем все более и более перерастает те общественные условия, которые осуждают трудящихся на наемное рабство»[1].

17 лет тому назад думал Ильич об электрификации, 7-часовом рабочем дне, фабриках-кухнях, о раскрепощении женщин.

Статья «Одна из «модных» отраслей промышленности» показывает, что 17 лет тому назад уже обдумывал Ильич, какое будет иметь значение развитие автомобильного дела при социализме. В статье «Железо в крестьянском хозяйстве» Ильич называл железо — «железным фундаментом культуры страны». «Болтать о культуре, о развитии производительных сил, о поднятии крестьянского хозяйства и т. п.— мы большие мастера и великие любители. Но как только речь зайдет об устранении того камня, который мешает «поднятию» миллионов обнищалого, забитого, голодного, босого, дикого крестьянства,— тут у наших миллионеров прилипает язык к гортани...

Миллионеры нашей промышленности предпочитают делить с Пуришкевичами их средневековые привилегии да вздыхать об избавлении «атечиства» от средневековой антикультурности...»[2]

Но особый интерес представляет статья Ильича «Идеи передового капитала»[3]. В этой статье он разбирает идеи американского купца — миллионера Филена, старавшегося уверить массы, что предприниматели должны стать их вождями, потому что они все лучше и лучше учатся понимать общность своих интересов и интересов массы. Растет демократия, растет сила масс, растет дороговизна жизни. Парламентаризм и ежедневная, в миллионах экземпляров распространяемая печать все обстоятельнее осведомляют массы народа. Одурачить массы, уверить их, что нет противоположности интересов между трудом и капиталом, пойти ради этого на некоторые затраты (привлечение служащих и квалифицированных рабочих к прибылям) — таковы идеи передового капитала. Разобрав суть идей передового капитала, Ильич восклицает: «Почтеннейший г. Филена! Окончательно ли уверены вы в том, что рабочие всего мира совсем уже простофили?»[4].

Эти статьи, писанные 17 лет назад, показывают, какие вопросы интересовали тогда Ильича с точки зрения строительства и как потом при Советской власти эти вопросы оказыва-

---

[1] Там же. Т. 23. С. 94—95.
[2] Там же. С. 347.
[3] См. там же. С. 351—352.
[4] Там же. С. 377, 379.

лись уже знакомыми, надо было проводить лишь в жизнь то, что было уже продумано.

Еще осенью 1912 г. мы познакомились с Николаем Ивановичем Бухариным. Кроме Багоцкого, с которым мы часто виделись, к нам первое время заходил поляк Казимир Чапинский, работавший в краковской газете «Напшуд» («Вперед»). Так вот Чапинский много рассказывал о знаменитом краковском курорте Закопане, какие там горы замечательные, и красота какая неописуемая, и между прочим рассказывал, что там живет социал-демократ Орлов, который очень хорошо рисует закопанские горы. Вскоре после того как мы перебрались из Звежинца в город, смотрим раз в окно и видим — идет какой-то молодяга с огромным холщовым мешком на плече. Это и оказался Орлов, он же Бухарин. Они довольно обстоятельно потолковали тогда с Ильичем. Бухарин жил тогда в Вене. С тех пор установилась у нас с Веной тесная связь. Там же жили и Трояновские. Когда мы стали спрашивать Николая Ивановича о его рисовании, он вытащил из своего холщового мешка ряд великолепных изданий картин немецких художников, которые мы стали усердно рассматривать. Был там Беклин и ряд других художников. Владимир Ильич любил картины. Помню, как я удивлялась, когда Владимир Ильич забрал как-то у Воровского целый ворох иллюстрированных характеристик разных художников и стал их подолгу по вечерам читать и рассматривать приложенные картины.

В Краков заезжало теперь много народу. Ехавшие в Россию товарищи заезжали условиться о работе. Одно время у нас недели две жил Николай Николаевич Яковлев, брат Варвары Николаевны. Он ехал в Москву налаживать большевистский «Наш путь». Был он твердокаменным надежным большевиком. Ильич очень много с ним разговаривал. Газету Николай Николаевич наладил, но она скоро была закрыта, а Николай Николаевич арестован. Дело немудреное, ибо «помогал» налаживать «Наш путь» Малиновский, депутат от Москвы. Малиновский много рассказывал о своих объездах Московской губернии, о рабочих собраниях, которые он проводил. Помню его рассказ о том, как на одном из собраний присутствовал городовой, очень внимательно слушал и старался услужить. И, рассказывая это, Малиновский смеялся. Малиновский много рассказывал о себе. Между прочим, рассказывал и о том, почему он пошел добровольцем в русско-японскую войну, как во время призыва проходила мимо демонстрация, как он не выдержал и сказал из окна речь, как был за это арестован и как потом полковник говорил с ним и сказал, что он его сгноит в тюрьме, в арестантских ротах, если он не пойдет добровольцем на войну. У него, говорил Малиновский, не было иного выхода. Рассказывал также, что жена его была верующей, и когда она узнала, что он — атеист, она чуть не кончила самоубийством, что и сейчас у ней бывают нервные припадки. Странны были рассказы Малиновского. Несомненно, доля правды в них была, он рассказывал о пережитом, очевидно только не все договаривал до конца, опускал существенное, неверно излагал многое.

Я потом думала — может быть, вся эта история во время призыва и была правдой, и, может, она и была причиной, что по возвращении с фронта ему поставили ультиматум или стать провокатором, или идти в тюрьму. Жена его действительно что-то болезненно переживала, покушалась на самоубийство, но, может быть, причина покушения была другая, может быть, причиной было подозрение мужа в провокатуре. Во всяком случае в рассказах Малиновского ложь переплеталась с правдой, что придавало всем его рассказам характер правдоподобности. Вначале и в голову никому не приходило, что Малиновский может быть провокатором.

Кроме Малиновского правительство постаралось приставить еще провокатора непосредственно к «Правде». Это был Черномазов. Он жил в Париже и, уезжая в Россию, также заезжал к нам в Краков, ехал работать в «Правду». Нам Черномазов не понравился, и я даже ночевку ему не стала устраивать, пришлось ему ночь погулять по Кракову. Ильич придавал «Правде» громадное значение, каждодневно почти посылал туда статьи. Усердно подсчитывал, где какие сборы были произведены на «Правду», сколько статей на какую тему было написано и т. д. Ужасно радовался, когда «Правда» помещала удачные статьи, брала правильную линию. Однажды, в конце 1913 г., затребовал Ильич из «Правды» списки подписчиков «Правды», и недели две я сидела насквозь все вечера, разрезала вместе с моей матерью листы и подбирала подписчиков по городам, местечкам. Подписчики были на девять десятых рабочие. Попадается какое-нибудь местечко, где много подписчиков,— справишься, оказывается там завод какой-нибудь большой, о котором и не знала. Карта распространения «Правды» получалась интересная. Только она не была напечатана, должно быть Черномазов выбросил ее в корзину, а Ильичу она очень понравилась. Но бывали и хуже случаи — иногда, хотя и редко это было, пропадали без вести и статьи Ильича. Иногда статьи его задерживались, не помещались сразу. Ильич тогда нервничал, писал в «Правду» сердитые письма, но помогало мало.

Не только едущие в Россию заезжали в Краков, приезжали и из России посоветоваться о делах. Помню приезд Николая Васильевича Крыленко вскоре после того, как у него побывала Инесса; он приезжал, чтобы покрепче условиться о сношениях. Помню, как рад был его приезду Ильич. Летом 1913 г. приезжали Гневич и Даиский, чтобы условиться об издании «Вопросов страхования» в издательстве «Прибой». Ильич придавал страховой кампании большое значение, считал, что эта кампания укрепит связь с массами.

В половине февраля 1913 г. было в Кракове совещание членов ЦК; приехали наши депутаты, приехал Сталин. Ильич Сталина знал по Таммерфорсской конференции, по Стокгольмскому и Лондонскому съездам. На этот раз Ильич много разговаривал со Сталиным по национальному вопросу, рад был, что встретил человека, интересующегося всерьез этим вопросом, разбирающегося в нем.

Перед этим Сталин месяца два прожил в Вене, занимаясь национальным вопросом, близко познакомился там с нашей венской публикой, с Бухариным, Трояновскими. После совещания Ильич писал Горькому о Сталине: «У нас один чудесный грузин засел и пишет для «Просвещения» большую статью, собрав все австрийские и пр. материалы»[1]. Ильич нервничал тогда по поводу «Правды», нервничал и Сталин. Столковывались, как наладить дело. На это совещание вызывался, кажется, т. Трояновский. Говорили о «Просвещении», Владимир Ильич возлагал большие надежды на Трояновских. Трояновская Елена Федоровна (Розмирович) собиралась в Россию. Говорили о необходимости издания при «Правде» целой серии брошюр. Планы были широкие.

Только перед этим пришла из дому посылка со всякой рыбиной — семгой, икрой, балыком; я извлекла по этому случаю у мамы кухарскую книгу и соорудила блины. И Владимир Ильич, который любил повкуснее и посытнее угостить товарищей, был архидоволен всей этой мурой. По возвращении в Россию 22 февраля Сталин был арестован в Петербурге.

Когда не было приездов, жизнь наша шла в Кракове довольно однообразно. «Живем, как в Шуше,— писала я матери Владимира Ильича,— почтой больше. До 11 часов стараемся время провести как-нибудь — в 11 ч. первый почтальон, потом 6-ти часов никак дождаться не можем». К библиотекам краковским Владимир Ильич плохо приспособился. Начал было кататься на коньках, да пришла весна. Под пасху мы

---

[1] *Ленин В.И.* Полн. собр. соч. Т. 48. С. 63—64.

пошли с ним в «Вольский ляс». В Кракове хорошая весна, чудесно было ранней весной в лесу, распушились кустарники желтым цветом, налились ветки деревьев по-весеннему. Пьянит весна. Но назад долго плелись мы, пока дошли до города; домой надо было идти через весь город; трамваи не ходили по случаю страстной субботы, а у меня все силы ушли куда-то. Зиму 1913 г. я прохворала, стало скандалить сердце, дрожать руки, а главное напала слабость. Ильич настоял, чтобы я пошла к доктору, доктор сказал: тяжелая болезнь, нервы надорвались, сердце переродилось — базедова болезнь, надо ехать в горы, в Закопане. Пришла домой, рассказываю, что сказал доктор. Жена сапожника, приходившая к нам топить печи и ходить за покупками, вознегодовала: «Разве вы нервная? — это барыни нервные бывают, те тарелками швыряются!» Тарелками я не швырялась, но для работы в таком состоянии была мало пригодна.

На лето мы, Зиновьевы и Багоцкие со своей знаменитой собакой Жуликом перебрались в Поронин, в 7 километрах от Закопане[1]. Закопане слишком людно было и дорого. Поронин — попроще, подешевле. Наняли дачу большую. Место было высокое — 700 метров, предгорье Татр. Воздух был удивительный, хотя был постоянный туман и накрапывал обычно мелкий дождишко, но в промежутки вид на горы был чудесный. Мы взбирались на плоскогорье, которое начиналось от нашей дачи, и смотрели на белоснежные вершины Татр. Красивые они. Ильич ездил иногда с Багоцким в Закопане, и они вместе с закопанской публикой (Вигелевым) делали большие прогулки по горам. Ходить по горам страшно любил Ильич. Горы мне помогали плохо, я все больше и больше приходила в инвалидное состояние, и, посоветовавшись с Багоцким — Багоцкий был врач-невропатолог,— Ильич настоял на поездке в Берн, чтобы оперироваться у Кохера. Поехали в половине июня, по дороге заезжали в Вену, побывали у Бухариных. Жена Николая Ивановича — Надежда Михайловна — лежала в лежку, Николай Иванович занимался хозяйством, сыпал в суп вместо соли сахар и оживленно толковал с Ильичем о вопросах, интересовавших Ильича, рассказывал про венскую публику. Повидали мы некоторых товарищей — венцев, побродили по Вене. Она — своеобразная, большой столичный город, после Кракова нам очень понравилась. В Берне попали под шефство Шкловских, которые с нами всячески возились.

---

[1] В.И. Ленин с семьей переехал в Поронин 23 или 24 апреля (6 или 7 мая) 1913 г. — *Примеч. ред.*

Они нанимали особый домик с садом. Ильич шутил с младшими девочками, дразнил Женюрку. Я пробыла около трех недель в больнице[1]. Ильич полдня сидел у меня, а остальное время ходил в библиотеки, много читал, даже перечитал целый ряд медицинских книг по базедке, делал выписки по интересовавшим его вопросам. Пока я лежала в больнице, он ездил с рефератами по национальному вопросу в Цюрих, Женеву и Лозанну, читал реферат на эту тему и в Берне[2]. В Берне — уже после моего выхода из больницы — состоялась конференция заграничных групп, где обсуждалось положение дел в партии. Надо было бы после операции еще недели две провести в полулежачем состоянии в горах на Беатенберге, куда посылал Кохер, но из Поронина шли вести, что много спешных, экстренных дел, пришла телеграмма от Зиновьева, и мы двинулись в обратный путь.

Заезжали в Мюнхен. Там жил Борис Книпович — племянник Дяденьки, Лидии Михайловны Книпович, которого я знала с раннего детства, которому рассказывала когда-то сказки. Влезет, бывало, четырехлетний голубоглазый Бориска на колени, обнимет шею и заказывает: «Крупа — сказку об оловянном солдате». В 1905—1907 гг. Борис был активным организатором гимназических социал-демократических кружков. Летом 1907 г. после Лондонского съезда Ильич жил у Книповичей на даче в Финляндии в Стирсуддене. Борис был тогда лишь гимназистом, но уже интересовался марксизмом, прислушивался к тому, что говорил Ильич, знал, с каким уважением и любовью относится к Ильичу Дяденька. В 1911 г. Борис был арестован и потом выслан за границу, где учился в Мюнхенском университете. В 1912 г. вышла его первая работа «К вопросу о дифференциации русского крестьянства». Он послал ее Ильичу. Сохранилось письмо Ильича к Борису — как-то особенно внимательно к молодому автору и заботливо написанное. «С большим удовольствием прочитал я Вашу книгу и очень рад был видеть, что Вы взялись за большую серьезную работу. На такой работе проверить, углубить и закрепить марксистские убеждения, наверное, вполне удастся»[3]. И дальше Ильич делает очень осторожно несколько замечаний, дает несколько методических указаний.

---

[1] В.И. Ленин и Н.К. Крупская были в Берне с 12(25) июня по 22 июля (4 августа) 1913 г. — *Примеч. ред.*

[2] *Ленин В.И.* Полн. собр. соч. Т. 55. С. 347. В.И. Ленин выступил с рефератом на тему «Национальный вопрос» 10(23) января 1914 г. — *Примеч. ред.*

[3] *Ленин В.И.* Полн. собр. соч. Т. 48. С. 162.

Перечитывая это письмо, я вспоминаю отношение Ильича к малоопытным авторам. Смотрел на суть, на основное, обдумывал, как помочь исправить. Но делал он это как-то очень бережно, так, что и не заметит другой автор, что его поправляют. А помогать в работе Ильич здорово умел. Хочет, например, поручить кому-нибудь написать статью, но не уверен, так ли тот напишет, так сначала заведет с ним подробный разговор на эту тему, разовьет свои мысли, заинтересует человека, прозондирует его как следует, а потом предложит: «Не напишете ли на эту тему статью?» И автор и не заметит даже, как помогла ему предварительная беседа с Ильичем, не заметит, что вставляет в статью Ильичевы словечки и обороты даже.

Мы хотели заехать в Мюнхен денька на два, посмотреть, каким он стал с того времени, как мы там жили в 1902 г., но так как мы очень торопились, то в Мюнхене пробыли лишь несколько часов — от поезда до поезда. Борис с женой приходили нас встречать, время провели в ресторане, славившемся каким-то особым сортом пива,— Hof-Brai (Хофбрей) назывался ресторан. На стенах, на пивных кружках везде стоят буквы «Н. В.» — «Народная воля», — смеялась я. В этой-то «Народной воле» и просидели мы весь вечер с Борей. Ильич похваливал мюнхенское пиво с видом знатока и любителя, поговорили они с Борисом о дифференциации крестьянства, вспоминали мы все вместе Дяденьку, Лидию Михайловну Книпович, которая хворала также тяжело базедкой. Ильич тут же настрочил ей письмо, убеждая поехать за границу и оперироваться у Кохера[1]. Приехали мы в Поронин в начале августа, кажись, 6-го. В Поронине нас встретил привычный поронинский дождь, Лев Борисович Каменев и целый ряд новостей, касающихся России.

На 9-е было назначено совещание членов Центрального Комитета. «Правда» была закрыта. Стала выходить «Рабочая правда», но почти каждый номер арестовывался. Поднималась стачечная волна, бастовали в Питере, Риге, Николаеве, в Баку.

Каменев поселился у нас наверху, и по вечерам долго после ужина они с Ильичем засиживались в нашей большой кухне, обсуждая приходящие из России вести.

Шла подготовка партийной конференции, так называемого «летнего совещания». Оно состоялось в Поронине 22 сентября — 1 октября. Приехали на него все депутаты, кроме Самойлова, двое московских выборщиков, Новожилов и Бала-

---

[1] Там же. Т. 55. С. 445.

шов, Розмирович из Киева, Сима Дерябина — от Урала, Шотман — от Питера и другие. От «Просвещения» был Трояновский, от поляков — Ганецкий и Домский и еще двое розламовцев (влияние розламовцев распространялось тогда на четыре крупнейших промышленных района — Варшавский, Лодзинский, Домбровский и Калишский).

Из депутатов помню только Малиновского. Говорили о газетах, «Рабочей правде», о московской газете, о «Просвещении», об издательстве «Прибой», о тактике, какой следует держаться на предстоящем кооперативном и приказчичьем съездах, об очередных задачах.

В середине конференции приехала Инесса Арманд. Арестованная в сентябре 1912 г., Инесса сидела по чужому паспорту в очень трудных условиях, порядком подорвавших ее здоровье,— у ней были признаки туберкулеза,— но энергии у ней не убавилось, с еще большей страстностью относилась она ко всем вопросам партийной жизни. Ужасно рады были мы, все краковцы, ее приезду.

Всего на совещании было 22 человека. Решено было поставить вопрос о созыве партийного съезда. Со времен V, Лондонского, съезда прошло уже 6 лет, очень многое с тех пор изменилось. Рост рабочего движения делал съезд необходимым. На совещании стояли вопросы о стачечном движении, о подготовке всеобщей политической забастовки, о задачах агитации, издании ряда популярных брошюр, о недопустимости урезывания при агитации лозунгов демократической республики, конфискации помещичьих земель, 8-часового рабочего дня. Обсуждался вопрос, как вести работу в легальных обществах, как вести социал-демократическую работу в Думе[1]. Особое значение имели решения о необходимости добиваться равноправия большевистской и меньшевистской групп в социал-демократической фракции, о недопустимости заголосовывания одним голосом большевиков со стороны «се-

---

[1] Социал-демократическая фракция IV Гос. думы состояла из 13 членов (и одного неполноправного — ППС Ягелло), представителей обеих фракций: большевиков («шестерка») и меньшевиков («семерка»). Большевистская часть фракции состояла исключительно из рабочих и представляла широкие массы российского пролетариата, в то время как «семерка» являлась больше представительницей интересов мелкой буржуазии и радикальной интеллигенции. Пользуясь своим формальным численным перевесом, меньшевики проводили по всем основным принципиальным вопросам свои резолюции от имени с.-д. фракции. «Шестерка» потребовала признания за собой равноправия в решении всех думских вопросов. Меньшевики ответили отказом. Тогда «шестерка» вышла из единой с.-д. фракции и образовала самостоятельную «российскую с.-д. рабочую фракцию». — *Н. К.*

мерки», представлявшей взгляды лишь незначительного меньшинства рабочих. Другая важная резолюция была принята по национальному вопросу, отражавшая целиком взгляды Владимира Ильича по этому вопросу. Помню споры по этому вопросу в нашей кухне, помню страстность, с какой обсуждался этот вопрос.

На этот раз Малиновский нервничал вовсю. По ночам напивался пьяным, рыдал, говорил, что к нему относятся с недоверием. Я помню, как возмущались его поведением московские выборщики Балашов и Новожилов. Почувствовали они какую-то фальшь, комедию во всех этих объяснениях Малиновского.

После совещания мы прожили в Поронине еще около двух недель[1], много гуляли, ходили как-то на Черный Став, горное озеро замечательной красоты, еще куда-то в горы.

Осенью мы все, вся наша краковская группа, очень сблизились с Инессой. В ней много было какой-то жизнерадостности и горячности. Мы знали Инессу по Парижу, но там была большая колония, в Кракове жили небольшим товарищеским замкнутым кружком. Инесса наняла комнату у той же хозяйки, где жил Каменев. К Инессе очень привязалась моя мать, к которой Инесса заходила часто поговорить, посидеть с ней, покурить. Уютнее, веселее становилось, когда приходила Инесса.

Вся наша жизнь была заполнена партийными заботами и делами, больше походила на студенческую, чем на семейную жизнь, и мы рады были Инессе. Она много рассказывала мне в этот приезд о своей жизни, о своих детях, показывала их письма, и каким-то теплом веяло от ее рассказов. Мы с Ильичем и Инессой много ходили гулять. Зиновьев и Каменев прозвали нас «партией прогулистов». Ходили на край города, на луг (луг по-польски — «блонь»). Инесса даже псевдоним себе с этих пор взяла — Блонина. Инесса была хорошая музыкантша, сагитировала сходить всех на концерты Бетховена, сама очень хорошо играла многие вещи Бетховена. Ильич особенно любил «Sonate pathetique», просил ее постоянно играть,— он любил музыку. Потом, уже в советские времена, ходил он к Цюрупе слушать, как играл эту сонату какой-то знаменитый музыкант[2]. Много говорили о беллетристике. «Без чего мы прямо тут голодаем — это без беллетристики,— писа-

---

[1] В.И. Ленин и Н.К. Крупская с матерью возвратились из Поронина в Краков 7(20) октября 1913 г. — *Примеч. ред.*

[2] Г.И. Романовский. — *Примеч. ред.*

ла я матери Владимира Ильича.— Володя чуть не наизусть выучил Надсона и Некрасова, разрозненный томик «Анны Карениной» перечитывается в сотый раз. Мы беллетристику нашу (ничтожную часть того, что было в Питере) оставили в Париже, а тут негде достать русской книжки. Иногда с завистью читаем объявления букинистов о 28 томах Успенского, 10 томах Пушкина и пр. и пр.

Володя что-то стал, как нарочно, большим «беллетристом». И националист отчаянный. На польских художников его калачом не заманишь, а подобрал, напр., у знакомых выброшенный ими каталог Третьяковской галереи и погружался в него неоднократно».

Сначала предполагалось, что Инесса останется жить в Кракове, выпишет к себе детей из России; я ходила с ней искать квартиру даже, но краковская жизнь была очень замкнутая, напоминала немного ссылку. Не на чем было в Кракове развернуть Инессе свою энергию, которой у ней в этот период было особенно много. Решила она объехать сначала наши заграничные группы, прочесть там ряд рефератов, а потом поселиться в Париже, там налаживать работу нашего комитета заграничных организаций. Перед отъездом ее мы много говорили о женской работе. Инесса горячо настаивала на широкой постановке пропаганды среди работниц, на издании в Питере специального женского журнала для работниц, и Ильич писал Анне Ильиничне о необходимости издавать такой журнал, который вскоре и начал выходить. Инесса очень много сделала в дальнейшем для развития работы среди работниц, отдала этому делу немало сил.

В январе 1914 г. приехал в Краков Малиновский, и они вместе с Владимиром Ильичем поехали в Париж, а оттуда в Брюссель, чтобы присутствовать на IV съезде Социал-демократии Латышского края, который открылся 13 января.

В Париже Малиновский сделал очень удачный — по словам Ильича — доклад о работе думской фракции, а Ильич делал большой открытый доклад по национальному вопросу[1], выступал на митинге, посвященном 9 Января[2], а в группе парижских большевиков выступал по поводу желания Международного социалистического бюро вмешаться в русские дела с целью примирения и речи Каутского на декабрьском совещании Международного бюро о том, что социал-демократи-

---

[1] 9 (22) января 1914 г. В. И. Ленин выступил на двух митингах социал-демократов, посвященных годовщине 9 Января 1905 г. — *Примеч. ред.*

[2] Выступление В.И. Ленина состоялось 5(18) января 1914 г. — *Примеч. ред.*

ческая партия в России умерла[1]. Это вмешательство Международного социалистического бюро в русские дела очень волновало Ильича, который ждал от этого вмешательства лишь тормоза доя все усиливающегося влияния большевиков в России. Ильич послал Гюисмансу доклад о положении дел внутри партии Четвертый съезд Социал-демократии Латышского края дал победу большевикам. На съезде были тт. Берзин, Лацис, Герман, ряд других латышских большевиков. Ильич выступил на съезде с докладом, призывая латышей примкнуть к Центральному Комитету[2]. В письме к матери Владимир Ильич писал, что эта поездка в Париж освежила его.

«Париж — город очень неудобный для жизни при скромных средствах и очень утомительный. Но побывать ненадолго, навестить, прокатиться — нет лучше и веселее города. Встряхнулся хорошо»[3].

Зимой, вскоре по возвращении Владимира Ильича из Парижа, решено было отправить в Россию Каменева для руководства «Правдой» и работы с думской фракцией. И газете, и думской фракции была нужна подмога. За Каменевым приехали жена с маленьким сынишкой.

Сынишка Каменева и зиновьевский Степа очень серьезно спорили между собой, что такое Петербург — город или Россия. Начались сборы в Россию. Ходили мы все провожать их на вокзал. Был зимний холодный вечер. Говорили мало, только сынишка Каменева что-то толковал. Настроение было у всех сосредоточенное. Думалось, долго ли удастся Каменеву продержаться? Когда теперь придется встретиться? Когда-то и мы поедем в Россию? Каждый втайне мечтал о России, тянуло туда неудержимо. Мне по ночам все снилась Невская застава. Говорить на эту тему мы избегали, а про себя каждый об этом думал.

8 марта 1914г. вышел в Питере первый номер «Работницы» — популярного журнала. Стоил номер 4 копейки. Петербургский комитет выпустил листовки о женском дне. В журнал «Работница» писали из Парижа Инесса и Сталь, из Кракова — Лилина и я. Вышло 7 номеров. В восьмом предполагалось дать статьи в связи с предстоящим женским социалистическим конгрессом в Вене, но выйти он не успел — пришла война.

Партийный съезд ладили устроить во время международного конгресса, который намечался в августе в Вене. Предпо-

[1] См.: *Ленин В.И.* Полн. собр. соч. Т. 24. С. 296—303.
[2] См. там же. С. 283—292.
[3] Там же. Т. 55. С. 351.

лагалось, что часть публики сможет проехать легально. Затем через краковских рабочих-типографщиков намечена была организация массового перехода через границу под видом экскурсантов.

В мае мы переехали опять в Поронин[1].

Для проведения подготовительной кампании к съезду в Питере были мобилизованы Киселев, Глебов-Авилов, Аня Никифорова. Они приехали в Поронин условиться обо всем с Ильичем. В первый день долго сидели мы на горке около нашей «дачи» и публика рассказывала про русскую работу. Публика молодая, полная энергии, очень понравилась Ильичу. Глебов-Авилов был в свое время учеником Болонской школы, теперь был твердым ленинцем. Ильич посоветовал приехавшим сходить в горы, но самому ему что-то нездоровилось, так что публика отправилась одна. Смеясь, они рассказывали, как и куда они лазили — лазили на очень крутую вершину, — как мешали им мешки, как они несли их по очереди, и когда дошла очередь до Ани, все встречные смеялись и советовал и взвалить себе на плечи еще и своих спутников. Условились о характере агитации за съезд. Получив все необходимые установки, Киселев поехал в Прибалтийский край, а Глебов-Авилов и Аня Никифорова — на Украину.

Приезжал из Москвы и Аля, бывший ученик Каприйской школы, ставший провокатором. Не помню уж, под каким предлогом он приезжал, разговор шел о предполагавшемся съезде: надо же было охранке иметь возможно более точные сведения о предстоящем съезде...

Инесса на лето выписала детей из России и жила в Триесте у моря. Она готовила доклад к Международному женскому конгрессу, который должен был состояться в Вене одновременно с конгрессом Интернационала. Пришлось ей еще работать по другой линии. В половине июня Международное социалистическое бюро наметило созвать в Брюсселе совещание представителей 11 организаций РСДРП всех направлений и организовать там обмен мнений между этими организациями в целях установления единства. Несомненно, однако, было, что этим дело не ограничится, что ликвидаторы, троцкисты, бундовцы и пр. используют этот случай, чтобы ограничить деятельность большевиков, связать их рядом постановлений. В России влияние большевиков росло. Как указывает т. Бадаев в своей книжке «Большевики в Государственной

---

[1] В.И. Ленин с семьей переехал из Кракова в Поронин 22 или 23 апреля (5 или 6 мая) 1914 г. — *Примеч. ред.*

думе», к лету 1914 г. в правлениях 14 профессиональных союзов из 18 существовавших в Петербурге большинство состояло из большевиков... На стороне большевиков были все наиболее крупные союзы, в том числе и союз металлистов, самый многочисленный и самый мощный из всех профессиональных организаций. Такое же соотношение наблюдалось и среди рабочей группы страховых учреждений. В состав столичных страховых органов уполномоченными от рабочих было избрано 37 большевиков и всего 7 меньшевиков, а во всероссийские страховые учреждения — 47 большевиков и 10 меньшевиков.

Широко организовались выборы на Международный конгресс в Вене. Большинство рабочих организаций мандаты на Международный социалистический конгресс передавало большевикам.

Успешно развивалась и подготовка к съезду партии. Начиная с весны все подготовительные работы, связанные с созывом съезда, непрерывно усиливались. «Стоявшая перед нами задача,— пишет Бадаев,— в предсъездовский период укрепить и расширить местные партийные ячейки — была в значительной мере разрешена огромным подъемом в эти месяцы революционного движения в стране. Среди рабочих масс усилилась тяга к партии, в партийные организации вступали новые кадры революционно настроенных рабочих. Работа руководящих коллективов партии все время шла на повышение. В связи с этим будущему съезду и стоявшим в порядке дня съезда вопросам было обеспечено большое внимание со стороны партийных рабочих масс»[1]. К Бадаеву поступали довольно значительные денежные суммы, собранные в фонд но организации съезда, Он получил уже целый ряд мандатов, резолюций по вопросам, стоящим на съезде, наказов и т. п.

Тов. Бадаев дает яркую картину того, как во всей деятельности легальная деятельность переплеталась с нелегальной. «Летнее время,— пишет он,— способствовало организации нелегальных собраний за городом, в лесах, где мы были в сравнительной безопасности от налетов полиции.

В случае необходимости созывать более или менее расширенные собрания устраивали их под видом загородных экскурсий от имени какого-либо просветительного общества. Отъехав за несколько десятков верст от Петербурга, мы отправлялись «на прогулку» в глубь леса и там, выставив дозоры,

---

[1] *Бадаев А.Е.* Большевики в Государственной думе. Воспоминания. 8-е изд. М., 1954. С. 333.

указывавшие дорогу только по условному паролю, устраивали собрания... Шпики в огромном количестве вились вокруг всех рабочих организаций, уделяя особенное внимание заведомым центрам партийной работы, каковыми были редакция «Правды» и помещение нашей фракции. Но наряду с усилением деятельности охранки усиливалась и наша конспиративная техника, и хотя аресты отдельных товарищей имели место, но больших провалов не было»[1].

Таким образом, линия, взятая ЦК на развертывание легальной печати, придание ей определенных установок, на развитие думской и вне думе кой работы фракции, на четкую постановку всех вопросов, на соединение легальной работы с нелегальной, целиком себя оправдывала.

Попытка через Международное социалистическое бюро сорвать эту линию, затормозить работу приводила Ильича в бешенство. Сам он решил на брюссельскую объединительную конференцию не ехать. Поехать должна была Инесса. Она владела французским языком (французский язык был ее родным), не терялась, у ней был твердый характер. Можно было на нее положиться, что она не сдаст. Инесса жила в Триесте, и Ильич послал туда доклад ЦК, составленный им, послал целый ряд указаний, как держаться в том или другом случае, обдумывал все детали. В делегацию ЦК, кроме Инессы, входили еще М.Ф. Владимирский и И.Ф. Попов. Доклад ЦК огласила Инесса на французском языке. Как и следовало ожидать, дело не ограничилось обменом мнений. Каутский от имени Исполнительного бюро внес резолюцию, осуждающую раскол, утверждающую, что коренных разногласий нет. За резолюцию голосовали все, кроме делегации ЦК и латышей, которые отказались принять участие в голосовании, несмотря на угрозы секретаря Международного бюро Гюисманса доложить съезду в Вене, что неголосующие берут на себя ответственность за срыв попыток к единству.

Ликвидаторы, троцкисты, впередовцы, плехановцы, кавказская областная организация на частном совещании в Брюсселе заключили «блок» против большевиков, который решил использовать создавшуюся ситуацию и понажать на большевиков.

Одновременно с брюссельской объединительной канителью внимание Ильича было летом 1914 г. поглощено другим крайне тяжелым делом — делом Малиновского.

---

[1] Там же. С. 334.

Когда товарищем министра внутренних дел назначен был генерал Джунковский и когда он узнал о провокаторской роли Малиновского, он сообщил об этом председателю Государственной думы Родзянко и заговорил о необходимости ликвидировать это дело во избежание громадного политического скандала.

8 мая Малиновский подал Родзянко заявление об уходе своем из числа членов Думы и уехал за границу. Местные и центральные учреждения осудили анархический, дезорганизаторский поступок Малиновского и исключили его из партии. Но что касается провокатуры, то обвинение в ней Малиновского казалось настолько чудовищным, что ЦК назначил особую комиссию под председательством Ганецкого, куда вошли Ленин и Зиновьев.

Слухи о провокатуре Малиновского ползли уже давно: шли они из меньшевистских кругов, были серьезные подозрения у Елены Федоровны Розмирович в связи с ее арестом — она работала при думской фракции, жандармы оказались осведомлены о таких деталях, которые иначе как путем провокации нельзя было им узнать. Были какие-то сведения у Бухарина. Владимир Ильич считал совершенно невероятным, чтобы Малиновский был провокатором. Раз только у него мелькнуло сомнение. Помню как-то в Поронине, когда мы возвращались от Зиновьевых и говорили о ползущих слухах, Ильич вдруг остановился на мостике и сказал: «А вдруг правда?» И лицо его было полно тревоги. «Ну что ты»,— ответила я. И Ильич успокоился, принялся ругательски ругать меньшевиков за то, что те никакими средствами не брезгуют в борьбе с большевиками. Больше у него не было никаких колебаний в этом вопросе.

Расследовав все слухи о провокатуре Малиновского, получив заявление Бурцева, что тот считает провокатуру Малиновского невероятной, заслушав Бухарина, Розмирович, комиссия все же не могла установить факт провокатуры Малиновского.

Совершенно выбитый из колеи, растерянный Малиновский околачивался в Поронине. Аллах ведает, что переживал он в это время. Куда он делся из Поронина — никто не знал. Февральская революция разоблачила его.

После Октябрьской революции он добровольно вернулся в Россию, отдался в руки Советской власти и был расстрелян по приговору Верховного трибунала.

В России тем временем борьба обострялась — росло забастовочное движение, особенно сильно вспыхнувшее в Баку, рабочий класс поддерживал бакинских забастовщиков, в митинг путилов-цев в 12 тысяч человек стреляла полиция, схватки с полицией становились все ожесточеннее, депутаты превращались в вождей восстающего пролетариата. Шла массовая забастовка.

7 июля в Питере бастовало 130 тысяч. Пролетариат готовился к бою. Забастовка не ослабевала, а росла, на улицах красного Питера строились баррикады.

Но пришла война.

1 августа Германия объявила войну России, 3 августа — Франции, 4 августа — Бельгии, в тот же день Англия объявила войну Германии, 6 августа Австро-Венгрия объявила войну России, 11 августа Франция и Англия объявили войну Австро-Венгрии.

Началась мировая война, которая остановила на время нарастающее революционное движение в России, перевернула весь мир, породила ряд глубочайших кризисов, по-новому, гораздо более остро поставила важнейшие вопросы революционной борьбы, подчеркнула роль пролетариата как вождя всех трудящихся, подняла на борьбу новые пласты, сделала победу пролетариата вопросом жизни или смерти для России.

ГОДЫ ВОЙНЫ. КРАКОВ

1914 г.[1]

Хотя давно уже все пахло войной, но когда война была объявлена, это как-то ошарашило всех. Надо было выбираться из Поронина, но куда можно было ехать — было еще совершенно неясно. В это время была тяжело больна Лилина, и Зиновьев все равно никуда не мог двинуться. Жили они в это время в Закопане, где были доктора. Мы решили поэтому пока что сидеть в Поронине. Ильич написал в Копенгаген Кобецкому, просил[2] информировать, завязать связь со Стокгольмом и пр. Местное гуральское (горное) население совершенно было подавлено, когда началась мобилизация. С кем война, из-за чего война — никто ничего не понимал, никакого воодушевления не было, шли, как на убой. Наша хозяйка, владелица дачи, крестьянка, была совершенно убита горем — у нее взяли на войну мужа. Ксендз с амвона старался разжечь патриотические чувства. Поползли всякие слухи, и шестилетний соседский мальчонка из бедняцкой семьи, постоянно околачивавшийся у нас, таинственно сообщил мне, что русские — ксендз это говорил — сыплют яд в колодцы.

7 августа к нам на дачу пришел паронинский жандармский вахмистр с понятым — местным крестьянином с ружьем делать обыск. Чего искать, вахмистр хорошенько не знал,

---

[1] В рукописи статьи «Начало войны (из воспоминаний)», написанной для Коминтерна в январе 1931 г., Н.К. Крупская пишет: «Лето 1914 г. мы жили в деревне Поронин в 7 верстах от Закопане — горного галицийского курорта. Высокие снежные вершины, долины, горные озера — все это удивительно красиво. Но в самом Закопане жить дорого и суталочи о, и мы второе лето уже жили в Поронине, который лежит на высоте 700 метров. В Поронине было много попроще, но воздух горный, лес, высокое плоскогорье. Поронин тянется вдоль дороги на пару километров, гуральское (горское) население темное, никакой общественной жизни нет, власть церкви, ксендза безгранична. Кроме нас в Поронине жили еще Зиновьевы и польские товарищи Багоцкий, Ганецкий. Мы нанимали дачу около леса в две комнаты, наверху была еще комната для приезжих. В Поронин к нам приезжали думские депутаты, товарищи из России. В полицейском отношении жизнь в Поронине была удобна». — *Примеч. ред.*

[2] Далее в рукописи: «...его теснее связаться со Стокгольмом, с тамошней нашей публикой, имевшей постоянную близкую связь с Россией, просил регулярно информировать». — *Примеч. ред.*

порылся в шкафу, нашел незаряженный браунинг, взял несколько тетрадок по аграрному вопросу с цифирью, предложил несколько незначащих вопросов. Понятой смущенно сидел на краешке стула и недоуменно осматривался, а вахмистр над ним издевался. Показывал на банку с клеем и уверял, что это бомба. Затем сказал, что на Владимира Ильича имеется донос и он должен был бы его арестовать, но так как завтра утром все равно придется везти его в Новый Тарг (ближайшее местечко, где были военные власти), то пусть лучше Владимир Ильич придет завтра сам к утреннему шестичасовому поезду. Ясно было — грозит арест, а в военное время, в первые дни войны, легко могли мимоходом укокошить. Владимир Ильич съездил к Ганецкому, жившему также в Поронине, рассказал о случившемся. Ганецкий немедля дал телеграмму социал-демократическому депутату Мареку, Владимир Ильич дал телеграмму в краковскую полицию, которая его знала как эмигранта. Ильича беспокоило, как мы вдвоем с матерью останемся в Поронине, одни в большом доме, и он сговорился с т. Тихомирновым, что тот пока поселится у нас в верхней комнате. Тихомирнов недавно вернулся из олонецкой ссылки, и редакция «Правды» послала его в Поронин отдохнуть, привести в порядок разгулявшиеся в ссылке нервы да кстати помочь Ильичу в деле составления сводок по проводившимся в России кампаниям за рабочую печать и др. — на основании материалов, помещенных в «Правде».

Мы с Ильичем просидели всю ночь, не могли заснуть, больно было тревожно. Утром проводила его, вернулась в опустевшую комнату. В тот же день Ганецкий нанял какую-то арбу и в ней добрался до Нового Тарга, добился свидания с окружным начальником — императорско-королевским старостой, наскандалил там, рассказал, что Ильич — член Международного социалистического бюро, человек, за которого будут заступаться, за жизнь которого придется отвечать, видел судебного следователя, рассказал ему также, кто Ильич, и заполучил для меня разрешение на свидание на другой же день. Вместе с Ганецким, по его приезде из Нового Тарга, сочинили мы в Вену письмо члену Международного бюро, австрийскому депутату социал-демократу Виктору Адлеру[1]. В Новом Тарге я получила свидание с Ильичем. Нас оставили с ним вдвоем, но Ильич мало говорил — была еще полная

---

[1] Далее в рукописи сказано: «На другое утро поехала я с Ганецким в Новый Тарг. Если бы не он, не удалось бы, может быть, выцарапать Ильича из рук военных властей». — *Примеч. ред.*

неясность положения. Краковская полиция дала телеграмму, что заподазривать Ульянова в шпионаже нет основания, дал такую же телеграмму Марек из Закопане, ездил в Новый Тарг один известный польский писатель заступаться за Ильича. Узнав об аресте Ильича, живший в Закопане Зиновьев тотчас же, несмотря на проливной дождь, поехал на велосипеде к старому народовольцу — поляку д-ру Длусскому, жившему в 10 верстах от Закопане; Длусский сейчас же нанял фаэтон и поехал в Закопане, стал телеграфировать, писать письма, куда-то пошел для переговоров. Мне давали свидание каждый день. Рано утром с шестичасовым поездом выезжала я в Новый Тарг — езды там час,— потом часов до одиннадцати болталась по вокзалу, почте, базару, потом было часовое свидание с Владимиром Ильичем. Ильич рассказывал о своих тюремных сожителях. Сидело много местных крестьян — кто за то, что паспорт просрочен, кто за то, что налог не внес, кто за препирательство с местной властью; сидел какой-то француз, какой-то чиновник-поляк, ради дешевизны проехавшийся по чужому полу паску, какой-то цыган, который через стену тюремного двора перекликался с приходившей к стенам тюрьмы женой. Ильич вспомнил свою шушенскую юридическую практику среди крестьян, которых вызволял из всяких затруднительных положений, и устроил в тюрьме своеобразную юридическую консультацию, писал заявления и т. п. Его сожители по тюрьме называли Ильича «бычий хлоп», что значит «крепкий мужик». «Бычий хлоп» постепенно акклиматизировался в тюрьме Нового Тарга и приходил на свидание более спокойным и оживленным. В этой уголовной тюрьме по ночам, когда засыпало ее население, он обдумывал, что сейчас должна делать партия, какие шаги надо предпринять для того, чтобы превратить разразившуюся мировую войну в мировую схватку пролетариата с буржуазией. Я передавала Ильичу те новости о войне, которые удавалось добыть.

Не передала следующего. Как-то, возвращаясь с вокзала, я слышала, как шедшие из костела крестьянки громко — очевидно, мне на поучение — толковали о том, что они сами сумеют расправиться со шпионами. Если начальство даже выпустит ненароком шпиона, они выколют ему глаза, вырежут язык и т. д. Ясно было: оставаться в Поронине, когда выпустят Владимира Ильича, нельзя будет. Я стала укладываться, отбирать то, что надо обязательно будет взять с собой, что придется оставить в Поронине. Хозяйство у нас совсем расстроилось. Домашнюю работницу, которую пришлось взять на лето ввиду болезни матери и которая рассказывала соседям всякие небылицы про нас, про наши связи с Россией, я постаралась сплавить поскорее в Краков, куда она стремилась, выдав ей деньги на проезд и жалованье вперед. Помогала нам топить русскую печь, ходить за продуктами девочка соседки. Моя мать — ей было уже 72 года — очень плохо себя чувствовала, видела, что что-то случилось, но неясно сознавала, что именно; хотя я ей сказала, что Владимира Ильича арестовали, но временами она толковала, что его мобилизовали на войну; она волновалась, когда я уезжала из дому, ей казалось, что и я куда-то исчезну, как исчез Владимир Ильич. Наш сожитель Тихомирнов задумчиво покуривал, разбирал и укладывал книги. Раз надо мне было получить какое-то удостоверение от того крестьянина-понятого, над которым издевался жандарм во время обыска, я ходила к нему куда-то на край села, и долго мы разговаривали с ним в его избе — типичной избе бедняка,— что это за война, кто за что воюет, кто заинтересован в войне, и он дружески провожал меня потом.

Наконец нажим со стороны венского депутата Виктора Адлера и львовского депутата Диаманда, которые поручились за Владимира Ильича, подействовал, и 19 августа Владимира Ильича выпустили из тюрьмы. С утра я, по обыкновению, была в Новом Тарге, на этот раз меня даже пустили в тюрьму помочь взять вещи: мы наняли арбу и поехали в Поронин. Пришлось там прожить около недели, пока удалось получить разрешение перебраться в Краков. В Кракове мы пошли к той хозяйке, у которой нанимали раньше комнаты Каменев и Инесса. Квартира наполовину была занята санитарным пунктом, но все же хозяйка дала нам какой-то угол. Ей было, впрочем, не до нас. Только что произошла первая битва под Красником, в которой участвовали два ее сына, пошедшие добровольцами на войну, и она не знала, что с ними.

На другой день из окна гостиницы, куда мы перебрались, мы наблюдали жуткую картину. Приехал поезд из Красника, привез убитых и раненых. За носилками бежали родственники тех, кто принимал участие в битве под Красником, и заглядывали в лица мертвых и умирающих с боязнью узнать в них своих близких. Те, кто был ранен более легко, с перевязанными головами, руками медленно двигались от вокзала. Встречавшие поезд помогали им нести вещи, предлагали им пиво в кружках, взятых в соседних ресторанах, предлагали пищу. Невольно думалось: вот она, война! — а это была еще первая битва.

В Кракове удалось довольно быстро получить право выехать за границу — в нейтральную страну — Швейцарию. Надо было устроить кое-какие дела. Незадолго перед тем моя мать стала «капиталисткой». У ней умерла сестра в Новочеркасске, классная дама, и завещала ей свое имущество — серебряные ложки, иконы, оставшиеся платья да 4 тысячи рублей, скопленных за 30 лет ее педагогической деятельности. Деньги эти были положены в краковский банк. Чтобы вызволить их, надо было пойти на сделку с каким-то маклером в Вене, который раздобыл их, взяв за услуги ровно половину этих денег. На оставшиеся деньги мы и жили главным образом во время войны, так экономя, что в 1917 г., когда мы возвращались в Россию, сохранилась от них некоторая сумма, удостоверение в наличности которой было взято в июльские дни 1917 г. в Петербурге во время обыска в качестве доказательства того, что Владимир Ильич получал деньги за шпионаж от немецкого правительства.

Ехали мы из Кракова до швейцарской границы целую неделю. Долго стояли на станциях, пропуская военные поезда. Наблюдали шовинистскую агитацию, которую вели монахини и группировавшийся около них женский актив. На вокзалах они раздавали солдатам какие-то образки, молитвы и т. п. Ходила по вокзалам вылощенная военщина. Вагоны были испещрены разными надписями — директивами, что делать с французами, англичанами, русскими: «Jedem Russ ein Schuss!» (каждого русского пристрели!). На одном запасном пути стояло несколько вагонов с порошком от блох; вагоны эти отправлялись куда-то на фронт.

В Вене останавливались мы на день, чтобы получить нужные удостоверения, устроить дело с деньгами, телеграфировать в Швейцарию, чтобы получить чье-либо поручительство, без чего не пустили бы в Швейцарию. Поручился Грейлих, старейший член Социал-демократической партии Швейцарии. В Вене Рязанов возил Владимира Ильича к В. Адлеру, который помог вызволить Ильича из-под ареста. Адлер рассказывал, как он разговаривал с министром. Тот спросил: «Уверены ли вы, что Ульянов враг царского правительства?» «О, да! — ответил Адлер, — более заклятый враг, чем ваше превосходительство». От Вены до швейцарской границы доехали довольно скоро.

БЕРН

1914 — 1915 гг.

5 сентября въехали наконец в Швейцарию, направились в Берн.

Мы еще не решили окончательно, где будем жить — в Женеве или Берне. Ильича тянуло на старое пепелище, в привычное место — в Женеву, где хорошо работалось в прежнее время в «Societe de Lecture» (общество чтения), где была хорошая русская библиотека и т. д. Но бернцы утверждали, что Женева здорово изменилась, что туда наехало много эмигрантов из других городов, из Франции, что там теперь невероятная эмигрантская сутолока. Не решив вопрос окончательно, пока сняли комнату в Берне.

Немедленно же Ильич стал списываться с Женевой о том, есть ли там едущие в Россию — их надо было использовать для завязывания связи с Россией, выяснял, сохранилась ли русская типография, можно ли там будет издавать русские листки и т. д.

На другой день по приезде из Галиции собрались все, кто был тогда из большевиков в Берне,— Шкловский, Сафаровы, депутат Думы Самойлов, Гоберман и др., и устроили в лесу совещание, где Ильич развил свою точку зрения на происходящие события. В результате была принята резолюция, в которой давалась характеристика происходящей войны как империалистской, грабительской, и оценивалось поведение вождей II Интернационала, голосовавших за военные кредиты, как измена делу пролетариата; в резолюции говорилось, что: «С точки зрения рабочего класса и трудящихся масс всех народов России наименьшим злом было бы поражение царской монархии и ее войск, угнетающих Польшу, Украину и целый ряд народов России»[1]. Резолюция, выдвигая лозунг пропаганды во всех странах социалистической революции, гражданской войны, беспощадной борьбы с шовинизмом и патриотизмом всех без исключения стран, намечала в то же

---

[1] Далее в рукописи: «...нас окружили теплой товарищеской заботой, страшно с нами возились Рязановы». — *Примеч. ред.*

время программу действий для России: борьбу с монархией, проповедь революции, борьбу за республику, за освобождение угнетенных великорусами народностей, за конфискацию помещичьих земель и за восьмичасовой рабочий день.

Бернская резолюция была, по существу дела, вызовом всему капиталистическому миру. Бернская резолюция писалась, конечно, не для того, чтобы храниться под спудом. Прежде всего она была разослана по заграничным секциям большевиков. Затем тезисы взял с собой Самойлов для обсуждения и с русской частью ЦК и думской фракцией[1]. Неизвестно еще было, какую позицию они заняли. Сношения с Россией были прерваны. Лишь позднее стало известно, что русская часть ЦК и большевистская часть думской фракции сразу взяли верный тон. Для передовых рабочих нашей страны, для нашей партийной организации резолюции международных конгрессов о войне не были просто клочком бумаги, они были руководством к действию.

В первые же дни войны, когда только что была объявлена мобилизация, ЦК выпустил листок с призывом: «Долой войну! Война войне!» Ряд предприятий в Питере бастовал в день мобилизации запасных, была даже попытка организовать демонстрацию. Однако война вызвала такой разгул бешеного черносотенного патриотизма, так укрепила военную реакцию, что сделать много не удалось. Наша думская фракция твердо вела линию борьбы с войной, линию продолжения борьбы с царской властью. Эта твердость произвела впечатление даже и на меньшевиков, и всей социал-демократической фракцией в целом была принята общая резолюция, оглашенная с думской трибуны. Резолюция была написана в очень осторожных выражениях, много было в ней недоговоренного, но это была все же резолюция протеста, вызвавшая общее негодование всех членов Думы. Негодование это возросло, когда социал-демократическая фракция (пока еще вся в целом) не приняла участия в голосовании военных кредитов и в знак протеста покинула зал заседания. Большевистская организация быстро ушла в глубокое подполье, стала выпускать листки, в которых давались указания, как использовать войну в интере-

---

[1] В рукописи далее следует текст: «Начиная с момента объявления войны, в центре внимания Ильича стали вопросы международной борьбы пролетариата, он сделался активным участником этой борьбы. Он стал по-иному несколько, гораздо активнее, гораздо ближе вникать в работу рабочих партий всех стран. Из вождя российского пролетариата Ильич вырос в вождя мирового пролетариата. Это наложило печать на всю его дальнейшую работу». — *Примеч. ред.*

сах развертывания и углубления революционной борьбы. Началась антивоенная пропаганда и в провинции. Сообщения с мест говорят о том, что эта пропаганда находит поддержку среди революционно настроенных рабочих. Обо всем этом мы за границей узнали много позднее.

В наших заграничных группах, которые не переживали революционного подъема последних месяцев в России и истомились в эмигрантщине, из которой так хотелось многим во что бы то ни стало вырваться, не было той твердости, которая была у наших депутатов и у русских большевистских организаций. Вопрос для многих был неясен, толковали о том больше, какая сторона нападающая.

В Париже в конце концов большинство группы высказалось против войны и волонтерства, но часть товарищей — Сапожков (Кузнецов), Казаков (Бритман, Свиягин), Миша Эдишеров (Давыдов), Моисеев (Илья, Зефир) и др.— пошла в волонтеры во французскую армию. Волонтеры, меньшевики, часть большевиков, социалисты-революционеры (всего около 80 человек) приняли декларацию от имени «русских республиканцев», которую опубликовали во французской печати. Перед уходом волонтеров из Парижа Плеханов сказал им напутственную речь.

Большинство Парижской группы осудило добровольчество. Но и в других группах вопрос был выяснен не до конца. Владимир Ильич понимал, что в такой серьезнейший момент имеет особое значение, чтобы каждый большевик отдал себе полный отчет в значении имевших место событий, нужен был товарищеский обмен мнений, нецелесообразно было фиксировать сразу же на первых порах каждый оттенок, надо было до конца сговориться. Вот почему, отвечая т. Карпинскому на его письмо, где тот излагал точку зрения женевской секции, Ильич писал: «La critique[1] и моя anticritique[2] может быть лучше составят предмет беседы?»[3]

Ильич знал, что в товарищеской беседе лучше можно сговориться, чем путем переписки. Но, конечно, время было не такое, чтобы можно было долго ограничиваться товарищескими беседами внутри узкого круга большевиков.

---

[1] критика. — *Примеч. ред.*
[2] антикритика. — *Примеч. ред.*
[3] *Ленин В.И.* Полн. собр. соч. Т. 40. С. 5. Выступление В.И. Ленина в Лозанне в прениях на реферате Плеханова с критикой его шовинистических взглядов состоялось 28 сентября (11 октября) 1914 г. (см.: *Ленин В.И.* Полн. собр. соч. Т. 26. С. 24—26). — *Примеч. ред.*

В начале октября выяснилось, что вернувшийся из Парижа Плеханов выступал уже в Женеве и собирается читать реферат в Лозанне.

Позиция Плеханова очень волновала Владимира Ильича. Он верил и не верил, что Плеханов стал оборонцем. «Не верится просто»,— говорил он. «Верно сказалось военное прошлое Плеханова»,— задумчиво прибавлял он. Когда пришла 10 октября телеграмма из Лозанны о том, что реферат назначен на завтра, на 11-е, Ильич засел за подготовку к реферату, а я старалась уж уберечь его от всяких дел, сговориться с публикой нашей — кто поедет из Берна и т. д. Мы уже окончательно обосновались в Берне. В это время в Берне жили уже Зиновьевы, недели на две приехавшие позже нас, жила в Берне и Инесса.

Я на реферат поехать не могла, потом наши подробно рассказывали мне о нем. Но, прочитав в «Записках Института Ленина» воспоминания Ф. Ильина об этом реферате и зная, что тогда переживал Ильич, я вижу его, как живого. Подробно рассказывала потом об этом реферате и Инесса. Стянулась на реферат наша публика с разных концов. Из Берна — Зиновьев, Инесса, Шкловский; из Божи над Клараном — Розмирович, Крыленко, Бухарин и товарищи-лозанцы.

Ильичу стало страшно, что не удастся попасть на плехановский реферат и сказать все накипевшее, что не пустят меньшевики столько большевиков. Я представляю себе, как не хотелось ему в этот момент разговаривать с публикой о всякой всячине, и понятны его наивные хитрости, имевшие целью остаться одному. Ясно представляется, как среди суетни с кормежкой, которая происходила у Мовшовичей, ушел Ильич в себя, волновался так, что не мог куска проглотить. Понятна немного натянутая шутка, сказанная вполголоса близсидящим товарищам по поводу вступительного слова Плеханова, заявившего, что он не подготовился к выступлению на таком большом собрании. «Жулябия»,— бросил Ильич, а потом ушел весь целиком в слушание того, что говорил Плеханов. С первой частью реферата, где Плеханов крыл немцев, Ильич был согласен и аплодировал Плеханову. Во второй части Плеханов развивал оборонческую точку зрения. Уже не могло быть места никаким сомнениям. Записался говорить один Ильич, никто больше не записался. С кружкой пива в руках подошел он к столу. Говорил он спокойно, и только бледность лица выдавала его волнение. Ильич говорил о том, что разразившаяся война не случайность, что она подготовлена всем характером развития буржуазного общества. Международные конгрессы — Штутгартский, Копенгагенский, Базельский — определили, каково должно быть отношение социалистов к предстоящей войне. Только тогда социал-демократы исполняют свой долг, когда борются с шовинистическим угаром своей страны. Надо превратить начавшуюся войну в решительное столкновение пролетариата с правящими классами.

У Ильича было только десять минут. Он сказал лишь основное[1]. Плеханов с обычными остротами возражал ему. Меньшевики — их было подавляющее большинство — бешено аплодировали ему. Создалось впечатление, что Плеханов победил.

14 октября, через три дня,— в том же помещении, где читал доклад Плеханов — в Maison du Peuple (в Народном доме),— был назначен доклад Ильича. Зал был битком набит. Доклад вышел очень удачным, Ильич был в приподнятом, боевом настроении. Он развил полностью свой взгляд на войну как на войну империалистскую.

В докладе Владимир Ильич отметил, что в России уже вышел листок ЦК против войны, что такой же листок выпустила кавказская организация и некоторые другие. Ильич в докладе указывал на то, что сейчас лучшей социалистической газетой в Европе является «Голос», где писал Мартов. «Чем чаще и сильнее я расходился с Мартовым,— говорил Ильич,— тем определеннее я должен сказать, что этот писатель делает теперь именно то, что должен делать социал-демократ. Он критикует свое правительство, он разоблачает свою буржуазию, он ругает своих министров»[2].

В частных разговорах Ильич не раз говорил, как бы хорошо было, если бы Мартов совсем перешел к нам. Но Ильич плохо верил, что Мартов удержится на занятой им позиции. Он знал, как поддается Мартов чужим влияниям. «Это пока он один, он так пишет»,— добавлял Ильич. Реферат Ильича имел громадный успех. Тот же реферат — «Пролетариат и война» — он читал в Женеве.

По приезде с рефератной поездки Ильич застал письмо Шляпникова, где тот сообщал из Стокгольма о русской работе, о телеграмме Вандервельде думской фракции и об ответе Вандервельде депутатов, меньшевиков и большевиков. Эмиль

---

[1] *Ленин В.И.* Полн. собр. соч. Т. 26. С. 31.
[2] См. там же. Т. 49. С. 3.

Вандервельде — бельгийский депутат в Международном социалистическом бюро, когда была объявлена война, занял в бельгийском правительстве пост министра. Незадолго до войны он был в России и видел ту борьбу, которую рабочие России вели с самодержавием, но он не понял ее глубины. Вандервельде дал телеграмму обеим частям социал-демократической фракции Думы. Он призывал социал-демократическую фракцию содействовать тому, чтобы русское правительство повело решительную войну с Германией — на стороне Антанты.

Меньшевистские депутаты, в первый момент отказавшиеся голосовать военные кредиты, сильно поколебались, узнав о том, какую позицию заняло большинство социалистических партий, и потому их ответ Вандервельде носил уже совершенно другой характер; они заявляли, что не будут противодействовать войне. Большевистская фракция послала ответ, где решительно отметала всякую возможность поддержки войны и прекращения борьбы с царским правительством. Много оставалось в этом ответе еще недоговоренного, но основная линия была ею взята правильно. Чувствовалось, как важна связь между заграницей и Россией, и Ильич сугубо настаивал, чтобы Шляпников оставался в Стокгольме и укреплял связи с думской фракцией и вообще с россиянами. Через Стокгольм это дело лучше всего было наладить.

Как только Ильич приехал в Берн из Кракова, он сейчас же написал Карпинскому, справляясь, можно ли издать в Женеве листок[1]. Тезисы, принятые в первые дни приезда в Берн, месяц спустя решено было выпустить, переработав их в манифест. И Ильич вновь списывается с Карпинским об издании, посылая письмо с оказией, наводя сугубую конспирацию[2]. В то время неясно было еще, как отнесется швейцарская власть к антимилитаристской пропаганде.

На другой день после получения первого письма Шляпникова Владимир Ильич писал Карпинскому: «Дорогой К.! Как раз во время моего пребывания в Женеве получились отрадные вести из России. Пришел и текст ответа русских социал-демократов Вандервельду. Мы решили поэтому вместо отдельного манифеста выпустить газету «Социал-Демократ», ЦО... К понедельнику пришлем Вам небольшие поправки к манифесту и измененную подпись (ибо после сношения с Россией мы уже официальнее выступаем)»[3].

[1] *Ленин В.И.* Полн. собр. соч. Т. 49. С. 8—9.
[2] Там же. С. 11—12.
[3] Там же.

В конце октября Ильич опять поехал с рефератами сначала в Монтре, потом в Цюрих. В Цюрихе на его реферате выступал Троцкий, который возмущался, что Ильич называл Каутского предателем. А Ильич нарочно ставил очень остро все вопросы, чтобы создать ясность в отношении того, кто какую линию занимает. Борьба с оборонцами шла вовсю.

Борьба, которая шла, не носила внутрипартийного характера, касалась не только русских дел, она носила международный характер.

«II Интернационал умер, побежденный оппортунизмом»,— утверждал Владимир Ильич. Надо было собирать силы для нового, для III Интернационала, очищенного от оппортунизма.

На какие силы можно было опираться?

Не голосовали военных кредитов кроме русских социал-демократов только сербские социал-демократы. Их было в Скупщине (в сербском парламенте) всего двое. В Германии в начале войны за военные кредиты голосовали все, но уже 10 сентября Карл Либкнехт, Ф. Меринг, Роза Люксембург и Клара Цеткин составили заявление, в котором они протестовали против позиции, занятой большинством немецкой социал-демократии. Это заявление лишь в конце октября им удалось опубликовать в швейцарских газетах, в немецких этого не удалось сделать. Из немецких газет наиболее левую позицию с самого начала войны заняла «Бременская гражданская газета», 23 августа заявившая о том, что «пролетарский интернационал» разрушен. Во Франции социалистическая партия, с Гедом и Вайяном во главе, скатилась к шовинизму. Но в партийных низах было довольно широкое настроение против войны. Для бельгийской партии характерно было поведение Вандервельде. В Англии отпор шовинизму Гайндмана и всей Британской социалистической партии давали Макдональд и Кейр-Гарди из оппортунистической Независимой рабочей партии. В нейтральных странах существовали настроения против войны, но они носили по преимуществу пацифистский характер. Революционнее других была Итальянская социалистическая партия с газетой «Avanti» («Вперед») во главе; она боролась с шовинизмом, разоблачала корыстную подоплеку призывов к войне. Она находила поддержку со стороны громадного большинства передовых рабочих. 27 сентября в Лугано состоялась итало-швейцарская социалистическая конференция. На конференцию были посланы наши тезисы о войне. Конференция характеризовала войну как империалистскую и требовала борьбы международного пролетариата за мир.

В общем, голоса против шовинизма, голоса интернационалистические, звучали еще очень слабо, разрозненно, неуверенно, но Ильич не сомневался, что они будут все крепнуть. Всю осень у него было приподнятое, боевое настроение.

Воспоминание об этой осени у меня переплетается с осенней картиной бернского леса. Осень в тот год стояла чудесная. В Берне мы жили на Дистельвег — маленькой, чистенькой, тихой улочке, примыкавшей к бернскому лесу, тянувшемуся на несколько километров. Наискосок от нас жила Инесса, в пяти минутах ходьбы — Зиновьевы, в десяти минутах — Шкловские. Мы часами бродили по лесным дорогам, усеянным осыпавшимися желтыми листьями. Большею частью ходили втроем — Владимир Ильич и мы с Инессой. Владимир Ильич развивал свои планы борьбы по международной линии. Инесса все это горячо принимала к сердцу. В этой развертывавшейся борьбе она стала принимать самое непосредственное участие: вела переписку, переводила на французский и английский языки разные наши документы, подбирала материалы, говорила с людьми и пр. Иногда мы часами сидели на солнечном откосе горы, покрытой кустарниками. Ильич набрасывал конспекты своих речей и статей, оттачивал формулировки, я изучала по Туссену итальянский язык. Инесса шила какую-то юбку и грелась с наслаждением на осеннем солнышке — она еще не до конца оправилась после тюрьмы. Вечером все собирались в комнатушке Григория (они втроем — Григорий, Лилина и их мальчонка Степа жили в одной комнате), и, пошутив с засыпающим Степой, Ильич уже вносил ряд конкретных предложений.

Сжато и точно формулированы основные пункты линии борьбы у Ильича в письме к Шляпникову от 17 октября.

Каутский «...теперь вреднее всех. До того опасна и подла его софистика, прикрывающая самыми гладкими и прилизанными фразами пакости оппортунистов (в «Neue Zeit»). Оппортунисты — зло явное. «Центр» немецкий с Каутским во главе — зло прикрытое, *дипломатически* подкрашенное, засоряющее глаза, ум и совесть рабочих, опасное всего более. Наша задача теперь — безусловная и открытая борьба с оппортунизмом *международным* и с его прикрывателями (Каутский). Это мы и будем делать в Центральном Органе, который выпустим вскоре (2 странички, вероятно). Надо изо всех сил поддержать теперь законную ненависть сознательных рабочих к поганому поведению немцев и сделать из этой ненависти политический вывод против оппортунизма и всякой поблажки ему. Это — международная задача. Лежит она на нас, больше некому. Отступать от нее нельзя. Неверен лозунг простого возобновления Интернационала (ибо опасность гнилой примирительной резолюции по линии Каутский — Вандервельд очень и очень велика!). Неверен лозунг «мира»—лозунгом должно быть превращение национальной войны в гражданскую войну. (Это превращение может быть долгим, может потребовать и потребует ряда предварительных условий, но всю работу надо вести по линии именно такого превращения, в духе и направлении его.) Не саботаж войны, не отдельные, индивидуальные выступления в таком духе, а массовая пропаганда (не только среди «штатских»), ведущая к превращению войны в гражданскую войну.

В России шовинизм прячется за фразы о «belle France»[1] и о несчастной Бельгии (а Украина? и т. д.) или за «народную» ненависть к немцам (и к «кайзеризму»). Поэтому наша безусловная обязанность — борьба с этими софизмами. А чтобы борьба шла по точной и ясной линии, нужен обобщающий ее лозунг.

Этот лозунг: для нас, русских, с точки зрения интересов трудящихся масс и рабочего класса России, не может подлежать ни малейшему, абсолютно никакому сомнению, что наименьшим злом было бы теперь и тотчас — поражение царизма в данной войне. Ибо царизм во сто раз хуже кайзеризма. Не саботаж войны, а борьба с шовинизмом и устремление всей пропаганды и агитации на международное сплочение (сближение, солидаризирование, сговор selon les circonstances[2]) пролетариата в целях гражданской войны. Ошибочно было бы и призывать к индивидуальным актам стрельбы в офицеров etc и допускать аргументы вроде того, что-де не хотим помогать кайзеризму.

Первое — уклон к анархизму, второе — к оппортунизму. Мы же должны готовить массовое (или по крайней мере коллективное) выступление в войске не одной только нации, и всю пропагандистски-агитационную работу вести в этом направлении. Направление работы (упорной, систематической, долгой может быть) в духе превращения национальной войны в гражданскую — вот вся суть. Момент этого превраще-

---

[1] «прекрасной Франции». — *Примеч. ред.*
[2] сообразно обстоятельствам. — *Примеч. ред.*

ния — вопрос иной, сейчас еще неясный. Надо дать назреть этому моменту и «заставлять его назревать» систематически...

Лозунг мира, по-моему, неправилен в данный момент. Это — обывательский, поповский лозунг. Пролетарский лозунг должен быть: гражданская война.

Объективно — из коренной перемены в положении Европы вытекает такой лозунг для эпохи массовой войны. Из базельской резолюции вытекает тот же лозунг.

Мы не можем ни «обещать» гражданской войны, ни «декретировать» ее, но вести работу — при надобности и очень долгую — в этом направлении мы обязаны. Из статьи в ЦО вы увидите подробности»[1].

Уже выковалась ясная, четкая линия борьбы. Эта линия окрашивала всю его дальнейшую деятельность. Международный размах придал новые тона и всей работе Ильича над строительством русской работы, придал ей новую силу, новые краски. Без долгих лет предшествовавшей трудной работы над строительством партии, над организацией рабочего класса России не мог бы Ильич так быстро и твердо взять правильную линию в отношении новых задач, выдвинутых империалистской войной. Без пребывания в гуще международной борьбы не мог бы Ильич так твердо повести русский пролетариат к октябрьской победе.

№ 33 «Социал-демократа» вышел 1 ноября 1914 года. Сначала было напечатано лишь 500 экземпляров, потом понадобилось прибавить еще 1000. 14 ноября Ильич с радостью извещал Карпинского, что ЦО доставлен в один из пунктов недалеко от границы и скоро будет переправлен дальше.

Через Нэна и Грабера удалось поместить 13 ноября сокращенное изложение манифеста в швейцарской газете «La sentinelle» («Часовой»), выходившей на французском языке в невшательском рабочем центре Шо-де Фон (Chaux-de-Fond). Ильич торжествовал. Мы послали перевод манифеста во французские, английские и немецкие газеты.

В целях развертывания пропаганды среди французов Владимир Ильич списывался с Карпинским об устройстве в Женеве, на французском языке, реферата Инессы. С Шляпниковым списывался о его выступлении на шведском конгрессе. Шляпников выступал, и выступал очень удачно. Так понемногу развертывалась «международная акция» большевиков.

Со связями с Россией было хуже. Для № 34 ЦО Шляпников прислал интересный материал из Питера. Но наряду с

[1] *Ленин В.И.* Полн. собр. соч. Т. 49. С. 13—14, 15.

ним пришлось помещать в № 34 сообщение об аресте пяти большевистских депутатов. Связь с Россией опять слабела.

Развертывая страстную борьбу против измены делу пролетариата со стороны II Интернационала, Ильич в то же время тотчас же по приезде в Берн засел за составление для Энциклопедического словаря Граната статьи «Карл Маркс» где, говоря об учении Маркса, начал с очерка его миросозерцания, с разделов «философский материализм» и «диалектика» и далее, изложив экономическое учение Маркса, осветил, как Маркс подходил к вопросу о социализме и тактике классовой борьбы пролетариата.

Так учение Маркса обычно не излагалось. В связи с писанием глав о философском материализме и диалектике Ильич стал опять усердно перечитывать Гегеля и других философов и не бросил эту работу и после того, как окончил работу о Марксе. Цель его работы по философии была овладеть методом, как превратить философию в конкретное руководство к действию. Его короткие замечания о диалектическом подходе ко всем явлени ям, сделанные в 1921 г. во время споров с Троцким и Бухариным о профессиональных союзах \ как нельзя лучше характеризуют, как много дали в этом отношении Ильичу его занятия по философии, начатые им по приезде в Берн и явившиеся продолжением того, что он проделал в деле изучения философии в 1908—1909 гг., когда боролся с махистами.

Борьба и учеба, учеба и научная работа всегда связывались у Ильича в один крепкий узел, всегда между ними была самая глубокая, непосредственная связь, хотя на первый взгляд и могло показаться, что это просто параллельная работа.

В начале 1915 г. продолжалась усиленная работа по сплочению заграничных большевистских групп. Определенная сговоренность уже была, но время было такое, что сплоченность нужна была больше, чем когда-либо. До войны центр большевистских групп, так называемый КЗО (Комитет заграничных организаций) находился в Париже. Теперь центр надо было перенести в Швейцарию, в нейтральную страну, в Берн, где находилась и редакция Центрального Органа. Нужно было сговориться до конца обо всем — об оценке войны, о тех новых задачах, которые встали перед партией, о путях их разрешения, нужно было уточнить работу групп. Божийцы (Крыленко, Бухарин, Розмирович), например, решили издавать свой заграничный орган «Звезду» и так скоропалительно принялись за его организацию, что не сговорились даже с Центральным Органом. Узнали мы о всем плане от Инессы. А между тем такое издание было мало целесообразно. Не было денег на издание ЦО, разногласий пока что не было, но они легко могли вырасти. Какая-нибудь неосторожная фраза могла быть подхвачена противниками и раздута всячески. Нужно было идти в ногу. Время такое было. В конце февраля была созвана в Берне конференция заграничных групп. Кроме швейцарских групп была еще Парижская; от парижан приехал Гриша Беленький, подробно рассказал про парижские оборонческие настроения, охватившие в начале войны Парижскую группу. Лондонцы приехать не смогли, передоверили свой мандат. Божийцы долго колебались — ехать им или не ехать, и приехали только к концу. Вместе с ними приехали «японцы». Так прозвали мы киевлян — тт. Пятакова и Бош (сестру Е.Ф. Розмирович), которые бежали из сибирской ссылки через Японию и Америку. Это было время, когда мы судорожно хватались за каждого нового единомышленника. «Японцы» нам понравились. Их приезд, несомненно, укреплял наши заграничные силы.

На конференции приняли четкую резолюцию о войне, поспорили о лозунге Соединенных Штатов Европы (против чего особо горячо возражала Инесса), наметили характер работы заграничных групп, божийскую газету решили не издавать, выбрали новый КЗО из бернцев: Шкловского, Каспарова, Инессы Арманд, Лилиной, Крупской.

Перед войной, в 1913 г. Каспаров жил в Берлине. О нем знал Ильич от наших бакинцев — Енукидзе, Шаумяна и др. В этот период внимание Ильича было особенно приковано к национальному вопросу и он стремился потеснее связаться с теми, кто интересовался этим вопросом и правильно подходил к нему.

Летом 1913 г. Каспаров написал статью для «Просвещения» по национальному вопросу. Ильич ему ответил: «Получил и прочел Вашу статью. Тема, по-моему, взята хорошо и разработана верно,— но недостаточно литературно отделана. Есть много чересчур — как бы это сказать? — «агитации», не подходящей к статье по теоретическому вопросу. Либо Вам самим, по-моему, следует переделать, либо мы попробуем»[1]. Выбор темы по национальному вопросу, правильное освеще-

---

[1] Имеется в виду брошюра «Еще раз о профсоюзах, о текущем моменте и об ошибках тт. Троцкого и Бухарина» (см.: *Ленин В.И.* Полн. собр. соч. Т. 42. С. 264—304). — *Примеч. ред.*

ние значат очень много, и Ильич сразу же накручивает Каспарову ряд дел по работе над собиранием материала по национальному вопросу, конкретизируя уже, что ему интересно, уверенный, что Каспаров заметит самое важное, самое существенное. Собираясь в январе 1914 г. ненадолго в Берлин, Ильич пишет Каспарову о необходимости повидаться, указывая, как это сделать[1].

Моменты острой борьбы, моменты подъема сближают. В июле 1914 г. в Питере рабочее движение стало быстро развиваться, пришло письмо о поднимающейся революционной волне. До сих пор Ильич, когда писал Каспарову, всегда начинал письмо с обращения: «Дорогой товарищ», а тут пишет уже иначе, зная, что Каспаров переживает революционный подъем с таким же волнением, как и мы. «Дорогой друг! — пишет Ильич.— Очень прошу Вас взять на себя труд информировать нас в течение революционных дней в России. Сидим без газет. Прошу Вас...»[2]. И далее дается целая программа сношений.

Когда разразилась война, Каспарову пришлось из Германии перебраться в Берн. Встретились как друзья. В Берне виделись каждый день, и скоро стал Каспаров одним из самых близких товарищей в нашей группе. Вот и втянули его в КЗО.

На очереди дня стояло собирание сил в международном масштабе. Какая эго была грудная задача, наглядно показала состоявшаяся 14 февраля 1915 г. Лондонская конференция социалистических партий стран Согласия (Англии, Бельгии, Франции, России). Созвана эта конференция была Вандервельде, но организовывала ее английская Независимая рабочая партия с Кейр-Гарди и Макдональдом во главе. Они были до конференции против войны, за м е жду народное объединение. Вначале Независимая рабочая партия думала пригласить делегатов из Германии и Австрии, но французы заявили, что не будут тогда принимать участия в конференции. От Англии было 11 делегатов, от Франции — 16, от Бельгии — 3. От России было трое социалистов-революционеров. Был делегат от меньшевистского Организационного комитета. От нас там должен был выступить Литвинов. Наперед было ясно, что это будет за конференция, какие результаты она даст, а потому было у словлено, что Литвинов прочтет лишь декларацию Центрального Комитета. Ильич составил для Литвинова на-

---

[1] *Ленин В.И.* Полн. собр. соч. Т. 48. С. 167.
[2] См. там же. С. 245—246.

метку этой декларации[1]. В ней выставлялось требование, чтобы Вандервельде, Гед и Самба немедленно вышли из буржуазных министерств Бельгии и Франции, чтобы все социалистические партии поддержали русских рабочих в их борьбе с царизмом. В декларации говорилось, что социал-демократы Германии и Австрии совершили чудовищное преступление по отношению к социализму и Интернационалу, вотируя военные кредиты и заключив «гражданский мир» с юнкерами, попами и буржуазией, но бельгийские и французские социалисты поступили нисколько не лучше. «Рабочие России товарищески протягивают руку социалистам, которые действуют как Карл Либкнехт, как социалисты Сербии и Италии, как британские товарищи из «Независимой рабочей партии» и некоторые члены «Британской социалистической партии», как арестованные товарищи наши из Российской социал-демократической рабочей партии.

На этот путь зовем мы вас, на путь социализма. Долой шовинизм, губящий пролетарское дело! Да здравствует международный социализм!»[2]. Этими словами кончалась декларация. Эту декларацию подписал кроме ЦК еще представитель латышских социал-демократов Берзин. Председатель не дал Литвинову возможности прочесть до конца декларацию. Литвинов передал декларацию председателю, а сам покинул заседание, заявив, что РСДРП не участвует в конференции. После ухода Литвинова конференция приняла резолюцию за «освободительную войну» вплоть до победы над Германией; за это подали голос и Кейр-Гарди и Макдональд.

Тем временем шла подготовка международной женской конференции. Важно было, конечно, не только то, чтобы такая конференция состоялась, но и то, чтобы она не носила пацифистского характера, а заняла определенно революционную позицию. Нужна была поэтому очень большая предварительная работа. Она легла главным образом на Инессу. Помогая редакции ЦО в переводе всяких документов, будучи участницей развертывающейся борьбы с оборончеством с первых же шагов ее, Инесса была как нельзя лучше подготовлена к этой работе. Кроме того, она знала языки. Инесса переписывается с Кларой Цеткин, Балабановой, Коллонтай, англичанками, крепит первые нити международной связи. Нити

---

[1] *Ленин В.И.* Полн. собр. соч. Т. 49. С. 39.

[2] Там же.

до невероятности слабы, постоянно рвутся, но вновь и вновь начинает Инесса работу. В Париже жила Сталь, через нее ведет Инесса переписку с французскими товарищами. С Балабановой было сноситься всего проще — она работала в Италии, принимала участие в работе «Avanti». Это был период, когда Итальянская социалистическая партия была настроена наиболее революционно. В Германии антиоборонческое настроение разрасталось. 2 декабря Карл Либкнехт голосовал против военных кредитов. Женскую международную конференцию созывала Клара Цеткин. Она была секретарем Интернационального бюро женщин-социалисток. Вместе с К. Либкнехтом, Розой Люксембург, Ф. Мерингом боролась она против шовинистического большинства Германской социал-демократической партии. С ней сносилась Инесса. Что касается Коллонтай, то она к этому времени отошла от меньшевиков. В январе она написала Владимиру Ильичу и мне, прислала листок.

«Уважаемый и дорогой товарищ! — писал ей Владимир Ильич.— Очень благодарен Вам за присылку листка (я могу пока только передать его здешним членам редакции «Работницы»,— они послали уже письмо Цеткиной однородного, видимо, с Вашим содержания)»[1]. И дальше Владимир Ильич переходит к выяснению позиции большевиков.

«Вы соглашаетесь с лозунгом гражданской войны, по-видимому, не вполне, а отводя ему, так сказать, подчиненное (и пожалуй даже: условное) место позади лозунга мира. И Вы подчеркиваете, что «нам надо выдвигать такой лозунг, который объединял бы всех».

Скажу откровенно, что я всего более боюсь в настоящее время такого огульного объединительства, которое, по моему убеждению, наиболее опасно и наиболее вредно для пролетариата»[2]. На фоне Ильичевской установки и вела переписку о конференции с А. Коллонтай Инесса. На конференцию Коллонтай не удалось приехать.

Бернская международная конференция состоялась 26— 28 марта. Самая большая и организованная делегация была германская с Кларой Цеткин во главе. От русского ЦК делегатками были Арманд, Лилина, Равич, Крупская, Розмирович. От поляков-розламовцев — Каменская (Домская), которая держалась вместе с делегацией Центрального Комитета. Из русских были еще две делегатки от Организационного комитета.

---

[1] См.: *Ленин В.И.* Полн. собр. соч. Т. 26. С. 128—129.
[2] Там же. С. 206—208.

Балабанова была от Италии. Луиза Сомоно — француженка — сильно подпала под влияние Балабановой. Чисто пацифистское настроение было у голландок. Роланд-Гольст, принадлежавшая тогда к левому крылу, приехать не могла, приехала делегатка из партии Трульстра, насквозь шовинистической. Английские делегатки принадлежали к оппортунистической Независимой рабочей партии, пацифистский уклон был и у швейцарок. Этот уклон преобладал. Конечно, если вспомнить имевшую место полтора месяца перед тем Лондонскую конференцию — шаг вперед был немалый, имел значение уже самый тот факт, что на конференцию собрались социалистки воюющих между собой стран.

Немки в своем большинстве принадлежали к группе К. Либкнехта — Розы Люксембург. Эта группа уже начала размежевываться со своими шовинистами, бороться со своим правительством — уже арестована была Роза Люксембург. Но это в своей стране. А на международной трибуне — им казалось — они должны проявить максимум уступчивости,— они ведь были делегацией страны, которая в этот момент побеждала на фронтах. Если бы конференция, созванная с таким трудом, распалась, всю ответственность возложили бы на них, распаду конференции были бы рады шовинисты всех стран, в первую очередь социал-патриоты Германии. И поэтому Клара Цеткин шла на уступки пацифистам, что означало выхолащивание революционного содержания резолюций. Наша делегация — делегация ЦК РСДРП — стояла на точке зрения Ильича, изложенной в письме к Коллонтай[1]. Дело не в огульном объединении, дело в объединении для революционной борьбы с шовинизмом, для непримиримой революционной борьбы пролетариата с господствующим классом. Осуждения шовинизма не было в резолюции, выработанной комиссией из немок, англичанок и голландок. Мы выступили со своей особой декларацией. Ее защищала Инесса. С защитой ее выступила и представительница поляков — Каменская. Мы остались одни. Все осуждали нашу «раскольническую» политику. Однако жизнь скоро подтвердила правильность нашей позиции. Добренький пацифизм англичанок и голландок ни на шаг не сдвинул вперед международную акцию. Роль в скорейшем окончании войны сыграла революционная борьба и размежевание с шовинистами.

Со всей страстностью отдался Ильич собиранию сил для борьбы на международном фронте. «Не беда, что нас едини-

---

[1] Социал-демократ. 1915. 29 марта.

цы,— сказал он как-то,— с нами будут миллионы». Он составлял и нашу резолюцию для Бернской женской конференции следил за всей ее работой. Но чувствовалось, как трудно ему оставаться в роли какого-то закулисного руководителя в деле громадной важности, которое делалось тут же, под боком, и принять в котором непосредственное участие хотелось ему всем своим существом.

Остался в памяти такой момент: сидим мы с Инессой в больнице у Абрама Сковно, которому делали какую-то операцию. Приходит Ильич и начинает убеждать Инессу немедля пойти к Цеткин, убедить ее в правильности нашей позиции, она ведь должна понять, не может не понять, что в данный момент нельзя скатываться к пацифизму, надо заострить все вопросы. И Ильич приводит все новые и новые аргументы, которые должны убедить Цеткин. Инессе не хотелось идти, она считала, что из разговора ничего не выйдет. Ильич настаивал, и такая горячая просьба звучала в его словах. Разговора с Цеткин у Инессы тогда не вышло.

17 апреля в Берне состоялась вторая международная конференция — конференция социалистической молодежи. В Швейцарии в это время сосредоточилось довольно много молодежи, рефрактеров разных воюющих стран, не хотевших идти на фронт и принимать участие в империалистской войне; они эмигрировали в нейтральную страну — Швейцарию. У этой молодежи, само собой, настроение было революционное. Не случайность, что вслед за женской конференцией следующей международной конференцией была конференция социалистической молодежи.

От имени ЦК нашей партии на ней выступали Инесса и Сафаров.

В марте у меня умерла мать. Была она близким товарищем, помогавшим во всей работе. В России во время обыска прятала нелегальщину, носила товарищам в тюрьму передачи, передавала поручения; она жила с нами и в Сибири, и за границей, вела хозяйство, охаживала приезжавших и приходящих к нам товарищей, шила панцири, зашивая туда нелегальную литературу, писала «скелеты» для химических писем и пр. Товарищи ее любили. Последняя зима была для нее очень тяжела. Все силы ушли. Тянуло ее в Россию, но там не было у нас никого, кто бы о ней заботился. Они часто спорили с Владимиром Ильичем, но мама всегда заботилась о нем, Владимир был к ней тоже внимателен. Раз как-то сидит мать унылая. Была она отчаянной курильщицей, а тут забыла купить папирос, а был праздник, нигде нельзя было достать табаку. Увидал это Ильич. «Эка беда, сейчас я достану», и пошел разыскивать папиросы по кафе, отыскал, принес матери. Как-то незадолго уже до смерти говорит мне мать: «Нет, уж что, одна я в Россию не поеду, вместе с вами уж поеду». Другой раз заговорила о религии. Она считала себя верующей, но в церковь не ходила годами, не постилась, не молилась, и вообще никакой роли религия в ее жизни не играла, но не любила она разговоров на эту тему, а тут говорит: «Верила я в молодости, а как пожила, узнала жизнь, увидела: такие это все пустяки». Не раз заказывала она, чтобы, когда она умрет, ее сожгли. Домишко, где мы жили, был около самого бернского леса. И когда стало греть весеннее солнце, потянуло мать в лес. Пошли мы с ней, посидели на лавочке с полчаса, а потом еле дошла она домой, и на другой день началась у ней уже агония. Мы так и сделали, как она хотела, сожгли ее в бернском крематории.

Сидели с Владимиром Ильичем на кладбище, часа через два принес нам сторож жестяную кружку с теплым еще пеплом и указал, где зарыть пепел в землю[1].

Еще более студенческой стала наша семейная жизнь. Квартирная хозяйка — религиозно-веру ющая старуха-гладильщица — попросила нас подыскать себе другую комнату, она-де желает, чтобы у ней комнату снимали люди верующие. Переехали в другую комнату.

10 февраля состоялся суд над думской пятеркой: все депутаты-большевики — Петровский, Муранов, Бадаев, Самойлов, Шагов, — а также Л. Б. Каменев были приговорены к ссылке на поселение.

В статье от 29 марта 1915 г. «Что доказал суд над РСДР Фракцией?»[2] Ильич писал:

«Факты говорят, что первые же месяцы после войны сознательный авангард рабочих России на деле сплотился вокруг ЦК и ЦО. Как бы ни был неприятен тем или иным «фракциям» этот факт,— он неопровержим. Цитируемые в обвинительном акте слова: «Необходимо направить оружие не против своих братьев, наемных рабов других стран, а против реакционных и буржуазных правительств и партий всех стран» — эти слова, благодаря суду, разнесут и разнесли уже по России призыв к пролетарскому интернационализму, к пролетарской револю-

---

[1] Похороны Е.В. Крупской состоялись 10(23) марта 1915 г. на Бремгартенском кладбище в Берне, В.И. Ленин и Н.К. Крупская около могилы посадили молодое деревце. В 1969 г. прах Елизаветы Васильевны был перевезен из Швейцарии в СССР и захоронен в Ленинграде на Новодевичьем кладбище в могиле ее мужа, Константина Игнатьевича Крупского. — *Примеч. ред.*
[2] *Ленин В.И.* Полн. собр. соч. Т. 26. С. 175—176.

ции. Классовый лозунг авангарда рабочих России дошел теперь до самых широких масс благодаря суду.

Повальный шовинизм буржуазии и одной части мелкой буржуазии, колебания другой части и такой призыв рабочего класса — вот фактическая, объективная картина наших политических делений. С этой фактической картиной, а не с благопожеланиями интеллигентов и основателей группок надо сочетать свои «виды», надежды, лозунги.

Правдистские газеты и работа «мурановского типа»[1] создали единство сознательных рабочих России. Около 40 000 рабочих покупали «Правду»; много больше читало ее. Пусть даже впятеро и вдесятеро разобьет их война, тюрьма, Сибирь, каторга. Уничтожить этого слоя нельзя. Он жив. Он проникнут революционностью и антишовинизмом. Он один стоит среди народных масс и в самой глубине их, как проповедник интернационализма трудящихся, эксплуатируемых, угнетенных. Он один устоял в общем развале. Он один ведет полупролетарские слои от социал-шовинизма кадетов, трудовиков, Плеханова, «Нашей Зари» к социализму. Его существование, его идеи, его работу, его обращение к «братству наемных рабов других стран» показал всей России суд над РСДР Фракцией.

С этим слоем надо работать, его единство против социал-шовинистов надо отстоять, по этому единственному пути может развиваться рабочее движение России в направлении к социальной революции, а не к национально-либеральному «европейскому» типу»[2].

Жизнь очень скоро показала, как прав был Ленин. Ильич не покладая рук работал над делом пропаганды идей интернационализма, над разоблачением социал-шовинизма во всех его многообразных формах.

После смерти матери у меня сделался рецидив базедовой болезни, и доктора направили меня в горы. Ильич разыскал по публикациям дешевый пансион в немодной местности, у подножия Ротхорна, в Зёренберге, в отеле «Мариенталь», и мы прожили там все лето.

Незадолго до отъезда приехали в Берн «японцы» (тт. Бош и Пятаков) с проектом создать за границей толстый нелегальный журнал, где можно было бы обстоятельно обсуждать все наиболее важные вопросы. «Коммунист» должен был выходить под редакцией ЦО, дополненной П. и Н. Киевскими (тт. Бош и Пятаковым). На этом сговорились. Летом Ильич напи-

---

[1] Там же. С. 209—265.
[2] См. там же. С. 307—350.

сал для «Коммуниста» большую статью «Крах II Интернационала», летом же в связи с подготовкой конференции интернационалистов Ильич вместе с Зиновьевым подготовили брошюру «Социализм и война».

В Зёренберге устроились мы очень хорошо, кругом был лес, высокие горы, наверху Ротхорна даже лежал снег. Почта ходила со швейцарской точностью. Оказалось, в такой глухой горной деревушке, как Зёренберг, можно было бесплатно получать любую книжку из бернских или цюрихских библиотек. Пошлешь открытку в библиотеку с адресом и просьбой прислать такую-то книгу. Никто не спрашивает тебя ни о чем, никаких удостоверений, никаких поручительств о том, что ты книгу не зажилишь,— полная противоположность бюрократической Франции. Книжку, обернутую в папку, получаешь через два дня, бечевкой привязан билет из папки, на одной его стороне надписан адрес запросившего книгу, на другой — адрес библиотеки, пославшей книгу. Это создавало возможность заниматься в самой глуши. Ильич всячески выхваливал швейцарскую культуру. В Зёренберге заниматься было очень хорошо. Через некоторое время к нам туда приехала Инесса. Вставали рано и до обеда, который давался, как во всей Швейцарии, в 12 часов, занимался каждый из нас в своем углу в саду. Инесса часто играла в эти часы на рояле, и особенно хорошо занималось под звуки доносившейся музыки. После обеда уходили иногда на весь день в горы. Ильич очень любил горы, любил под вечер забираться на отроги Ротхорна, когда наверху чудесный вид, а под ногами розовеющий туман, или бродить по Штраттенфлу — такая гора была километрах в двух от нас, «проклятые шаги»— переводили мы. Нельзя было никак взобраться на ее плоскую широкую вершину — гора вся была покрыта какими то изъеденными весенними ручьями камнями. На Ротхорн взбирались редко, хотя оттуда открывался чудесный вид на Альпы. Ложились спать с петухами, набирали альпийских роз, ягод, все были отчаянными грибниками — грибов белых была уйма, но наряду с ними много всякой другой грибной поросли, и мы так азартно спорили, определяя сорта, что можно было подумать — дело идет о какой-нибудь принципиальной резолюции.

В Германии начала разгораться борьба. В апреле вышел журнал, основанный Розой Люксембург и Францем Мерингом, «Интернационал», и тотчас же был закрыт. Вышла брошюра Юниуса (Розы Люксембург) «Кризис германской социал-демократии». Вышло воззвание германских левых социал-демократов, написанное Карлом Либкнехтом, — «Главный враг в собственной стране», а в начале июня К. Либкнехтом и Дункером было составлено «Открытое письмо Центральному комитету социал-демократической партии и фракции рейхстага» с протестом против отношения социал-демократического большинства к войне. Это «Открытое письмо» было подписано тысячью должностных лиц партии.

Видя рост влияния левых социал-демократов, Центральный комитет социал-демократической партии Германии решил пойти наперерез и, с одной стороны, выпустил манифест за подписями Каутского, Гаазе и Бернштейна против аннексий и с призывом к единству партии, а с другой — выступил от своего имени и имени фракции рейхстага против левой оппозиции.

В Швейцарии Роберт Гримм созвал на 11 июля в Берне предварительное совещание по вопросу о подготовке международной конференции левых. На совещании было 7 человек (Гримм, Зиновьев, П. Б. Аксельрод, Валецкий, Балабанова, Моргари). По существу дела, кроме Зиновьева, настоящих левых на этом предварительном совещании не было, и впечатление от всех разговоров получалось такое, что всерьез никто из участников не хотел созывать конференции левых.

Владимир Ильич очень волновался и усиленно писал во все концы — Зиновьеву, Радеку, Берзину, Коллонтай, лозаннским товарищам, заботясь о том, чтобы на предстоящей конференции были обеспечены места подлинно левым, заботясь о том, чтобы между левыми было как можно больше сплоченности. К половине августа у большевиков были составлены уже: !) манифест, 2) революции, 3) проект декларации, которые посылались наиболее левым товарищам на обсуждение. К октябрю была переведена уже на немецкий язык брошюра Ленина и Зиновьева «Социализм и война».

Конференция состоялась 5—8 сентября в Циммервальде: на ней были делегаты от 11 стран (всего 38 человек), К так называемой Циммервальдской левой примыкали только 9 человек (Ленин, Зиновьев, Берзин, Хёыунд, Нерман, Радек, Борхард, Платте н, после конференции примкнула Роланд-Гольст). На конференции от русских были еще Троцкий, Аксельрод, Ю. Мартов, Натансон, Чернов, один бундовец. Троцкий к левым циммервальдистам не примыкал.

Владимир Ильич поехал на конференцию раньше и 4-го сделал на частном совещании доклад о характере войны и о тактике, которая должна быть применяема международной конференцией. Споры шли вокруг вопроса о манифесте. Левые внесли свой проект манифеста и проект резолюции о войне и задачах социал-демократов. Большинство отклонило проект левых и приняло гораздо более расплывчатый, гораздо менее боевой манифест. Левые подписали общий манифест. В статье «Первый шаг» Владимир Ильич дает оценку Циммервальду:

«Следовало ли нашему Центральному Комитету подписывать страдающий непоследовательностью и робостью манифест? — спрашивает Ильич и отвечает: — Мы думаем, что да. О нашем несогласии,— о несогласии не только Центрального Комитета, но всей левой, международной, революционно-марксистской части конференции,— сказано открыто и в особой резолюции, и в особом проекте манифеста, и в особом заявлении по поводу голосования за компромиссный манифест. Мы не скрыли ни йоты из своих взглядов, лозунгов, тактики. На конференции было роздано немецкое издание брошюры «Социализм и война». Мы распространили, распространяем и будем распространять наши взгляды не менее, чем будет распространяться манифест. Что этот манифест делает шаг вперед к действительной борьбе с оппортунизмом, к разрыву и расколу с ним, это факт. Было бы сектантством отказываться сделать этот шаг вперед вместе с меньшинством немцев, французов, шведов, норвежцев, швейцарцев, когда мы сохраняем полную свободу и полную возможность критиковать непоследовательность и добиваться большего». На Циммервальдской конференции левые организовали свое бюро и вообще оформились как особая группа.

Хоть и писал Владимир Ильич перед Циммервальдской конференцией, что надо преподнести каутскианцам наш проект резолюции: «... (голландцы + мы + левые немцы и то не беда, а будет потом не ноль, а все!)»[1], но все же темпы продвижения вперед были очень уже медленны, и плохо мирился с этим Ильич. Статья «Первый шаг» начинается именно подчеркиванием медленного темпа развития революционного движения: «Медленно движется вперед развитие интернационального социалистического движения в эпоху неимоверно тяжелого кризиса, вызванного войной»[2]. И приехал поэтому Ильич с Циммервальдской конференции порядочно-таки нервным.

---

[1] *Ленин В.И.* Полн. собр. соч. Т 27. С. 41.
[2] Там же. Т. 49. С. 82.

На другой день по приезде Ильича из Циммервальда полезли мы на Ротхорн. Лезли с «великоторжественным аппетитом», но когда влезли наверх, Ильич вдруг лег на землю, как-то очень неудобно, чуть не на снег, и заснул. Набежали тучи, потом прорвались, чудесный вид на Альпы раскрылся с Ротхорна, а Ильич спит, как убитый, не шевельнется, больше часу проспал. Циммервальд, видно, здорово ему нервы потрепал, отнял порядочно сил.

Надо было несколько дней ходьбы по горам и зёренбергской обстановки, чтобы Ильич пришел в себя. Коллонтай ехала в Америку, и Ильич писал ей о необходимости сделать все возможное, чтобы сплотить американские левые интернационалистские элементы В начале октября мы вернулись в Берн. Ильич ездил с рефератом о Циммервальдской конференции в Женеву, продолжал списываться с Коллонтай об американцах и т. д.

Осень была душноватая. Берн — город административно-учебного характера по преимуществу. В нем много хороших библиотек, много ученых сил, но вся жизнь насквозь пропитана каким-то мелкобуржуазным духом. Берн очень «демократичен» — жена главного должностного лица республики трясет каждый день с балкончика ковры, но эти ковры, домашний уют засасывают бернскую женщину до последних пределов. Мы наняли было осенью комнату с электричеством и перевезли туда свой чемодан, книги, и когда в день переезда зашли к нам Шкловские, я стала показывать, как электричество чудесно горит, но ушли Шкловские, и к нам с шумом влетела хозяйка и потребовала, чтобы мы на другой же день съехали с квартиры, так как она не позволит у себя в квартире днем зажигать электричество. Мы решили, что у ней не все дома, наняли другую комнату, поскромнее, без электричества, куда и переехали на другой день. В Швейцарии повсюду царило ярко выраженное мещанство. Приехала как-то в Берн русская труппа, игравшая на немецком языке; ставили пьесу Л. Толстого «Живой труп». Мы тоже пошли. Играли очень хорошо. Ильича, который ненавидел до глубины души всякое мещанство, условность, эта пьеса чрезвычайно разволновала. Потом он хотел еще раз пойти ее смотреть. Вообще русским она очень нравилась. Пьеса понравилась и швейцарцам. Но чем понравилась пьеса им — им ужасно жаль было жены Протасова, они принимали к сердцу ее участь. «Такой непутевый муж ей попался, а ведь люди они были богатые, с положением, как счастливо могли бы жить. Бедная Лиза!»

Осень 1915 г. мы усерднее, чем когда-либо, сидели в библиотеках, ходили по обыкновению гулять, но все это не могло стереть ощущения запертости в этой мещанской демократической клетке. Там где-то нарастает революционная борьба, кипит жизнь, но все это далеко.

В Берне можно было сделать очень мало для завязывания непосредственных связей с левыми. Помню, как Инесса ездила во французскую Швейцарию завязывать связи с швейцарскими левыми, Нэном и Грабером. Никак не могла добиться с ними свидания, все оказывалось то Нэн рыбу удит, то Грабер занят домашними делами. «Отец сегодня занят, у нас стирка, он белье развешивает», — почтительно сообщила маленькая дочь Грабера Инессе. Удить рыбу, развешивать белье — дело неплохое, и Ильич не раз кастрюлю с молоком сторожил, чтобы молоко не убежало, но когда белье и удочки мешали поговорить о самом нужном, об организации левых, не очень это было ладно. Теперь Инесса достала себе чужой паспорт и поехала в Париж. Вернувшись из Циммервальда, Мергейм и Бурдерон основали в Париже Комитет по восстановлению международных связей; от большевиков туда входила Инесса. Ей много пришлось бороться там за левую линию, которая в конце концов победила. Инесса подробно писала о своей работе Владимиру Ильичу:

«Дорогой Владимир Ильич,— пишет Инесса в открытке от 25 января 1916 г.,— спасибо Вам за письмецо — оно меня очень успокоило и ободрило. Я как раз была в этот день расстроена неудачей с Мергеймом. Теперь, когда Вы пишете об отказе Троцкого участвовать в голландском журнале, я лучше объясняю себе и отказ Мергейма принимать в нем участие — очевидно, одно связано с другим. Ваше письмо еще потому было как нельзя более кстати, что оно окончательно укрепило ту точку зрения, которую и я себе составила о характере работы, но немного колебалась. В общем, живу здесь хорошо. Устаю, правда, здорово, утомляют дела, и, например, сегодня ждала свиданья 4 часа. Зато добилась наконец билета в национальную библиотеку и получила еще много сведений о том, как там находить в каталогах, и прочие необходимые сведения. Ну, всего лучшего. Жму руку».

Одновременно с этим письмом в корешке книги Инесса посылает подробное описание своей дальнейшей работы. Вот оно:

«Дорогие друзья, посылаю только несколько слов, так как очень мало времени. С тех пор, как писала, было два собрания «комитета действия» — на одном обсуждался призыв (о том, что «меньшинство» французской партии идет с немецким «меньшинством», а не с «большинством», о восстановлении Интернационала). Проект Троцкого был отвергнут и заменен проектом Мергейма, в котором не сказано о восстановлении, а сказано лишь, что «Интернационал должен базироваться на классовой борьбе, на борьбе против империализма, на борьбе за мир. К такому Интернационалу мы присоединяемся». Затем сказано, что Интернационал, который не зиждился бы на этих базисах, был бы обманом пролетариата. Я предлагаю несколько поправок — о борьбе против социал-шовинистов (мне ответили, что вставят в конце), о том, что Интернационал борется против империализма (было принято) и, наконец, высказалась против: «мы присоединимся к подобному Интернационалу», предлагала сказать: «мы перестроим Интернационал на базисе и т. д.». За это «перестроим» на меня обрушились Мергейм и Бурдерон. Мергейм мне сказал, что мы — гедисты (старые приемы), что мы мыслим отвлеченно, не считаемся с обстоятельствами, что во Франции социалисты не хотят слышать о расколе и т. д. Я ему ответила, что гедист старой манеры был вовсе не так уж плох, что сейчас именно наша тактика жива и жизненна, так как можно объединить вокруг себя пролетарские силы только тем, что ярко и определенно противопоставить свою точку зрения точке зрения шовинистов; что измена вождей вызвала недоверие и разочарование; что многие рабочие на фабриках, читая нашу брошюру, говорили: «Это очень хорошо, но социалистов больше нет»; что мы должны нести в массы добрую весть, что социалисты есть, мы можем это сделать, только порвав окончательно с шовинистами».

Далее Инесса рассказывает в письме о работе с молодежью, о плане издания листков, о связях с механиками, портными, землекопами и другими секциями синдикалистов (профсоюзов) и т. д. Много работала Инесса и в нашей Парижской группе, виделась с членом группы Сапожковым, ушедшим сначала добровольцем на фронт, а теперь разделявшим ззгляды большевиков и начавшим пропаганду среди французских солдат.

Тов. Шкловский организовал небольшую химическую лабораторию, и наша публика, Каспаров, Зиновьев, работали там для заработка. Зиновьев задумчиво поглядывал на трубки и колбы, которые теперь появились во всех квартирах.

В Берне работа возможна была главным образом теоретическая. За год войны очень многое стало яснее. Очень характерна, например, была постановка вопроса о Соединенных Штатах Европы. В декларации ЦК, напечатанной 1 ноября 1914 г. в ЦО, говорилось:

«Ближайшим политическим лозунгом с.-д. Европы должно быть образование республиканских Соединенных Штатов Европы, причем в отличие от буржуазии, которая готова «обещать» что угодно, лишь бы вовлечь пролетариат в общий поток шовинизма, с.-д. будут разъяснять всю лживость и бессмысленность этого лозунга без революционного низвержения монархий германской, австрийской и русской» В марте, во время конференции заграничных секций, этот лозунг вызвал уже большие споры. В отчете о конференции сказано: «... по вопросу о лозунге «Соединенных Штатов Европы» дискуссия приняла односторонне политический характер, и вопрос решено было отложить до обсуждения в печати экономической стороны дела»[1].

Вопрос об империализме, его экономической сущности, об эксплуатации мощными капиталистическими государствами более слабых, об эксплуатации колоний встал во весь рост. Поэтому ЦО пришел к выводу: «С точки зрения экономических условий империализма, т. е. вывоза капитала и раздела мира «передовыми» и «цивилизованными» колониальными державами, Соединенные Штаты Европы, при капитализме, либо невозможны, либо реакционны...

Соединенные Штаты Европы, при капитализме, равняются соглашению о дележе колоний»[2].

Но, может быть, можно было выставить другой лозунг, лозунг Соединенных Штатов мира? Вот что писал по этому поводу Ильич:

«Соединенные Штаты мира (а не Европы) являются той государственной формой объединения и свободы наций, которую мы связываем с социализмом,— пока полная победа коммунизма не приведет к окончательному исчезновению всякого, в том числе и демократического государства. Как самостоятельный лозунг, лозунг Соединенные Штаты мира был бы, однако, едва ли правилен, во-первых, потому, что он сливается с социализмом; во-вторых, потому, что он мог бы породить неправильное толкование о невозможности победы социализма в одной стране и об отношении такой страны к остальным»[3]. Эта статья очень хорошо вскрывает ход мыслей Ильича в конце 1915 г. Ясно, что мысль его была направ-

---

[1] Там же. Т. 27. С. 37.
[2] *Ленин В.И.* Полн. собр. соч. Т. 26. С. 21.
[3] Там же. С. 161.

лена по линии все более глубокого изучения экономических корней мировой войны, т. е. империализма, с одной стороны, с другой стороны — по линии выявления путей, по которым пойдет мировая борьба за социализм.

Над этими вопросами и работал Владимир Ильич конец 1915 и 1916 гг., собирая материал для своей брошюры «Империализм, как высшая стадия капитализма»[1] и вновь и вновь перечитывая Маркса и Энгельса, чтобы яснее представить себе эпоху социалистической революции, ее пути и развитие.

---

[1] Там же. С. 352, 353.

ЦЮРИХ

1916 г.

С января 1916 г. Владимир Ильич взялся за писание брошюры об империализме для книгоиздательства «Парус»[1]. Этому вопросу Ильич придавал громадное значение, считая, что настоящей глубокой оценки происходящей войны нельзя дать, не выяснив до конца сущности империализма как с его экономической, так и политической стороны. Поэтому он охотно взялся за эту работу. В половине февраля Ильичу понадобилось поработать в цюрихских библиотеках, и мы поехали туда на пару недель, а потом все откладывали да откладывали свое возвращение в Берн, да так и остались жить в Цюрихе, который был поживее Берна. В Цюрихе было много иностранной революционно настроенной молодежи, была рабочая публика, социал-демократическая партия была более лево настроена и как-то меньше чувствовался дух мещанства.

Пошли нанимать комнату. Зашли к некоей фрау Прелог, скорее напоминавшей жительницу Вены, чем швейцарку, что объяснялось тем, что она долго служила поварихой в какой-то венской гостинице. Устроились было мы у ней, но на другой день выяснилось, что возвращается прежний жилец. Ему кто-то пробил голову и он лежал в больнице, а теперь выздоровел. Фрау Прелог попросила нас найти себе другую комнату, но предложила нам приходить к ней кормиться за довольно дешевую плату.

Мы кормились, должно быть, там месяца два; кормили нас просто, но сытно. Ильичу нравилось, что все было просто, что кофе давали в чашке с отбитой ручкой, что кормились в кухне, что разговоры были простые — не о еде, не о том, что столько-то картошек надо класть в такой-то суп, а о делах, интересовавших столовников фрау Прелог. Правда, их было не очень много и они часто менялись. Очень скоро мы почувствовали, что попали в очень своеобразную сре-

---

[1] *Ленин В.И.* Полн. собр. соч. Т. 26. С. 354.

ду, в самое что ни на есть цюрихское «дно». Одно время обедала у Прелог какая-то проститутка, которая, не скрыв_а_ючи, говорила о своей профессии, но которую гораздо больше, чем ее профессия, занимало то здоровье ее матери, то какую работу найдет ее сестра. Столовалась несколько дней какая-то сиделка, стали появляться еще какие-то столовники. Жилец фрау Прелог больше помалкивал, но из отдельных фраз явствовало, что это тип почти что уголовный. Нас никто не стеснялся, и надо сказать в разговорах этой публики было гораздо более человеческого, живого, чем в чинных столовых какого-нибудь приличного отеля, где собирались состоятельные люди.

Я торопила Ильича перейти на домашний стол, ибо публика была такая, что легко можно было влипнуть в какую-нибудь дикую историю. Все же некоторые черты цюрихского «дна» были небезынтересны.

Потом, когда я читала сборник Джона Рида «Дочь революции», мне особенно понравилось, что Рид рисовал проституток не с точки зрения их профессии или вопросов любви, а с точки зрения других их интересов. Обычно, когда рисуют «дно», мало обращают внимания на быт.

Когда мы потом в России смотрели с Ильичем постановку «На дне» Горького в Художественном театре — а Владимиру Ильичу очень хотелось посмотреть эту пьесу,— ему ужасно не понравилась «театральность» постановки, отсутствие тех бытовых мелочей, которые, как говорится, «делают музыку», рисуют обстановку во всей ее конкретности.

Потом все время, встречаясь на улице с фрау Прелог, Ильич всегда ее дружески приветствовал. А встречались мы с ней хронически, ибо поселились неподалеку, в узком переулочке, в семье сапожника Каммерера. Комната была не очень целесообразная. Старый мрачный дом, стройки чуть ли не XVI века, двор вонючий. Можно было за те же деньги получить гораздо лучшую комнату, но мы дорожили хозяевами. Семья была рабочая, они были революционно настроены, осуждали империалистскую войну. Квартира была поистине интернациональная: в двух комнатах жили хозяева, в одной — жена немецкого солдата-булочника с детьми, в другой — какой-то итальянец, в третьей — австрийские актеры с изумительной рыжей кошкой, в четвертой — мы, россияне. Никаким шовинизмом не пахло, и однажды, когда около газовой плиты собрался целый женский интернационал, фрау Каммерер возмущенно воскликнула: «Солдатам нужно обратить оружие против своих правительств!» После этого Ильич и слышать не хотел о том, чтобы менять комнату. От фрау Каммерер я многому научилась: как дешево, с минимальной затратой времени сытно варить обед и ужин. Училась и другому. Однажды в газетах было объявлено, что Швейцария испытывает затруднения во ввозе мяса, и потому правительство обращается к гражданам с призывом два раза в неделю не потреблять мяса. Мясные лавки продолжали торговать в «постные» дни. Я закупила к обеду мясо, как всегда, и, стоя у газовки, стала расспрашивать фрау Каммерер, как же проверяют, выполняют ли граждане призыв,— контролеры что ли какие по домам ходят? «Зачем же проверять? — удивилась фрау Каммерер.— Раз опубликовано, что существуют затруднения, какой же рабочий человек станет есть мясо в «постные» дни, разве буржуй какой?» И, видя мое смущение, она мягко добавила: «К иностранцам это не относится». Этот пролетарский сознательный подход чрезвычайно пленил Ильича.

Просматривая свои письма к Шляпникову за этот период, я нашла письмо от 8 апреля 1916 года. Оно характеризует тогдашние настроения. «Дорогой друг,— писала я,— пришло Ваше письмо от 3 апреля и немножко отлегло, а то тяжело как-то было читать Ваши раздраженные письма с обещанием уехать в Америку, с готовностью обвинить невесть в чем. Переписка — отвратительная вещь, недоразумения так и нарастают одно за другим... В пропавшем письме я писала подробно, почему нельзя тащить Григория ни в Россию, ни в Ваши края. Он очень близко принял к сердцу Ваш упрек, что он не переехал в Стокгольм. Нельзя разорять редакцию ЦО и вообще заграничную базу. Сейчас более, чем когда-нибудь, ЦО зубами отвоевал не одну позицию во время войны. Его редакция сыграла немалую роль в Интернационале. Это уже приходится прямо сказать, откинув в сторону излишнюю скромность. «Коммунист» тоже не вышел бы без редакции Центрального Органа. Стоил он немало разговоров, забот, треволнений. Еще больше — «Vorbote»[1] (орган Циммервальдской левой). Если разорить редакцию, некому вести будет работу. Подобрать новую редакцию — не так-то легко. Вон, Николая Ивановича тянули всячески, говорили о его переезде в Краков, потом в Берн. Ничего нельзя было сделать. И двух-то человек мало, а Вы хотите одного

---

[1] «Предвестник». — *Примеч. ред.*

взять. Разорите заграничную базу — и переправлять нечего будет. Иногда Григорию до черта надоедает заграничное житье, и он начинает метаться. А Вы подливаете масла в огонь своими упреками.

Если смотреть на дело с точки зрения полезности всей работы в целом, Григория нельзя трогать.

Стоял вопрос о переезде всей редакции, но встал вопрос о деньгах, о международном влиянии, о полицейских соображениях. О деньгах ставили японцам прямо вопрос, они сказали: у них нет. В Стокгольме жизнь гораздо дороже; тут Григорий служит в лаборатории, есть библиотеки и следовательно возможность хоть кое-что заработать литературно. В ближайшем будущем для всех нас и тут вопрос о заработке встанет очень остро».

«Насчет увлечения Ильича эмигрантскими делами упрек неоснователен. Эмигрантскими делами он совершенно не занимается. Приходится заниматься интернациональными делами больше, чем раньше, но это необходимо. Увлечен он, правда, теперь очень «самоопределением наций». И, по-моему, если хотеть его хорошенько «использовать», надо настоять на том, чтобы он написал популярную брошюру на эту тему. Вопрос этот менее всего академичен в настоящее время. Вопрос этот очень запутан в международной социал-демократии, но из-за этого его нельзя отодвигать. Этой зимой тут были дискуссии на эту тему с Раде ком. Мне лично они очень много дали» — и дальше я на нескольких страницах излагаю содержание этих дискуссий, излагаю точку зрения Ильича.

Жили мы в Цюрихе, как выражался Ильич в одном из писем домой, «потихоньку», немного в стороне от местной колонии, регулярно и много занимаясь в библиотеках После обеда каждодневно забегал к нам на полчасика возвращавшийся из эмигрантской столовой молодой товарищ Гриша Усиевич, погибший в 1919 г. во время гражданской войны. По утрам одно время к нам стал приходить племянник Землячки, сошедший с ума на почве голода. Он ходил до такой степени оборванным и забрызганным грязью, что его перестали пускать в швейцарские библиотеки. Он старался застать Ильича до его ухода в библиотеку, утверждая, что ему нужно обсудить с Ильичем какие-то принципиальные вопросы, и порядком трепал нервы Ильичу.

Мы стали уходить из дому пораньше, чтобы походить до библиотеки еще вдоль озера и поразговаривать немного. Ильич рассказывал о своей работе, которую он писал, и о разных своих мыслях.

Из Цюрихской группы мы чаще всего виделись с Усиевичем и Харитоновым. Помню еще Дядю Ваню — Авдеева, рабочего-металлиста. Помню также (фамилию забыла) рабочего-болгарина[1]. Большинство товарищей из нашей Цюрихской группы работало на заводах; все были очень заняты, собрания группы были сравнительно редки. Зато у членов нашей группы были хорошие связи с цюрихскими рабочими; они стояли ближе к местной жизни рабочих, чем это было в других швейцарских городах (за исключением Шо-де-Фон, где наша группа еще теснее была связана с рабочей массой).

Во главе цюрихского швейцарского движения стоял Фриц Платтен; он был секретарем партии. Он примыкал к Циммервальдской левой, был сыном рабочего, был простым горячим парнем, пользовался большим влиянием в массах. Примкнул к Циммервальдской левой и редактор партийной цюрихской газеты «Volksrecht» («Право народа») Нобс. Рабочая эмигрантская молодежь — ее было много в Цюрихе — во главе с Вилли Мюнценбергом была очень активна, поддерживала левых. Все это создавало известную близость к швейцарскому рабочему движению. Некоторым товарищам, не бывшим в эмиграции, кажется теперь, что Ленин возлагал особые надежды на швейцарское движение и считал, что Швейцария может стать чуть ли не центром грядущей социальной революции.

Это, конечно, не так. В Швейцарии не было сильного рабочего класса, это — страна курортная по преимуществу, страна маленькая, питающаяся от крох сильных капиталистических стран. Рабочие в Швейцарии были в общем и целом мало революционны. Демократизм и удачное разрешение национального вопроса не были еще условием, достаточным для того, чтобы Швейцария стала очагом социальной революции.

Конечно, из этого не следовало, что не надо было вести в Швейцарии интернациональную пропаганду, помогать революционизированию швейцарского рабочего движения и партии, ибо если бы Швейцария оказалась втянутой в войну, ситуация быстро могла бы измениться.

Ильич читал перед швейцарскими рабочими рефераты, держал тесную связь с Платтеном, Нобсом, Мюнценбергом.

---

[1] *С.Л. Гольдштейн. — Примеч. ред.*

Наша Цюрихская группа плюс несколько поляков (тогда в Цюрихе жил т. Вронский) задумала устраивать совместные заседания с цюрихской швейцарской организацией. Стали собираться в небольшом кафе «Zum Adler», неподалеку от нашего дома. На первое собрание пришло что-то около 40 человек. Ильич говорил о текущем моменте, ставил вопросы со всей остротой. Хотя собрались все интернационалисты, швейцарцев очень смутила резкая постановка вопроса. Помню, речь одного представителя швейцарской молодежи, говорившего на тему, что лбом стену не пробьешь. Факт тот, что наши собрания стали таять, и на четвертое собрание явились только русские и поляки, пошутили и разошлись по домам.

Первые месяцы нашего житья в Цюрихе Владимир Ильич работал главным образом над брошюрой об империализме. Он был очень увлечен этой работой, делал очень много выписок. Особо его интересовали колонии; у него был собран богатейший материал, помню, и меня он засадил за какие-то переводы с английского о каких-то африканских колониях. Он много рассказывал очень интересного. Потом, когда я перечитывала его «Империализм»[1], он мне показался гораздо суше, чем были его рассказы. Изучил он экономическую жизнь Европы, Америки и пр., что говорится, «на ять». Но интересовал его, конечно, не только экономический уклад, но и те политические формы, которые соответствовали этому укладу, влияние их на массы.

К июлю брошюра была кончена. 24-30 апреля 1916 г. состоялась Циммервальдская (так называемая Кинтальская) конференция. 8 месяцев прошло за время, протекшее с первой конференции, 8 месяцев все шире и шире развертывавшейся империалистской войны, но лицо Кинтальской конференции не так уже разительно отличалось от I Циммервальдской конференции. Публика стала немного радикальнее. Циммервальдская левая имела не 8, а 12 делегатов, резолюции конференции представляли известный шаг вперед. Конференция решительно осудила Международное социалистическое бюро; она приняла резолюцию о мире, в которой говорилось:

«На почве капиталистического общества невозможно установить прочного мира; условия, необходимые для его осуществления, создает социализм. Устранив капиталистическую

---

[1] См.: *Ленин В.И.* Полн. собр. соч. Т. 55. С. 366.

частную собственность и тем самым эксплуатацию народных масс имущими классами и национальный гнет, социализм устранит и причины войн. Поэтому борьба за прочный мир может заключаться лишь в борьбе за осуществление социализма» За распространение этого манифеста в траншеях в мае было расстреляно в Германии 3 офицера и 32 солдата. Германское правительство больше всего боялось революционизирования масс.

В своих предложениях Кинтальской конференции ЦК РСДРП обращал внимание именно на необходимость революционизирования масс. Там говорилось:

«Недостаточно того, что Циммервальдский манифест намекает на революцию, говоря, что рабочие должны нести жертвы ради своего, а не чужого дела. Необходимо ясно и определенно указать массам их путь. Надо, чтобы массы знали, куда и зачем идти. Что массовые революционные действия во время войны, при условии их успешного развития, могут привести лишь к превращению империалистской войны в гражданскую войну за социализм, это очевидно, и скрывать это от масс вредно. Напротив, эту цель надо указать ясно, как бы трудно ни казалось достижение ее, когда мы находимся только в начале пути. Недостаточно сказать, как сказано в Циммервальдском манифесте, что «капиталисты лгут, говоря о защите отечества» в данной войне, и что рабочие в революционной борьбе не должны считаться с военным положением своей страны; надо сказать ясно то, что здесь выражено намеком, именно что не только капиталисты, но и социал-шовинисты и каутскианцы лгут, когда допускают применение понятия защиты отечества в данной, империалистской, войне;— что революционные действия во время войны невозможны без угрозы поражением «своему» правительству и что всякое поражение правительства в реакционной войне облегчает революцию, которая одна в состоянии принести прочный и демократический мир. Необходимо наконец сказать массам, что без создания ими самими нелегальных организаций и свободной от военной цензуры, т. е. нелегальной, печати немыслима серьезная поддержка начинающейся революционной борьбы, ее развитие, критика ее отдельных шагов, исправление ее ошибок, систематическое расширение и обострение ее».

В этом предложении ЦК очень ярко выражено отношение большевиков и Ильича к массам — массам надо всегда говорить всю правду до конца, правду неприкрашенную, не боясь того, что эта правда отпугнет их. На массы возлагали большевики все свои надежды, массы — и только они — добьются социализма.

В письме к Шляпникову от 1 июня я писала: «Насчет Кинталя Григорий увлекается очень. Конечно, могу судить только по рассказам, но много словесности очень уж и нет внутреннего единства, того единства, которое служило бы порукой прочности дела. Видно, что с низов еще не «прет», как выражался Бадаич, разве вот у немцев это несколько чувствуется».

Изучение экономики империализма, разбор всех составных частей этого «ящика скоростей», охват всей мировой картины идущего к гибели империализма — этой последней ступени капитализма — дали возможность Ильичу по-новому поставить целый ряд политических вопросов, гораздо глубже подойти к вопросу о том, в каких формах будет протекать борьба за социализм вообще и в России в частности. Многое хотелось Ильичу додумать до конца, дать своим мыслям дозреть, и потому мы решили поехать в горы, да и мне было необходимо это, потому, что никак не могла утихомириться моя базедка. Одна управа была на нее — горы. Мы поехали на шесть недель в кантон Сен-Галлен, неподалеку от Цюриха, в дикие горы, в дом отдыха Чудивизе, очень высоко, совсем близко к снеговым вершинам. Дом отдыха был самый дешевый, $2^1/_2$ франка в день с человека[1]. Правда, это был «молочный» дом отдыха — утром давали кофе с молоком и хлеб с маслом и сыром, но без сахара, в обед — молочный суп, что-нибудь из творога и молока на третье, в 4 часа опять кофе с молоком, вечером еще что-то молочное. Первые дни мы прямо взвыли от этого молочного лечения, но потом дополняли его едой малины и черники, которые росли кругом в громадном количестве. Комната наша была чиста, освещенная электричеством, безобстановочная, убирать ее надо было самим, и сапоги надо было чистить самим. Последнюю функцию взял на себя, подражая швейцарцам, Владимир Ильич и каждое утро забирал мои и свои горные сапоги и отправлялся с ними под навес, где полагалось чистить сапоги, пересмеивался с другими чистильщиками и так усердствовал, что раз даже при общем хохоте смахнул стоявшую тут же плетеную корзину с целой кучей

---

[1] В.И. Ленин с Н.К. Крупской переехали на отдых в местечко Флумс, не ранее 4(17) июля и вернулись в Цюрих в конце августа — начале сентября 1916 г. — *Примеч. ред.*

пустых пивных бутылок. Публика была демократическая. В доме отдыха, где цена за содержание $2^1/_2$ франка с человека, «порядочная» публика не селилась. В некотором отношении этот дом отдыха напоминал французский Бомбон, но публика была попроще, победнее, с швейцарским демократическим налетом. По вечерам хозяйский сын играл на гармонии и отдыхающие плясали вовсю, часов до одиннадцати раздавался топот пляшущих. Чудивизе было километрах в восьми от станции, сообщение возможно было лишь на ослах, дорога шла тропинками по горам, все ходили пешком, и вот почти каждое утро, часов в шесть утра, начинал названивать колокол, собиралась публика провожать уходящих и пели какую-то прощальную песню про кукушку какую-то. Каждый куплет кончался словами: «Прощай, кукушка». Владимир Ильич, любивший утром поспать, ворчал и плотнее закутывался в одеяло с головой. Публика была архиаполитична. Даже на тему о войне никогда не заходили разговоры. В числе отдыхающих был солдат. У него были не особенно крепкие легкие, и потому начальство послало его на казенный счет лечиться в молочную санаторию. В Швейцарии военные власти очень заботятся о солдатах (в Швейцарии не постоянное войско, а милиция). Парень был довольно славный. Владимир Ильич ходил около него, как кот около сала, заводил с ним несколько раз разговор о грабительском характере происходящей войны, парень не возражал, но явно не клевало. Видно было, что его весьма мало интересуют политические вопросы, гораздо больше — времяпрепровождение в Чудивизе.

В Чудивизе к нам никто не приезжал, русских там никаких не жило, и мы жили оторванные от всех дел, шатались по горам целыми днями. В Чудивизе Ильич не занимался вовсе. Гуляя по горам, он много говорил о занимавших его вопросах, о роли демократии, о положительных и отрицательных сторонах швейцарской демократии, говорил, часто повторяя одну и ту же мысль отдельными фразами; видно было, что эти вопросы сугубо занимали его. Вторую половину июля и август мы прожили в горах. Когда мы уезжали, и нас санаторы провожали, как всех, пением: «Прощай, кукушка». Спускаясь вниз через лес, Владимир Ильич вдруг увидел белые грибы и, несмотря на то что шел дождь, принялся с азартом за их сбор, точно левых циммервальдцев вербовал. Мы вымокли до костей, но грибов набрали целый мешок. Запоздали, конечно, к поезду, и пришлось часа два сидеть на станции в ожидании следующего поезда.

По приезде в Цюрих мы опять поселились у тех же хозяев, на Шпигельгассе.

За время пребывания в Чудивизе Владимир Ильич со всех сторон обдумал план работы на ближайшее время. Первое, что важно было, особенно в данный момент, это — теоретическая спевка, установление четкой теоретической линии. Были разногласия с Розой Люксембург, Радеком, голландцами, с Бухариным, Пятаковым, отчасти с Коллонтай. Наиболее резкие разногласия были с Пятаковым (П. Киевским), который написал в августе статью «Пролетариат и право наций на самоопределение». Прочитав ее в рукописи, Ильич засел сейчас же строчить ему ответ — целую брошюру «О карикатуре на марксизм и об «империалистическом экономизме»[1]. Брошюра написана в очень сердитых тонах и именно потому, что к этому времени у Ильича уже вырабатывался очень ясный, определенный взгляд на соотношение между экономикой и политикой в пользу борьбы за социализм. Недооценку политической борьбы в эту эпоху он характеризовал как империалистический экономизм. «Капитализм победил,— писал Ильич,— поэтому не нужно думать над политическими вопросами, рассуждали старые «экономисты» в 1894— 1901 годах, доходя до отрицания политической борьбы в России. Империализм победил,— поэтому не нужно думать о вопросах политической демократии, рассуждают современные империалистические экономисты»»[2].

Игнорирование роли демократии в борьбе за социализм было недопустимо. «Социализм невозможен без демократии в двух смыслах,— писал Владимир Ильич в той же брошюре:— (1) нельзя пролетариату совершить социалистическую революцию, если он не подготовляется к ней борьбой за демократию; (2) нельзя победившему социализму удержать своей победы и привести человечество к отмиранию государства без осуществления полностью демократии»[3]..

Эти слова Владимира Ильича полностью оправдались вскоре на русском опыте. Февральская революция и последующая борьба за демократию подготовили Октябрь. Неустанное расширение и укрепление Советов, советской системы реорганизует и самое демократию, постоянно углубляя содержание этого понятия.

[1] См.: *Ленин В.И.* Полн. собр. соч. Т. 30. С. 77—130.
[2] Там же. С 78.
[3] Там же. С. 128.

В 1915—1916 гг. Владимир Ильич уже глубоко продумал вопрос о демократии, подходил к этому вопросу с точки зрения строительства социализма. Еще в ноябре 1915 г., возражая на статью Радека (Парабеллума), напечатанную в «Berner Tagwacht»[1] в октябре 1915 г., Ильич писал:

«У Парабеллума выходит так, что во имя социалистической революции он с пренебрежением отбрасывает последовательно революционную программу в демократической области. Это неправильно. Пролетариат не может победить иначе, как через демократию, т. е. осуществляя демократию полностью и связывая с каждым шагом своей борьбы демократические требования в самой решительной их формулировке. Нелепо противопоставлять социалистическую революцию и революционную борьбу против капитализма одному из вопросов демократии, в данном случае национальному. Мы должны соединить революционную борьбу против капитализма с революционной программой и тактикой по отношению ко всем демократическим требованиям: и республики, и милиции, и выбора чиновников народом, и равноправия женщин, и самоопределения наций и т. д. Пока существует капитализм, все эти требования осуществимы лишь в виде исключения, и притом в неполном, искаженном виде. Опираясь на осуществленный уже демократизм, разоблачая его неполноту при капитализме, мы требуем свержения капитализма, экспроприации буржуазии, как необходимой базы и для уничтожения нищеты масс и для полного и всестороннего проведения всех демократических преобразований. Одни из этих преобразований будут начаты до свержения буржуазии, другие в ходе этого свержения, третьи после него. Социальная революция не одна битва, а эпоха целого ряда битв по всем и всяческим вопросам экономических и демократических преобразований, завершаемых лишь экспроприацией буржуазии. Как раз во имя этой конечной пели мы должны дать п осл е дова тс л ьно революционную формулировку каждого из наших демократических требований. Вполне мыслимо, что рабочие какой-либо определенной страны свергнут буржуазию до осуществления хотя бы одного коренного демократического преобразования полностью. Но совершенно немыслимо, чтобы пролетариат, как исторический класс, мог победить буржуазию, если он не будет подготовлен к это-

---

[1] «Бернский часовой». — *Примеч. ред.*

му воспитанием в духе самого последовательного и революционно-решительного демократизма»[1].

Я привожу такие длинные цитаты потому, что они очень ярко выражают то, о чем очень усиленно думал Владимир Ильич в конце 1915 и в 1916 гг. и что наложило печать на дальнейшие его высказывания. Большинство его статей, касающихся вопросов роли демократии в деле борьбы за социализм, были напечатаны много позже: статья против Парабеллума — в 1927 г., брошюра «Карикатура на марксизм» — в 1924 году. Они мало известны потому, что печатались в сборниках, выходящих не очень большими тиражами, а между тем без этих статей непонятна и вся та горячность, которую проявлял Владимир Ильич в спорах о праве наций на самоопределение. Горячность эта становится понятной, если взять этот вопрос в связи с общей оценкой Ильичем демократизма. Надо отдать себе отчет в том, что отношение к вопросу о самоопределении было для Владимира Ильича оселком, на котором проверялось умение правильно подходить к демократическим требованиям вообще. Все споры по этой линии и с Розой Люксембург, и с Ра дек ом, и с голландцами, и с Киевским, и с рядом других товарищей шли именно под этим углом зрения. В брошюре против Киевского он писал: «Все нации придут к социализму, это неизбежно, но все придут не совсем одинаково, каждая внесет своеобразие в ту или иную форму демократии, в ту или иную разновидность диктатуры пролетариата, в тот или иной темп социалистических преобразований разных сторон общественной жизни. Нет ничего более убогого теоретически и более смешного практически, как «во имя исторического материализма» рисовать себе будущее в этом отношении одноцветной сероватой краской: это было бы суздальской мазней, не более того»[2].

Строительство социализма — не только строительство хозяйственное; экономика — только база строительства социализма, основа, предпосылка, а гвоздь строительства социализма — перестройка по-новому всей общественной ткани, перестройка на основе социалистического революционного демократизма.

Это, пожалуй, то, что всего глубже разделяло все время Ленина и Троцкого. Троцкий не понимал демократического духа, демократических основ строительства социализма, процесса переорганизации всего жизненного у клада масс. Тогда

---

[1] *Ленин В.И.* Соч. 3-е изд. Т. XIX. Приложения. С. 434.
[2] *Ленин В.И.* Полн. собр. соч. Т. 30. С. 123.

же, в 1916 г., уже в зародыше были и позднейшие разногласия Ильича с Бухариным. Бухарин б заметке «Nota Bene» в № 6 «Jugend-Internationaie» («Интернационал Молодежи) в конце августа написал статью, в которой видна была недооценка роли государства, недооценка роли диктатуры пролетариата. Ильич в заметке «Интернационал Молодежи»[1] отметил эту ошибку Бухарина. Диктатура пролетариата, обеспечивающая ведущую роль пролетариата в перестройке всей общественной ткани, вот что интересовало особенно Владимира Ильича во второй половине 1916 г.

Демократические требования входят в программу-минимум — и вот в первом письме к Шляпникову, которое Владимир Ильич написал по возвращении из Чудивизе, он ругает Базарова за статью в «Летописи», где тот высказался за упразднение программы-минимум. Он спорит с Бухариным, который недооценивает роли государства, роли диктатуры пролетариата и т. д. Он негодует на Киевского, что тот не понимает ведущей роли пролетариата. «Не пренебрегайте,— писал Ильич Шляпникову,— теоретической спевкой: ей-ей, она необходима для работы в такое трудное время»[2].

Владимир Ильич стал усиленно перечитывать все, что писали Маркс и Энгельс о государстве, делать оттуда выписки. Эта работа вооружала ею особо глубоким пониманием характера грядущей революции, дала ему серьезнейшую подготовку в деле понимания конкретных задач этой революции.

30 ноября было совещание швейцарских левых об отношении к войне. А. Шмид из Винтертура говорил о том, что необходимо использовать демократическое устройство Швейцарии в антимилитаристических целях. На другой день Ленин написал А. Шмиду письмо, в котором предлагал поставить «... на референдум (т. е. всеобщее голосование. — *Н. К.*) вопрос таким образом: за экспроприацию крупных капиталистических предприятий в промышленности и сельском хозяйстве, как единственный путь к полному устранению милитаризма, или против экспроприации?

В этом случае мы в нашей практической политике будем говорить то же самое,— писал Ильич А. Шмиду,— что мы все признаем теоретически, а именно, ч го полное устранение милитаризма мыслимо и осуществимо только в связи с устранением капитализма»[3]. В письме, написанном в декабре

---

[1] *Ленин В.И.* Полн. собр. соч. Т. 27. С. 291.
[2] См. там же. С. 225—229.
[3] Там же. Т. 49. С. 299.

1916 г. и опубликованном лишь 15 лет спустя в «Ленинском сборнике», XVII, Ленин пишет по поводу этого:

«Вы, может быть, думаете, что я так наивен, что верю, будто «посредством уговаривания» можно решать такие вопросы, как вопрос о социалистической революции?

Нет. Я хочу только дать иллюстрацию и притом только к одному частному вопросу: какое изменение должно произойти во всей пропаганде партии, если бы захотели с действительной серьезностью отнестись к вопросу об отказе от защиты отечества] Это только иллюстрация только к одному частному вопросу — на большее я не претендую»[1].

Вопросы диалектического подхода ко всем событиям в этот период также особо занимали Ильича. Он прямо вцепляется во фразу Энгельса в критике проекта Эрфуртской программы: «Подобная политика может лишь, в конце концов, привести партию на ложный путь. На первый план выдвигают общие, абстрактные политические вопросы и таким образом прикрывают ближайшие конкретные вопросы, которые сами собою становятся в порядок дня при первых же крупных событиях, при первом политическом кризисе». Выписав этот абзац, Ильич пишет крупнейшими буквами, беря свои слова в двойные скобки: «((абстрактное на первый план, конкретное затушевать!!)) Nota Bene! прелесть! главное взято! NB».

«Марксова диалектика требует конкретного анализа каждой особой исторической ситуации»[2], — пишет Владимир Ильич в отзыве на брошюру Юниуса. Все брать во всех связях и опосредствования х особо стремился в этот период Ильич. И к вопросу о демократии, и к вопросу о праве наций на самоопределение подходил он с этой точки зрения.

Осенью 1916 и в начале 1917 г. Ильич с головой ушел в теоретическую работу. Он старался использовать все время, пока была открыта библиотека: шел туда ровно к 9 часам, сидел там до 12, домой приходил ровно в 12 часов 10 минут (от 12 до 1 часу библиотека не работала), после обеда вновь шел в библиотеку и оставался там до 6 часов. Дома было работать не очень удобно. Хотя комната у нас была светлая, но выходила во двор, где стояла невыносимая вонь, ибо во двор выходила колбасная фабрика. Только поздно ночью открывали мы окно. По четвергам после обеда, когда библиотека закрывалась, мы уходили на гору, на Цюрихберг. Идя из библиотеки, Ильич обычно покупал две голубые плитки шоколада с

---

[1] Там же. С. 335.
[2] Там же. Т. 30. С. 12.

калеными орехами по 15 сантимов, после обеда мы забирали этот шоколад и книги и шли на гору. Было у нас там излюбленное место в самой чаще, где не бывало публики, и там, лежа на траве, Ильич усердно читал.

В то время мы наводили сугубую экономию в личной жизни. Ильич всюду усиленно искал заработка,— писал об этом Гранату, Горькому[1], родным, раз даже развивал Марку Тимофеевичу, мужу Анны Ильиничны, целый фантастический план издания «Педагогической энциклопедии», над которой я буду работать.

Я в это время много работала над изучением вопросов педагогики, знакомилась с практической постановкой школ в Цюрихе. Причем, развивая этот фантастический план, Ильич до того увлекся, что писал о том, что важно, чтобы кто-нибудь не перехватил эту идею[2].

Насчет литературных заработков дело подвигалось медленно, и потому я решила искать работу в Цюрихе. В Цюрихе было бюро эмигрантских касс, во главе которого стоял Феликс Яковлевич Кон. Я стала секретарем бюро и стала помогать Феликсу Яковлевичу в его работе.

Правда, заработок это был полумифический, но дело было нужное, а надо было помогать товарищам по подысканию работы, по устройству всяких предприятий и по помощи в лечении. Денег в кассе в то время имелось очень мало, так что больше было проектов, чем реальной помощи. Помню, был проект создать санаторию на самоокупаемости; у швейцарцев есть такие санатории: больные занимаются по нескольку часов в день огородничеством и садоводством или плетением стульев на открытом воздухе, чем значительно удешевляется их содержание. Процент больных туберкулезом среди эмигрантской публики был очень велик.

Так жили мы в Цюрихе, помаленьку да потихоньку, а ситуация становилась уже гораздо более революционной. Наряду с работой в теоретической области Ильич считал чрезвычайно важным выработку правильной тактической линии. Он считал, что назрел раскол в международном масштабе, что надо порвать со II Интернационалом, с Международным социалистическим бюро, надо навсегда порвать с Каутским и К°, начать силами Циммервальдской левой строить III Интернационал. В России надо немедля рвать с Чхеидзе и Скобеле-

[1]. См.: *Ленин В.И.* Полн. собр. соч. Т. 49. С. 48—49, 170.
[2] Там же. С. 13.

вым, с окистами[1], с теми, кто, как Троцкий, не понимает, что сейчас недопустимы никакие примиренчество и объединенчество. Необходимо вести революционную борьбу за социализм и разоблачать самым беспощадным образом оппортунистов, у которых слова расходятся с делом, которые на деле служат буржуазии, предают дело пролетариата. Никогда, кажется, не был так непримиримо настроен Владимир Ильич, как в последние месяцы 1916 и первые месяцы 1917 г. Он был глубоко уверен в том, что надвигается революция.

---

[1] Окисты — сторонники ОК (Организационного комитета), избранного Августовским блоком. — *Примеч. ред.*

ПОСЛЕДНИЕ МЕСЯЦЫ В ЭМИГРАЦИИ

1917 г.

22 января 1917 г. Владимир Ильич выступил на собрании молодежи, организованном в Цюрихском Народном доме. Он говорил о революции 1905 года. В Цюрихе в это время было немало революционно настроенной молодежи из других стран — из Германии, Италии и пр., не хотевшей принимать участия в империалистской войне, и Владимир Ильич хотел для этой молодежи осветить как можно полнее опыт революционной борьбы рабочих, показать значение Московского восстания; он считал революцию 1905 г. прологом грядущей европейской революции. «Несомненно, — говорил он,— что эта грядущая революция может быть только пролетарской революцией и притом в еще более глубоком значении этого слова: пролетарской, социалистической и по своему содержанию. Эта грядущая революция покажет еще в большей мере, с одной стороны, что только суровые бои, именно гражданские войны, могут освободить человечество от ига капитала, а с другой стороны, что только сознательные в классовом отношении пролетарии могут выступить и выступят в качестве вождей огромного большинства эксплуатируемых». Что таковы перспективы, Ильич ни минуты не сомневался. Но как скоро придет эта грядущая революция — знать этого он, конечно, не мог. «Мы, старики, может быть, не доживем до решающих битв этой грядущей революции» — с затаенной грустью сказал он в заключительной фразе. И все же только об этой грядущей революции и думал Ильич, для нее работал.

ФЕВРАЛЬСКАЯ РЕВОЛЮЦИЯ. ОТЪЕЗД В РОССИЮ

Однажды, когда Ильич уже собрался после обеда уходить в библиотеку, а я кончила убирать посуду, пришел Бронский со словами: «Вы ничего не знаете?! В России революция!» — и он рассказал нам, что было в вышедших экстренным выпуском телеграммах. Когда ушел Бронский, мы пошли к озеру, там на берегу под навесом вывешивались все газеты тотчас по выходе.

Перечитали телеграммы несколько раз. В России действительно была революция. Усиленно заработала мысль Ильича. Не помню уж, как прошли конец дня и ночь. На другой день получили вторые правительственные телеграммы о Февральской революции, и Ильич пишет уже Коллонтай в Стокгольм: «Ни за что снова по типу второго Интернационала! Ни за что с Каутским! Непременно более революционная программа и тактика». И далее: «...по-прежнему революционная пропаганда, агитация и борьба с целью международной пролетарской революции и завоевания власти «Советами рабочих депутатов» (а не кадетскими жуликами)».

Линию Ильич сразу брал четкую, непримиримую, но размаха революции он еще не ощутил, он еще мерил на размах революции 1905 г., говоря, что важнейшей задачей в данный момент является это соединение легальной работы с нелегальной.

На другой день, в ответ на телеграмму Коллонтай о необходимости директив, он уже пишет иначе, конкретнее, он уже не говорит о завоевании власти Советами рабочих депутатов в перспективе, а говорит уже о конкретной подготовке к завоеванию власти, о вооружении масс, о борьбе за хлеб, мир и свободу. «Вширь! Новые слои поднять! Новую инициативу будить, новые организации во всех слоях и им доказать, что мир даст лишь вооруженный Совет рабочих депутатов, если он возьмет власть». Вместе с Зиновьевым засел Ильич за составление резолюции о Февральской революции.

С первых же минут, как только пришла весть о Февральской революции, Ильич стал рваться в Россию.

274

Англия и Франция ни за что бы не пропустили в Россию большевиков. Для Ильича это было ясно. «Мы боимся,— писал он Коллонтай,— что выехать из проклятой Швейцарии не скоро удастся». И, рассчитывая на это, он в письмах от 16 и 17 марта к Коллонтай услáвливается о том, как лучше наладить сношения с Питером.

Надо ехать нелегально, легальных путей нет. Но как? Сон пропал у Ильича с того момента, когда пришли вести о революции, и вот по ночам строились самые невероятные планы. Можно перелететь на аэроплане. Но об этом можно было думать только в ночном полубреду. Стоило это сказать вслух, как ясно становилась неосуществимость, нереальность этого плана. Надо достать паспорт какого-нибудь иностранца из нейтральной страны, лучше всего шведа: швед вызовет меньше всего подозрений.

Паспорт шведа можно достать через шведских товарищей, но мешает незнание языка. Может быть, немого? Но легко проговориться. «Заснешь, увидишь во сне меньшевиков и станешь ругаться: сволочи, сволочи! Вот и пропадет вся конспирация»,— смеялась я.

Все же Ильич запросил Ганецкого, нельзя ли перебраться как-нибудь контрабандой через Германию.

В день памяти Парижской коммуны, 18 марта, Ильич ездил в Шо-де-Фон — крупный швейцарский рабочий центр. Охотно поехал туда Ильич, там жил Абрамович, молодой товарищ, работал там на заводе, принимал активное участие в швейцарском рабочем движении. О Парижской коммуне, о том, как применить опыт ее к начавшемуся русскому революционному движению, как не повторять ее ошибок — об этом много думал Ильич в последние дни, и потому реферат этот вышел у него очень удачным, и сам он был доволен им. На наших товарищей реферат произвел громадное впечатление, швейцарцам он показался чем-то мало реальным — далеки были даже рабочие швейцарские центры от понимания происходивших в России событий.

19 марта состоялось совещание различных политических групп русских эмигрантов-интернационалистов, проживавших в Швейцарии, о том, как пробраться в Россию. Мартов выдвинул проект — добиться пропуска эмигрантов через Германию в обмен на интернированных в России германских и австрийских пленных. Однако никто на это не шел. Только Ленин ухватился за этот план. Его надо было проводить осторожно. Лучше всего было начать переговоры по инициативе швейцарского правительства. Переговоры со швейцарским

правительством поручено было вести Гримму. Из них ничего не вышло. На посланные в Россию телеграммы ответов не получалось. Ильич мучился. «...Какая это пытка для всех нас сидеть здесь в такое время», — писал он в Стокгольм Ганецкому. Но он уже держал себя в руках.

13 марта стала выходить в Питере «Правда», и Ильич стал, начиная с 20-го числа, писать туда «Письма из далека». Их было пять («Первый этап первой революции», «Новое правительство и пролетариат», «О пролетарской милиции», «Как добиться мира?», «Задачи революционного пролетарского государственного устройства»). Напечатано было только первое письмо в день приезда Ленина в Питер, остальные лежали в редакции, а пятое не было даже послано в «Правду». Начато оно было накануне отъезда в Россию.

В этих письмах отразилось особо ярко, о чем думал Ильич в последнее время перед отъездом. Особо запомнилось го, что говорил тогда Ильич о милиции. Этому вопросу посвящено третье письмо из далека «О пролетарской милиции». Оно было напечатано лишь после смерти Ильича, в 1924 году. В нем излагал Ильич свои мысли о пролетарском государстве. Тот, кто хочет до конца понять книжку Ленина «Государство и революция», непременно должен прочесть это письмо «Из далека». Вся статья эта дышит чрезвычайной конкретностью. Нового типа милиция, состоящая из поголовно вооруженных граждан, из всех взрослых граждан обоего пола, — вот о чем писал Ильич в этой статье. Эта милиция, кроме своих военных обязанностей, должна осуществлять правильно и быстро разверстку хлеба и других припасов, осуществлять санитарный надзор, следить за тем, чтобы всякая семья имела хлеб, чтобы всякий ребенок имел бутылку хорошего молока и чтобы ни один взрослый в богатой семье не смел взять лишнего молока, пока не обеспечены дети, чтобы дворцы и богатые квартиры не стояли зря, а дали приют бескровным и неимущим. «Кто может осуществить эти меры кроме всенародной милиции с непременным участием женщин наравне с мужчинами?

Такие меры еще не социализм. Они касаются разверстки потребления, а не переорганизации производства», — писал Ильич в этой статье. «Не в том дело сейчас, как их теоретически классифицировать. Было бы величайшей ошибкой, если бы мы стали укладывать сложные, насущные, быстро ра з ви ва ющи е я практические задачи революции в прокрустово ложе узко-понятой «теории» вместо того, чтобы видеть в теории прежде всего и больше всего руководство к действию». Пролетарская милиция осуществляла бы «настоящее воспитание масс для участия во всех государственных делах. Такая милиция втянула бы подростков в политическую жизнь, уча их не только словом, но и делом, работой». «На очереди дня — организационная задача, но никоим образом не в шаблонном смысле работы над шаблонными только организациями, а в смысле привлечения невиданно-широких масс угнетенных классов в организацию и воплощения самой этой организацией задач военных, общегосударственных и народнохозяйственных». Когда сейчас, много лет спустя, перечитываешь это письмо Ильича, так и встает он весь перед глазами: с одной стороны, необычайная трезвость мысли, ясное сознание не обх оди м ос ти непримиримой вооруженной борьбы, не допу с ти м ос ти в тот момент никаких уступок, никаких колебаний, а с другой — громадное внимание к массовому движению, к организации по-новому широчайших масс, внимание к их конкретным нуждам, к немедленному улучшению их положения. Обо всем этом много говорил Ильич зимой 1916/17 г. и особенно последнее время перед Февральской революцией.

Переговоры затягивались, Временное правительство явно не желало пропускать в Россию интернационалистов, а вести, приходившие из России, говорили о некоторых колебаниях среди товарищей. Все это заставляло торопиться с отъездом. Ильич послал телеграмму Ганецкому, которую тот получил лишь 25 марта.

«У нас непонятная задержка. Меньшевики требуют санкции Совета рабочих депутатов. Пошлите немедленно в Финляндию или Петроград кого-нибудь договориться с Чхеидзе, насколько это возможно. Желательно мнение Беленина». Под Белениным подразумевалось Бюро Центрального Комитета, 18 марта приехала в Россию Коллонтай, рассказала, как обстоит дело с приездом Ильича, получились письма от Ганецкого. Бюро ЦК дало через Ганецкого директиву: «Ульянов должен тотчас же приехать». Эту телеграмму Ганецкий перетелеграфировал Ленину. Владимир Ильич настоял на том, чтобы начать переговоры при посредстве Фрица Платтена, швейцарского социалиста-интернационалиста. Платтен заключил точное письменное условие с германским послом в Швейцарии. Главные пункты условия были: 1) Едут все эмигранты без различия взглядов на войну. 2) В вагон, в котором следуют эмигранты, никто не имеет права входить без разрешения Платте на. Никакого контроля ни паспортов, ни багажа. 3) Едущие обязуются агитировать в России за обмен пропущенных эмигрантов на соответствующее число австро-германских интернированных. Ильич стал энергично подготовлять отъезд, списываться с Берном, Женевой, с рядом товарищей. Впередовцы, с которыми вел переговоры Ильич, ехать отказались. Приходилось оставлять двоих близких товарищей, Карла и Каспарова, тяжело больных, умиравших в Давосе. Ильич написал им прощальный привет.

Собственно говоря, это была лишь приписка к моему длинному письму. Писала я подробно, кто едет, как собираемся, какие планы. Ильич написал лишь пару слов, но из них видно, как понимал он, что переживают остающиеся товарищи, как им тяжело, и сказал самое важное:

«Дорогой Каспаров! Крепко, крепко жму руку Вам и Карлу, желаю бодрости. Потерпеть надо. Надеюсь, в Питере встретимся и скоро.

Еще раз лучшие приветы обоим. Ваш Ленин».

«Желаю бодрости. Потерпеть надо»... Да, в этом было дело. Встретиться больше не пришлось. И Каспаров и Карл умерли вскоре.

Для цюрихской газеты «Voiksrecht» Ильич написал «О задачах РСДРП в русской революции», написал «Прощальное письмо к швейцарским рабочим», кончавшееся словами:

«Да здравствует начинающаяся пролетарская революция в Европе!». Написал Ильич письмо и к «Товарищам, томящимся в плену», где рассказывал им о происшедшей революции и о предстоящей борьбе. Нельзя было не написать им. Еще когда мы жили в Берне, начата была и довольно широко поставлена переписка с русскими пленными, томившимися в немецких лагерях. Материальная помощь, конечно, не могла быть очень велика, но мы помогали чем могли, писали им письма, посылали литературу. Завязался ряд очень тесных сношений. После нашего отъезда из Берна работу продолжали Сафаровы. В плен мы посылали нелегальную литературу, переслали брошюру Коллонтай о войне, которая имела громадный успех, ряд листовок и пр.

За несколько месяцев до нашего отъезда в Цюрихе появились двое пленных: один — воронежский крестьянин Михалев, другой — одесский рабочий. Они бежали из немецкого плена, переплыв Боденское озеро. Заявились они в нашу Цюрихскую группу. Ильич много с ними толковал. Особенно много интересного рассказывал про плен Михалев. Он рассказывал, как сначала украинцев-пленных направили в Галицию, как вели среди них украинофильскую агитацию, натравливая против России, потом перебросили его в Германию и использовали как рабочую силу в богатых крестьянских хозяйствах.

«Как у них все налажено, ни одна корка даром не пропадает! Вот вернусь к себе на село — так же хозяйничать буду!» — восклицал Михалев. Был он из староверов, дедушка и бабушка поэтому запретили ему грамоте учиться: печать-де дьявола. В плену уж выучился он грамоте. В плен посылали ему бабка да дедка пшено и сало, и немцы с удивлением смотрели, как варил он и ел пшенную кашу. В Цюрихе рассчитывал Михалев поступить в университет народный и все возмущался, что не водится в Цюрихе народных университетов. Его интернировали. Он стал на какие-то земляные работы и все удивлялся на забитость швейцарского рабочего люда. «Иду я,— рассказывал он,— в контору получать деньги за работу, смотрю — стоят рабочие швейцарские и войти в контору не решаются, жмутся к стенке, в окно заглядывают. Какой забитый народ! Я пришел, сразу дверь отворяю, в контору иду, за свой труд деньги брать иду!» Только что выучившийся грамоте крестьянин ЦЧО , толкующий о забитости швейцарского рабочего люда, очень заинтересовал Ильича. Рассказывал еще Михалев, как, когда он был в плену, приезжал туда русский священник. Не захотели его слушать солдаты, кричать стали, ругаться. Подошел один пленный к попу, поцеловал ему руку и говорит: «Уезжайте, батюшка, не место вам тут». Просились Михалев и его товарищи, чтобы мы взяли их с собой в Россию, да не знали мы, что с нами будет,— могли ведь всех переарестовать. После нашего отъезда Михалев перебрался во Францию, сначала в Париже жил, потом работал где-то на тракторном заводе, потом где-то на востоке Франции, где было много польских эмигрантов. В 1918 г. (или в 1919 г., не помню точно) вернулся Михалев в Россию. Ильич с ним видался. Рассказывал Михалев, как в Париже его и еще нескольких бежавших из немецкого плена солдат вызвали в русское посольство и предлагали подписать воззвание о необходимости продолжать войну до победного конца. И хоть говорили с солдатами важные чиновники, украшенные орденами, но не подписали солдаты воззвания. «Встал я и сказал, что войну кончать надо, и пошел. Потихоньку вышли и другие». Рассказывал Михалев, какую агитацию против войны развернула в том французском городке, где он жил, молодежь. Сам Михалев уж не походил ни в малейшей мере на воронежского крестьянина: на голове — французская кепка, ноги обмотаны обмотками защитного цвета, лицо тщательно выбрито. Ильич устроил Михалева на работу где-то на заводе. Но все мысли Михалева неслись к родному селу. Село его переходило из рук в руки, от красных к белым и обратно, середина села вся была спалена белыми, но дом их уцелел, и бабка и дедка живы были. Михалев заходил ко мне в Главполитпросвет и рассказывал про все это и про себя, что собирается домой. «Что ж не едете?» — спрашиваю. «Жду, борода когда отрастет, а то увидят меня бритого бабка с дедкой, помрут от горя!» В этом году я получила письмо от Михалева. Он работает где-то в Средней Азии на железной дороге, пишет, что в дни памяти Ильича рассказывал он, как видел в 1917 г. Ильича в Цюрихе, о нашей жизни за границей рассказывал в рабочем клубе. Слушали его с интересом все, а потом усомнились, могло ли это быть, и просил Михалев меня подтвердить, что был он у Ильича в Цюрихе.

Михалев был куском живой жизни. Таким же куском были и письма пленных, присылаемые в нашу комиссию помощи пленным.

Не мог уехать Ильич в Россию, не написав им о том, что больше всего волновало его в эту минуту.

Когда пришло письмо из Берна, что переговоры Платте на пришли к благополучному концу, что надо только подписать протокол и можно уже двигаться в Россию, Ильич моментально сорвался: «Поедем с первым поездом». До поезда оставалось два часа. За два часа надо было ликвидировать все наше «хозяйство», расплатиться с хозяйкой, отнести книги в библиотеку, уложиться и пр. «Поезжай один, я приеду завтра». Но Ильич настаивал: «Нет, едем вместе». В течение двух часов все было сделано: уложены книги, уничтожены письма, отобрана необходимая одежда, вещи, ликвидированы все дела. Мы уехали с первым поездом в Берн.

В бернский Народный дом стали съезжаться едущие в Россию товарищи. Ехали мы, Зиновьевы, Усиевичи, Инесса Арманд, Сафаровы, Ольга Равич, Абрамович из Шо-де-Фон, Гребельская, Харитонов, Линде, Розенблюм, Бойцов, Миха Цхакая, Мариенгофы, Сокольников. Под видом россиянина ехал Радек. Всего ехало 30 человек, если не считать четырехлетнего сынишки бундовки, ехавшей с нами,— кудрявого Роберта.

Сопровождал нас Фриц Платтен.

Оборонцы подняли тогда невероятный вой по поводу того, что большевики едут через Германию. Конечно, германское правительство, давая пропуск, исходило из тех соображений, что революция — величайшее несчастье для страны, и считало, что, пропуская эмигрантов-интернационалистов на родину, они помогут развертыванию революции в России. Большевики же считали своей обязанностью развернуть в России революционную агитацию, победоносную пролетарскую революцию ставили они целью своей деятельности. Их очень мало интересовало, что думает буржуазное германское правительство. Они знали, что оборонцы будут обливать их грязью, но что массы в конце концов пойдут за ними. Тогда 27 марта рискнули ехать лишь большевики, а месяц спустя тем же путем через Германию проехало свыше 200 эмигрантов, в том числе Л. Мартов и другие меньшевики.

Ни вещей у нас при посадке не спрашивали, ни паспортов. Ильич весь ушел в себя, мыслью был уже в России. Дорогой говорили больше о мелочах. По вагону раздавался веселый голосок Роберта, который особой симпатией воспылал к Сокольникову и не желал разговаривать с женским полом. Немцы старались показать, что у них всего много, повар подавал исключительно сытные обеды, к которым наша эмигрантская братия не очень-то была привычна. Мы смотрели в окна вагона, поражало полное отсутствие взрослых мужчин: одни женщины, подростки и дети были видны на станциях, на полях, на улицах города. Эта картина вспоминалась потом часто в первые дни приезда в Питер, когда поражало обилие солдат, заполнявших все трамваи.

На берлинском вокзале наш поезд поставили на запасный путь. Около Берлина в особое купе сели какие-то немецкие социал-демократы. Никто из наших с ними не говорил, только Роберт заглянул к ним в купе и стал допрашивать их на французском языке: «Кондуктор, он что делает?» Не знаю, ответили ли немцы Роберту, что делает кондуктор, но своих вопросов им так и не удалось предложить большевикам. 31 марта мы уже въехали в Швецию. В Стокгольме нас встретили шведские социал-демократические депутаты — Линдхаген, Карльсон, Штрем, Туре Нерман и др. В зале было вывешено красное знамя, устроено собрание. Как-то плохо помню Стокгольм, мысли были уже в России. Фрица Платтена и Радека Временное правительство в Россию не впустило. Оно не посмело сделать того же в отношении большевиков. На финских вейках переехали мы из Швеции в Финляндию. Было уже все свое, милое — плохонькие вагоны третьего класса, русские солдаты. Ужасно хорошо было. Немного погодя Роберт уже очутился на руках какого-то пожилого солдата, обнял его ручонкой за шею, что-то лопотал по-французски и ел творожную пасху, которой кормил его солдат. Наши прильнули к окнам. На перронах станций, мимо которых проезжали, стояли толпой солдаты. Усиевич высунулся в окно. «Да здравствует мировая революция!» — крикнул он. Недоуменно посмотрели на него солдаты. Мимо нас прошел несколько раз бледный поручик, и когда мы с Ильичем перешли в соседний пустой вагон, подсел к нему и заговорил с ним. Поручик был оборонцем, Ильич защищал свою точку зрения — был тоже ужасно бледен. А в вагон мало-помалу набирались солдаты. Скоро набился полный вагон. Солдаты становились на лавки, чтобы лучше слышать и видеть того, кто так понятно говорит против грабительской войны. И с каждой минутой росло их внимание, напряженнее делались их лица.

В Белоострове нас встретили Мария Ильинична, Шляпников, Сталь и другие товарищи. Были работницы. Сталь все убеждала меня сказать им несколько приветственных слов, но у меня пропали все слова, я ничего не могла сказать. Товарищи сели с нами. Ильич спрашивал, арестуют ли нас по приезде. Товарищи улыбались. Скоро мы приехали в Питер.

В ПИТЕРЕ

Питерские массы, рабочие, солдаты, матросы, пришли встречать своего вождя. Было много близких товарищей. В числе их с красной широкой перевязью через плечо Чугурин — ученик школы Лонжюмо: лицо его было мокро от слез. Кругом народное море, стихия.

Тот, кто не пережил революции, не представляет себе ее величественной, торжественной красоты. Красные знамена, почетный караул из кронштадтских моряков, рефлекторы Петропавловской крепости, освещающие путь от Финляндского вокзала к дому Кшесинской, броневики, цепь из рабочих и работниц, охраняющих путь.

Встречать на Финляндский вокзал приехали Чхеидзе и Скобелев в качестве официальных представителей Петроградского Совета рабочих и солдатских депутатов. Товарищи повели Ильича в царские покои, где находились Чхеидзе и Скобелев. Когда Ильич вышел на перрон, к нему подошел капитан и вытянувшись что-то отрапортовал. Ильич, смутившись немного от неожиданности, взял под козырек. На перроне стоял почетный караул, мимо которого провели Ильича и всю нашу эмигрантскую братию, потом нас посадили в автомобили, а Ильича поставили на броневик и повезли к дому Кшесинской. «Да здравствует социалистическая мировая революция!» — бросал Ильич в окружавшую многотысячную толпу.

Начало этой революции уже ощущал Ильич всем существом своим.

Нас привезли в дом Кшесинской, где помещались тогда ЦК и Петроградский комитет. Наверху был устроен товарищеский чай, хотели питерцы организовать приветственные речи, но Ильич перевел разговор на то, что его больше всего интересовало, стал говорить о той тактике, которой надо держаться. Около дома Кшесинской стояли толпы рабочих и солдат. Ильичу пришлось выступать с балкона. Впечатления от встречи, от этой поднятой революционной стихии заслоняли все.

Потом мы поехали домой, к нашим, к Анне Ильиничне и Марку Тимофеевичу. Мария Ильинична жила с ними. Жили они на Петроградской стороне, на Широкой улице. Нам отвели особую комнату. Мальчонка, который рос у Анны Ильиничны, Гора, по случаю нашего приезда над обеими нашими кроватями вывесил лозунг: «Пролетарии всех стран, соединяйтесь!» Мы почти не говорили с Ильичем в ту ночь — не было ведь слов, чтобы выразить пережитое, но и без слов было все понятно[1].

Время было такое, что нельзя было терять ни минуты. Не успел Ильич встать, а уж приехали за ним товарищи[2], чтобы ехать на совещание большевиков — членов Всероссийской конференции Советов рабочих и солдатских депутатов. Дело происходило в Таврическом дворце, где-то наверху[3]. Ленин в десятке тезисов изложил свой взгляд на то, что надо делать сейчас[4]. Он дал в этих тезисах оценку положения, ясно, четко наметил те цели, к которым надо стремиться, и пути, по которым надо идти, чтобы добиться этих целей. Публика наша как-то растерялась в первую минуту. Многим показалось, что очень уж резко ставит вопрос Ильич, что говорить о социалистической революции еще рано[5].

Внизу шло заседание меньшевиков. Оттуда пришел товарищ и стал настаивать на том, чтобы Ильич сделал тот же

---

[1] Далее в рукописи «Когда мы остались одни, Ильич обвел комнату глазами, это была типичная комната петербургской квартиры, почувствовалась реальность того факта, что мы уже в Питере, что все эти Парижи, Женевы, Верны, Цюрихи — это уже действительно прошлое. Перекинулись парой слов по этому поводу. Потом Ильич спросил еще, как устроились другие товарищи. Рассказала, что знала». — *Примеч. ред.*

[2] В книге Крупской Н. К. «Воспоминания о Ленине» (Вып. 2. М.— Л.: Соцэкгиз, 1931) на с. 185 следует текст: «Поехали Ильич и Зиновьев в Исполнительный комитет Петроградского Совета, чтобы сделать там доклад о проезде через Германию. Оттуда поехал он». — *Примеч. ред.*

[3] Далее в рукописи: «Запомнилось только, что тут был почему-то один из учеников парижской школы Присягин, смотревший на Ильича сияющими лучистыми глазами. Помню, как Ильич ему улыбнулся. Присягин был московским рабочим, кожевником-посадчиком, в 11-м году был редактором нелегального московского журнальчика «Посадчик». Страшно застенчивый вначале, он потом стал одним из наиболее близких Ильичу учеников парижской школы. Было какое-то понимание с полуслова. Присягин хорошо знал жизнь самых отсталых слоев рабочих, рассказывал о ней Ильичу. Потом Присягин был расстрелян белыми в Сибири. И перед своим выступлением 4 апреля Ильичу радостно было перекинуться взглядом с Присягиным». — *Примеч. ред.*

[4] Имеется в виду доклад В.И. Ленина 4(17) апреля 1917 г. на собрании большевиков — участников Всероссийского совещания Советов рабочих и солдатских депутатов (см.: *Ленин В.И.* Полн. собр. соч. Т. 31. С. 103—112). — *Примеч. ред.*

[5] В рукописи: «Ильич выступил со своими знаменитыми тезисами, в них была целая новая революционная программа действий. Эти тезисы не были неожиданностью, пожалуй, только для товарищей, приехавших вместе с Ильичем, с которыми все уж было много раз переговорено, да для Присягиных, живших жизнью рабочей массы, для которых эти тезисы показались сами собой разумеющимися...» — *Примеч. ред.*

доклад на общем собрании и меньшевистских и большевистских делегатов. Собрание большевиков постановило, чтобы Ильич повторил на общем собрании всех социал-демократов свой доклад. Ильич это сделал. Собрание происходило внизу, в большом зале Таврического дворца. Помню, первое, что бросилось в глаза, это — сидевший в президиуме Гольденберг (Мешковский). В революцию 1905 г. это был твердый большевик, один из самых близких товарищей по борьбе. Теперь он пошел следом за Плехановым, стал оборонцем. Ленин говорил около двух часов. Против него выступил Гольденберг. Выступил чрезвычайно резко, говорил о том, что Лениным водружено знамя гражданской войны в среде революционной демократии. Видно стало, как далеко разошлись дороги. Запомнилась мне еще речь Коллонтай, горячо выступавшей в защиту тезисов Ленина[1].

Плеханов в своей газете «Единство» назвал тезисы Ленина «бредом».

Тезисы Ленина были через три дня, 7 апреля, напечатаны в «Правде». На другой день в «Правде» же появилась статья Каменева «Наши разногласия», которая отторгаивалась от этих тезисов. В статье Каменева указывалось, что тезисы Ленина — его личное мнение, что ни «Правда», ни Бюро ЦК их не разделяют. Делегаты-большевики того совещания, на котором Ленин выступил с своими тезисами, приняли-де не эти тезисы, а тезисы Бюро Центрального Комитета. Каменев заявлял, что «Правда» остается на старых позициях.

Внутри большевистской организации началась борьба. Она длилась недолго. Через неделю состоялась Общегородская конференция большевиков г. Петрограда, которая дала победу точке зрения Ильича. Конференция продолжалась восемь дней (с 14 по 22 апреля); за эти дни произошел ряд крупных событий, которые показали, насколько прав был Ленин.

7 апреля — в день появления в печати тезисов Ленина — Исполнительный комитет Петроградского Совета голосовал еще за «Заем свободы».

В буржуазных газетах и в газетах оборонческих началась бешеная травля Ленина и большевиков. Никто не считался с заявлением Каменева, все знали, что внутри большевистской организации верх возьмет точка зрения Ленина. Травля Ленина способствовала быстрой популяризации тезисов. Ленин

---

[1] В своей книге «Воспоминания о Ленине» (М., 1931. С. 189) Н. К. Крупская пишет: «Я слышала оба выступления Ильича 4 апреля, слышала его выступления на Петроградской конференции». — *Примеч. ред.*

называл происходящую войну империалистической, грабительской, все видели — он всерьез за мир. Это волновало матросов, солдат, волновало тех, для кого вопрос о войне был вопросом жизни и смерти.

10 апреля Ленин выступал в Измайловском полку, 15-го стала выходить «Солдатская правда», а 16-го солдаты и матросы Петрограда уже устроили демонстрацию против травли Ленина и большевиков.

18 апреля (1 мая) состоялись грандиозные первомайские демонстрации по всей России, никогда раньше не виданные.

И 18-го же апреля министр иностранных дел Милюков издал ноту от имени Временного правительства, где говорилось, что оно поведет войну до победного конца и что оно считает нужным выполнить все обязательства перед союзниками. Что же сделали большевики? Большевики объяснили в печати, какие это обязательства. Они указали, что Временное правительство обещает выполнить те обязательства, которые дало правительство Николая II и вся царская шайка. Они указали, перед кем эти обязательства. Это были обязательства перед буржуазией.

И вот, когда это стало ясно массам, они вышли на улицу. 21 апреля массы устроили демонстрацию на Невском. На Невском же устроили демонстрацию и сторонники Временного правительства.

Эти события сплотили большевиков. Резолюции петроградской большевистской организации были приняты в духе Ленина.

21 и 22 апреля ЦК вынес резолюции, которые ясно указывают на необходимость разоблачить Временное правительство, осуждали соглашательскую тактику Петроградского Совета, призывали к перевыбору рабочих и солдатских депутатов, призывали укреплять Советы, звали вести широкую разъяснительную работу и в то же время указывали на несвоевременность попыток немедленного свержения Временного правительства.

К моменту открытия Всероссийской конференции (24 апреля), три недели спустя после оглашения Лениным своих тезисов, уже достигнуто было единство в среде большевиков.

По приезде в Питер я мало стала видеть Ильича — он работал в ЦК, работал в «Правде», ездил по собраниям. Я пошла работать в секретариат ЦК в доме Кшесинской, но в секретариате работа была не похожа на заграничную секретарскую работу и на секретарскую работу 1905—1907 гг., когда приходилось вести довольно большую самостоятельную работу по директивам Ильича. Секретарем была Стасова, у нее были технические работники, я толковала с приходившими работниками, но местную работу я знала тогда еще мало. Часто приходили цекисты, чаще всех Свердлов. Настоящей осведомленности у меня не было. Меня очень тяготило отсутствие у меня определенных функций. Зато жадно впитывала я в себя окружающую жизнь. Улицы тогда представляли интересное зрелище: везде собирались кучками, везде в этих кучках шли горячие споры о текущем моменте, о всех событиях. Подойдешь к толпе и слушаешь. Раз я с Широкой до дома Кшесинской три часа шла, так занятны были эти уличные митингования. Против нашего дома был какой-то двор — вот откроешь ночью окно и слушаешь горячие споры. Сидит солдат, около него постоянно кто-нибудь — кухарки, горничные соседних домов, какая-то молодежь. В час ночи доносятся отдельные слова: большевики, меньшевики... в три часа: Милюков, большевики... в пять часов — все то же, политика, митингование. Белые ночи питерские теперь у меня всегда связываются в воспоминании с этими ночными митингованиями.

В секретариате ЦК приходилось видеть много народу, там же, в доме Кшесинской, помещался ПК, военная организация, «Солдатская правда». Ходила я иногда на заседания ПК, узнавала поближе публику, следила за работой Петроградского комитета. Интересовали меня также очень подростки, рабочая молодежь. Ребят захватывало движение. Среди них были сторонники разных направлений — и большевиков, и меньшевиков, и эсеров, и анархистов. Организация охватывала до 50 тысяч молодежи, но первое время движение было достаточно беспризорное. Я повела среди них кое-какую работу. Прямой контраст этой рабочей молодежи представляли собой учащиеся старших групп средней школы. Часто толпой они подходили к дому Кшесинской и выкрикивали разные ругательства по адресу большевиков. Видно было, что их здорово обрабатывают.

Вскоре после приезда — точно не помню числа — я была на учительском съезде. Народу было там уйма, учительство было целиком под влиянием эсеров. На съезде выступали видные оборонцы. В тот день, когда я там была, выступал утром, до моего прихода, еще Алексинский. Социал-демократов — большевиков, меньшевиков-интернационалистов — было всего человек 15—20; они собрались в особой небольшой комнатушке, обменивались разными соображениями по поводу того, за какую школу надо будет бороться. Многие из присутствовавших на этом собрании работали потом в рай-

онных думах. Учительская масса была охвачена шовинист-
ским угаром.

18 апреля (1 мая) Ильич принимал участие в первомай-
ской демонстрации. Он выступал на Охте и на Марсовом
поле. Я не слышала его выступлений — лежала в этот день, не
могла даже подняться с постели. Когда Ильич вернулся, меня
поразило его взволнованное лицо. Живучи за границей, мы
обычно ходили на маевки, но одно дело маевка с разрешения
полиции, другое дело — маевка революционного народа, народа, победившего царизм.

21 апреля я должна была встретиться с Ильичем у Дан-
ского. Мне был дан адрес: Старо-Невский, 3, и я прошла пешком весь Невский. Из-за Невской заставы шла большая рабочая демонстрация. Ее приветствовала рабочая публика, за-
полнявшая тротуары. «Идем! — кричала молодая работница
другой работнице, стоявшей на тротуаре.— Идем, всю ночь
будем ходить!» Навстречу рабочей демонстрации двигалась
другая толпа, в котелках и шляпках; их приветствовали котел-
ки и шляпки с тротуара. Ближе к Невской заставе преобладали
рабочие, ближе к Морской, около Полицейского моста, было
засилье котелков. Среди этой толпы из уст в уста передавал-
ся рассказ о том, как Ленин при помощи германского золота
подкупил рабочих, которые теперь все за него. «Надо бить Ленина!» — кричала какая-то по-модному одетая девица. «Перебить бы всех этих мерзавцев»,— кипятился какой-то котелок.
Класс против класса! Рабочий класс был за Ленина.

С 24 по 29 апреля состоялась Всероссийская апрельская
конференция. Были на ней 151 делегат, был на ней выбран
новый ЦК, вопросы на ней обсуждались чрезвычайно важные — о текущем моменте, о войне, о подготовке III Интернационала, о национальном вопросе, об аграрном вопросе, о
партийной программе.

Мне особенно запомнилась речь Ильича о текущем моменте.

В этой речи особенно как-то ярко выступило отношение
Ильича к массам, то, как внимательно вглядывался он в то, чем
массы живут, что переживают.

«Нет никакого сомнения, что пролетариат и полупролета-
риат не заинтересован в войне, как класс. Они идут под влиянием традиций и обмана. У них нет еще политического опыта. Отсюда наша задача — длительное разъяснение. Мы не делаем им ни малейших принципиальных уступок, но к ним мы
не можем подходить как к социал-шовинистам. Эти элементы населения никогда социалистическими не были, никакого

понятия о социализме не имеют, они только просыпаются к политической жизни. Но их сознание растет и ширится с необыкновенной быстротой. К ним надо уметь подойти с разъяснением, и это является самой трудной задачей, в особенности для партии, которая вчера еще находилась в подполье».

«Многим, в том числе и мне лично,— говорил в этой речи Ильич,— приходилось выступать, особенно перед солдатами, и я думаю, что если разъяснять все с классовой точки зрения, то для них всего более неясно в нашей позиции, как именно мы хотим кончить войну, как мы считаем возможным ее кончить. В широких массах есть тьма недоразумений, полного непонимания нашей позиции, поэтому мы должны быть здесь наиболее популярными». «Выступая перед массами, надо давать им конкретные ответы».

Не только среди пролетариата, но и среди широких слоев мелкой буржуазии надо уметь вести разъяснительную работу — говорил Ильич.

Говоря о контроле, Владимир Ильич сказал: «Для того, чтобы контролировать, нужно иметь власть. Если это непонятно широкой массе мелкобуржуазного блока, надо иметь терпение разъяснить ей это, но ни в коем случае не говорить ей неправду». Никакой демагогии не допускал Ильич, и это чувствовали солдаты, чувствовали крестьяне, которые с ним говорили. Но доверие не завоевывается с маху. В такое горячее время Ильич сохранял обычную трезвость мысли: «Мы сейчас в меньшинстве, массы пни гока не верят. Мы сумеем ждать: они будут переходить на нашу сторону, когда правительство им себя покажет». Немало было у Ильича разговоров с солдатами и крестьянами, немало видел он уже в то время проявлений доверия, но он не строил себе никаких иллюзий: «Нет более опасной ошибки для пролетарской партии, как строить свою тактику на субъективных желаниях там, где нужна организованность. Говорить, что за нас большинство — нельзя; в данном случае нужно недоверие, недоверие и недоверие. Базировать на этом пролетарскую тактику — значит ее убить».

В конце речи о текущем моменте Ильич говорил: «Русская революция создала Советы. Ни в одной буржуазной стране мира таких государственных учреждений нет и быть не может, и ни одна социалистическая революция не может оперировать ни с какой властью, кроме этой. Советы Р. и С. Д. должны взять власть не для создания обычной буржуазной республики или непосредственного перехода к социализму. Этого быть не может. Для чего же? Они должны взять власть для того, чтобы сделать первые конкретные шаги к этому переходу, которые можно и должно делать. Страх есть главный враг в этом отношении. Массам надо проповедовать, что эти шаги надо делать сейчас, иначе власть Советов Р. и С. Д. будет бессмысленна и ничего не даст народу».

И далее Ильич говорил о непосредственных задачах, которые стоят перед Советами. «Надо отменить частную собственность на землю. Это та задача, которая перед нами стоит, потому что большинство народа за это стоит. Для этого нам нужны Советы. Эту меру провести со старым государственным чиновничеством невозможно». Закончил свою речь Ильич примером, показывающим, что значит завоевание власти на местах.

«Я кончу ссылкой на одну речь, которая произвела на меня наибольшее впечатление. Один углекоп говорил замечательную речь, в которой он, не употребив ни одного книжного слова, рассказывал, как они делали революцию. У них вопрос стоял не о том, будет ли у них президент, но его интересовал вопрос: когда они взяли копи, надо было охранять канаты для того, чтобы не останавливалось производство. Затем вопрос стал о хлебе, которого у них не было, и они также условились относительно его добывания. Вот это настоящая программа революции, не из книжки вычитанная. Вот это настоящее завоевание власти на месте».

Зинаида Павловна Кржижановская вспомнила как-то, как я ей рассказывала про эту речь углекопа, и говорила: «Теперь им главное надо своих инженеров. Владимир Ильич считает, что замечательно было бы хорошо, если бы Глеб туда поехал».

На конференции встретили мы много знакомой публики. Запомнилась, между прочим, встреча с Присягиным, учеником школы в Лонжюмо, запомнилось, как слушал он речь Ильича и как светились его глаза. Теперь Присягина нет уже в живых. В 1918 г. он расстрелян белыми в Сибири.

В 1917 г., в начале мая, был составлен Ильичем набросок изменений в партийной Программе. Империалистская война и революция произвели крупнейшие изменения во всем укладе, требовали целого ряда новых оценок, новых подходов — прежняя Программа страшно устарела.

Вся наметка новой Программы-минимум дышала стремлением улучшить, поднять жизненный уровень масс, дать простор их самодеятельности.

Меня все больше тяготила моя работа в секретариате, хотелось пойти на непосредственную массовую работу, хотелось также чаще видеть Ильича, за которого охватывала все большая и большая тревога. Его травили все сильнее и сильнее. Идешь по Петербургской стороне и слышишь, как какие-то домохозяйки толкуют: «И что с этим Лениным, приехавшим из Германии, делать? в колодези его что ли утопить?» Конечно, ясно было, откуда идут все эти разговоры о подкупе, о предательстве, но не горазд их было весело слушать. Одно дело, когда говорят буржуи, другое дело, когда это говорят массы. Я написала для «Солдатской правды» о том, кто такой Ленин, озаглавила «Страничка из истории партии». Владимир Ильич просмотрел рукопись, внес в нее поправки, и она была напечатана в № 21 «Солдатской правды» от 13 мая 1917 года.

Когда Владимир Ильич возвращался домой усталый, у меня язык не поворачивался спрашивать его о делах. Но и ему, и мне хотелось поговорить так, как привыкли, во время прогулки. И мы иногда, редко впрочем, ходили гулять по более глухим улицам Петроградской стороны. Раз, помню, ходили на такую прогулку вместе с тт. Шаумяном и Енукидзе. Шаумян тогда передал Ильичу красные значки, которые его сыновья заказали ему передать Ленину. Ильич улыбался.

Тов. Шаумяна, Степана, пользовавшегося громадным влиянием среди бакинского пролетариата, мы знали уже давно. Сразу же после II съезда он примкнул к большевикам, был и на Стокгольмском съезде и на Лондонском. На Стокгольмском съезде он входил в мандатную комиссию. По величине этот съезд был несравним ни со вторым, ни с третьим съездом. На тех съездах знали, что каждый делегат представляет собой, тут же было много совсем малоизвестных делегатов. Шла в мандатной комиссии из-за каждого делегата острая фракционная борьба. Помню, как маялся в этой комиссии Шаумян. На Лондонском съезде я не была. Потом, во вторую эмиграцию, мы усиленно переписывались с бакинцами. Помню, как запрашивали они меня о причинах раскола с впередовцами и как подробно приходилось отвечать, описывать, как, из-за чего шли споры.

В 1913 г. у Ильича оживилась переписка с Шаумяном по национальному вопросу. Очень интересно письмо, в котором в мае 1914 г. Ильич развивает мысль о том, что надо бы, чтобы марксисты всех или очень многих национальностей составили для внесения в Государственную думу проект закона о равноправии наций и о защите прав национальных меньшинств. В этот проект, по мысли Ильича, должна была войти полная расшифровка того, что входит в наше понимание равноправия, в том числе и вопрос о языке и вопрос о школе, о культуре вообще, но взятые во всех связях и опосредствованиях.

«Мне сдается,— писал Ильич,— этим путем можно бы популярно разъяснить глупость культурно-национальной автономии и убить сторонников этой глупости окончательно» Ильич даже набросал такой проект.

И в 1917 г. Ильич рад был повидать Степана и поговорить с ним вплотную обо всех вопросах, с такой остротой вставших в это время перед большевиками.

Осталось в памяти выступление Ильича на I Всероссийском съезде Советов рабочих и солдатских депутатов. Съезд происходил в кадетском корпусе на Первой линии Васильевского острова. Шли по длинным коридорам, в классах было устроено общежитие для делегатов. В зале, полном народу, большевики сидели сзади небольшой группой. Речи Ленина аплодировали только большевики, но было несомненно, что она произвела сильное впечатление. Кто-то потом рассказывал, что Керенский после этой речи пролежал без сознания три часа. Не знаю уже, насколько это соответствовало истине.

В июне проходили выборы в районные думы. Я ходила смотреть, как проходит предвыборная кампания на Васильевском острове. Улицы были залиты рабочим людом. Преобладали рабочие Трубочного завода, было много работниц с фабрики Лаферм. Фабрика Лаферм голосовала за эсеров. Всюду шли горячие споры, обсуждали не кандидатов, не лиц, а деятельность партий, за что та или другая партия стоит. Вспоминались выборы по районам, проходившие в Париже в нашу бытность там, поражало там отсутствие политических оценок и масса личных каких-то счетов, привносимых в выборы. Тут была совершенно обратная картина. Бросалось еще в глаза, как выросли массы по сравнению с 1905— 1907 гг. Видно было, что все читают газеты разных направлений. В одной группе толковали, возможен ли у нас бонапартизм. Среди публики шмыгала какая-то шпикообразная фигура небольшого роста, особенно как-то неуместная среди этой толпы рабочих, выросших так за последние годы.

Революционное настроение масс росло.

Большевиками на 10 июня назначена была демонстрация. Съезд Советов запретил ее, постановив, что три дня не должно быть никаких демонстраций. Ильич настоял тогда, чтобы назначенная ПК демонстрация была отменена; он считал, что коли признаем власть Советов, то нельзя не подчиняться постановлениям съезда и тем дать оружие в руки противников. Но, уступая настроению масс, съезд Советов на 18 июня назначил собственную демонстрацию. Он не ожидал того, что получилось. В демонстрации принимало участие около 400 тысяч рабочих и солдат. 90 процентов знамен и плакатов были с лозунгами ЦК большевиков: «Вся власть Советам!», «Долой 10 министров-капиталистов!» За доверие Временному правительству было только три плаката (один принадлежал Бунду, один — плехановскому «Единству», один — казачьему полку). Ильич охарактеризовал 18 июня как один из дней перелома.

«Демонстрация 18-го июня,— писал он,— стала демонстрацией сил и политики революционного пролетариата, указывающего направление революции, указывающего выход из тупика. В этом гигантское историческое значение воскресной демонстрации, в этом ее отличие принципиальное от демонстраций в день похорон жертв революции и в день 1 -го Мая. Тогда это было поголовное чествование первой победы революции и ее героев, взгляд, брошенный народом назад на пройденный им наиболее быстро и наиболее успешно первый этап к свободе. Первое мая было праздником пожеланий и надежд, связанных с историей всемирного рабочего движения, с его идеалом мира и социализма.

Ни та, ни другая демонстрация не задавались целью указать направление дальнейшего движения революции и не могли указывать его. Ни та, ни другая не ставили перед массами и от имени масс конкретных, определенных, злободневных вопросов о том, куда и как должна пойти революция.

В этом смысле 18-ое июня было первой политической демонстрацией действия, разъяснением — не в книжке или в газете, а на улице, не через вождей, а через массы — разъяснением того, как разные классы действуют, хотят и будут действовать, чтобы вести революцию дальше.

Буржуазия попряталась».

Прошли выборы в районные думы. Я прошла по Выборгскому району. По Выборгскому району прошли только большевики и небольшое число меньшевиков-интернационалистов, которые не стали работать. В районной управе работали исключительно большевики: Л. М. Михайлов, Кучменко, Чугурин, еще один товарищ и я. Наша управа помещалась сначала в одном помещении с партийным районным комитетом, секретарем которого была Женя Егорова, там же работал т. Лацис. Между работой нашей управы и партийной организацией была самая тесная связь. Работа в Выборгском районе дала мне чрезвычайно много — это была хорошая школа партийной и советской работы. Мне, прожившей долгие годы в эмиграции, не решавшейся выступать даже на небольших собраниях, никогда не написавшей до тех пор ни строки в «Правду», такая школа была необходима.

Выборгский район имел крепкий большевистский актив. Большевики пользовались доверием рабочих масс. Вскоре после моего вступления в работу мне пришлось принимать работу выборгского отделения комиссии помощи солдаткам от старой моей знакомой, с которой мы когда-то учились в одной гимназии, потом преподавали вместе в воскресной школе и которая в первые годы развития рабочего движения была социал-демократкой,— от Нины Александровны Герд, жены Струве. Теперь мы стояли на совершенно различных политических точках зрения. Передавая мне дела, она говорила: «Нам солдатки не верят; что бы мы ни делали, они недовольны; они верят только большевикам. Ну, что ж, берите дело в свои руки, может, лучше наладите!» Мы не боялись браться за дело, считали, что вместе с рабочими, опираясь на их самодеятельность, сумеем развернуть широкую работу.

Рабочие массы проявили громадную активность не только в политической области, но и в области культурной. Очень быстро у нас образовался Совет народного образования, куда входили представители всех фабрик и заводов Выборгского района. Из представителей заводов помню рабочих Пурышева, Каюрова, Юркина, Гордиенко. Собирались каждую неделю и обсуждали практические мероприятия. Когда возник вопрос о необходимости поголовного обучения грамоте, заводы провели очень быстро силами рабочих учет неграмотных на заводах. Фабрикантам предъявлено было требование отвести помещения под школы грамоты, а когда один какой-то заводчик отказался дать помещение, то работницы подняли невероятный скандал, выявили, что одно из помещений при фабрике занято ударниками (солдатами из особо шовинистски настроенных батальонов); кончилось тем, что фабрикант нанял помещение под школу. Был налажен со стороны рабочих контроль за посещением уроков и за преподаванием. Недалеко от управы стоял пулеметный полк. Он считался вначале очень надежным, но его «надежность» очень быстро растаяла. Как только поставили пулеметный полк на Выборгскую сторону, среди солдат начали вести агитацию. Первыми агитаторами за большевиков оказались торговки семечками, квасом и т. д. Среди них было немало солдаток. Работницы Выборгского района были не похожи на работниц, которых я знала в 90-е годы и даже в революцию 1905 г. Они были хо-

294

рошо одеты, выступали активно на собраниях, были политически сознательны. Рассказывала мне одна работница: «Муж у меня на фронте. Жили мы с ним дружно, не знаю, как будет теперь, когда вернется с фронта. Я теперь за большевиков, с ними иду, а не знаю, как он там, на фронте... Понял ли, увидал ли, что с большевиками надо идти. Часто ночью думаю — вдруг не понял еще. Только не знаю, дождусь ли, может, убьют его, да я вот кровью харкаю, в больницу еду». Крепко запомнилось мне худое лицо этой работницы с красными пятнами на щеках, ее тревога за то, не пришлось бы разойтись с мужем из-за взглядов. Но в культурной работе в то время впереди шли не работницы, а рабочие. Они вникали во все. Тов. Гордиенко очень много, например, возился с детскими садами, т. Куклин внимательно следил за работой молодежи.

Я. тоже вплотную встала к работе молодежи. Молодежь, сгруппированная в союз «Свет и знание», вырабатывала свою программу. Среди ребят были большевики, меньшевики, анархисты, беспартийные. Программа была архинаивна и первобытна, но споры вокруг нее были очень интересны. Например, один из пунктов гласил, что все должны научиться шить. Тогда один парень — большевик — заметил: «Зачем же всем шить учиться? Конечно, девочкам надо уметь, а то не сумеет потом мужу пуговицу к брюкам пришить, а всем-то зачем учиться?!» Эти слова вызвали бурю негодования. Не только девушки, но все ребята вознегодовали, повскакали с мест. «Пуговицу к брюкам жена должна пришивать? Ты что? Старое женское рабство хочешь поддерживать? Жена мужу товарищ, а не служанка!» Автор предложения, чтобы только женщины учились шитью, принужден был сдаться. Помню разговор с другим парнем, защищавшим яро большевиков, с Мурашевым. Я его спрашиваю: «Почему вы не входите в организацию большевиков?» «Видите ли,— отвечал он мне,— нас несколько человек молодежи были в организации. Но почему мы пошли? Думаете, потому, что понимали, что большевики правы? Не потому, а потому, что большевики своим револьверы раздавали! Так никуда не годится. Надо по сознанию идти; я вернул билет, пока до конца не разберусь». Надо сказать, что в «Свет и знание» входили все же лишь ребята, революционно настроенные, ребята не потерпели бы в своей среде никого, кто стал бы высказывать правые взгляды. Публика была активная, выступала у себя на заводах, на своих собраниях, только очень доверчивая. С этой доверчивостью приходилось всячески бороться.

Много приходилось работать среди женщин. Я уже забыла свою недавнюю еще застенчивость и выступала везде, где надо.

С головой ушла я в работу, хотелось втянуть массы поголовно в общественную работу, сделать возможным осуществление той «народной милиции», о которой ставил тогда вопрос Владимир Ильич.

Начав работать в Выборгском районе, я еще меньше стала видеть Ильича, а время было острое, борьба разгоралась. 18 июня было не только днем демонстрации 400 тысяч рабочих и солдат под большевистскими лозунгами, 18 июня было днем, когда Временное правительство, после трех месяцев колебаний под напором союзников, начало наступление на фронте. Большевики уже стали выступать в печати и на собраниях. Временное правительство почувствовало, что почва колеблется у него под ногами. 28 июня началось поражение русской армии на фронте; это страшно взволновало войска.

В конце июня Ильич вместе с Марией Ильиничной поехал на несколько дней отдохнуть к Бонч-Бруевичам в деревню Нейвола около станции Мустамяки (недалеко от Питера). Тем временем в Петрограде разразились следующие события. Пулеметный полк, стоявший на Выборгской стороне, решил начать вооруженное восстание. За два дня перед тем наша просветительная комиссия сговорилась с культурно-просветительной комиссией пулеметного полка собраться в понедельник для обсуждения совместно некоторых вопросов культурной работы. Никто, само собой, от пулеметного полка не пришел, пулеметный полк весь ушел. Я пошла в дом Кшесинской. Вскоре я нагнала пулеметчиков на Сампсониевском проспекте. Стройными рядами шли солдаты. Осталась в памяти такая сцена. С тротуара сошел старый рабочий и, идя навстречу идущим солдатам, поклонился им в пояс и громко сказал: «Уж постойте, братцы, за рабочий народ!» Во дворце Кшесинской из присутствовавших в помещении ЦК товарищей помню Сталина и Лашевича. Пулеметчики останавливались около балкона и отдавали честь, потом шли дальше. Потом к ЦК подошли еще два полка, потом подошла рабочая демонстрация. Вечером был послан товарищ в Мустамяки за Ильичем. Центральный Комитет дал лозунг превратить демонстрацию в мирную, а между тем пулеметный полк стал уже возводить у себя баррикады. Я помню, как долго лежал на диване в Выборгской управе т. Лашевич, который вел работу в этом полку, и смотрел в потолок, прежде чем пойтик пулеметчикам уговаривать их прекратить выступление. Трудненько ему это было, но таково было постановление Центрального Комитета. Заводы и фабрики забастовали. Из Кронштадта прибыли матросы. Огромная демонстрация вооруженных рабочих и солдат шла к Таврическому дворцу. Ильич выступал с балкона дворца Кшесинской Центральный Комитет написал воззвание с призывом о прекращении демонстрации. Временное правительство вызвало юнкеров и казаков. На Садовой открыта была стрельба по демонстрантам.

СНОВА В ПОДПОЛЬЕ

Эту ночь Ильичу устроили ночевку у Сулимовых (на Петербургской стороне). Самое надежное место, где лучше всего можно было укрыть Ильича, было на Выборгской стороне. Решено было, что он будет жить у рабочего Каюрова. Я зашла за Ильичем к Сулимовым, и мы пошли с ним на Выборгскую сторону. Шли мимо Московского полка по какому-то бульвару. На бульваре сидел Каюров. Увидя нас, он пошел немного впереди, за ним пошел Ильич, я повернула в сторону. Юнкера разгромили редакцию «Правды». Днем было собрание ПК в сторожке завода Рено, на котором присутствовал Ильич. Обсуждался вопрос о всеобщей забастовке. Было решено забастовки не устраивать. Оттуда Ильич отправился на квартиру к т. Фофановой, в Лесном, где у него было свидание с некоторыми членами Центрального Комитета. В этот день рабочее движение было подавлено. Алексинский, бывший член II Думы от рабочих Петрограда, впередовец, когда-то близкий товарищ по работе, и член партии эсеров Панкратов, старый шлиссельбуржец, пустили в ход клевету о том, что Ленин, по имеющимся якобы у них данным,— немецкий шпион. Они рассчитывали этой клеветой парализовать влияние Ленина. 7 июля Временное правительство приняло постановление арестовать Ленина, Зиновьева, Каменева. Дом Кшесинской был занят правительственными войсками. От Каюрова Ильич перебрался к Аллилуеву, где скрывался также и Зиновьев. У Каюрова сын был анархист, молодежь возилась с бомбами, что не очень-то подходило для конспиративной квартиры.

7-го мы были у Ильича на квартире Аллилуевых вместе с Марией Ильиничной. Это был как раз у Ильича момент колебаний. Он приводил доводы за необходимость явиться на суд. Мария Ильинична горячо возражала ему. «Мы с Григорием решили явиться, пойди скажи об этом Каменеву»,— сказал мне Ильич. Каменев в это время находился на другой квартире поблизости. Я заторопилась. «Давай попрощаемся,— остановил меня Владимир Ильич,— может, не увидимся уж». Мы обнялись. Я пошла к Каменеву и передала ему поручение Владимира Ильича. Вечером т. Сталин и другие убедили Ильича на суд не являться и тем спасли его жизнь. Вечером у нас на Широкой был обыск. Обыскивали только нашу комнату. Был какой-то полковник и еще какой-то военный в шинели на белой подкладке. Они взяли из стола несколько записок, какие-то мои документы. Спросили, не знаю ли я, где Ильич, из чего я заключила, что он не объявился. Наутро пошла к т. Смилге, который жил на той же Широкой улице, там же были Сталин и Молотов. Там я узнала, что Ильич и Зиновьев решили скрываться.

Через день, 9-го, к нам ввалилась с обыском целая орава юнкеров. Они тщательно обыскали всю квартиру. Мужа Анны Ильиничны, Марка Тимофеевича Елизарова, приняли за Ильича. Допрашивали меня, не Ильич ли это. В это время у Елизаровых домашней работницей жила деревенская девушка Аннушка. Была она из глухой деревни и никакого представления ни о чем не имела. Она страстно хотела научиться грамоте и каждую свободную минуту хваталась за букварь, но грамота ей давалась плохо: «Пробка я деревенская!» — горестно восклицала она. Я ей старалась помочь научиться читать, а также растолковывала, какие партии существуют, из-за чего война и т. д. О Ленине она представления не имела. 8-го я не была дома; наши мне рассказывали, что к дому подъехал автомобиль и устроена была враждебная демонстрация. Вдруг вбегает Аннушка и кричит: «Какие-то Оленины приехали!» Во время обыска юнкера ее стали спрашивать, указывая на Марка Тимофеевича, как его зовут? Она не знала. Они решили, что она не хочет сказать. Потом пришли к ней в кухню и стали смотреть под кроватью, не спрятался ли там кто. Возмущенная Аннушка им заметила: «Еще в духовке посмотрите, может там кто сидит». Нас забрали троих — меня, Марка Тимофеевича и Аннушку — и повезли в генеральный штаб. Рассадили там на расстоянии друг от друга. К каждому приставили по солдату с ружьем. Через некоторое время врывается рассвирепелое какое-то офицерье, собираются броситься на нас. Но входит тот полковник, который делал у нас обыск в первый раз, посмотрел на нас и сказал: «Это не те люди, которые нам нужны». Если бы был Ильич, они бы его разорвали на части. Нас отпустили. Марк Тимофеевич стал настаивать, чтобы нам дали автомобиль ехать домой. Полковник пообещал и ушел. Никто никакого автомобиля нам, конечно, не дал. Мы наняли извозчика. Мосты оказались разведены. Мы добрались до дому лишь к утру. Долго стучали в дверь, стали уж бояться, не случилось ли что с нашими. Наконец достучались.

У наших был обыск еще третий раз. Меня не было дома, была у себя в районе. Прихожу домой, вход занят солдатами, улица полна народом. Постояла и пошла назад в район — все равно ничем не поможешь. Притащилась в район уж поздно, никого там не было, кроме сторожихи. Немного погодя пришел Слуцкий — товарищ, приехавший недавно из Америки вместе с Володарским, Мельни-чанским и др.; потом он был убит на Южном фронте. Он ушел только что из-под ареста, стал меня убеждать не идти домой, послать сначала утром кого-нибудь, чтобы разузнать, в чем дело. Пошли мы с ним искать ночевки, но адресов товарищей мы не знали, долго бродили по району, пока не добрались до Фофановой — товарища по работе в районе, которая и устроила нас. Утром оказалось, что никто из наших не арестован и обыск на этот раз производили менее грубо, чем предыдущий.

Ильич вместе с Зиновьевым скрывались у старого подпольщика, рабочего Сестрорецкого завода Емельянова, на ст. Разлив, недалеко от Сестрорецка. К Емельянову и его семье у Ильича сохранилось до конца очень теплое отношение.

Я стала все время проводить в Выборгском районе. В июльские дни поражала разница между настроениями обывателя и рабочих. В трамваях, по улицам шипел из всех углов озлобленный обыватель, но перейдешь через деревянный мост, который вел на Выборгскую сторону, и точно в другой мир попадешь. Дел было уйма. Через т. Зофа и других, связанных с т. Емельяновым, получала я записки от Ильича с разными поручениями. Реакция росла. 9 июля объединенное заседание ВЦИК и Исполнительного комитета Совета рабочих и крестьянских депутатов объявило Временное правительство «правительством спасения революции»; в тот же день началось «спасение». В тот же день был арестован Каменев, 12 июля отдан приказ о введении смертной казни на фронте, 15 июля закрыты «Правда» и «Окопная правда» и издан приказ о запрещении на фронте митингов, были произведены аресты большевиков в Гельсингфорсе, закрыта там большевистская газета «Волна», 18 июля был распущен Финляндский сейм, генерал Корнилов назначен верховным главнокомандующим, 22 июля арестованы были Троцкий и Луначарский.

Вскоре после июльских дней Керенский придумал меру, которой рассчитывал поднять дисциплину в войсках; он решил, что надо пулеметный полк, начавший выступление в июльские дни, вывести безоружным на площадь и там заклеймить позором. Я видела, как разоруженный полк шел на площадь. Под уздцы вели разоруженные солдаты лошадей, и столько ненависти горело в их глазах, столько ненависти было во всей их медленной походке, что ясно было, что глупее ничего не мог Керенский придумать. И в самом деле, в Октябре пулеметный полк беззаветно пошел за большевиками, охраняли Ильича в Смольном пулеметчики.

Партия большевиков перешла на полулегальное положение, но она росла и крепла; к моменту открытия VI съезда партии 26 июля она насчитывала уже 177 тысяч \ вдвое больше, чем три месяца назад, во время Всероссийской апрельской конференции большевиков. Рост влияния большевиков особенно в войсках был несомненен. VI съезд сплотил еще больше силы большевиков. В воззвании, выпущенном от имени VI съезда, говорилось о той контрреволюционной позиции, которую заняло Временное правительство, о том, что готовится мировая революция, схватка классов. «В эту схватку,— говорилось в воззвании,— наша партия идет с развернутыми знаменами. Она твердо держала их в своих руках. Она не склонила их перед насильниками и грязными клеветниками, перед изменниками революции и слугами капитала. Она впредь будет держать их высоко, борясь за социализм, за братство народов. Ибо она знает, что грядет новое движение и настает смертный час старого мира»

25 августа началось движение корниловцев на Петроград. Питерские рабочие и выборжцы в первую очередь, конечно, бросились на защиту Петрограда. Навстречу отрядам корниловских войск, так называемой «дикой дивизии», были посланы наши агитаторы. Кор-ниловские войска очень быстро разложились, настоящего наступления не получилось. Генерал Крымов, командовавший корпусом, направленным на Петроград, застрелился. Мне запомнилась фигура одного нашего выборгского рабочего — молодого парня. Он работал по организации дела ликвидации безграмотности. В числе первых двинулся он на фронт. И вот, помню, вернулся он с фронта и еще с винтовкой на плече примчался в районную думу. В школе грамоты не хватило мелу. Входит парень, лицо его дышит еще оживлением борьбы, сбрасывает винтовку, ставит ее в угол и начинает горячо толковать о меле, о досках. В Выборгском районе мне пришлось каждодневно наблюдать, как тесно увязывалась у рабочих их революционная борьба с борьбой за овладение знанием, культурой.

Жить в шалаше на ст. Разлив, где скрывался Ильич, было дальше невозможно, настала осень, и Ильич решил перебраться в Финляндию — там хотел он написать задуманную им работу «Государство и революция», для которой он сделал уже массу выписок, которую уже обдумал со всех сторон. В Финляндии удобнее было также следить за газетами. Н. А. Емельянов достал ему паспорт сестрорецкого рабочего, Ильичу надели парик и подгримировали его. Дмитрий Ильич Лещенко, старый партийный товарищ времен 1905—1907 гг., бывший секретарь наших большевистских газет, у которого часто ночевал в те времена Владимир Ильич,— теперь т. Лещенко был моим помощником по культработе в Выборгском районе,— съездил в Разлив и заснял Ильича (к паспорту нужно было приложить карточку). Тов. Ялава, финский товарищ, служивший машинистом на Финляндской железной дороге,— его хорошо знали тт. Шотман и Рахья,— взялся перевезти Ильича под видом кочегара. Так и было сделано. Сношения велись с Ильичем также через т. Ялаву, и я не раз заходила потом к нему за письмами от Ильича — т. Ялава жил также в Выборгском районе. Когда

Ильич устроился в Гельсингфорсе, он прислал химическое письмо, в котором звал приехать, сообщал адрес и даже план нарисовал, как пройти, никого не спрашивая. Только у плана отгорел край, когда я нагревала письмо на лампе. Емельяновы достали паспорт и мне — сестрорецкой работницы-старухи. Я повязалась платком и поехала в Разлив, к Емельяновым. Они перевели меня через границу; для пограничных жителей было достаточно паспорта для перехода границы; просматривал паспорта какой-то офицер. Надо было пройти от границы верст пять лесом до небольшой станции Олилла, где сесть в солдатский поезд. Все обошлось как нельзя лучше. Только отгоревший кусок плана немного подсадил — долго бродила я по улицам, пока нашла ту улицу, которая была нужна. Ильич обрадовался очень. Видно было, как истосковался он, сидя в подполье в момент, когда так важно было быть в центре подготовки к борьбе. Я ему рассказала о всем, что знала. Пожила в Гельсингфорсе пару дней. Захотел Ильич непременно проводить меня до вокзала, до последнего поворота довел. Условились, что приеду еще.

Второй раз была я у Ильича недели через две. Как-то запоздала и решила не заезжать к Емельяновым, а пойти до Олилла самой. В лесу стало темнеть — глубокая осень уже надвигалась, взошла луна. Ноги стали тонуть в песке. Показалось мне, что сбилась я с дороги; я заторопилась. Пришла в Олилла, а поезда нет, пришел лишь через полчаса. Вагон был битком набит солдатами и матросами. Было так тесно, что всю дорогу пришлось стоять. Солдаты открыто говорили о восстании. Говорили только о политике. Вагон представлял собой сплошной крайне возбужденный митинг. Никто из посторонних в вагон не заходил. Зашел вначале какой-то штатский, да послушав солдата, который рассказывал, как они в Выборге бросали в воду офицеров, на первой же станции смылся. На меня никто не обращал внимания. Когда я рассказала Ильичу об этих разговорах солдат, лицо его стало задумчивым, и потом уже, о чем бы он ни говорил, эта задумчивость не сходила у него с лица. Видно было, что говорит он об одном, а думает о другом, о восстании, о том, как лучше его подготовить.

13—14 сентября Владимир Ильич пишет уже в ЦК письмо «Марксизм и восстание» а в конце сентября перебирается уже из Гельсингфорса в Выборг, чтобы быть поближе к Питеру; из Выборга пишет письмо Смилге в Гельсингфорс (Смилга в это время был председателем Областного комитета армии, флота и рабочих Финляндии) о том, что надо все внимание отдать военной подготовке финских войск, флота для предстоящего свержения Керенского. О том, как надо перестроить весь государственный аппарат, как по-новому организовать массы, как по-новому перетакть всю общественную ткань, как выражался Ильич,— об этом он неустанно думал, об этом он писал в статье «Удержат ли большевики государственную власть?», писал в воззвании к крестьянам и солдатам в письме питерской городской конференции для прочтения на закрытом заседании, где указывал уже конкретные меры, которые надо предпринять для взятия власти; о том же написал членам ЦК, МК, ПК и членам Советов Питера и Москвы — большевикам.

КАНУН ВОССТАНИЯ

7 октября Ильич перебрался из Выборга в Питер. Решено было соблюдать сугубую конспирацию: не говорить адреса, где он будет скрываться, даже членам Центрального Комитета. Поселили мы его на Выборгской стороне, на углу Лесного проспекта, в большом доме, где жили исключительно почти рабочие, в квартире Маргариты Васильевны Фофановой. Квартира была очень удобна, по случаю лета никого там не было, даже домашней работницы, а сама Маргарита Васильевна была горячей большевичкой, бегавшей по всем поручениям Ильича. Через три дня, 10 октября, Ильич принимал участие в заседании ЦК на квартире Сухановой, где была принята резолюция о вооруженном восстании. Десять человек членов ЦК (Ленин, Свердлов, Сталин, Дзержинский, Троцкий, Урицкий, Коллонтай, Бубнов, Сокольников, Ломов) голосовали за вооруженное восстание. Зиновьев и Каменев — против.

15 октября состоялось заседание Петроградской организации. Происходило оно в Смольном (один уж этот факт был очень показателен) ; были делегаты от районов (от Выборгского района было восемь человек). Помню — выступал за вооруженное восстание Дзержинский, против — Чудновский. Чудновский был ранен на фронте, у него была рука на перевязи. Волнуясь, он указывал, что мы потерпим неминуемо поражение, что нельзя торопиться. «Ничего нет легче, как умереть за революцию, но мы повредим делу революции, если дадим себя расстрелять». Чудновский умер действительно за дело революции, погибнув во время гражданской войны. Он не был фразером, но точка зрения его была насквозь ошибочна. Я не помню других выступлений. При голосовании громадное большинство высказалось за немедленное восстание, весь Выборгский район голосовал за.

На другой день, 16-ю, было расширенное заседание ЦК в Лесном, 8 Лесной подрайонной думе, где принимали участие, кроме членов ЦК, и члены Исполнительной комиссии Петроградского комитета, военной организации, Петроградского Совета, профессиональных союзов, фабрично-заводских комитетов, железнодорожников, Петроградского окружного комитета.

На этом собрании обсуждались две линии: большинства — тех, кто был за немедленное восстание, и меньшинства — тех, кто был против немедленного восстания. Резолюция Ленина собрала громадное большинство— 19 голосов, 2 были против, 4 воздержались. Вопрос был решен. На закрытом заседании ЦК был выбран Военно-революционный центр.

К Ильичу ходило минимальное количество народу; ходила я, Мария Ильинична, был как-то т. Рахья. Раз помню такую сцену. Ильич куда-то услал Фофанову по делу; условлено было, что он дверей не будет никому открывать и не будет отзываться на звонки. Я стучала условным стуком. У Фофановой был двоюродный брат, учащийся в каком-то военном учебном заведении.

Прихожу вечером, смотрю — стоит этот парень на лестнице с каким-то растерянным видом. Увидел меня и говорит: «Знаете, в квартиру Маргариты забрался кто-то».

«Как забрался?»

«Да, прихожу, звоню, мне какой-то мужской голос ответил; потом звонил я, звонил — никто не отвечает».

Парню я что-то наврала, уверила, что Маргарита сегодня на собрании, что ему это показалось, и только тогда успокоилась, когда он сел в трамвай и уехал.

Вернулась потом, постучала условным стуком и, когда Ильич открыл дверь, принялась его ругать:

«Парень мог ведь народ позвать».

«Я подумал, что спешное».

Я тоже ходила все время по поручениям Ильича. 24 октября он написал в ЦК письмо о необходимости брать власть сегодня же. Послал Маргариту с этим письмом, но не дождался ее возвращения, надел парик и пошел в Смольный; медлить нельзя было ни минуты.

Выборгский район готовился к восстанию. В помещении Выборгской управы сидело 50 работниц, женщина-врач всю ночь учила их делать перевязки, в помещении районного комитета шло вооружение рабочих, группа за группой подходили они к комитету и получали оружие. Но в Выборгском районе подавлять было некого — заарестовали лишь какого-то полковника и несколько юнкеров, пришедших пить чай при рабочем клубе. Ночью мы с Женей Егоровой ездили в Смольный на грузовике узнать, как идут дела.

Утром 25 октября (7 ноября) 1917 г. Временное правительство было низложено. Государственная власть перешла к Военно-революционному комитету — органу Петроградского Совета, стоявшего во главе петроградского пролетариата и гарнизона. В тот же день на II Всероссийском съезде Советов рабочих и солдатских депутатов образовано было рабоче-крестьянское правительство, организован был Совет Народных Комиссаров, председателем которого назначен был Ленин.

ЧАСТЬ III

ЧАСТЬ III

ПРЕДИСЛОВИЕ К III ЧАСТИ

Я долго колебалась, браться ли за писание этой третьей, послеоктябрьской, части воспоминаний. До нашего приезда в Россию в 1917 г. я все время работала бок о бок с Ильичем, моя работа была непосредственной помощью в его работе, я изо дня в день наблюдала его в его разговорах с людьми, знала все мелочи, его волновавшие. В послеоктябрьский период дело было иначе. В условиях советской обстановки характер моей секретарской работы менялся, значительно суживался, и Ильич настоял, чтобы я стала работать на просвещенческом фронте. Работа захватывала меня целиком, и еще больше захватывала бурно кипевшая жизнь во всей своей красочности, во всей своей сложности. Правда, вся эта жизнь еще как-то больше сближала. Когда Ильич бывал свободен, он вызывал меня из Наркомпроса, чтобы походить вместе по Кремлю, или поехать куда-нибудь в лес, за город, или просто зайдет поговорить, но занят он все время был очень. Кроме того, у нас сложилось дело так: я никогда не расспрашивала Ильича ни о чем, он сразу не рассказывал обычно подробно о только что пережитом, так — бросит мимоходом пару замечаний, расскажет потом как-нибудь, при случае, а обычно начинает говорить о том ходе мыслей, который у него возникал в связи с только что пережитым. Иногда теперь, много лет спустя, перечитывая статьи Владимира Ильича, слышишь интонацию, с которой он сказал в разговоре ту или иную фразу, которая потом вошла в его статью, но об этом как напишешь — не выйдет. В результате воспоминания очень эпизодичны, отрывочны. И я решила было не писать вовсе воспоминаний, относящихся к советскому периоду. Но потом подумала, что, если эти отрывочные воспоминания дать на общем фоне событий, они все же представят известный интерес. Этот фон не должен быть историей событий, это должен быть и может быть именно лишь фон. Не знаю, выйдет ли. Но так как товарищей интересует каждая мелочь, касающаяся Ильича, буду пробовать. Прилагаемые главы представляют начало этого типа воспоминаний.

Н. Крупская, 12 декабря 1933 г.

ОКТЯБРЬСКИЕ ДНИ

Захват власти в Октябре был партией пролетариата, большевистской партией, всесторонне обдуман и подготовлен. В июльские дни стихийно началось восстание. Но партия считала это восстание несвоевременным, сохранила всю трезвость мысли. Надо было смотреть правде в глаза. Массы не были еще готовы к восстанию. ЦК решил задержать восстание. Трудно было сдерживать восставших, тех, кто рвался в бой, трудно это было делать большевикам. Но они исполнили свой долг, понимая, какое громадное значение имеет правильный выбор момента восстания.

Прошла пара месяцев. Ситуация изменилась. И Ильич, который вынужден был скрываться в Финляндии, пишет между 12 и 14 сентября письмо в ЦК, Петрограде кому и Московскому комитетам: «Получив большинство в обоих столичных Советах рабочих и солдатских депутатов, большевики могут и должны взять государственную власть в свои руки». И далее он доказывает, почему именно теперь надо брать власть. Питер собирались отдать. Это ухудшило бы шансы на победу. Намечался сепаратный мир между английскими и немецкими империалистами.

«Именно теперь предложить мир народам — значит победить»,— писал Ильич.

В письме к ЦК он подробно говорит о том, как определять момент восстания и как подготовлять его: «Восстание, чтобы быть успешным, должно опираться не на заговор, не на партию, а на передовой класс. Это во-первых. Восстание должно опираться на революционный подъем народа. Это во-вторых. Восстание должно опираться на такой переломный пункт в истории нарастающей революции, когда активность передовых рядов народа наибольшая, когда всего сильнее колебания в рядах врагов и в рядах слабых половинчатых нерешительных друзей революции. Это в-третьих».

В конце письма Ильич указывал, что надо сделать, чтобы отнестись к восстанию по-марксистски, т. е. как к искусству: «А чтобы отнестись к восстанию по-марксистски, т. е.

как к искусству, мы в то же время, не теряя ни минуты, должны организовать штаб повстанческих отрядов, распределить силы, двинуть верные полки на самые важные пункты, окружить Александринку, занять Петропавловку \ арестовать генеральный штаб и правительство, послатьк юнкерам и к дикой дивизии такие отряды, которые способны погибнуть, но не дать неприятелю двинуться к центрам города; мы должны мобилизовать вооруженных рабочих, призвать их к отчаянному последнему бою, занять сразу телеграф и телефон, поместить наш штаб восстания у центральной телефонной станции, связать с ним по телефону все заводы, все полки, все пункты вооруженной борьбы и т. д.

Это все примерно, конечно, лишь для иллюстрации того, что нельзя в переживаемый момент остаться верным марксизму, остаться верным революции, не относясь к восстанию, как к искусству».

Ильич страшно волновался, сидя в Финляндии, что будет пропущен благоприятный момент для восстания. 7 октября он пишет Питерской городской конференции, пишет также в ЦК, МК, ПК и членам Советов Питера и Москвы — большевикам 8-го пишет письмо к товарищам-большевикам, участвующим на областном съезде Советов Северной области, волнуется, дойдет ли это письмо, и 9-го уже приезжает сам в Питер , поселяется нелегально в Выборгском районе и оттуда руководит подготовкой восстания.

Весь, целиком, без остатка жил Ленин этот последний месяц мыслью о восстании, только об этом и думал, заражал товарищей своим настроением, своей убежденностью.

Исключительную важность имеет последнее письмо Ильича из Финляндии большевикам, участвующим в областном съезде Советов Северной области. Вот оно:

«...вооруженное восстание есть особый вид политической борьбы, подчиненный особым законам, в которые надо внимательно вдуматься. Замечательно рельефно выразил эту истину Карл Маркс, писавший, что вооруженное «восстание, как и война, есть искусство».

Из главных правил этого искусства Маркс выставил:

1) Никогда не играть с восстанием, а, начиная его, знать твердо, что надо идти до конца.

2) Необходимо собрать большой перевес сил в решающем месте, в решающий момент, ибо иначе неприятель, обладающий лучшей подготовкой и организацией, уничтожит повстанцев.

3) Раз восстание начато, надо действовать с величайшей решительностью и непременно, безусловно переходить в наступление. «Оборона есть смерть вооруженного восстания».

4) Надо стараться захватить врасплох неприятеля, уловить момент, пока его войска разбросаны.

5) Надо добиваться ежедневно хоть маленьких успехов (можно сказать ежечасно, если дело идет об одном городе), поддерживая, во что бы то ни стало, «моральный перевес».

Маркс подытожил уроки всех революций относительно вооруженного восстания словами «величайшего в истории мастера революционной тактики Дантона: смелость, смелость и еще раз смелость».

В применении к России и к октябрю 1917 года это значит: одновременное, возможно более внезапное и быстрое наступление на Питер, непременно и извне, и извнутри, и из рабочих кварталов, и из Финляндии, и из Ревеля, из Кронштадта, наступление всего флота, скопление гигантского перевеса сил над 15—20 тысячами (а может и больше) нашей «буржуазной гвардии» (юнкеров), наших «вандейских войск» (часть казаков) и т. д.

Комбинировать наши три главные силы: флот, рабочих и войсковые части так, чтобы непременно были заняты и ценой каких угодно потерь были удержаны: а) телефон, б) телеграф, в) железнодорожные станции, г) мосты в первую голову.

Выделить самые решительные элементы (наших «ударников» и рабочую молодежь, а равно лучших матросов) в небольшие отряды для занятия ими всех важнейших пунктов и для участия их везде, во всех важных операциях, например:

Окружить и отрезать Питер, взять его комбинированной атакой флота, рабочих и войска,— такова задача, требующая искусства и тройной смелости.

Составить отряды наилучших рабочих с ружьями и бомбами для наступления и окружения «центров» врага (юнкерские школы, телеграф и телефон и прочее) с лозунгом: погибнуть всем, но не пропустить неприятеля.

Будем надеяться, что в случае, если выступление будет решено, руководители успешно применят великие заветы Дантона и Маркса.

Успех и русской и всемирной революции зависит от двух-трех дней борьбы»

Это письмо было написано 21-го (8-го), а 22-го (9-го) Ильич был уже в Питере, и на следующий день было уже собрание

ЦК, где он провел резолюцию о вооруженном восстании. Зиновьев и Каменев высказались против восстания и потребовали созыва экстренного пленума ЦК. Каменев демонстративно заявил о выходе своем из ЦК. Ленин требовал применения к ним самых суровых мер партийного взыскания.

Разбивая оппортунистические течения, усиленно шла подготовка восстания. 25 (12) октября исполком Петроградского Совета вынес постановление об образовании Военно-революционного комитета. 29-го (16-го) было расширенное заседание ЦК с представителями партийных организаций. В этот же день на заседании ЦК был выделен Военно-революционный центр по практическому руководству восстанием в составе тт. Сталина, Свердлова, Дзержинского и других.

30-го (17-го) проект организации Военно-революционного комитета был утвержден не только Исполнительным комитетом Петроградского Совета, но Советом в целом. Еще через пять дней собрание полковых комитетов признало Петроградский военно-революционный комитет руководящим органом военных частей Петрограда и постановило не подчиняться приказам штаба, не скрепленным подписью Военно-революционного комитета.

5 ноября (23 октября) ВРК уже назначил комиссаров в воинские части. На следующий день, 6 ноября (24 октября), Временное правительство решило предать суду членов ВРК, арестовать назначенных в воинские части комиссаров, вызвало юнкерские училища к Зимнему дворцу. Но было уже поздно: воинские части были за большевиков, рабочие были за переход власти к Советам, ВРК работал под непосредственным руководством ЦК, большинство членов ЦК, в том числе Сталин, Свердлов, Молотов, Дзержинский, Бубнов и др., входили в ВРК. Восстание развертывалось.

6 ноября (24 октября) Ильич сидел еще законспирированный на Выборгской стороне в квартире нашей партийки Маргариты Васильевны Фофановой (угол Б. Сампсониевского и Сердобольской, д. 92/1, кв. 42), знал, что готовится восстание, и томился тем, что стоит вдали от работы в такой момент. Посылал через Маргариту мне записки для передачи дальше, что медлить с восстанием нельзя. Вечером наконец пришел к нему Эйно Рахья, финский товарищ, хорошо связанный с заводами, с партийной организацией и служивший связью для Ильича с организацией. Эйно рассказал Ильичу, что по городу усилены патрули, что Временным прави-

тельством дано приказание развести мосты через Неву, чтобы разъединить рабочие кварталы, и мосты охраняются отрядами солдат.

Явно было — восстание начинается.

Ильич было попросил Эйно привести к нему т. Сталина, но из разговоров выяснилось, что сделать это почти невозможно, что Сталин, вероятно, в Военно-революционном комитете, в Смольном, что трамваи, вероятно, уже не ходят, что это отнимет уйму времени. Ильич решил, что он сам сейчас же пойдет в Смольный, и заторопился. Маргарите оставил записку: «Ушел туда, куда Вы не хотели, чтобы я уходил. До свидания. Ильич»

В эту ночь Выборгский район вооружался, готовился к восстанию, одна группа рабочих за другой приходила в районный комитет за оружием и инструкциями. Ночью я ходила к Ильичу на квартиру к Фофановой и там узнала, что Ильич ушел в Смольный.

С Женей Егоровой, секретарем Выборгского райкома, мы присоединились к какому-то грузовику, который зачем-то посылался нашими в Смольный. Мне хотелось узнать, добрался ли Ильич до Смольного.

У меня не осталось в памяти, видела ли я в Смольном Ильича или только узнала, что он там, во всяком случае мы не разговаривали, так как Ильич весь с головой ушел в дело руководства восстанием, а руководя, он, как всегда, вникал во все мелочи.

Смольный был ярко освещен и весь кипел. Со всех концов приходили за указаниями красногвардейцы, представители заводов, солдат. Стучали машинки, звонили телефоны, склонившись над кипами телеграмм, сидели девицы наши, непрерывно заседал на третьем этаже Военно-революционный комитет. На площади перед Смольным шумели броневики, стояла трехдюймовка, были сложены дрова на случай постройки баррикад. У входа стояли пулеметы и орудия, у дверей — часовые.

В 10 часов утра 25 октября (7 ноября) уже было сдано в печать от имени ВРК Петроградского Совета обращение «К гражданам России!», где сообщалось:

«Временное правительство низложено. Государственная власть перешла в руки органа Петроградского Совета рабочих и солдатских депутатов — Военно-революционного комитета, стоящего во главе петроградского пролетариата и гарнизона.

Дело, за которое боролся народ: немедленное предложение демократического мира, отмена помещичьей собственности на землю, рабочий контроль над производством, создание Советского правительства, это дело обеспечено.

Да здравствует революция рабочих, солдат и крестьян!»

Хотя ясно было, что революция победила, 25-го утром продолжалась напряженная работа ВРК, занимавшего одно за другим правительственные учреждения, организовавшего охрану их и т. д.

В 2 часа 30 минут было заседание Петроградского Совета рабочих и солдатских депутатов. С бурным ликованием встретил Совет информацию о том, что Временное правительство больше не существует, отдельные министры подвергнуты аресту, будут арестованы и остальные, Предпарламент распущен, вокзалы, почта, телеграф, Государственный банк заняты. Идет штурм Зимнего дворца. Он еще не взят, но судьба его предрешена, и солдаты проявляют необычайный героизм; переворот прошел бескровно.

Бурно приветствовал Совет пришедшего на заседание Ленина. Ленин делал доклад. Он не говорил никаких больших слов по поводу одержанной победы. Это характерно для Ильича. Он говорил о другом, о тех задачах, которые стоят перед Советской властью, за осуществление которых надо взяться вплотную.

Он говорил, что началась новая полоса в истории России. Советское правительство будет вести работу без участия буржуазии. Будет издан декрет об уничтожении частной собственности на землю. Над производством будет учрежден подлинный рабочий контроль. Развернется борьба за социализм. Старый государственный аппарат будет разбит, сломан, будет создана новая власть, власть советских организаций. У нас имеется сила массовой организации, которая победит все. Очередная задача — заключить мир. Для этого надо победить капитал. Заключить мир поможет нам международный пролетариат, среди которого уже появляются признаки революционного брожения.

Близка эта речь была членам Петроградского Совета солдатских и рабочих депутатов. Да, начинается новая полоса в нашей истории. Сила массовых организаций непобедима. Массы поднялись — и власть буржуазии пала. У помещиков возьмем землю, фабрикантов обуздаем, а главное — добьемся мира. На помощь придет мировая революция. Ильич прав. Бурными аплодисментами покрыта была речь Ильича.

Вечером должен был открыться II съезд Советов, он должен был провозгласить власть Советов, формально закрепить одержанную победу.

Делегаты съезжались. Среди них шла агитация. Власть рабочих должна опираться на крестьянство, вести его за собой. Партией, выражавшей мнение крестьянства, считались эсеры. Богатое крестьянство, кулачество, имело своих идеологов в лице правых эсеров. Идеологи мелкого крестьянства, левые эсеры, были типичными представителями мелкой буржуазии, с ее колебаниями между буржуазией и пролетариатом. Во главе Петроградского комитета эсеров стояли Натансон, Спиридонова и Камков. Натансона Ильич знал еще по первой эмиграции. В то время, в 1904 г., Натансон близко подходил к марксизму, ему только казалось, что социал-демократы недооценивают роли крестьянства. Имя Спиридоновой было в то время очень популярно. В период первой революции, в 1906 г., 17-летней девушкой, она убила усмирителя крестьянского движения Тамбовской губернии Луженовского, потом подвергалась зверским истязаниям, а затем пробыла в Сибири на каторге до Февральской революции. Питерские левые эсеры находились под сильным влиянием большевистских настроений масс. К большевикам они относились лучше других. Они видели, что большевики серьезно боролись за конфискацию всех помещичьих земель и передачу их крестьянству. Левые эсеры считали, что нужно ввести уравнительное землепользование, большевики понимали, что нужна социалистическая перестройка всего земельного хозяйства. Но Ильич считал, что самое важное сейчас — конфискация помещичьих земель, а какими путями пойдет дальнейшая перестройка, покажет жизнь И он обдумывал, как составить декрет о земле.

В воспоминаниях М.В. Фофановой есть одно очень интересное место. «Помню,— пишет она,— Владимир Ильич дал мне задание достать все вышедшие номера «Известий Всероссийского Совета крестьянских депутатов», что мною, конечно, было выполнено. Не помню, сколько этих номеров я достала, но что-то очень много, словом — внушительный материал для изучения.

Два дня Владимир Ильич занимался очень долго, даже по ночам, а потом наутро как-то и говорит: «Ну, кажется, насквозь всех эсеров изучил, осталось сегодня читать только наказ их мужичков», и часа через два зовет меня и весело говорит, ударяя рукой по газете (вижу, у него в руках номер «Крестьянских известий» от 19 августа): «Вот и соглашение с левыми эсерами готово. Шутка сказать, наказ подписан 242 депутатами с мест. Мы его положим в основу закона о земле и посмотрим, как левые эсеры подумают отказаться».

Показывает мне номер, в разных местах расчерканный синим карандашом, и добавляет: «Вот надо только найти маленькую заручку, чтобы впоследствии их социализацию перекроить на наш лад».

Маргарита по профессии была агрономом, сталкивалась в своей работе с этими вопросами, и потому Ильич особо охотно разговаривал с ней на эти темы.

Уйдут или не уйдут левые эсеры со съезда?

Вечером 25-го, в 10 часов 45 минут, открылся II Всероссийский съезд Советов. В этот вечер съезд должен был конституироваться, выбрать президиум, определить свои полномочия. Из 670 делегатов большевиков было лишь 300 человек; затем шли эсеры — 193 делегата, меньшевики — 68 делегатов. Правые эсеры, меньшевики, бундовцы рвали и метали. На чем свет стоит ругали большевиков. Они огласили декларацию протеста против «военного заговора и захвата власти, устроенного большевиками за спиной других партий и фракций, представленных в Совете», и ушли со съезда. Ушла и часть меньшевиков-интернационалистов. Левые эсеры, а их было громадное большинство среди эсеровских делегатов — 169 из 193, остались. Всего ушло со съезда человек 50. Ильич 25-го на съезде не был.

В момент, когда открывался II съезд Советов, шел штурм Зимнего дворца. Керенский, переодевшись матросом, скрылся еще накануне и, сев на автомобиль, помчался в Псков. Псковский ВРК его не арестовал, хотя и имел прямое распоряжение за подписью Дыбенко и Крыленко, и Керенский уехал в Москву, чтобы организовать поход на Петроград, где солдаты и рабочие взяли власть в свои руки. Остальные министры с Кишкиным во главе укрылись в Зимний дворец под защиту стянутых туда юнкеров и женского ударного батальона. По поводу осады Зимнего на съезде устраивали невероятную истерику меньшевики и правые эсеры, бундовцы. Эрлих заявил, что часть гласных городской думы решила пойти безоружными под расстрел на площадь Зимнего дворца ввиду того, что не прекращается обстрел дворца из орудий. Исполнительный комитет Совета крестьянских депутатов, фракция меньшевиков и фракция эсеров решили присоединиться к ним. После ухода меньшевиков и эсеров был назначен перерыв. Когда заседание возобновилось, в 3 часа 10 минут, было сообщено о взятии Зимнего дворца, об аресте министров, о том, что офицеры и юнкера обезоружены, о переходе 3-го батальона самокатчиков, двинутого Керенским на Петроград, на сторону революционного народа.

Ильич, не спавший почти совершенно предыдущую ночь и все время принимавший активное участие в руководстве восстанием, когда не было уже никаких сомнений в одержанной победе и в том, что левые эсеры не уйдут со съезда, ушел из Смольного ночевать к Бонч-Бруевичам, жившим неподалеку от Смольного, на Песках. Ему отвели отдельную комнату, но он долго не мог заснуть, тихонько встал и стал составлять давно уже продуманный со всех сторон декрет о земле.

Вечером 26 октября (8 ноября), выступая на съезде с докладом в обоснование декрета о земле, Ильич говорил: «Здесь раздаются голоса, что сам декрет и наказ составлен социалистами-революционерами. Пусть так. Не все ли равно, кем он составлен, но, как демократическое правительство, мы не можем обойти постановление народных низов, хотя бы мы с ним были не согласны. В огне жизни, применяя его на практике, проводя его на местах, крестьяне сами поймут, где правда... Жизнь — лучший учитель, а она укажет, кто прав, и пусть крестьяне с одного конца, а мы с другого конца будем разрешать этот вопрос. Жизнь заставит нас сблизиться в общем потоке революционного творчества, в выработке новых государственных форм... Крестьяне кое-чему научились за время нашей восьмимесячной революции, они сами хотят решить все вопросы о земле. Поэтому мы высказываемся против всяких поправок в этом законопроекте, мы не хотим детализации, потому что мы пишем декрет, а не программу действий».

В этих словах все ильичевское: и отсутствие мелочного самолюбия — было бы сказано правильно, а кто сказал, неважно,— и учет мнения низов, и понимание силы революционного творчества, и глубокое понимание того, что массы убеждаются больше всего практикой, фактами, и глубокая уверенность в том, что факты, жизнь, приведут массы к пониманию того, что правильна точка зрения большевиков. Декрет о земле, который защищал Ленин, был принят. Шестнадцать лет прошло с тех пор.

Помещичья собственность была отменена, и шаг за шагом, в борьбе со старыми, мелкособственническими взглядами и навыками, создались новые формы хозяйствования —

коллективизация сельского хозяйства, которая охватывает теперь большую часть крестьянских хозяйств. Старое, мелкое хозяйство, старая, мелкособственническая психология уходят в прошлое. Создана прочная, мощная база социалистического хозяйства.

На вечернем заседании 26 октября (8 ноября) были приняты декреты о мире и о земле. Тут с эсерами договорились.

Хуже обстояло дело с образованием правительства. Левые эсеры со съезда не ушли, не могли уйти, понимая, что уход привел бы к тому, что они потеряли бы всякое влияние в крестьянских массах, но уход 25 октября со съезда правых эсеров и меньше ви ков, их выкрики о большевистской авантюре, о захвате власти и т. д. и т. п. очень сильно их волновали. После ухода со съезда правых эсеров и других Камков, один из вождей левых эсеров, заявил, что они за единое демократическое правительство, что левые эсеры будут делать все возможное, чтобы осуществить такое правительство. Левые эсеры говорили, что они хотят быть посредниками между большевиками и ушедшими со съезда партиями. Большевики не отказывались от переговоров, но Ильич прекрасно понимал, что из этих разговоров ничего не выйдет. Не для того бралась власть, устраивалась революция, чтобы впрячь в советскую телегу лебедя, щуку и рака, создать правительство, неспособное спеться, сдвинуться с места. Сотрудничество с левыми эсерами Ильич считал возможным ,

За пару часов до открытия съезда 26 октября имело место совещание по этому вопросу с представителями левых эсеров.

В памяти осталась обстановка этого совещания. Какая-то комната в Смольном с мягкими темно-красными диванчиками. На одном из диванчиков сидит Спиридонова, около нее стоит Ильич и мягко как-то и страстно в чем-то ее убеждает. С левыми эсерами договоренности не получилось, они не хотели входить в правительство. Ильич предложил назначить на должность социалистических министров одних большевиков.

Заседание 26 октября (8 ноября) открылось в 9 часов вечера. Я присутствовала на этом заседании. Запомнилось, как делал доклад Ильич, обосновывая декрет о земле, говорил спокойно. Аудитория напряженно слушала. Во время чтения декрета о земле мне бросилось в глаза выражение лица одного из делегатов, сидевшего неподалеку от меня. Это был немолодой уже крестьянского вида человек. Его лицо от волнения стало каким-то прозрачным, точно восковым, глаза светились каким-то особенным блеском.

Была отменена смертная казнь, введенная Керенским на фронте, были приняты декреты о мире, о земле, о рабочем контроле, утвержден был большевистский состав Совета Народных Комиссаров. Председателем СНК был назначен Владимир Ульянов (Ленин); народным комиссаром по внутренним делам — А.И. Рыков; земледелия — В.П. Милютин; труда — А.Г. Шляпников; по делам военным и морским — комитет в составе: В.А. Овсеенко (Антонов), Н.В. Крыленко и П.Е. Дыбенко; по делам торговли и промышленности — В.П. Ногин; народного просвещения — А.В. Луначарский; финансов — И.И. Скворцов (Степанов); по делам иностранным — Л.Д. Бронштейн (Троцкий); юстиции — Г.И. Оппоков (Ломов); по делам продовольствия — И.А. Теодорович; почты и телеграфа — Н.П. Авилов (Глебов): председателем по делам национальностей — И.В. Джугашвили (Сталин). Место комиссара путей сообщения осталось незанятым.

Тов. Эйно Рахья рассказывает: когда в большевистской фракции намечался список первых народных комиссаров, он в это время сидел в уголке и слушал. Кто-то из намечаемых в народные комиссары стал отказываться, говоря, что у него нет опыта в этой работе. Владимир Ильич расхохотался: «А вы думаете, у кого-нибудь из нас есть такой опыт?!» Опыта не было, конечно.

Но перед глазами Владимира Ильича вырисовывался облик народного комиссара, нового типа министра, организатора и руководителя той или иной отрасли государственной работы, тесно связанного с массами,— типа, зародившегося в огне революции.

Владимир Ильич все время усиленно думал о новых формах управления. Он думал о том, как организовать такого рода аппарат, которому чужд был бы дух бюрократизма, который умел бы опираться на массы, организовывать их в помощь своей работе, умел растить на этой работе нового типа работников. В постановлении II съезда Советов «Об образовании рабочего и крестьянского правительства» это выражено словами:

«Заведование отдельными отраслями государственной жизни поручается комиссиям, состав которых должен обеспечить проведение в жизнь провозглашенной съездом программы, в тесном единении с массовыми организациями рабочих, работниц, матросов, солдат, крестьян и служащих. Правительственная власть принадлежит коллегии председателей этих комиссий, т. е. Совету Народных Комиссаров».

Мне вспоминаются разговоры с Ильичем на эту тему в те недели, которые он жил у Фофановой. Я в это время работала с громадным увлечением в Выборгском районе, с жадностью всматривалась в революционное творчество масс, в то, как в корне перестраивалась вся жизнь.

Встречаясь с Владимиром Ильичем, я рассказывала ему о жизни района. Помню, рассказывала раз о своеобразном заседании народного суда, на котором я присутствовала. Такие суды проводились кое-где еще в революцию 1905 г. Проводились они, например, в Сормове.

Тов. Чугурин, рабочий, которого я хорошо знала по партийной школе под Парижем, в Лонжюмо, и с которым мы теперь работали вместе в Выборгской районной управе, был сормовец. Он предложил начать организовывать такие суды и в Выборгском районе.

Первое заседание суда происходило в помещении Народного дома. Народу набралось уйма, стояли плечом к плечу, стояли на скамьях, на окнах. Я не помню уже сейчас точно разбиравшихся дел. По существу, дела эти были не преступлениями в узком смысле этого слова, это были бытовые вопросы.

Судили каких-то двух подозрительных типов, пытавшихся арестовать Чугурина. «Судили» какого-то высокого смуглого сторожа за то, что он бьет своего сына-подростка, эксплуатирует его, не пускает учиться.

Из гущи собравшихся выступали многие рабочие и работницы, говорили горячие речи. «Подсудимый» сначала все вытирал пот со лба, потом по лицу его покатились слезы, обещал сынишку не обижать. По существу дела это был не суд, это был общественный контроль над поведением граждан, выковывалась пролетарская этика. Владимир Ильич чрезвычайно заинтересовался этим «судом» и выспрашивал у меня все детали его.

Но больше всего я рассказывала ему о новых формах культурной работы. Я заведовала в управе отделом народного образования. Летом детская школа не функционировала, приходилось заниматься больше политпросветработой. Тут мне помогал в значительной мере мой пятилетний опыт работы в вечерней воскресной школе за Невской заставой в 90-х годах. Времена были теперь, конечно, совсем другие, и можно было работу развертывать вовсю.

Каждую неделю собирались мы с представителями приблизительно от сорока фабрик и заводов, сообща обсуждали, что надо делать, как проводить те или иные мероприятия. Что решали, то сейчас же и проводили в жизнь. Решили, например, ликвидировать неграмотность, и представители от фабрик и заводов, каждый на своем предприятии, провели собственными силами учет неграмотных, нашли помещения под школы, нажали на заводоуправления, раздобыли средства. К каждой школе грамоты прикрепили уполномоченного-рабочего, который следил, чтобы в школе было все необходимое: доски, мел, буквари; выделялись уполномоченные, которые следили, правильно ли поставлено преподавание и что говорят по поводу преподавания рабочие.

Мы инструктировали прикрепленных и заслушивали их отчеты. Собирали делегаток от солдаток, обсуждали вместе с ними состояние дела в детдомах, организовывали их контроль над детдомами, инструктировали их, вели большую разъяснительную работу. Собирали библиотекарей района, вместе с ними и рабочими обсуждали формы работы массовых библиотек. Ключом била инициатива рабочих, около отдела народного образования сплачивалось немало сил. Ильич говорил тогда, что вот по такому типу должна будет складываться работа нашего государственного аппарата, наших будущих министров — по типу комиссий из рабочих, работниц, стоящих в гуще жизни, знающих быт, условия работы, то, что в данную минуту всего более волнует массы.

Потому, что Владимиру Ильичу казалось, что я понимаю, как втягивать массы в дело государственного управления, он особенно охотно и часто разговаривал со мной на эти темы, особенно ругал мне потом «паршивый» бюрократизм, лезущий во все щели, и позднее, когда встал вопрос о необходимости повысить ответственность наркомов и руководителей отделов наркоматов, часто сваливавших ответственность на коллегии и комиссии, встал вопрос об единоначалии,— Ильич неожиданно ввел меня членом комиссии при Совнаркоме, которой поручено было рассмотреть этот вопрос, и сказал: надо смотреть, чтобы единоначалие никоим образом не подавляло инициативы и самодеятельности комиссий, не ослабляло связи с массами, надо сочетать единоначалие с умением работать с массой. Ильич старался использовать опыт каждого для построения государства нового типа. Перед Советской властью, во главе которой встал теперь Ильич, стояла задача построить невиданный еще в мире тип государственного аппарата, опирающийся на самые широкие массы трудящихся, по-новому, по-социалистически перестраивающий всю общественную ткань, все человеческие отношения.

Но прежде всего надо было защитить Советскую власть от попыток врага сбросить ее силой, от попыток разложить ее изнутри. Надо было укрепить свои ряды.

9—15 ноября были днями борьбы за существование самой Советской власти.

Изучая самым внимательным образом опыт Парижской коммуны, этого первого пролетарского государства в мире, Ильич отмечал, как пагубно отразилась на судьбе Парижской коммуны та мягкость, с которой рабочие массы и рабочее правительство относились к заведомым врагам. И потому, говоря о борьбе с врагами, Ильич всегда, что называется, «закручивал», боясь излишней мягкости масс и своей собственной.

В начале Октябрьской революции этой излишней мягкости было немало. Дали уйти Керенскому, дали уйти ряду министров, отпустили на честное слово юнкеров, защищавших Зимний дворец, оставили под домашним арестом генерала Краснова, командовавшего войсками наступавшего Керенского. Однажды, дожидаясь кого-то в одной из проходных комнат Смольного, сидя на груде солдатских шинелей, я была свидетельницей разговора т. Крыленко с привезенным в Питер арестованным генералом Красновым. Они вошли вдвоем в комнату без всякой охраны, сели около маленького столика, одиноко стоявшего среди большой комнаты, и стали спокойно разговаривать. Помню, как удивил меня мирный характер их разговора. 17 (4) ноября, выступая на заседании ЦИК, Ильич говорил: «К Краснову были применены мягкие меры. Он был подвергнут лишь домашнему аресту. Мы против гражданской войны. Если, тем не менее, она продолжается, то что же нам делать?».

Отпущенный псковичами Керенский организовал поход на Петроград, отпущенные на честное слово юнкера устроили 11 ноября восстание, убежавший из-под домашнего ареста Краснов ушел на Дон и при помощи германского правительства организовал почти стотысячную белую армию.

Уставший от империалистической бойни народ хотел бескровной революции, враги вынуждали его идти в бой. Думавший больше всего о социалистической перестройке всего общественного уклада, Ильич должен был прежде всего взяться за дело защиты революции.

9 ноября Керенскому удалось уже взять Гатчину. Тов. Подвойский в статье «Ленин в дни переворота» («Красная газета» от 6 ноября 1927 г.) очень ярко описывает ту громадную работу, которую проделал Ленин в дни защиты Петрограда, описывает, как Ленин приехал в штаб округа и потребовал, чтобы ему был сделан необходимый доклад о положении. Антонов-Овсеенко стал излагать общий план операции, указывая на карте расположение наших сил и вероятное расположение и количество сил противника. «Товарищ Ленин впился в карту. С остротой самого глубокого и внимательного стратега и полководца он затребовал объяснений: почему этот пункт не охраняется, почему тот пункт не охраняется, почему предполагается тот шаг, а не этот, почему не вызвана поддержка из Кронштадта, Выборга, Гельсингфорса и т. п. Из обмена мнениями стало ясно, что мы действительно допустили целый ряд оплошностей, не проявили той чрезвычайной активности, которой требовало угрожающее положение Петербурга, по части организации сил и средств для его обороны» Вечером 9-го Ильич сам уже говорил с Гельсингфорсом по прямому проводу о высылке на подмогу Питеру, на защиту подступов к нему, двух миноносцев и линейного корабля «Республика».

Ездил Ильич вместе с т. Антоновым-Овсеенко и на Путиловский завод проверить, достаточно ли напряженно строится столь необходимый бронепоезд. Потолковал с рабочими. Штаб был перенесен из штаба округа в Смольный. Ленин стал следить за всей его работой, помп! ать в деле мобилизации активности масс. Тов. Подвойский пишет, что он особенно оценил работу Ленина, когда происходило созванное Лениным совещание из представителей рабочих организаций, районных Советов, фабрично-заводских комитетов, профессиональных союзов и военных частей: Здесь я увидел, в чем заключается сила т. Ленина.

В чрезвычайный момент он доводил концентрацию мысли, сил, средств до крайних пределов. Мы разбрасывались, собирали и бросали силы непланомерно, из-за чего получалась расплывчатость действий и как следствие — расплывчатость в настроении масс и отсутствие благодаря этому активности, инициативы и решимости... Массы не чувствовали железной воли и железного плана, где все, как в машине, было бы стройно пригнано и скреплено. Ленин же гвоздем вколачивал в каждую голову одну мысль — о необходимости все сосредоточить для обороны. Из этой мысли он далее разворачивал уже понятный для совещания план, в котором, как в цельном механизме, невольно каждый находил место для себя, для своего завода, для своей части. Он тут же, на совещании, мог конкретно представить себе план дальнейшей работы и тут же чувствовал связанность своей работы с работой всего коллектива республики. Этим самым он чувствовал ту ответственность, которую с этого момента возлагает на него диктатура пролетариата. Привлечь массы и закрепить их сознание в том, что не вожди будут делать их долю, а что они сами, собственными руками должны пробивать себе дорогу к устройству своей жизни и к обороне своего государства,— в этом постоянно было стремление т. Ленина, в этом сказывался он как истинный народный вождь, умеющий поставить массу перед жизненно необходимым для нее шагом и заставляющий этот шаг сделать саму массу не бессознательно вслед за вождем, а глубоко сознательно».

В этом т. Подвойский глубоко прав. Ильич умел активизировать массу, умел всегда ставить перед массой конкретные цели.

Питерские рабочие поднялись на защиту Питера, и старики и молодежь двинулись на фронт, навстречу войскам Керенского. Казаки, части, вызванные из провинции, меньше всего хотели воевать, и питерские рабочие повели среди них агитацию, убеждали их, и казаки и солдаты, мобилизованные Керенским, просто уходили с фронта, увозя с собой пушки и ружья.

Фронт Керенского разлагался. Наши побеждали.

Много питерцев все же погибло при защите Питера. Погибла, между прочим, Вера Слуцкая, активно работавшая в Василеостровском районе. Она поехала на фронт на грузовике, снарядом ей снесло череп. Погибло довольно много и наших выборжцев. Мы хоронили их в районе, хоронил весь район.

11 ноября (29 октября), когда Керенский еще наступал вовсю, юнкера, отпущенные из Зимнего дворца на честное слово, решили помочь Керенскому и устроили восстание. В это время я жила еще не в Смольном, а на Петроградской стороне у родных Владимира Ильича. Ранним утром начался бой около находившегося неподалеку от нас Павловского юнкерского училища. Узнав о восстании юнкеров, подавлять его пришли выборгские красногвардейцы, рабочие с выборгских фабрик и заводов. Палили из пушки. Весь наш дом трясся. Обыватели испуганы были насмерть. Когда рано утром я

вышла из дому, чтобы идти в район, бежавшая мне навстречу горничная соседнего дома ахала: «Что делают! Сейчас видела: подцепили юнкера на штык, как букашку!» По дороге встретила новый отряд выборгских красногвардейцев, везших на подмогу еще одну пушку. Юнкерское восстание было быстро подавлено.

В этот же день Ильич выступал на совещании полковых представителей петроградского гарнизона. «Попытка Керенского,— говорил Ильич на этом совещании,— это такая же жалкая авантюра, как попытка Корнилова. Но момент теперь трудный. Необходимы энергичные меры к упорядочению продовольствия, к прекращению бедствий на войне. Мы не можем ждать и не можем ни одного дня терпеть восстания Керенского.

Если корниловцы организуют новое наступление, им будет отвечено так, как сегодня ответили на восстание юнкеров. Пусть юнкера пеняют на себя. Мы взяли власть почти без кровопролития. Если были жертвы, то только с нашей стороны... Правительство, созданное волею рабочих, солдатских и крестьянских депутатов, не потерпит издевательства над собой корниловцев» 14 ноября восстание Керенского было подавлено, Гатчина взята обратно. Керенский бежал. В Питере победа была одержана. Но в стране гражданская война разгоралась. Уже 8 ноября (26 октября) генерал Каледин объявил Донскую область на военном положении и стал организовывать казаков против Советской власти. 9 ноября казачий атаман Дутов захватил Оренбург. В Москве дело затягивалось. Белые захватили там Кремль. Борьба была ожесточеннее, чем в Питере.

Правые эсеры, меньшевики и другие фракции, ушедшие со II съезда Советов 8 ноября (26 октября), организовали «Комитет спасения родины и революции». Они хотели сплотить около него всех противников Советской власти. Туда вошли 9 представителей от Центральной городской думы, весь президиум Предпарламента, но 3 представителя исполкомов Всероссийского Совета рабочих и солдатских депутатов и Совета крестьянских депутатов, фракций эсеров и меньшевиков, представители меньшевиков-объединенцев, Центрофлота, 2 представителя плехановской группы «Единство». Они хотели спасать родину и революцию от «авантюристов»-большевиков, за их спиной захвативших власть. Но сделать многого они не смогли. Лозунги «За мир!», «За землю!» были настолько популярны в массах, что массы шли за большевиками с громадным подъемом, без колебаний. Образовавшийся в Москве «Комитет общественной безопасности» примкнул к петроградскому «Комитету спасения родины и революции». Образовался он но инициативе Московской городской думы, во главе которой стоял правый эсер Руднев. Московский «Комитет общественной безопасности» открыто поддерживал контрреволюцию.

Москве нужно было посылать на подмогу войска. Это не удавалось из-за позиции, которую занял Викжель (Всероссийский исполнительный комитет железнодорожных рабочих и служащих). Викжель был опорой ушедших со съезда фракций, рабочие там влиянием не пользовались. Викжель заявил, что в начавшейся гражданской войне он занимает «нейтральную позицию» и не будет пропускать войска ни той, ни другой стороны. Фактически эта «нейтральность» била по большевикам, мешая им двинуть войска на подмогу Москве. Саботаж Викжеля сломали железнодорожные рабочие, взявшиеся за перевозку войск. 16 (3) ноября ВРК из Петрограда отправил войска в Москву. Но еще до их приезда сопротивление белых в Москве было сломлено.

В наиболее трудный момент, когда в Петрограде только что было подавлено восстание юнкеров, когда Керенский еще наступал, в Москве шла борьба, целый ряд членов ЦК стал колебаться. Им казалось, что надо пойти на уступки, что положение безнадежно. Особенно ярко эти колебания выявились в переговорах с Викжелем. 9 ноября Викжель принял резолюцию о необходимости образования правительства из всех социалистических партий, от большевиков до народных социалистов включительно, и предложил свои услуги в качестве посредника. В переговоры с ЦК вступила сначала лишь левая часть Викжеля, ЦК уполномочил вести переговоры Л.Б. Каменева и Г.Я. Сокольникова. Меньшевики и правые эсеры сначала в переговоры не вмешивались, но когда им показалось, что наступлением Керенского и положением дел в Москве большевики приперты к стене, и когда они узнали, что в ЦК начались колебания, они обнаглели до крайности. 12—13 ноября (30—31 октября) они пришли на совещание Викжеля, потребовали отказа от власти Советов, отстранения от участия в правительстве виновников Октябрьского переворота,— в первую голову отстранения Ленина,— создания нового правительства под председательством Чернова или Авксентьева. Большевистская делегация во главе с Каменевым с собрания не ушла, тем самым допуская обсуждение выдвинутых меньшевиками и правыми эсерами предложений. На следующий день 14 (1) ноября созвано было заседание ЦК; Ленин требовал немедленного прекращения переговоров с Викжелем, который встал на сторону Калединых и Корниловых. Была принята ЦК соответствующая резолюция. 17 (4) Ногин, Рыков, В. Милютин, Теодорович подали в отставку, сложили с себя звание народных комиссаров, считая, что необходимо организовать социалистическое правительство из всех социалистических партий. К ним присоединился еще ряд комиссаров. Каменев, Рыков, Зиновьев, Ногин, В. Милютин заявили, что они уходят из ЦК. Все они уже после победы Октября были сторонниками создания коалиционного правительства из всех партий. ЦК потребовал от них подчинения партийной дисциплине. Ильич негодовал и напирал вовсю. Зиновьев опубликовал заявление о своем возвращении в ЦК.

Дальнейшие победы большевиков, резко отрицательное отношение петербургской и московской организаций к уходу вышеупомянутых товарищей из ЦК и с постов позволили партии сравнительно быстро ликвидировать этот инцидент. Невольно вспомнилось прошлое — II съезд партии, имевший место четырнадцать лет перед тем, в 1903 г. Тогда партия только что складывалась. Тогда отказ Мартова войти в редакцию «Искры» вызвал тяжелейший кризис в партии, крайне тяжело переживал этот кризис Ильич. Теперь уход из ЦК и с постов народных комиссаров ряда товарищей создал лишь временные затруднения. Подъем революционного движения помог быстрой ликвидации всего инцидента, а Ильич, всегда говоривший на прогулках о том, что его больше всего волновало з данный момент, ни разу даже не касался этого инцидента, он всецело был поглощен вопросом, как начать теперь стройку социалистического уклада, как провести в жизнь постановления, принятые на II съезде Советов.

17 (4) ноября Ильич выступал на заседании ВЦИК и на заседании Петроградского Совета рабочих и солдатских депутатов совместно с фронтовыми представителями, и речи его дышали уверенностью в победе, в правильности взятой большевиками линии, уверенностью в поддержке масс. «Преступное бездействие правительства Керенского привело страну и революцию на край гибели; промедление воистину смерти подобно, и, издавая законы, идущие навстречу чаяниям и надеждам широких народных масс, новая власть ставит вехи по пути развития новых форм жизни. Советы на местах, сооб-

разно условиям места и времени, могут видоизменять, расширять и дополнять те основные положения, которые создаются правительством. Живое творчество масс — вот основной фактор новой общественности. Пусть рабочие берутся за создание рабочего контроля на своих фабриках и заводах, пусть снабжают они фабрикатами деревню, обменивают их на хлеб. Ни одно изделие, ни один фунт хлеба не должен находиться вне учета, ибо социализм — это прежде всего учет. Социализм не создается по указам сверху. Его духу чужд казенно-бюрократический автоматизм; социализм живой, творческий, есть создание самих народных масс».

Замечательные слова! Эти слова не могут не волновать и сейчас.

«Власть принадлежит нашей партии, опирающейся на доверие широких народных масс. Пусть несколько наших товарищей встали на платформу, ничего общего с большевизмом не имеющую. Но московские рабочие массы не пойдут за Рыковым и Ногиным» \— говорил Ильич. «Поручая Совету Народных Комиссаров наметить к следующему заседанию кандидатуры народных комиссаров по внутренним делам и торговли и промышленности, ЦИК предлагает тов. Колегаеву занять пост народного комиссара земледелия»,— закончил свою речь на заседании ВЦИК Ильич. Колегаев был левым эсером. Он не принял предложенного ему поста. Партия левых эсеров все еще не хотела брать на себя ответственности.

Меньшевики, правые эсеры и другие вели агитацию за саботаж. Чиновники отказывались работать под руководством большевиков, не выходили на работу. Выступая 17 (4) ноября на Петроградском Совете, Ленин говорил: «Говорят, что мы изолированы. Буржуазия создала вокруг нас атмосферу лжи и клеветы, но я еще не видал солдата, который бы не приветствовал с восторгом переход власти к Советам. Я не видал крестьянина, который бы высказался против Советов». И это давало Ленину уверенность в победе.

21 ноября 1917 г. вместо смененного Л.Б. Каменева Председателем ВЦИК был выбран Яков Михайлович Свердлов. Его кандидатуру выдвинул Ильич. Выбор был исключительно удачен. Яков Михайлович был человеком очень твердым. В борьбе за Советскую власть, в борьбе с контрреволюцией он был незаменим. Кроме того, предстояла громадная работа по организации государства нового типа,— тут нужен был организатор крупнейшего масштаба. Именно таким организатором был Яков Михайлович.

Два года спустя, проделав в самое горячее время громадную организационную работу, которая так нужна была стране, Яков Михайлович умер 18 марта 1919 г. На экстренном заседании ВЦИК Ленин сказал тогда по поводу смерти Якова Михайловича речь, которая вошла в историю как лучший памятник этому беззаветному борцу за дело рабочего класса. «Тов. Свердлову довелось в ходе нашей революции,— сказал Ленин,— в ее победах, выразить полнее и цельнее, чем кому бы то ни было другому, самые главные и самые существенные черты пролетарской революции...» Самым «глубоким, постоянным свойством этой революции и условием ее побед являлась и остается,— продолжал Ильич,— организация пролетарских масс, организация трудящихся. Вот в этой организации миллионов трудящихся и заключаются наилучшие условия революции, самый глубокий источник ее побед... Эта черта пролетарской революции выдвинула и такого человека, как Я.М. Свердлов, который прежде всего и больше всего был организатором». Ильич характеризовал Свердлова «как наиболее отчеканенный тип профессионального революционера», целиком и беззаветно отдавшегося делу революции, закаленного долгими годами подпольной, нелегальной деятельности, никогда не отрывавшегося от масс, никогда не покидавшего Россию, как революционера, который «умел выработать в себе не только любимого рабочими вождя, не только вождя, который шире всего и больше всего знал практику, но и организатора передовых пролетариев... Только исключительный организаторский талант этого человека обеспечивал нам то, чем мы до сих пор гордились и гордились с полным правом. Он обеспечивал нам полностью возможность дружной, целесообразной, действительно организованной работы, такой работы, которая бы была достойна организованных пролетарских масс и отвечала потребностям пролетарской революции,— той сплоченной организованной работы, без которой у нас не могло бы быть ни одного успеха, без которой мы не преодолели бы ни одной из тех неисчислимых трудностей, ни одного из тех тяжелых испытаний, через которые мы проходили до сих пор и через которые мы вынуждены проходить теперь». Ильич характеризовал Свердлова как организатора, который завоевал себе абсолютно «непререкаемый авторитет», и как организатора «всей Советской власти в России» и единственного, «по своим знаниям», организатора «работы партии, которая создавала эти Советы и практически осуществляла Советскую власть...»

Октябрьская революция изменила условия революционной борьбы. Новые условия борьбы требовали от человека большей решительности, большей напористости, большей «рукастости», как любил выражаться Владимир Ильич, большего организационного размаха. «Гвоздь строительства социализма в организации»,— не раз повторял Ильич, и не случайно, что ходом дела на первое место стали выдвигаться люди, не боявшиеся брать на себя ответственности, люди, которым условия старого подполья не давали развернуться. Быстро стал выдвигаться тов. Сталин, тоже крупнейший организатор. Недаром на II съезде Советов, когда намечались народные комиссары, Ильич предложил назначить Сталина председателем по делам национальностей. Долгие годы боролся Ильич за раскрепощение национальностей, за то, чтобы предоставлена была им возможность всестороннего развития, особенно в последние годы боролся он за право наций на самоопределение. Я помню, как близко принимал Ильич к сердцу всякую мелочь, касающуюся этого вопроса, как он однажды рассвирепел, когда я ему рассказала, что в Наркомпросе идут колебания по вопросу, отдавать ли полякам какие-то ценные для них памятники старины. Страстно ненавидел Ильич великодержавный шовинизм, страстно хотел, чтобы империалистической политике угнетения более слабых национальностей Республика Советов противопоставила политику полного раскрепощения этих национальностей, политику товарищеской заботы о них. Он знал хорошо взгляды Сталина на национальный вопрос, в Кракове они много говорили на эти темы.

Он был уверен, что для Сталина — дело чести не на словах, а на деле осуществить то, что продумано было в этом вопросе и обсуждено со всех сторон в предыдущие годы, что теперь надо было воплотить в жизнь. Надо было дать национальностям право на самоопределение. Задача усложнялась тем, что проводить это право приходилось в условиях острой классовой борьбы. Тут необходимо было сочетать работу по осуществлению права наций на самоопределение с борьбой за диктатуру пролетариата, за осуществление власти Советов. Этот вопрос теснейшим образом связывался с вопросом международной борьбы пролетариата и с вопросами гражданской войны. От человека, стоящего во главе работы на национальном фронте, требовалась широта кругозора, глубокая убежденность и умение практически организовать дело. Поэтому-то и выдвинул Ильич на эту работу Сталина.

Перед всеми партийными работниками встал во весь рост вопрос о том, как научиться работать по-новому, перестроить все свои привычки, как из людей революционной оппозиции перестроиться в ответственных, умелых, «рукастых» строителей социалистического уклада.

Наконец мы поселились с Ильичем в Смольном. Нам отвели там комнату, где раньше жила какая-то классная дама. Комната с перегородкой, за которой стояла кровать. Ходить надо было через умывальную. В лифте можно было подыматься наверх, где был кабинет Ильича, где он работал. Против его кабинета была небольшая комната — приемная. Делегация за делегацией приходили к нему. Особенно много делегаций приезжало с фронта. Зайдешь, бывало, к нему, а он в приемной. Стоят там солдаты, набившись плечом к плечу, слушают не шевелясь, а Ильич стоит около окна и что-то им толкует. Работа Ильича шла в обстановке тогдашнего Смольного, всегда переполненного народом. Все туда тянулись. Смольный охраняли солдаты пулеметного полка. Этот пулеметный полк стоял летом 1917 г. на Выборгской стороне и находился целиком под влиянием выборгских рабочих. Третьего июля 1917 г. пулеметный полк первым выступил и готов был ринуться в бой. Керенский решил примерно наказать восставших. Безоружных вывели их на площадь и клеймили их как изменников. Пулеметчики еще крепче стали ненавидеть Временное правительство. В Октябре они боролись за Советскую власть и затем взяли на себя охрану Смольного. К Ильичу был приставлен один из пулеметчиков, т. Желтышев, крестьянин Уфимской губернии. Ильича он очень любил, относился к нему с большой заботой, обслуживал его, носил ему обед из столовки, которая была в то время в Смольном. Желтышев был до крайности наивен. Всему удивлялся, удивлялся спиртовке, как это она горит. Вхожу раз в комнату, он сидит перед пылающей на полу спиртовкой на корточках и поливает ее спиртом. Удивлялся на проведенные краны, посуду. Пулеметчики, охранявшие Смольный, нашли как-то сложенные вместе шкатулки институток. Заинтересовались, что в них. Расковыряли штыками. Оказалось — дневники, безделушки разные, ленточки. Пулеметчики раздарили безделушки окрестным ребятишкам. Желтышев принес и мне безделушку, кругленькое зеркальце с какой-то резьбой и английской надписью «Ниагара». У меня до сих пор хранится это зеркальце. Ильич перекидывался иногда парой слов с Желтышевым, и тот готов был за него идти в огонь и воду. Желтышев должен был обслуживать и Троцкого, жившего с семьей против нас, в бывшем помещении начальницы Смольного. Но Троцкого он не любил. «Очень уж он приказистый был»,— писал мне как-то Желтышев. Теперь он живет в Башреспублике, в колхозе, имеет большую семью, прихварывает, занимается пчеловодством, иногда пишет мне, вспоминая Ильича.

Я целыми днями была на работе, сначала в Выборгском районе, потом в Наркомпросе. Ильич был порядочно-таки беспризорный. Желтышев носил Ильичу обед, хлеб, то, что полагалось по пайку. Мария Ильинична привозила иногда Ильичу из дому всякую пищу, но меня не бывало дома, регулярной заботы о его питании не было. Недавно мне рассказывал один парень, Коротков, ему тогда было лет 12, он жил у матери, которая была уборщицей при столовой в Смольном. Слышит она раз, кто-то ходит по столовой. Заглянула — видит, Ильич стоит у стола, взял кусок черного хлеба и кусок селедки и ест. Увидя уборщицу, он смутился немного и, улыбаясь, сказал: «Очень чего-то есть захотелось». Короткова знала Владимира Ильича. Как-то раз в первые дни после революции идет Ильич по лестнице, видит, она моет лестницу, устала, стоит, опершись на перила. Ильич с ней заговорил. Она тогда не знала еще, кто это. Ильич ее спросил: «Ну что, товарищ, как теперь, по-вашему, лучше при Советской власти, чем при старом правительстве жить?» А она ему ответила: «А мне что, платили бы только за работу». Потом, как узнала она, что это Ленин был, так и ахнула. Всю жизнь вспоминала, как она тогда ему ответила. Теперь она пенсионерка, сын, работавший тогда в Смольном в экспедиции, кончил Вхутемас, художник.

Наконец у нас водворилась мать Шотмана, финка, очень любившая сына, гордившаяся тем, что он был делегатом II съезда партии, помогал Ильичу скрываться в июльские дни. Она завела чистоту, тот порядок, который так любил в домашней жизни Ильич, стала просвещать и Желтышева, и уборщиц, и подавальщиц столовой. Теперь можно было, уезжая, быть спокойной, что Ильич будет сыт, хорошо обслужен.

Под вечер, когда смеркнется, я приеду с работы, и, если Ильич не занят, мы ходили с ним побродить около Смольного, поговорить. Ильича мало кто знал тогда в лицо, и он ходил тогда еще без всякой охраны. Правда, видя, что он выходит, пулеметчики волновались, не случилось бы чего. Следили они, чтобы около Смольного не скоплялось враждебных элементов. Раз забрали больше десятка домохозяек, собравшихся где-то на углу и громко ругавших Ленина. Наутро комендант Смольного т. Мальков позвал меня, говорит: «Забрали мы тут баб вчера, скандалили они, посмотрите, что их, держать или что?» Но оказалось, во-первых, что большинство баб ушло из-под ареста, а оставшиеся были такими обывательницами, ни о чем не имевшими понятия, что смешно было их держать, и я, смеясь, посоветовала Малькову поскорее их выпустить. Одна баба, уходя, вернулась и шепотом спросила меня, указывая на Малькова: «Ленин это, что ли?» Я махнула рукой. В Смольном мы прожили до переезда в марте 1918 г. в Москву.

ОТ ОКТЯБРЬСКОЙ РЕВОЛЮЦИИ
ДО БРЕСТСКОГО МИРА

В своей статье от 5 ноября 1921 г. «О значении золота теперь и после полной победы социализма» Ильич пишет: «Мы с такой головокружительной быстротой, в несколько недель, с 25 октября 1917 г. до Брестского мира, построили советское государство, вышли революционным путем из империалистической войны, доделали буржуазно-демократическую революцию, что даже громадное попятное движение (Брестский мир) оставило все же за нами вполне достаточно позиций, чтобы воспользоваться «передышкой» и двинуться победоносно вперед, против Колчака, Деникина, Юденича, Пилсудского, Врангеля». Эти несколько недель, о которых говорил тут Ленин, охватывают главным образом период пребывания в Ленинграде, в Смольном, время до переезда в половине марта в Москву. Ильич стоял в центре всей этой работы, организовывал ее. Это была не просто напряженная работа, это была работа, поглощавшая все силы, натягивавшая нервы до последней крайности; приходилось преодолевать чрезвычайные трудности, вести самую отчаянную борьбу, часто борьбу с близкими по работе товарищами. И не мудрено, что, придя поздно ночью за перегородку комнаты, в которой мы с ним жили в Смольном, Ильич все никак не мог заснуть, опять вставал и шел кому-то звонить, давать какие-то неотложные распоряжения, а, заснув наконец, во сне продолжал говорить о делах... В Смольном работа шла не только днем, но и ночью. Вначале в Смольном было все — и партийные собрания, и Совнарком, тут же шла и работа наркоматов, отсюда посылались телеграммы, приказы, в Смольный стекались люди отовсюду. А какой аппарат был у Совнаркома? Вначале четыре человека, совсем неопытные, работавшие без передыху, делавшие все, что требовалось по ходу дела; тогда и в голову не приходило точно определять и ограничивать их функции, так были они неопределенны и всеобъемлющи. Работали вовсю, но никаких сил не хватало, и Ильичу сплошь и рядом приходилось выполнять самому черновую работу, звонить по телефонам и т. д. и т. п. Использовали, конечно, партийный аппарат, аппарат ВЦИК и других организаций, но для того, чтобы их использовать, нужна была также немалая организационная работа. Все было первобытно до крайности. Надо было ломать старую государственную машину, звено за звеном. Бюрократический аппарат сопротивлялся, служащие старых министерств, всяких государственных учреждений решили всячески саботировать работу и этим мешать Советской власти наладить новый госаппарат. Я помню, как мы «брали власть» в министерстве народного просвещения. Анатолий Васильевич Луначарский и мы, небольшая горстка партийцев, направились в здание министерства, находившееся у Чернышева моста. Около министерства был пост саботажников, предупреждавших направлявшихся в министерство работников и посетителей, что работа там не производится, кто-то даже попробовал заговорить на эту тему с нами. В министерстве никаких служащих, кроме курьеров да уборщиц, не оказалось. Мы походили по пустым комнатам — на столах лежали неубранные бумаги; потом мы направились в какой-то кабинет, где и состоялось первое заседание коллегии Наркомпроса. Разделили между собою функции. Решено было, что Анатолий Васильевич скажет речь техническому персоналу, что и было сделано. Анатолий Васильевич говорил горячо. Внимательно, но недоуменно немного слушала довольно многочисленная аудитория людей, с которыми никогда еще власть имущие не говорили на такие темы.

Положение Наркомпроса было не так уж трагично. Буржуазия не придавала ему особого значения, да нам и не трудно было разобраться в делах. Большинство из нас хорошо знали дело народного образования. Менжинские, например, долгие годы были учительницами начальной школы в Питере, я тоже много учительствовала, работала по педагогике, все были пропагандистами и агитаторами. Работа в районных думах за месяцы, предшествовавшие Октябрю, дала порядочные организационные навыки и большие связи. Моя работа шла по линии внешкольной (политпросвет) работы, где у меня был и опыт и где исключительное значение имела поддержка партии и рабочих масс. Сразу же можно было ставить работу по-новому, опираясь на массы. Плохо было, конечно, по части финансирования, администрирования, учета, плановости, но дело быстро двигалось вперед, тяга к знанию в массах была громадна, масса напирала. Дело шло.

Иное положение было в таких узловых пунктах, как продовольствие, финансы, банки. На защиту этих пунктов направляла свои главные силы буржуазия; тут особенно злостно был организован саботаж, с одной стороны, с другой — тут у нас было меньше всего опыта, практического знания дела. На этом надеялись сыграть враги — «не справятся». Нажимать мы также не очень-то умели. Наша молодежь, да и не молодежь только, а те, кто вступил в работу в более поздние годы, часто представляет себе, что дело было просто, взяли Зимний дворец, побили юнкеров, отбили наступление Керенского — вот и все. А как аппарат создавали, налаживали работу наркоматов, это интересует меньше, а между тем наши первые шаги в области управления, то, как мы учились драться за дело пролетариата в повседневной работе управления,— это имеет, конечно, особый интерес. В своих воспоминаниях о том, как создавался в Октябрьские дни рабочий аппарат Совета Народных Комиссаров, т. Н. П. Горбунов замечательно эпически рассказывает, как брали власть, например, на финансовом фронте. «Несмотря на декреты правительства и требования отпуска средств,— пишет т. Горбунов,— Государственный банк нагло саботировал. Народный комиссар финансов т. Менжинский (нынешний председатель ОГПУ. — *Н. К.*) никакими мероприятиями, вплоть до ареста директора Государственного банка Шилова, не мог заставить банк отпустить правительству нужные революции средства. Шипова привезли в Смольный и держали там некоторое время под арестом. Ночевал он в одной комнате с т. Менжинским и мною.

Директором Госбанка был назначен т. Пятаков; сначала добиться он ничего не мог. Тов. Горбунов рассказывает, как Владимир Ильич вручил ему декрет за собственноручной подписью, где Госбанку предписывалось вне всяких правил и формальностей и в изъятие из этих правил выдать на руки секретарю Совнаркома 10 миллионов рублей в распоряжение правительства. Правительственным комиссаром при Госбанке был назначен т. Осинский. Ильич, вручая им — Горбунову и Осинскому — декрет, сказал: «Если денег не достанете,— не возвращайтесь». Деньги были получены. Опираясь на низших служащих и курьеров, угрожая Красной гвардией, заставили кассира выдать требуемую сумму. Приемка производилась под взведенными курками военной охраны банка. «Затруднение вышло с мешками для денег,— пишет т. Горбунов. — Мы ничего с собой не взяли, Кто-то из курьеров, наконец, одолжил пару каких-то старых больших мешков. Мы набили их деньгами доверху, взвалили на спину и потащили в автомобиль.

Ехали в Смольный, радостно улыбаясь. В Смольном также на себе дотащили их в кабинет Владимира Ильича. Владимира Ильича не было. В ожидании его я сел на мешки с револьвером в руках «для охраны». Сдал я их Владимиру Ильичу с особой торжественностью. Владимир Ильич принял их с таким видом, как будто иначе и быть не могло, но на самом деле остался очень доволен. В одной из соседних комнат отвели платяной шкаф под хранение первой советской казны, окружив этот шкаф полукругом из стульев и поставив часового. Особым декретом Совета Народных Комиссаров был установлен порядок хранения и пользования этими деньгами. Так было положено начало нашему первому советскому бюджету». В.Д. Бонч-Бруевич описывает, как производилась потом национализация банков. Операция производилась под руководством т. Сталина, с ним советовался Бонч-Бруевич, который подготовлял все дело, писал приказы, организовывал транспорт, 28 отрядов стрелков и пр. Надо было занять 28 банков, арестовать 28 директоров банков. «Коменданту Смольного т. Малькову,— вспоминает В. Д. Бонч-Бруевич,— я предложил отвести хорошее помещение, совершенно изолированное от публики, в котором велел приготовить 28 коек, столы, стулья и сказал, чтобы он был готов принять 28 человек на довольствие и, прежде всего, к утру приготовил чай и завтрак». Занятие 28 банков произошло безболезненно. Происходило это 27 декабря 1917 г. «Вскоре комиссар финансов назначил новых работников в банки. Многие из тех директоров, которые были арестованы, выразили желание продолжать работу и при Советской власти и сейчас же были освобождены из-под ареста. В банки были введены комиссары, и работа продолжалась постольку, поскольку это было нужно для концентрации всех денежных средств и операций в Госбанке» '.

Так мы брали власть.

Публика ужасно нервничала. Не было у большинства еще знания дела, уверенности в себе, и не раз приходилось слышать от товарищей: «Так я больше не могу работать», но работали и в процессе работы быстро учились.

Создавались новые области государственной работы, новые формы ее.

12 ноября опубликован был декрет о 8-часовом рабочем дне.

Так как о рабочем контроле было упомянуто в воззвании II съезда Советов, то рабочие сразу же стали широко применять его на практике. В сущности период, предшествовавший Октябрю, уже подготовил их к этому. Фабриканты уже стали считаться с мнением рабочих, а рабочие уже привыкли очень основательно и настойчиво напирать. Но дело шло стихийно. В Смольном собиралась комиссия под председательством

Владимира Ильича, в которой принимали участие М. Томский, А. Шляпников, В. Шмидт, Глебов-Авилов, Лозовский, Цыперович и др. Часть товарищей говорила о необходимости государственного контроля, который бы заменил собой стихийный рабочий контроль, который сплошь и рядом переходил в захват фабрик и заводов, шахт и рудников, другие считали, что не на всех фабриках надо вводить контроль, а только на более крупных металлообрабатывающих, на железных дорогах и пр. Но Ильич полагал, что нельзя суживать этого дела, нельзя ограничивать в этом деле инициативы рабочих. Пусть многое сделано будет не так, но только в борьбе научатся рабочие настоящему контролю. Эта точка зрения вытекала из его основного взгляда на социализм: «Социализм не создается по указам сверху... социализм живой, творческий, есть создание самих народных масс». В результате комиссия согласилась с точкой зрения Ильича, проект был разработан, внесен в ВЦИК и 29 ноября опубликован. Рабочая масса была очень активна. С низов шла широкая инициатива. В первые же дни после захвата власти Совет фабрично-заводских комитетов выдвинул идею о необходимости создания Высшего Совета Народного Хозяйства, боевого органа пролетарской диктатуры, руководящего всей промышленностью. В ВСНХ должны были входить представители от рабочих и от крестьян. Создавался орган нового типа. Декрет об организации ВСНХ был опубликован 18 декабря 1917 г. Вопросы о земле продвигались медленно. Тов. Теодорович, первый нарком земледелия, в связи с историей с Викжелем подал в отставку и уехал в Сибирь. Намечен был в наркомы земледелия т. Шлихтер, но он жил в Москве, и ему как-то не сразу передали то, что ему надо немедля ехать в Питер, а между тем Ильича в Смольном осаждали крестьяне с запросами, что делать с землей. 18 ноября Владимир Ильич написал «Ответ на запросы крестьян» и обращение «К населению». В «Ответе» он подтверждает декрет об отмене помещичьей собственности, призывает волостные комитеты брать самим помещичью землю. В обращении «К населению» он призывает население: «...храните, как зеницу ока, землю, хлеб, фабрики, орудия, продукты, транспорт — все это отныне будет всецело вашим, общенародным достоянием». Тут была та же цель, что и в декрете о рабочем контроле: активизировать массы, растить их сознание в борьбе. Когда приехал т. Шлихтер, Ильич поручил ему организовать немедля прием крестьянских делегатов с мест, давать им конкретные указания в связи с законом о конфискации земли. Затем, указывал Ильич, надо взять в свои руки министерский аппарат, сломить саботаж и спешно выработать «Положение» о земле.

23 ноября открылся чрезвычайный съезд Советов крестьянских депутатов. Владимир Ильич выступал на этом съезде дважды, придавая ему большое значение. Из 330 делегатов 195 было левых эсеров; они были решающей группой; на съезде шла борьба с правыми эсерами (их было только 65 человек). После второго доклада Ленина была принята резолюция, одобряющая работу Совнаркома и условия соглашения с левыми эсерами. Левые эсеры согласились войти в правительство, послали в наркоматы, хотя и не сразу, своих представителей; Колегаев — левый эсер — стал наркомом земледелия, но вступил в работу не сразу.

Ильича я видела очень мало за период нашего пребывания в Питере, он был все время занят разговорами с солдатскими, рабочими, крестьянскими делегатами, постоянно были у него совещания, работал он усиленно над декретами, которые ложились в основу вновь создаваемого Советского государства. Правда, под вечерок, в сумерках, или поздно ночью, ходили мы с ним немного побродить около Смольного; у Ильича теперь больше, чем когда-либо, была потребность выговориться, поговорить о том, что больше всего заботило. Но времени было в обрез. О ходе работы я не столько знала от него, сколько со стороны. В коридорах Смольного всегда можно было встретить массу партийной публики. И товарищи, знавшие меня по загранице, по пятому году, по Выборгскому району, делились со мною, по старой привычке, своими переживаниями, и потому я подробно знала, что, в каком разрезе делалось. И во Внешкольный отдел Наркомпроса приходило много народу. Тогда не было ни ПУРа, ни культотделов профсоюзов, публика тянулась в Наркомпрос. Очень много интересного попутно рассказывали о настроениях в низах. Мне особенно запомнился рассказ одного товарища, приехавшего с фронта за советом, как развертывать культработу на фронте. Он рассказал о той глубокой ненависти, которая существует к барской школе и всей старой культуре в солдатских массах. Поставили солдат на ночевку в реальное училище. Солдаты за ночь изорвали в мелкие клочки и истоптали все книжки, карты, тетрадки, какие только были в столах и шкафах школы, изломали все учебные пособия: «Баре проклятые тут своих детей учили». И вспомнилось мне, как в 90-х годах один рабочий, ученик воскресной школы, изложив очень обстоятельно все доказательства шарообразности Земли, в заключение с насмешливой улыбкой недоверия добавил:

«Только верить этому нельзя, это баре выдумали». Не раз говорили мы с Ильичем об этом недоверии масс к старой науке и учебе. Потом, на III съезде Советов, Ильич говорил: «Раньше весь человеческий ум, весь его гений творил только для того, чтобы дать одним все блага техники и культуры, а других лишить самого необходимого — просвещения и развития. Теперь же все чудеса техники, все завоевания культуры станут общенародным достоянием, и отныне никогда человеческий ум и гений не будут обращены в средства насилия, в средства эксплуатации. Мы это знаем,— и разве во имя этой величайшей исторической задачи не стоит работать, не стоит отдать всех сил? И трудящиеся совершат эту титаническую историческую работу, ибо в них заложены дремлющие великие силы революции, возрождения и обновления» Эти слова Ильича показывали отсталым массам, что старая, такая ненавистная массам наука, уходит в прошлое; теперь наука будет работать только на пользу масс. Массы должны овладеть ею.

Внешкольный отдел (политпросвет) в своей работе опирался на связи с рабочими, в первую очередь на рабочих Выборгского района. Помню, как мы сообща с ними вырабатывали «Грамоту гражданина» — своеобразный курс, которым должен овладеть каждый рабочий, чтобы быть в состоянии принимать участие в общественной работе, в работе Советов и тех организаций, которыми Советы будут обрастать все более и более. А наряду с этим рабочие рассказывали о том, что делается в районе. Начиналось сокращение производства, стали рассчитывать с заводов молодежь, были затруднения с питанием. 10 декабря по предложению Владимира Ильича Совнарком поручил особой комиссии разработать основные вопросы экономической политики правительства и организовать совещание продовольственников для обсуждения практических мер борьбы с мародерством и улучшения положения трудящихся. Через пару дней на заседании Совнаркома принимаются написанные Ильичем постановления о переводе заводов, исполняющих заказы морского ведомства, на производительные, полезные народу работы. Нельзя было просто закрыть военные заводы, надо было помешать росту безработицы.

Торопил Ильич с организацией работы Наркомпрода, который должен был заменить министерство продовольствия; тут было особенно сильно сопротивление старого аппарата, с одной стороны, с другой — надо было пойти какими-то новыми путями, втянуть в эту работу рабочие массы, найти формы этого втягивания.

Так строился в первые недели после Октября советский аппарат, ломались старые министерские аппараты управления, создавался неопытными, еще неумелыми руками советский аппарат. Многое еще надо было доделать, но, если посмотреть на то, что было проделано в этом отношении к началу 1918 г., работа была проделана громадная.

Выборгский район устроил встречу Нового года. Встреча Нового года была связана с проводами товарищей — выборгских красногвардейцев на фронт. Многие из них участвовали в борьбе с войсками Керенского, двинутыми на Питер. Они ехали на фронт, чтобы вести пропаганду за Советскую власть, будить активность солдат, внести во всю борьбу революционный дух. Встреча Нового года была организована в большом помещении Михайловского юнкерского училища. Отъезжающим товарищам, да и всем выборжцам, хотелось повидать Ильича, и я стала соблазнять его поехать туда, встретить первый советский Новый год с рабочими. Ильичу этот проект понравился. Мы двинулись. Еле выбрались с площади. По случаю упразднения дворников никто снег не расчищал, и нужно было большое искусство со стороны шофера, чтобы пробраться через наваленные горы снега. Приехали в 11 часов вечера. Большой «белый» зал Михайловского училища напоминал манеж. Ильич, радостно встреченный рабочими, взошел на трибуну, аудитория зажгла его, и хоть говорил он просто, без громких фраз и восклицаний, но излагал он то, о чем он так неустанно думал последнее время, говорил о том, как должны рабочие по-новому организовать через Советы всю свою жизнь. Говорил и о том, как должны товарищи, едущие на фронт, вести там работу среди солдат. Когда Ильич кончил, ему устроили целую овацию. Четверо рабочих взялись за ножки стула, на котором сидел Ильич, подняли его на стуле и стали качать. Я подверглась той же участи. Потом в зале началось концертное отделение, а Ильич еще попил чаю в штабе, потолковав там с публикой, а потом мы постарались незаметно уйти. Воспоминание об этом вечере осталось у Ильича очень хорошее. В 1920 г. он стая меня звать поехать в районы ----это было уже в Москве, хотелось ему встретить опять Новый год с рабочими, объехали мы тогда три района.

На старое рождество (24—29 декабря старого стиля) мы с Ильичем и Марией Ильиничной поехали куда-то в Финляндию. Тов. Косюра, работавшая тогда в Смольном, устроила нас в какой-то финский дом отдыха, где отдыхал тогда тоже т. Берзин. Финская специфическая белая какая-то чистота, занавески на окнах напоминали Ильичу его гельсингфорсское конспиративное житье в Финляндии в период 1907 и в 1917 гг. перед Октябрем, когда он писал там книгу «Государство и революция». Отдых как-то не выходил, Ильич даже говорил иногда вполголоса, как в прежние времена, когда приходилось скрываться, и хоть гуляли мы каждый день, но без настоящего аппетита; думал Ильич о делах и все больше писал. То, что он тогда в эти четыре дня отдыха написал, он считал недоделанным и тогда в оборот не пустил. Статьи «Запуганные крахом старого и борющиеся за новое», «Как организовать соревнование?», «Проект декрета о потребительных коммунах» не были пущены тогда в оборот, а опубликованы лишь пять лет спустя после его смерти, но эти статьи, как нельзя лучше, рисуют, о чем тогда особенно усиленно думал Владимир Ильич. Его занимали тогда больше всего думы о том, как наилучшим образом организовать повседневную экономическую жизнь, как получше устроить рабочих, вытащить их из трудных условий, в которых они тогда жили; как организовать потребительские коммуны, снабжение ребят молоком, как переселить рабочих в лучшие квартиры и как в этих целях организовать повседневный учет и контроль, как все это дело организовать так, чтобы вовлечь в работу самые массы, развить их самодеятельность, пробудить их инициативу в этом направлении. Ильич думал, как на это дело выдвинуть наиболее талантливых организаторов из рабочей среды, и писал он о соревновании, о его организующей роли.

Жить «на отдыхе» долго нельзя было, прошло четыре дня, надо было ехать в Питер. Осталась почему-то в памяти зимняя дорога, поездка через финские сосновые леса, чудесное утро и озабоченность задумчивого лица Ильича. Он думал о предстоящей борьбе. В ближайшие дни должен был быть разрешен вопрос об Учредительном собрании — оно было назначено на 18 (5) января. К началу 1918 г. вопрос об Учредительном собрании был уже совершенно ясен. Когда в 1903 г. на II съезде партии принималась Программа партии, социалистическая революция представлялась еще делом очень отдаленного будущего, ближайшей целью борьбы рабочего класса ставилось свержение самодержавия. Учредительное собрание было тогда боевым лозунгом, за который после съезда большевики боролись все время гораздо смелее, решительнее, чем меньшевики. Тогда других форм демократической организации власти, кроме буржуазно-демократической республики, никто еще себе не представлял конкретно. В революции 1905 г. зародились в лице стихийно возникших в процессе борьбы Советов рабочих депутатов зародыши новой, близкой массам, формы государственной власти. В годы реакции Ильич глубоко продумал эту форму нового типа организации, сравнивал ее с формами государственной организации, создавшейся в дни Парижской коммуны. Февральская революция 1917 г. наряду с Временным правительством создала и всероссийскую организацию рабочих и солдатских депутатов. Вначале Советы шли на поводу у буржуазии, которая через своих ставленников — меньшевиков и правых эсеров — стремилась Советы превратить в органы затемнения массового сознания. Начиная с апреля, по приезде Ленина в Россию, большевики повели широкую пропаганду в массах, направленную на поднятие классового самосознания рабочих и беднейших слоев крестьянства, помогая всячески развертыванию классовой борьбы.

Лозунг «Вся власть Советам», который писали на своих знаменах рабочие и крестьяне, по существу дела уже предрешал, в каком направлении будет идти борьба в Учредительном собрании: одна сторона будет за власть Советов, другая — за власть буржуазии, оформленную в тот или иной тип буржуазной республики. II съезд Советов предрешил уже вопрос о типе власти, и Учредительное собрание должно было лишь оформить создавшуюся форму власти, подработать детали. Так считали большевики. Буржуазия же считала, что Учредительное собрание может повернуть колесо истории и, оформив власть типа буржуазной республики, ликвидировать Советы или, во всяком случае, свести на нет их роль. Перед Октябрем проведены были перевыборы Советов; в них стали преобладать большевики, проводившие в жизнь постановления партии.

Партия еще задолго до Октября понимала, что Учредительное собрание будет происходить не в каком-то бесклассовом обществе. Еще в 1905 г. в своей брошюре «Две тактики социал-демократии в демократической революции», разбирая резолюцию «конференции» меньшевиков, происходившей во время большевистского III съезда партии летом 1905 г., Владимир Ильич говорил, что меньшевики называют в своих резолюциях «решительной победой» лозунг «Учредительного собрания», тогда как этот «...лозунг всенародного учредительного собрания воспринят монархической буржуазией (смотри программу «Союза освобождения») и воспринят именно в интересах эскамотирования революции, в интересах недопущения полной победы революции, в интересах торгашеской сделки крупной буржуазии с царизмом».

И в 1917 г.— 12 лет спустя — большевики взяли власть в Октябре, не дожидаясь никакого Учредительного собрания.

Но около Учредительного собрания Временное правительство создало ряд иллюзий. Чтобы разбить эти иллюзии, надо было созвать Учредительное собрание и попробовать его поставить на службу революции, а если это окажется невозможным, постараться показать массам его вред, рассеять все создавшиеся иллюзии, вырвать у противника это орудие агитации против новой власти. Оттягивать созыв Учредительного собрания не имело смысла, и уже 10 ноября было опубликовано постановление СНК о созыве Учредительного собрания в назначенный срок. 21 ноября принял соответствующее постановление ВЦИК. Имели ли большевики за собой большинство в Учредительном собрании? Они имели за собой пролетариат, громадное большинство его, меньшевики к этому времени потеряли уже всякое почти влияние среди рабочих. Пролетариат в решающих пунктах, в Питере и Москве, не только был большевистски настроен, он был закален в 15-летней борьбе, это был сознательный, революционно настроенный пролетариат. Он же сумел повести за собой крестьянство. Лозунги «За мир!», «За землю!», принятые на II съезде Советов, сделали то, что половина голосов армии и флота была подана за большевиков. Громадное большинство крестьянских голосов было подано за эсеров. Эсеры раскололись на правых и левых эсеров. Большинство было за левыми эсерами, за которыми шло бедняцкое и большинство середняцкого крестьянства. После II съезда Советов ЦК эсеров, как известно, исключил из партии левых эсеров, участников II съезда Советов. Чрезвычайный съезд Советов крестьянских депутатов, имевший место 23 ноября — 8 декабря,— на нем выступил Ленин,— признал Советскую власть. На другой день после доклада Ильича съезд в полном составе отправился в Смольный, где происходило заседание ВЦИК Советов рабочих и солдатских депутатов, и влился в него. Чрезвычайный съезд Советов крестьянских депутатов постановил, что представители левых эсеров должны принимать участие в правительстве. В тот же день Ильич написал в «Правду» статью «Союз рабочих с трудящимися и эксплуатируемыми крестьянами». Чрезвычайный съезд крестьянских депутатов показал, что под влиянием Октябрьского переворота, писем солдат с фронта, все более и более становившихся на сторону большевиков, деревня, ее бедняцкая и середняцкая часть, также примыкала к Советской власти. Крестьянство еще не разбиралось, в чем разница между левыми и правыми эсерами. Голоса подавались за эсеров вообще, а на деле большинство было явно на стороне левых эсеров. И вот Владимир Ильич выдвинул перед ВЦИК мысль о необходимости провести право отзыва ранее выбранных депутатов. Право отзыва, говорил он,— это по существу дела право контроля над тем, что говорит и делает депутат. Такое право в силу прежних революционных традиций существует еще в САСШ и в некоторых кантонах Швейцарии. Право отзыва было санкционировано ВЦИК, и соответствующий декрет был опубликован 6 декабря 1917 г. Еще в августе месяце Временное правительство назначило комиссию по выборам в Учредительное собрание, состоявшую из кадетов и правых эсеров. Комиссия всячески тормозила работу по подготовке выборов и отказывалась представить Совнаркому отчет о ходе выборов. В тот же день, когда принят был декрет о праве отзыва, 6 декабря, для руководства деятельностью комиссии назначен был комиссар, т. Урицкий. Комиссия отказалась работать под его руководством и была арестована, но 10 декабря члены комиссии были освобождены по распоряжению Ленина. 6 декабря ВЦИК постановил, что Учредительное собрание будет открыто по прибытии в Питер 400 делегатов. 11 декабря правые эсеры и кадеты пробовали организовать демонстрацию, но в ней участвовало лишь сравнительно незначительное число интеллигенции; ни рабочие, ни солдаты не принимали в ней участия. 13 декабря комиссия по выборам была распущена. Большевики развертывали широкую агитацию, освещая вопросы, связанные с Учредительным собранием. 14 декабря Ленин выступал на заседании ВЦИК по вопросу об Учредительном собрании. Он говорил там: «Нам предлагают созвать Учредительное собрание так, как оно было задумано. Нет-с, извините! Его задумывали против народа. Мы делали переворот для того, чтобы иметь гарантии, что Учредительное собрание не будет использовано против народа... Пусть народ знает, что Учредительное собрание соберется не так, как хотел Керенский. Мы ввели право отзыва, и Учредительное собрание не будет таким, каким задумала его буржуазия. Когда созыв Учредительного собрания отделен от нас несколькими днями, буржуазия организует гражданскую войну и увеличивает саботаж, срывая дело перемирия. Мы не дадим себя обманывать формальными лозунгами. Они желают сидеть в Учредительном собрании и организовать гражданскую войну в то же время (в это время на юге, около Ростова-на-Дону, шли кровавые бои, организованные генералом Калединым. — *Н. К*.)... Мы скажем народу правду. Мы скажем народу, что его интересы выше интересов демократического учреждения. Не надо идти назад к старым предрассудкам, которые интересы народа подчиняют формальному демократизму. Кадеты кричат: «Вся власть Учредительному собранию», а на деле это у них значит: «Вся власть Каледину». Надо это сказать народу, и народ нас одобрит». На другой день— 15 декабря — Ильич выступал на II Всероссийском съезде крестьянских депутатов, происходившем под председательством Спиридоновой; съезд проходил очень бурно, правые эсеры ушли со съезда.

Все яснее и яснее становилось, что около Учредительного собрания разгорится острая борьба, и в большевистской фракции Учредительного собрания начались колебания, появились правые настроения. 24 декабря состоялось заседание ЦК, посвященное этому вопросу; решено было сделать во фракции Учредительного собрания доклад ЦК, выработать тезисы по вопросу об Учредительном собрании. И то, и другое было поручено Ленину. Он подработал тезисы и на другой день сделал доклад в Смольном, на совещании фракции Учредительного собрания зачитал тезисы. Тезисы были приняты единогласно и на другой день опубликованы в «Правде». В них ясно было выставлено требование от Учредительного собрания признания им Советской власти, той революционной линии, которую эта Советская власть ведет в вопросе о мире, земле, рабочем контроле, в борьбе с контрреволюцией.

Открытие Учредительного собрания назначено было на 18 (5) января 1918 г.

Подготовка к Учредительному собранию, которую с такой заботой и тщательностью проводила партия под руководством Ильича, при его активном участии, была важнейшим этапом в укреплении Советской власти; это была борьба против формального буржуазного демократизма, за подлинный демократизм, дающий возможность трудящимся массам широко развернуть громадную революционную работу во всех областях строительства социалистического уклада.

Проделанная работа по созыву Учредительного собрания показывает, как шаг за шагом она углублялась, как все шире опиралась на массы, как организовывала массы на борьбу, как сплачивала на этой работе с массами партийные и советские кадры.

Предстояла еще большая работа по организационной подготовке и проведению самого Учредительного собрания.

Правые эсеры толковали о необходимости борьбы с большевиками. Наиболее правые из них организовали военную организацию, устроившую 1 января неудавшееся покушение на Ленина. Эта организация деятельно подготовляла в день открытия Учредительного собрания — 18 (5) января — вооруженное восстание. ЦК эсеров формально не поддерживал этой военной организации, но был осведомлен о ее деятельности и смотрел на нее сквозь пальцы. Эта военная организация связалась с «Союзом тщиты Учредительного собрания» поставившим себе целью координацию действий всех антибольшевистских организаций. В «Союз защиты Учредительного собрания» входили наиболее правые эсеры, меньшевики-оборонцы, народные социалисты, кое-кто из кадетов. Несмотря на очень большую активность, «Союзу защиты» не удалось привлечь на свою сторону ни рабочих, ни петроградский гарнизон; их агитация имела успех лишь среди обывателей.

Демонстрация 18 (5) января носила своеобразный обывательский характер, но по городу ходили усиленно распространяемые слухи о готовящемся вооруженном восстании. Большевики готовились к отпору. Учредительное собрание должно было собраться в Таврическом дворце. Организован был военный штаб, в котором участвовали Свердлов, Подвойский, Прошьян, Урицкий, Бонч-Бруевич и др. Город и Смольнинский район были разбиты по участкам, за охрану взялись рабочие. Для охраны порядка в самом Таврическом дворце, возле него и в примыкающих кварталах вызвана была команда с крейсера «Аврора» и две роты с броненосца «Республика». Вооруженного восстания, которое готовил «Союз защиты Учредительного собрания», не вышло, была обывательская демонстрация под лозунгом «Вся власть Учредительному собранию», которая на углу Невского и Литейного столкнулась с нашей рабочей демонстрацией, шедшей под лозунгом «Да здравствует Советская власть». Произошло вооруженное столкновение, быстро ликвидированное. В.Д. Бонч-Бруевич хлопотал, звонил, распоряжался, обставил переезд Владимира Ильича из Смольного в Таврический дворец чрезвычайно конспиративно. Он ехал сам с Владимиром Ильичем в автомобиле, посадили туда и меня с Марией Ильиничной и Веру Михайловну Бонч-Бруевич. К Таврическому дворцу мы подъехали с какого-то переулка. Ворота были заперты, но автомобиль дал условленный гудок, ворота отворились и, пропустив нас, снова закрылись. Караул провел нас в особые, отведенные для Ильича комнаты. Они были где-то с правой стороны от главного входа, и идти в зал заседаний надо было по какому-то остекленному коридору. Около главного подъезда стояли хвосты делегатов, масса зрителей, и, конечно, Ильичу удобнее было пройти особым ходом, но его немного раздражала излишняя какая-то таинственная театральность. Сидели и пили чай, заходили то те, то другие товарищи, помню Коллонтай, Дыбенко. Сидеть пришлось довольно долго, шло заседание, довольно бурное, большевистской фракции. Председательствовала на нем Варвара Николаевна Яковлева, москвичка. Москвичи в вопросе об Учредительном собрании держались твердо, кое-кто даже перегибал, хотел разогнать Учредительное собрание немедля, упуская из виду, что дело надо было организовать так, чтобы массам было ясно, почему Учредительное собрание необходимо было распустить.

Открыть Учредительное собрание должен был Яков Михайлович Свердлов.

Заседание открылось в 4 часа дня. Идя на заседание, Владимир Ильич вспомнил, что он оставил в пальто револьвер, пошел за ним, но револьвера не оказалось, хотя никто из посторонних в прихожую не входил, очевидно, револьвер вытащил кто-то из охраны. Ильич стал корить Дыбенко и издеваться над ним, что в охране нет никакой дисциплины; Дыбенко волновался. Когда потом Ильич пришел с заседания, Дыбенко возвратил ему его револьвер, охрана вернула.

Я.М. Свердлов запоздал немного, и Учредительное собрание решило было, что открывать заседание будет старейший годами член Учредительного собрания Швецов (эсер). Тот вошел уже было на трибуну и завел какую-то волынку, но тут подоспел Свердлов, поднялся на кафедру, отобрал у Швецова звонок, отстранил его и своим громким густым голосом сообщил, что ЦИК Советов рабочих, солдатских и крестьянских депутатов поручил ему открыть заседание Учредительного собрания и затем от имени ЦИК зачитал напечатанную накануне в «Правде» «Декларацию прав трудящегося и эксплуатируемого народа», написанную Лениным и отредактированную им вместе с тт. Сталиным и Бухариным. Эта декларация была принята ВЦИК, и было принято при этом постановление, что «...всякая попытка со стороны кого бы то ни было или какого бы то ни было учреждения присвоить себе те или иные функции государственной власти будет рассматриваема, как контрреволюционное действие. Всякая такая попытка будет подавляться всеми имеющимися в распоряжении Советской власти средствами, вплоть до применения вооруженной силы».

«Декларация» гласила, что «1. Россия объявляется республикой Советов рабочих, солдатских и крестьянских депутатов. Вся власть в центре и на местах принадлежит этим Советам. 2. Советская Российская республика учреждается на основе свободного союза свободных наций как федерация Советских национальных республик» — и далее одобряет законы, принятые II съездом Советов. Постановления, принятые Совнаркомом, предполагалось утвердить Учредительному собранию. «Поддерживая Советскую власть и декреты Совета Народных Комиссаров, Учредительное собрание считает, что его задачи исчерпываются установлением коренных оснований социалистического переустройства общества». Правая часть Учредительного собрания совсем иначе представляла себе деятельность Учредительного собрания, думала, что Учредительное собрание не иначе как возьмет всю власть в свои руки. Большинство было за правыми эсерами. В председатели съезда правые эсеры предложили Чернова, большевики и левые эсеры — Спиридонову. Чернов получил 244 голоса. Спиридонова — 151 голос.

Голосовали большевики за Спиридонову потому, что основным вопросом был вопрос о том, будет ли Учредительное собрание голосовать за Советскую власть или нет. Левые эсеры шли в то время с большевиками. Выдвижение в тот момент кандидатуры Спиридоновой помогало крестьянским массам осознать, что рабочий класс ставит себе задачей работать в тесном союзе с крестьянством, что большевики за такой союз. В смысле агитационном кандидатура Спиридоновой имела поэтому большое значение.

После выбора председателя — Чернова — начались прения. Говорил Чернов от лица правых эсеров по вопросу о земле; в рядах левых в ответ на его слова раздался возглас: «Да здравствуют Советы, передавшие землю крестьянам!» Выступавший после Чернова Бухарин предложил обсудить прежде всего декларацию ВЦИК — надо прежде всего решить, с кем идет Учредительное собрание, «с Калединым, с юнкерами, с фабрикантами, купцами, директорами учетных банков или с серыми шинелями, с рабочими, солдатами, матросами?». От меньшевиков выступал Церетели, нападавший всячески на большевиков, пугавший гражданской войной и предлагавший всю власть передать Учредительному собранию.

Много лет прошло с тех пор. Мы являемся свидетелями того, как социал-демократия Германии и других капиталистических стран теми же приемами — сладенькими речами, запугиванием гражданской войной, всякими посулами — предала дело рабочего класса, помогла стать у власти фашистам, этим диким погромщикам, озверелым сторонникам гибнущих помещиков и капиталистов, смертельно боящимся коммунистов, проповедующим на словах гражданский мир, а на деле помогающим помещикам и капиталистам наглым образом эксплуатировать трудящихся, толкающим их в бездну новой, еще более ожесточенной, чем прежняя, мировой войны.

Но большевики ясно видели, куда приведет соглашательство с правыми эсерами и меньшевиками. Тов. Скворцов говорил, обращаясь к правым эсерам и меньшевикам: «Между нами все кончено. Мы делаем до конца Октябрьскую революцию против буржуазии. Мы с вами на разных сторонах баррикады»

Владимир Ильич не выступал. Он сидел на ступеньках трибуны, насмешливо улыбался, шутил, что-то записывал, чувствовал себя каким-то никчемным на этом собрании. В его бумагах сохранилось начало статьи, где он записал свои впечатления от этого заседания Учредительного собрания: «Тяжелый, скучный и нудный день в изящных помещениях Таврического дворца, который и видом своим отличается от Смольного приблизительно так, как изящный, но мертвый буржуазный парламентаризм отличается от пролетарского, простого, во многом еще беспорядочного и недоделанного, но живого и жизненного советского аппарата». «После живой, настоящей, советской работы, среди рабочих и крестьян, которые заняты делом, рубкой леса и корчеванием пней помещичьей и капиталистической эксплуатации,— вдруг пришлось перенестись в «чужой мир», к каким-то пришельцам с того света, из лагеря буржуазии и ее вольных и невольных, сознательных и бессознательных поборников, прихлебателей, слуг и защитников. Из мира борьбы трудящихся масс и их советской организации, против эксплуататоров — в мир сладеньких фраз, прилизанных, пустейших декламаций, посулов и посулов, основанных по-прежнему на соглашательстве с капиталистами».

За обсуждение декларации ВЦИК высказалось лишь 146 депутатов, против — 247. Большевики и левые эсеры потребовали перерыва. Большевистская фракция Учредительного собрания собралась обсудить вопрос, что дальше делать. Было решено: в зал заседания не возвращаться. Товарищи Раскольников и Лобов были посланы туда, чтобы заявить, что большевики уходят из Учредительного собрания, и мотивировать почему. Фракция решила также не разгонять собрания, а предоставить ему возможность досидеть заседание до конца. Заседание продолжалось до 4 час. 40 мин. 6 января, после чего депутаты разошлись по домам. На следующий день ВЦИК постановил: «Учредительное собрание распустить». Дальнейшие собрания не имели уже места, не собирались.

Роспуск Учредительного собрания был воспринят массами пассивно, авторитетом оно не пользовалось, этот роспуск никого не взволновал. Был убран с дороги плетень, мешавший дальнейшей работе. Был вбит кол во все соглашательские настроения.

Сняли плетень Учредительного собрания, мешавший двигаться вперед, а рядом стояла задача гораздо более трудная — выворачиваться, вылезать из ямы империалистической войны, в которой гибла страна.

8 ноября на II съезде Советов был принят декрет о мире. Первые дни существования Советской власти ушли на борьбу военную с наступавшими войсками Керенского, с восставшими юнкерами, ушли на борьбу с соглашательскими колебаниями внутри ЦК. 20 ноября Совнарком дал приказ верховному главнокомандующему генералу Духонину о приостановке военных действий и начале переговоров о мире со странами четверного союза (Германия, Австрия, Турция, Болгария). 22 ноября, когда из разговора по прямому проводу выяснилось, что генерал Духонин саботирует приказ Совнаркома, он был смещен, и верховным главнокомандующим был назначен т. Крыленко.

В тот же день Владимир Ильич составил радио всем полковым, дивизионным, корпусным, армейским и другим комитетам, всем солдатам революционной армии и матросам революционного флота, в котором призывал солдат и матросов активно вмешаться в дело. Не на генералов, а на солдатские массы возлагал Ильич главные надежды.

«Солдаты! — говорилось в радио.— Дело мира в ваших руках. Вы не дадите контрреволюционным генералам сорвать великое дело мира, вы окружите их стражей, чтобы избежать недостойных революционной армии самосудов и помешать этим генералам уклониться от ожидающего их суда. Вы сохраните строжайший революционный и военный порядок.

Пусть полки, стоящие на позициях, выбирают тотчас уполномоченных для формального вступления в переговоры о перемирии с неприятелем.

Совет Народных Комиссаров дает вам права на это.

О каждом шаге переговоров извещайте нас всеми способами. Подписать окончательный договор о перемирии вправе только Совет Народных Комиссаров.

Солдаты! Дело мира в ваших руках! Бдительность, выдержка, энергия, и дело мира победит!

Именем правительства Российской республики

Председатель Совета Народных Комиссаров

В. Ульянов (Ленин)

Народный комиссар по военным делам
и верховный главнокомандующий

Н. Крыленко».

21 ноября было обращение Советского правительства к представителям союзных с Россией стран с предложением рассмотреть декрет о мире.

23 ноября Ильич выступал в ВЦИК. Он говорил о том, что начинается борьба за мир, что борьба эта будет трудной и упорной, но считал, что наши шансы очень благоприятны. Он говорил о революционном братании. «Мы имеем возможность сноситься радиотелеграфом с Парижем, и когда мирный договор будет составлен, мы будем иметь возможность сообщить французскому народу, что он может быть подписан и что от французского народа зависит заключить перемирие в два часа. Увидим, что скажет тогда Клемансо». 23 ноября началось опубликование тайных договоров других стран; они наглядно показывали, как нагло лгали правительства массам, как морочили им голову.

23 ноября Советское правительство предложило также нейтральным странам, не заинтересованным в войне, довести официальным путем до сведения неприятельских правительств о готовности Советского правительства вступить в мирные переговоры.

27 ноября пришел ответ от германского главнокомандующего. Он выражал согласие начать переговоры о мире.

23 ноября, выступая на заседании ВЦИК, Ильич говорил: «Мир не может быть заключен только сверху. Мира нужно добиваться снизу. Мы не верим ни на каплю немецкому генералитету, но мы верим немецкому народу. Без активного участия солдат мир, заключенный главнокомандующими,— непрочен».

Положение в Германии было не из легких. Продовольственное положение было тяжелое. Кроме того, народ устал от войны, и Германия подумывала о том, что заключение мира с Россией может развязать ей руки в борьбе с Францией, а одержав победу над Парижем, можно будет справиться потом и с Россией.

Когда пришел ответ от германского главнокомандующего, Совнарком тотчас же запросил союзников (Франция, Англия, Италия, САСШ), согласны ли они приступить 1 декабря к мирным переговорам с державами четверного союза.

Союзники ответа не дали, а через голову Советского правительства обратились к смещенному генералу Духонину с протестом против сепаратного мира.

1 декабря на фронт выехала наша делегация под председательством т. Иоффе. В состав ее входили тт. Карахан, Каменев, Сокольников, Биценко, Мстиславский, по одному представителю от рабочих, крестьян, матросов и солдат.

На другой день было выпущено обращение Совнаркома к немецким рабочим.

3 декабря начались переговоры о перемирии. Советская делегация огласила декларацию, в которой целью переговоров объявлялось «достижение всеобщего мира без аннексий и контрибуций с гарантией права на национальное самоопределение» и предлагалось обратиться ко всем прочим воюющим странам «с предложением принять участие в ведущихся переговорах». 5 декабря было подписано соглашение о приостановке военных действий сроком на одну неделю. 7-го Наркоминдел снова обратился к представителям союзников с предложением «определить свое отношение к мирным переговорам». Ответа на обращение не последовало.

11-го в Брест выехала вновь наша делегация, дополненная тт. Покровским и Вельтманом (Павловичем).

13 декабря были возобновлены мирные переговоры и заключено перемирие еще до 14 января. Из переговоров ничего не вышло.

25 декабря немцы от имени четверного союза заявили, что на мир без аннексий и контрибуций они согласны, но лишь при условии, если к договору о мире присоединятся все воюющие страны. Они шали, что этого не будет, но декларация эта имела тот смысл, что всю ответственность за продолжение войны страны четверного согласия хотели переложить на Антанту.

До конца декабря переговоры носили скорее агитационный характер; их плюс был тот, что временно достигнуто было перемирие, широко развернута была агитационная работа за мир в наших и немецких войсках.

С начала 1918 г. характер переговоров изменился. В начале января сторонники милитаристской, аннексионистской политики, Людендорф и Гинденбург, послали Вильгельму II ультиматум с угрозой уйти в отставку, если не будет выполнено их требование о проведении в Брест-Литовске решительной аннексионистской политики и передачи руководства переговорами военному командованию. Руководство мирными переговорами перешло к генералу Гофману.

7 января наша делегация, на этот раз под председательством Троцкого, вновь выехала в Брест; 9 января начались опять переговоры о мире. На этот раз немецкая делегация стала уже предъявлять ультиматумы. К 20 января выявилось, что Германия ставит вопрос так: либо дальнейшая война, либо аннексионистский мир, т. е. мир на условии, что мы отдаем все занятые ими земли, германцы сохраняют все занятые ими зем-

ли и налагают на нас контрибуцию (прикрытую внешностью платы за содержание пленных) размером приблизительно в 3 миллиарда рублей с рассрочкой на несколько лет.

8 середине января 1918 г. в Вене разразилась всеобщая стачка, вызванная обострением голода, тягой к миру и возмущением рабочих аннексионистской тактикой центральных держав в Брест-Литовске. Стачка захватила почти всю страну, привела к образованию Совета рабочих депутатов. Несколько дней спустя разразилась стачка в Берлине, где, по официальным данным, бастовало 500 тысяч рабочих. Были стачки и в других городах. Образовались Советы рабочих депутатов. Бастующие требовали провозглашения республики и заключения мира. Однако до революции было еще далеко. Вся власть была в руках Вильгельма II, Гинденбурга, Людендорфа, в руках буржуазии.

Ильич крепко надеялся на грядущую мировую революцию. 14 января на проводах первых социалистических эшелонов, отправляющихся на фронт, он говорил: «Уже просыпаются народы, уже слышат горячий призыв нашей революции, и мы скоро не будем одиноки, в нашу армию вольются пролетарские силы других стран».

Но это было еще будущее. Особенностью Ильича было то, что он никогда не обманывал себя, как бы печальна ни была действительность, никогда не пьянел он от успехов, всегда умел трезвыми глазами смотреть на действительность. Не всегда это было ему легко. Ильич меньше всего был человеком холодного рассудка, каким-то расчетливым шахматистом. Он воспринимал все чрезвычайно страстно, но была у него крепкая воля, много пришлось ему пережить, передумать и умел он бесстрашно глядеть в глаза правде. И в данном случае он прямо поставил вопрос: аннексионистский мир — вещь жуткая. Но в состоянии ли мы воевать? Ильич постоянно толковал с солдатскими делегациями, приезжавшими с фронта, тщательно изучал положение на фронте, состояние нашей армии, принимал участие в совещании представителей I общеармейского съезда по демобилизации армии. Тов. Подвойский в своих воспоминаниях пишет об этом съезде: «Съезд был назначен на 25 декабря 1917 г., но открылся 30 декабря... В эти пять дней происходили совещания с наиболее выдающимися делегатами, хотя и предварительного характера, но решающего значения. На одном из таких совещаний присутствовал и Председатель Совнаркома т. Ленин. После заслушания обстоятельной информации делегатов важнейших армий т. Лениным были поставлены делегатам три вопроса: 1)

Есть ли основание предполагать, что немцы станут наступать на нас? 2) Может ли армия, в случае наступления немцев, вывезти из фронтовой полосы в глубокий тыл снабжение и материальную часть, артиллерию? 3) Может ли армия при нынешнем ее состоянии задержать наступление немцев?

В своем большинстве совещание ответило па первый вопрос положительно, на второй и третий — отрицательно ввиду демобилизационного наступления солдат, все усиливающейся утечки их и истощения лошадей из-за слабого поступления фуража». На этом совещании присутствовало около 300 делегатов. Это совещание убедило Ильича в полной невозможности в данный момент продолжать борьбу с немцами. Ни в какой пессимизм Ильич не впал — он в это время вел усиленную кампанию по организации Красной Армии для защиты страны, но он отчетливо поставил вопрос: сейчас мы воевать не можем. «Поезжайте на фронт!» — говорил Ильич товарищам, думавшим, что война возможна. «Поговорите с солдатами!» — советовал он.

Недавно т. Кравченко рассказывала мне об одной беседе с Ильичем в этот период. Она работала на Урале, в Мотовилихе. Одно дело Питер, другое — Пермь, Урал. Там не грозила опасность немедленного наступления врага, туда мало еще добиралось солдат с фронта. И настроение на Урале было боевое. Рабочие готовы были ринуться в бой, готовили отряды, пушки. Кравченко послали к Ильичу, велели сказать ему, что Урал поддержит. Кравченко приехала в Питер, зашла к уральскому товарищу Спунде, который работал в это время в Госбанке, там и жил; простая железная кровать, на которой он спал, одиноко и никчемно стояла в каком-то большом зале заседаний. Маленькая деталь, маленький штришок переживаемого тогда времени, дополняющая картинки того, как содержался арестованный директор того же банка — Шипов. Тов. Спунде направил Кравченко в Смольный, к Ильичу. В коридорах Смольного встретила она т. Голощекина, приехавшего также с Урала с теми же наказами, что и т. Кравченко. Он также шел к Ильичу. Пока они стояли и разговаривали, из кабинета навстречу им вышел Ильич. Увидев Голощекина, Ильич подошел к ним, стал расспрашивать, как обстоит дело на Урале; они рассказали ему об уральских настроениях, о том, с чем приехали. «Поговорим вечером,— сказал Ильич, и вид у него стал какой-то больной,— а пока пойдите-ка походите по улицам, послушайте, что солдаты говорят». «И,— рассказывает Кравченко,— такого мы наслушались, что к вечеру голова распухла от всего слышанного, и так сильны были эти впечатления, что заслонили они все остальное». Кравченко не может вспомнить даже, состоялся ли вечером у них разговор с Ильичем или нет.

Тов. Голощекин также помнит эту встречу. Он рассказывает, что Ильич поручил ему принимать солдатские делегации. Тов. Голощекин заслушивал их доклады, выяснял настроения, то, что их волновало, потом шел и рассказывал Ильичу; Ильич шел к делегатам, отвечал им на их вопросы, рассказывал о положении дела, зажигал их огнем энтузиазма. На этой работе т. Голощекин убеждался все более и более, как прав Ильич. На VII съезде его не надо было уже убеждать, у него не было больше никаких колебаний.

На VII съезде партии — в начале марта — Ильич говорил, что первые недели и месяцы после Октябрьской революции мы в октябре, ноябре, декабре переходили от триумфа к триумфу на внутреннем фронте, против нашей контрреволюции, против врагов Советской власти. Это могло иметь место потому, что мировому империализму было в это время не до нас. Наша революция произошла в момент, когда неслыханные бедствия обрушились на громадное большинство империалистических стран в виде уничтожения миллионов людей, когда на четвертом году воюющие страны подошли к тупику, к распутью, когда встал объективно вопрос: смогут ли дальше воевать доведенные до подобного состояния народы? Это был момент, когда ни одна из двух гигантских групп хищников не могла ни немедленно наброситься одна на другую, ни соединиться против нас. Первый период брестских переговоров Ильич характеризовал на VII съезде словами: «Лежал смирный домашний зверь рядом с тигром и убеждал его, чтобы мир был без аннексий и контрибуций...» Во второй половине января брестские переговоры приняли другой характер: хищный зверь, германский империализм, схватил нас за горло, надо было отвечать немедля — идти на аннексионистский мир или продолжать войну, зная наперед, что будешь в ней разбит. Ленину удалось в конце концов отстоять свою точку зрения, но внутрипартийная борьба, тянувшаяся целых два месяца, была для Ильича непомерно тяжела. Ильич настаивал на заключении мира. Его поддерживали целиком Свердлов и Сталин, за ним шли без колебаний Смилга и Сокольников. Но громадное большинство цекистов и товарищей, сплотившихся около ЦК, с которыми пришлось проводить Октябрьскую революцию, было против Ленина, боролось против его точки зрения, втягивало в борьбу комитеты. Против Ильича был и ПК и Московский областной комитет. Фракция «левых коммунистов» стала выпускать в Питере свою ежедневную газету «Коммунист», где договорилась до белых слонов вроде того, что лучше дать погибнуть Советской власти, чем заключить позорный мир, толковала о революционной борьбе, совсем не учитывая сил. Им казалось, что заключить мир с германским империалистическим правительством — значит сдать все свои революционные позиции, изменить делу международного пролетариата. К «левым коммунистам» принадлежал целый ряд очень близких товарищей, с которыми рука об руку приходилось работать годы, находить поддержку в труднейшие моменты борьбы. Около Ильича образовалась какая-то пустота. В чем-чем только его не обвиняли! Особую позицию занял Троцкий. Любитель красивых слов, красивых поз, и тут он не столько думал о том, как вывести из войны Страну Советов, как получить передышку, чтобы укрепить силы, поднять массы, сколько о том, чтобы занять красивую позу: на унизительный мир не идем, но и войны не ведем. Ильич называл эту позу барской, шляхетской, говорил, что этот лозунг — авантюра, отдающая страну, где пролетариат встал у власти, где начинается великая стройка, на поток и разграбление.

Голосования ЦК первое время давали большинство голосов против Ленина. 24 (11) января большинство (9 человек) голосовало за предложение Троцкого: мира не заключаем, армию демобилизуем; против было 7 голосов. 3 февраля (21 января) по вопросу, допустимо ли сейчас заключать мир, за было 5 человек, против — 9; 17 февраля за немедленное предложение Германии мира — 5, против— 6; 18 февраля по вопросу, обратиться ли к немцам с предложением о возобновлении мира, за было 6 и против — 7.

Только когда положение изменилось, когда немцы 23 февраля прислали свои условия, потребовали ответа в течение 48 часов и в то же время стали решительно наступать, брать город за городом, соотношение сил изменилось. Ленин заявил, что если будет продолжаться политика революционной фразы, он выходит из ЦК и из правительства. Голосование по вопросу, принять ли условия германские или нет, дали: 7 — за, 4— против, 4 — воздержались, в том числе Троцкий, не пожелавший брать на себя ответственность в такой важнейший момент по важнейшему вопросу. К основной пятерке, голосовавшей за заключение мира, даже на основе немецких условий (Ленин, Свердлов, Сталин, Сокольников, Смилга), присоединились также Зиновьев и Стасова. Противникам мира была предоставлена свобода агитации.

Однако наступление немцев внесло очень быстро отрезвление; к моменту VII партийного съезда ленинская точка зрения завоевала громадное большинство. VII съезд партии 30 голосами против 12, при 4 воздержавшихся, 8 марта принял резолюцию о необходимости утвердить мирный договор, подписанный в Брест-Литовске. 16 марта IV съезд Советов, собравшийся в Москве, 704 голосами против 285, при 115 воздержавшихся, ратифицировал Брестский договор.

Из времен борьбы за Брестский мир у меня в памяти сохранилось два момента. 21 января 1918 г. происходило расширенное заседание ЦК. Ильич кончал заключительное слово, на него устремлены были враждебные взгляды товарищей. Ильич излагал свою точку зрения, явно потеряв всякую надежду убедить присутствующих. И сейчас слышится мне, каким безмерно усталым и горьким тоном он мне сказал, окончив доклад: «Ну, что же, пойдем!» Ничему не был бы так рад Ильич, как если бы оказалось, что наша армия может наступать, или если бы оказалось, что в Германии вспыхнула революция, которая положила бы конец войне; он был бы рад, если бы оказалось, что он неправ. Но чем оптимистичнее были товарищи, тем настороженнее был Ильич. Помню еще другой момент. В тяжелое время между половиной января и концом февраля много ходили мы с Ильичем вокруг Смольного, по Неве. Ильичу было трудно, и в такие минуты у него была потребность рассказать громко кому-нибудь близкому то, что его заботило. Я не помню уже того, что он говорил, но созвучно это с тем, что говорил он на VII съезде партии. Эту его речь не могу я читать без волнения и сейчас. Точно Ильича голос слышишь, все его интонации. Читаешь: «Хорошо, если немецкий пролетариат будет в состоянии выступить. А вы это измерили, вы нашли такой инструмент, чтобы определить, что немецкая революция родится в такой-то день? Нет, вы этого не знаете, мы тоже не знаем. Вы все ставите на карту. Если революция родилась,— так все спасено. Конечно! Но если она не выступит так, как мы желаем, возьмет да не победит завтра,— тогда что? Тогда масса скажет вам: вы поступили как авантюристы,— вы ставили карту на этот счастливый ход событий, который не наступил, вы оказались непригодными оставаться в том положении, которое оказалось вместо международной революции, которая придет неизбежно, но которая сейчас еще не дозрела».

Читаешь и вспоминаешь. Ходим мы по Неве. Сумерки. Над Невой запад залит малиновым цветом зимнего питерского заката. Мне этот закат напоминает первую встречу с Ильичем у Классона на блинах, в 1894 г., когда на обратном пути с Охты мы шли с товарищами по Неве, и они рассказывали мне про брата Ильича. И вот ходим мы с Ильичем по Неве, и он повторяет мне вновь и вновь все доводы, почему в корне неверна позиция «мира не заключаем, войны не ведем»; возвращаемся домой, Ильич вдруг останавливается, и его усталое лицо неожиданно светлеет, он подымает голову и роняет: «А вдруг?», т. е. вдруг в Германии уже идет революция. Мы доходим до Смольного. Пришли телеграммы: немцы наступают. Вдвое темнеет Ильич и весь осунувшийся идет названивать по телефонам. Только 9 ноября 1918 г. началась революция в Германии, 13 ноября 1918 г. ВЦИК аннулировал Брестский договор.

ПЕРЕЕЗД ИЛЬИЧА В МОСКВУ И ПЕРВЫЕ МЕСЯЦЫ ЕГО РАБОТЫ В МОСКВЕ

Наступление немцев, взятие ими Пскова показали, какой опасности подвергалось правительство, находившееся в Питере. В Финляндии разгоралась гражданская война. Решено было эвакуироваться в Москву. Это было необходимо и с точки зрения организационной. Надо было работать в центре хозяйственной и политической жизни страны.

11 марта Советское правительство переехало в Москву, в центр РСФСР, подальше от границы, ближе к ряду губерний, с которыми надо было как можно теснее связаться.

11 марта, в день переезда в Москву, Ильич написал статью «Главная задача наших дней». Эта статья, напечатанная в «Известиях» 12 марта, носила программный характер, но в то же время она как нельзя лучше характеризовала тогдашнее настроение Ильича.

Статья начинается цитатой из некрасовского «Кому на Руси жить хорошо»:

Ты и убогая, ты и обильная, Ты и могучая, ты и бессильная — Матушка-Русь!

В краткой, сжатой форме говорит Ильич в этой статье о всем значении Великой пролетарской революции, потом указывает на всю унизительность Брестского мира.

Далее, он пишет о борьбе за могучую и обильную Русь:

«Русь станет таковой, если отбросит прочь всякое уныние и всякую фразу, если, стиснув зубы, соберет все свои силы, если напряжет каждый нерв, натянет каждый мускул, если поймет, что спасение возможно только на том пути международной социалистической революции, на который мы вступили. Идти вперед по этому пути, не падая духом от поражений, собирать камень за камушком прочный фундамент социалистического общества, работать, не покладая рук, над созданием дисциплины и самодисциплины, над укреплением везде и всюду организованности, порядка, деловитости, стройного сотрудничества всенародных сил, всеобщего учета и контроля за производством и распределением продуктов — таков путь к созданию мощи военной и мощи социалистической».

«Мы оборонцы с 25 октября 1917 г.,— писал Ильич.— Мы за «защиту отечества», но та отечественная война, к которой мы идем, является войной за социалистическое отечество, за социализм, как отечество, за Советскую республику, как отряд всемирной армии социализма».

Сейчас, 18 лет спустя после того, как была написана эта статья, когда мы продвинулись далеко уже по пути социалистической стройки, добились решающих побед социализма в нашей стране, когда мы «с песней по жизни шагаем», когда можно уже с полным правом говорить об обилии и мощи нашей социалистической Родины, когда миллионы с небывалой в истории энергией и инициативой осуществляют цель, так ярко поставленную Лениным в его статье «Главная задача наших дней»,— эта статья выглядит такой простой, само собой разумеющейся. Но надо вспомнить то время, те настроения, которые тогда были сильны в нашей партии, чтобы понять весь удельный вес этой статьи.

Ильич был полон энергии, полон готовности к борьбе.

В Москве первое время нас (Ильича, Марию Ильиничну и меня) поселили в «Национале» (первом доме Советов), во втором этаже, дали две комнаты с ванной. Была весна, светило московское солнце. Около «Националя» начинался Охотный ряд — базар, где шла уличная торговля; старая Москва с ее охотнорядскими лавочниками, резавшими когда-то студентов, красовалась вовсю. К Ильичу ходило много народа. Часто приходили военные.

18 марта в Мурманске англичанами был высажен десант в 400— 500 матросов под предлогом охраны военных складов, созданных там Антантой еще для царского правительства. Смысл этого десанта был ясен.

Нас в «Национале» кормили английскими мясными консервами, которыми англичане кормили своих солдат на фронтах. Помню, как Ильич однажды во время еды говорил: «Чем-то мы наших солдат на фронтах кормить будем...» В «Национале» жили мы все же на бивуаках, Ильичу хотелось поскорее обосноваться, чтобы начать работать, и он торопил с устройством.

Правительственные учреждения и главных членов правительства решено было поселить в Кремле. Мы тоже должны были там жить.

Помню, как Яков Михайлович Свердлов и Владимир Дмитриевич Бонч-Бруевич в первый раз повезли нас в Кремль смотреть нашу будущую квартиру. Нас предполагалось поселить в здании «судебных установлений». По старой каменной лестнице, ступеньки которой были вытоптаны ногами посетителей, посещавших это здание десятки лет, поднялись мы в третий этаж, где помещалась раньше квартира прокурора судебной палаты. Планировали дать нам кухню и три комнаты, к ней прилегавшие, куда был отдельный ход. Дальше комнаты отводились под помещение Управления Совнаркома. Самая большая комната отводилась под зал заседаний (там и сейчас происходят заседания Совнаркома СССР). К ней примыкал кабинет Владимира Ильича, ближе всего помещавшийся к парадному ходу, через который должны были входить к нему посетители. Было очень удобно. Но во всем здании была невероятная грязь, печи были поломаны, потолки протекали. Особенная грязь царила в нашей будущей квартире, где жили сторожа. Требовался ремонт.

Временно нас поселили в Кремле в так называемых «кавалерских покоях», дали две чистые комнаты.

Ильичу нравилось гулять по Кремлю, откуда открывался широкий вид на город. Больше всего любил он ходить по тротуару напротив Большого дворца, здесь было глазу где погулять, а потом любил ходить внизу вдоль стены, где была зелень и мало народу.

В комнате, в которой мы жили в «кавалерских покоях», на столе лежало какое-то старинное издание со снимками Кремля, с историей Кремля, рассказывалась история его стройки, история и значение каждой башни. Ильич любил листать этот альбом. Тогдашний Кремль, Кремль 1918 г., мало походил на теперешний. Все в нем дышало стариной. Около здания «судебных установлений» стоял окрашенный в розовую краску Чудов монастырь, с маленькими решетчатыми окнами; у обрыва стоял памятник Александру II; внизу ютилась у стены какая-то стародревняя церковь. Напротив здания «судебных установлений», в кремлевском здании, работали рабочие. Новых зданий, скверов в Кремле не было. Охраняли Кремль красноармейцы.

Старая армия разложилась, была демобилизована. Надо было создать новую, сильную, революционную, проникнутую духом энтузиазма, волей к победе армию.

Первое время Красная Армия весьма мало напоминала обычную армию. Она горела энтузиазмом, но внешне выглядела первобытно: у красноармейцев не было определенной формы — кто в чем пришел, в том и ходил, не было еще твердого распорядка, установленных правил. Враги Советской власти насмехались над красноармейцами, не верили, что большевики смогут создать сильную, крепкую армию. Обыватели боялись красноармейцев, им казалось, что это какие-то разбойники. Помню, как еще в 1919 г. одна переводчица, работавшая у тов. Адоратского, когда он просил ее зайти в Кремль взять перевод, не решилась этого сделать: боялась красноармейцев, охранявших Кремль.

Иностранцев особенно поражало отсутствие у охраны установившихся повсюду форм поведения.

Ильич рассказывал мне как-то о посещении его Мирбахом. Часовой около кабинета Владимира Ильича обычно сидел за столиком и читал. Тогда у нас никому это не казалось странным. Когда был заключен мир с Германией и в Россию приехал немецкий посол граф Мирбах, он, как полагается, «посетил» в Кремле представителя власти — Председателя Совета Народных Комиссаров Ленина. Около кабинета Владимира Ильича сидел и что-то читал часовой, и, когда Мирбах проходил в кабинет Ильича, он не поднял на него даже глаз и продолжал читать. Мирбах на него удивленно посмотрел. Потом, уходя из кабинета, Мирбах остановился около сидящего часового, взял у него книгу, которую тот читал, и попросил переводчика перевести ему заглавие. Книга называлась: Бебель «Женщина и социализм». Мирбах молча возвратил ее часовому.

Красноармейцы усердно учились. Они понимали, что знание нужно им для победы.

Проходя быстрой походкой по коридору из своей квартиры в кабинет, нагруженный газетами, бумагами, книгами, Ильич особенно приветливо всегда здоровался с часовыми. Знал их настроение, их готовность умереть за власть Советскую.

На VII партийном съезде (6—8 марта 1918 г.) был решен вопрос о необходимости заключить с немцами мир, хотя бы самый тяжелый, самый унизительный. Но это решение было принято в результате острой борьбы. Докладчиком по вопросу о ратификации мирного договора с Германией, обсуждавшемуся заодно с политическим отчетом ЦК, выступал Ленин, содокладчиком от группы «левых коммунистов» был Н.И. Бухарин. Все вопросы ставились очень остро. На съезде было 46 решающих голосов, представлявших 300 тысяч членов партии. Тогда партия была не такая, как теперь: не было еще того единства и сплоченности, какие достигнуты теперь. Из 46 голосов участников съезда 30 было за ратификацию Брестского мира, 12 — против, 4 — воздержались; другими словами, около трети делегатов съезда было против линии ЦК, линии Ленина. Среди них было много видных большевиков. 23 февраля 6 человек из них заявили об уходе с ответственных советских и партийных постов, оставляя за собой полную свободу агитации как внутри партии, так и вне ее. 24 февраля Московское областное бюро вынесло недоверие Центральному Комитету, отказалось подчиниться тем постановлениям его, «которые будут связаны с проведением в жизнь условий мирного договора с Австро-Германией», и в объяснительном тексте к резолюции заявило, что «находит едва ли устранимым раскол партии в ближайшее время». Московское областное бюро в начале 1918 г. играло роль организационного центра «левых коммунистов» во всероссийском масштабе.

Понятно, с какой горячностью выступал Ленин против «левых коммунистов», против революционной фразы. 21 февраля 1918 г. он писал в «Правде»:

«Надо воевать против революционной фразы, приходится воевать, обязательно воевать, чтобы не сказали про нас когда-нибудь горькой правды: «революционная фраза о революционной войне погубила революцию»».

Ильич знал, что массы пойдут за ним, а не за «левыми коммунистами». IV Чрезвычайный Всероссийский съезд Советов должен был ратифицировать мирный договор. «Левые коммунисты» готовы были пойти даже на потерю Советской власти. В своем заявлении от 24 февраля они писали: «В интересах международной революции мы считаем целесообразным идти на возможность утраты Советской власти, становящейся теперь чисто формальной». Глубоко возмутила Ильича эта фраза, и, выступая 12 марта в Московском Совете рабочих, крестьянских и красноармейских депутатов, выступая перед представителями масс, он говорил с особой горячностью, особо страстно:

«Русская революция дала то, чем она резко отличается от революций в Западной Европе. Она дала революционную массу, приготовленную 1905 годом к самостоятельному выступлению; она дала Советы рабочих, солдатских и крестьянских депутатов, органы, неизмеримо более демократические, чем все предшествующие, позволившие воспитывать, облагородить рабочую, солдатскую и крестьянскую бесправную массу, вести ее за собой...».

В той же речи Ленин дал оценку Временному правительству и соглашателям. О Февральской революции он говорил:

«Если бы тогда власть перешла к Советам, если бы соглашатели, вместо того чтобы помогать Керенскому гнать армию в огонь, если бы они тогда пришли с предложением демократического мира, тогда армия не была бы так разрушена.

Они должны были сказать ей: стой спокойно. Пусть в одной руке у нее будет разорванный тайный договор с империалистами и предложение всем народам демократического мира, и пусть в другой руке будет ружье и пушка, и пусть будет полная сохранность фронта. Вот когда можно было спасти армию и революцию».

Сейчас, когда наша Красная Армия, вооруженная по последнему слову науки, крепко, организованно «стоит спокойно», как близки эти слова Ильича, как понятны каждому сознательному гражданину нашей великой Родины! А тогда, на IV Чрезвычайном Всероссийском съезде Советов, который состоялся 14—16 марта, Ильич, выступая перед представителями Советов, с такой же глубиной и искренностью, с какой он всегда выступал перед массами, мимоходом обронил фразу, которая характеризовала его самого как революционера, как борца:

«Говорят, что мы отдаем Украину, которую идут губить Чернов, Керенский и Церетели: нам говорят: предатели, вы предали Украину! Я говорю: товарищи, я достаточно видывал виды в истории революции, чтобы меня могли смутить враждебные взгляды и крики людей, которые отдаются чувству и не могут рассуждать».

Смутить Ильича враждебные взгляды и крики даже близких товарищей не могли, но был он живым человеком и тяжело переживал расколы с людьми, с которыми перед тем работал рука об руку: не спал ночь, нервы у него ходили... В данном случае дело до раскола не дошло. IV Всероссийский съезд Советов ратифицировал мирный договор 724 голосами против 276; 118 человек воздержались. На IV съезде Советов присутствовали, конечно, не только большевики. Против подписания мира были меньшевики, анархисты-коммунисты, правые и левые эсеры. Их представители выступали против подписания немецких условий мира 23 февраля на заседании ВЦИК. При таком соотношении сил 724 голоса против 276 означали серьезнейшую победу линии Ленина.

Поскольку вопрос о договоре с немцами был решен, Ильич считал, что настала передышка и надо использовать ее для широкого развертывания работы Советской власти внутри страны. Он засел за писание брошюры «Очередные задачи Советской власти». В «кавалерские покои» к нам часто заходил Яков Михайлович Свердлов. Наблюдая, как Владимир Ильич строчит свои работы, он стал убеждать его пользоваться стенографистом. Ильич долго не соглашался, наконец, убедил его Яков Михайлович, прислал лучшего стенографиста.

Дело, однако, не пошло, и как ни старался стенографист уговорить Ильича не стесняться, не обращать на него внимания, дело не шло. Ильич ведь как работал: напишет страницы две, а потом надолго задумается над тем, как лучше сказать что-нибудь, и мешает ему присутствие чужого человека. Только в 1923 г., когда он был уже тяжко болен, не мог сам писать, стал он диктовать свои статьи, но стоило это ему больших трудов. Диктовал он их тт. Фотиевой, Гляссер, Манучарьянц, Володичевой, которые давно у него работали в секретариате, которых он не стеснялся, но и то, бывало, все слышится из его комнаты нервный смешок.

Конец марта — апрель 1918 г. Ильич усиленно работал над статьей «Очередные задачи Советской власти». Она была напечатана 28 апреля в «Известиях» и на долгие годы стала для большевиков руководством к действию. Нигде, кажется, так просто, так ярко и выпукло не вскрыл Ленин главные трудности строительства социализма в нашей стране в то время, как в этой брошюре. Наша страна к моменту Октября была страной мелкокрестьянской. Миллионы крестьян были насквозь пропитаны мелкособственнической психологией. Каждый думал только о себе, о своем хозяйстве, о своем куске земли, до других ему дела не было. «Каждый за себя, а о других господь бог позаботится»,— рассуждал крестьянин. Десятки раз писал Ильич об этой мелкособственнической психологии, о ее вреде, но теперь, когда после роспуска Учредительного собрания вопрос о власти был решен окончательно, когда Брестский мир открывал возможность некоторой передышки, во весь рост вставал вопрос о путях перевоспитания масс, воспитания у них новой психологии, психологии коллективистической.

Великая пролетарская революция, сбросив помещиков и капиталистов, в то же время развязала мелкобуржуазную стихию. Шла дележка помещичьего добра, развертывалась спекуляция захваченным имуществом. Как овладеть этой мелкобуржуазной стихией, как перевоспитать массы, как создать новый, социалистический уклад, как организовать управление? Эти вопросы в марте — апреле 1918 г. всецело поглощали внимание Ильича.

Как организовать всенародный учет и контроль, как повысить производительность труда, как научить работать, как втянуть массы в общественную работу, пробудить их сознательность, как по-новому организовать труд, трудовую дисциплину — об этом писал Ильич в «Очередных задачах Советской власти». В брошюре писал он о социалистическом соревновании.

Когда перечитываешь эту брошюру, видишь, как многому можно из нее и сейчас научиться. Сейчас каждый понимает, какую громадную роль сыграло и играет в деле социалистического строительства соцсоревнование, а тогда как-то прошли мимо этого вопроса (отчасти здесь сыграла роль начавшаяся вскоре гражданская война). Социалистическое соревнование широко, в массовом масштабе стало применяться в годы борьбы за первую пятилетку — примерно с 1928 г., 10 лет спустя после того, как о нем писал Ильич.

В этой брошюре есть специальная глава — «Повышение производительности труда». Как всегда, Ильич брал вопрос во всех связях и опосредствованиях и брал его в связи с целым рядом других основных вопросов.

«Подъем производительности труда требует, прежде всего, обеспечения материальной основы крупной индустрии: развития производства топлива, железа, машиностроения, химической промышленности... Другим условием повышения производительности труда является, во-первых, образовательный и культурный подъем массы населения. Этот подъем идет теперь с громадной быстротой, чего не видят ослепленные буржуазной рутиной люди, не способные понять, сколько порыва к свету и инициативности развертывается теперь в народных «низах» благодаря советской организации. Во-вторых, условием экономического подъема является и повышение дисциплины трудящихся, уменья работать, спорости, интенсивности труда, лучшей его организации».

Вопрос о повышении производительности труда Ленин связывал также с вопросами соревнования.

В «Очередных задачах Советской власти» Владимир Ильич отметил, что задача поднятия производительности труда — задача длительная:

«...Если центральной государственной властью можно овладеть в несколько дней, если подавить военное (и саботажническое) сопротивление эксплуататоров даже по разным углам большой страны можно в несколько недель, то прочное решение задачи поднять производительность труда требует, во всяком случае (особенно после мучительнейшей и разорительнейшей войны), нескольких лет. Длительный характер работы предписывается здесь безусловно объективными обстоятельствами».

Сейчас, в начале 1936 г., когда мы переживаем стахановское движение, когда на базе новой техники, созданной в годы первой и второй пятилеток, снизу, из рабочей среды, поднялось движение за поднятие производительности труда, когда мы имеем громадный взмах производительности труда, статья «Очередные задачи Советской власти» выступает перед нами в новом свете, ясно все значение установок Ленина, данных в этой статье.

Владимиру Ильичу приходилось очень много говорить с рабочими, с крестьянами, и на каждом шагу наблюдал он неумение работать, и не только неумение работать, но и оставшееся в наследие от векового подневольного труда отношение к труду как к какому-то проклятию, к чему-то такому, что должно быть сведено до минимума. Революция сбросила десятников, подмастерьев, вечно понукавших рабочих, ругавших их, дававших зуботычины. И рад был рабочий, что никто его не понукает, что, когда он устал, может он посидеть, покурить. В первое время заводские организации очень легко отпускали рабочих с фабрики на разные собрания. Помню такой случай. Пришла ко мне раз в Наркомпрос работница за какими-то справками, разговорились. Я ее спрашиваю, в какой она смене работает. Думала, в ночной, потому и могла прийти в Наркомпрос днем. «У нас никто сегодня не работает. Вчера общее собрание было, у всех дел домашних много накопилось. Ну и проголосовали не работать сегодня. Что же, мы теперь хозяева». Теперь, когда 18 лет спустя рассказываешь это товарищам, им этот факт кажется мало правдоподобным, не характерным. А между тем для начала 1918 г. этот факт был характерен. Хозяев-эксплуататоров, их приказчиков, понукальщиков прогнали, а то, что фабрика стала общественной собственностью, что надо эту общественную собственность беречь, укреплять, поднимать производительность труда, этого сознания еще не было. Ленин поэтому так и напирал на эту сторону дела: правде умел он смотреть в глаза. Надо было поднимать сознательность рабочих, их сознательное отношение к труду, надо было организовывать по-деловому весь труд, всю жизнь.

Особо резко в «Очередных задачах Советской власти» охарактеризовал Ильич левых эсеров — представителей мелкой буржуазии, не понявших всей важности практической, деловой работы, считавших ее практицизмом, постепеновщиной, мечтавших о «революционной войне» и пр. и пр.

Классом, на который полагался Ильич, в руководящую силу которого он верил, несмотря на то, что этому классу надо было еще подняться, очень много поработать над собой, вырасти, был пролетариат:

«Руководить трудящимися и эксплуатируемыми массами может только класс, без колебаний идущий по своему пути, не падающий духом и не впадающий в отчаяние на самых трудных, тяжелых и опасных переходах. Нам истерические порывы не нужны. Нам нужна мерная поступь железных батальонов пролетариата»

Этими словами кончалась статья «Очередные задачи Советской власти».

28 апреля эта статья вышла в «Известиях», а 29 апреля Ильич выступил на заседании ВЦИК.

Чтобы дать возможность московскому рабочему активу услышать доклад Ильича об очередных задачах Советской власти, доклад этот делался в Политехническом музее. Ильича встретили бурной овацией, слушали с громадным вниманием, видно было, как этот вопрос близок был слушателям. С необыкновенной страстностью выступал там Ильич. И сейчас нельзя читать его речь без волнения. Ильич говорил в ней об особенностях нашей революции, о причинах ее победы, о трудностях социалистического строительства в обстановке мелкобуржуазной страны, характеризовал нашу буржуазию, ее слабость, звал учиться организации производства у западной и американской буржуазии, у организаторов треста, крыл левых эсеров, представителей мелкобуржуазной стихии, крыл наших «левых коммунистов», поддавшихся этим влияниям, хотя и называл их все же нашими вчерашними, сегодняшними и завтрашними друзьями, говорил о роли пролетариата, о влиянии мелкобуржуазной стихии, о значении социалистической организации, о необходимости нашему пролетариату организоваться по-новому: тогда только он поведет за собой все трудящиеся массы.

«...Пока передовые рабочие не научатся организовывать десятки миллионов,— говорил Ильич,— до тех пор они — не социалисты и не творцы социалистического общества, и необходимых знаний организации они не приобретут. Путь организации — путь длинный, и задачи социалистического строительства требуют упорной продолжительной работы и соответственных знаний, которых у нас недостаточно».

В своей речи на заседании ВЦИК 29 апреля Ильич говорил также о том, что пролетариат, который учился дисциплине у крупного производства, поймет, оценит с точки зрения задач момента, какое значение имеет лозунг, выдвинутый ЦК ко дню 1 Мая: «Мы победили капитал, мы победим и свою собственную неорганизованность»; говорил он о значении железных дорог: «...Без железных дорог не только социализма не будет, а просто околеют все с голоду, как собаки, в то время как хлеб лежит рядом», ибо «это гвоздь, это одно из проявлений самой яркой связи между городом и деревней, между промышленностью и земледелием, на которой основывается целиком социализм. Чтобы соединить это для планомерной деятельности в интересах всего населения, нужны железные дороги».

Как понятна, близка эта речь теперь, 18 лет спустя!

Тогда не все, конечно, понимали ее значение, но она будила мысль, зажигала массы огнем энтузиазма.

29 марта, после IV съезда Советов, «левые коммунисты», стоявшие во главе Московского областного бюро РКП (б), решили все же издавать свой еженедельный журнал «Коммунист» и отстаивать там свои взгляды. В первом номере, вышедшем 20 апреля, «левые коммунисты» поместили от редакции «тезисы по текущему моменту». Выступление Ильича 29 апреля во ВЦИК было в значительной степени ответом на развиваемые ими взгляды. Еще подробнее остановился Ильич на разборе их взглядов в статьях «О «левом» ребячестве и о мелкобуржуазности» (они были напечатаны в «Правде» 9 и 11 мая 1918 г.). В этих статьях особенно интересно было место об обобществлении:

«Переходим,— писал Ленин,— к злоключениям наших «левых коммунистов» в области внутренней политики. Трудно без улыбки читать такие фразы в тезисах о текущем моменте:

«...Планомерное использование уцелевших средств производства мыслимо только при самом решительном обобществления»... «не капитуляция перед буржуазией и ее мелкобуржуазными и иттеллигентскими приспешниками, а добивание буржуазии и окончательная ломка саботажа...»

Милые «левые коммунисты», как много у них решительности... и как мало размышления! Что это значит: «самое решительное обобществление»?

Можно быть решительным или нерешительным в вопросе о национализации, о конфискации. Но в том-то и гвоздь, что недостаточно даже величайшей в мире «решительности» для перехода от национализации и конфискации к обобществлению. В том-то и беда наших «левых», что они этим наивным, ребяческим сочетанием слов: «самое решительное... обобществление» обнаруживают полное непонимание ими гвоздя вопроса, гвоздя «текущего» момента. В том-то и злоключение «левых», что они не заметили самой сути «текущего момента», перехода от конфискаций (при проведении коих главным качеством политика является решительность) к обобществлению (для проведения коего требуется от революционера иное качество).

Вчера гвоздем текущего момента было то, чтобы как можно решительнее национализировать, конфисковать, бить и добивать буржуазию, ломать саботаж. Сегодня только слепые не видят, что мы больше нанационализировали, наконфисковали, набили и наломали, чем успели подсчитать. А обобществление тем как раз и отличается от простой конфискации, что конфисковать можно с одной «решительностью» без уменья правильно учесть и правильно распределить, обобществить же без такого уменья нельзя».

Сейчас, когда мы прошли длинный путь в деле колхозного движения, когда мы переживали «головокружение от успехов», мы особенно научились ценить это высказывание Ильича.

Разбирая материалы «левых коммунистов», помещенные в журнале «Коммунист», Ленин давал следующую резко отрицательную характеристику «левым коммунистам»:

«Мы видим из журнала «Коммунист» на каждом шагу, что наши «левые» понятия не имеют о пролетарской железной дисциплине и ее подготовке, что они насквозь пропитаны психологией деклассированного мелкобуржуазного интеллигента» ~.

Вышло лишь четыре номера «Коммуниста» — в июне вышел последний.

Гораздо решительнее боролись с ленинской линией левые эсеры.

2—3 мая 1918 г. левые эсеры со Спиридоновой и Карелиным во главе потребовали, чтобы большевики отдали Наркомат земледелия в их полное фактическое обладание, поставили этот вопрос ультимативно. Ленин посовещался с большевиками, работавшими тогда в Наркомземе (Вл. Н. Мещеряковым, С. Середой и др.), и фракция большевиков решительно высказалась против этого. ЦК отверг это предложение левых эсеров. Влияние левых эсеров в Наркомземе было ослаблено.

Большевики держали курс на расслоение деревни.

22 мая Ильич писал питерским рабочим:

«Товарищи! У меня был на днях ваш делегат, партийный товарищ, рабочий с Путиловского завода. Этот товарищ описал мне подробно чрезвычайно тяжелую картину голода в Питере. Мы все знаем, что в целом ряде промышленных губерний продовольственное дело стоит так же остро, голод так же мучительно стучится в дверь рабочих и бедноты вообще.

А рядом мы наблюдаем разгул спекуляции хлебом и другими продовольственными продуктами. Голод не оттого, что хлеба нет в России, а оттого, что буржуазия и все богатые дают последний, решительный бой господству трудящихся, государству рабочих, Советской власти на самом важном и остром вопросе, на вопросе о хлебе. Буржуазия и все богатые, в том числе деревенские богатеи, кулаки, срывают хлебную монополию, разрушают государственное распределение хлеба в пользу и в интересах снабжения хлебом всего населения и в первую голову рабочих, трудящихся, нуждающихся. Буржуазия срывает твердые цены, спекулирует хлебом, наживает по сто, по двести и больше рублей на пуд хлеба, разрушает хлебную монополию и правильное распределение хлеба, разрушает взяткой, подкупом, злостной поддержкой всего, что губит власть рабочих, добивающуюся осуществить первое, основное, коренное начало социализма: «кто не работает, тот да не ест».

Спекуляция хлебом в Москве шла вовсю. Вспоминается один забавный эпизод. Поехали мы с Ильичем на Воробьевы горы. В то время Ильича в лицо мало кто знал: когда он ходил по улице, на него никто не обращал внимания. Вижу я, сидит какой-то сытого вида крестьянин с пустым мешком, цигарку крутит. Я к нему подошла, завела разговор, как живется, как с хлебом. «Что же, жить неплохо теперь, хлеба у нас много, ну и торговать хорошо. В Москве голодно, боятся — совсем хлеба скоро не будет. Хорошо сейчас за хлеб платят, большие деньги дают. Надо только торговать уметь. У меня вот семьи такие есть, хлеб им ношу, без хлопот деньги получаю...»

Ильич подошел, слушает наш разговор. «Вот около «Болота» одна семья живет...» — «Около какого «Болота»?» — спрашиваю. Крестьянин на меня уставился: «Да ты откуда, что и «Болота» даже не знаешь?» «Болотом», как я потом узнала, назывался в Москве базар рядом с тем местом, где теперь стоит Дом правительства, там торговали овощами, яблоками. «Я питерская,— отвечала я,— в Москве недавно».

«Питерская...», и мысли крестьянина заработали в другом направлении, перешли к Питеру, к Ленину. Он помолчал немного. «Ленин вот только мешает. Не пойму я этого Ленина. Бестолковый человек какой-то. Понадобилась его жене швейная машинка, так он распорядился везде по деревням швейные машинки отбирать. У моей племянницы вот тоже машинку отобрали. Весь Кремль теперь, говорят, швейными машинками завален...» Я уже старалась не глядеть на Ильича, чтобы не фыркнуть.

Этот мелкий собственник, зажиточный крестьянин, не мог себе представить Ленина, который чего-то не отбирал бы в свою пользу. Он слышал, что Ленин говорит что-то о машинах. Пригородный крестьянин понять не мог, чего это Ленин о машинах хлопочет, о каких, на что они ему, какая для него от них польза.

Как ни смешон был этот разговор, он говорил о том трудном пути, который лежал перед партией и Советской властью в борьбе за социализм, в борьбе с богатеями, кулаками, с мелкособственнической психологией, с низкой производительностью, с темнотой, с нашей хозяйственной отсталостью.

В конце мая Ильич написал письмо питерским рабочим. Не все статьи и речи Ильича написаны одинаково. Важно, для кого они написаны, кому они сказаны. Написанное 22 мая письмо было написано тем, на кого он возлагал надежды, в чьи творческие силы он особо верил,— питерским рабочим. Он писал им:

«Питер — не Россия. Питерские рабочие — малая часть рабочих России. Но они — один из лучших, передовых, наиболее сознательных, наиболее революционных, наиболее твердых, наименее податливых на пустую фразу, на бесхарактерное отчаяние, на запугивание буржуазией отрядов рабочего класса и всех трудящихся России. А в критические минуты жизни народов бывало не раз, что даже немногочисленные передовые отряды передовых классов увлекали за собой всех, зажигали огнем революционного энтузиазма массы, совершали величайшие исторические подвиги».

Владимир Ильич писал рабочим о той громадной организационной работе, которая предстояла им. Он придавал организационной работе исключительное значение.

«Героизм длительной и упорной организационной работы в общегосударственном масштабе неизмеримо труднее, зато и неизмеримо выше, чем героизм восстаний,— писал Ильич питерским рабочим. — Но силу рабочих партий и рабочего класса составляло всегда то, что он смело, прямо, открыто смотрит в лицо опасности, не боится признать ее, трезво взвешивает, какие силы стоят в «его» и в «чужом», эксплуататорском, лагере. Революция идет вперед, развивается и растет. Растут и задачи, стоящие перед нами. Растет ширина и глубина борьбы».

Своей убежденностью, уверенностью в победе революции Ильич зажигал массы.

Его упорная работа была образцом того героизма организационной работы, о которой он говорил.

Наряду с организацией защиты страны от внешних и внутренних врагов, с руководством начавшейся гражданской войной Владимир Ильич вел огромную работу по социалистическому строительству: проводил декреты о национализации промышленности, писал инструкции рабочим национализированных предприятий, делал доклады на съезде профсоюзов, в ВСНХ, на I съезде Советов народного хозяйства, выступал на съезде комиссаров труда, на собрании представителей заводских ячеек, на конференции фабрично-заводских комитетов, принимал рабочих питерских, елецких и т. д., выступал перед мобилизованными на фронт коммунистами, а наряду с этим в самые острые моменты — 25 мая — перед объявлением Москвы на военном положении — он вносит в Совнарком проект декрета о Социалистической академии общественных наук, 5 июня выступает у учителей-интернационалистов, 10 июня составляет воззвание по поводу чехословацкого контрреволюционного восстания и в тот же день в Совнаркоме ставит вопросы о вовлечении в работу инженеров; за два дня до ранения выступает на съезде по просвещению и говорит о громадном значении школы в деле строительства социализма.

Каждую неделю выступал Ильич в районах, часто по нескольку раз в день.

Работа с массами, организационная установочная работа не прошла даром, именно она помогла победить.

Когда сейчас перечитываешь историю гражданской войны 1918 г., теперь, когда все нити уже связаны в общий узел, когда ясна картина всей этой отчаянной борьбы старого, помещичье-капиталистического строя за свое существование, видишь, что революция победила потому, что массы были подняты на борьбу, что среди них проводилась громадная работа, что массы все яснее понимали, за что идет борьба, что эта борьба была им близка и понятна.

Весну и лето 1918 г. Ильич жил в Москве и буквально горел на работе. Когда вырывалась свободная минута, любил он, забрав меня и Марию Ильиничну, ездить по окрестностям Москвы, ездить все в новые места, ехать и думать, дыша полной грудью. Он вглядывался в каждую мелочь.

Крестьяне-середняки смотрели на Советскую власть сочувственно: Советская власть боролась за мир, была против помещиков; но мало верили еще крестьяне в ее прочность, не прочь были иногда добродушно пошутить на ее счет.

Помню, как однажды мы подъехали к какому-то мосту весьма сомнительной прочности. Владимир Ильич спросил стоявшего около моста крестьянина, можно ли проехать по мосту на автомобиле. Крестьянин покачал головой и с усмешечкой сказал: «Не знаю уж, мост-то ведь, извините за выражение, советский». Ильич потом, смеясь, не раз повторял это выражение крестьянина.

Другой раз мы возвращались на автомобиле откуда-то с прогулки, надо было проехать под железнодорожным мостом. Навстречу шло стадо коров, довольно невозмутимо относящихся к автомобилям и не уступающих автомобилям дороги, впереди без толку толкались бараны. Пришлось остановиться. Проходивший мимо крестьянин с усмешечкой посмотрел на Ильича и сказал: «А коровам-то подчиниться пришлось».

Скоро, однако, крестьянам пришлось расстаться со своей мелкособственнической нейтральностью: с половины мая классовая борьба стала разгораться вовсю.

Лето 1918 г. было исключительно тяжелое. Ильич уже ничего не писал, не спал ночей. Есть его карточка, снятая в конце августа, незадолго до ранения: он стоит в раздумье, так выглядит он на этой карточке, как после тяжелой болезни.

Трудное было время.

Потерявшая все в Великой пролетарской революции, буржуазия искала помощи у заграницы: сегодня она брала у союзников деньги на организацию восстаний, завтра призывала на помощь немецкие войска, отдавая на поток и разграбление население, металась от одной ориентации к другой. Немцы помогают финляндским белым, оккупируют Украину, турки идут на помощь азербайджанским мусаватистам и грузинским меньшевикам, немцы занимают Крым, англичане занимают Мурман, союзники помогают чехословакам, правым эсерам отрезать Сибирь от центральных губерний. Хлеб перестал подвозиться с Украины и из Сибири, обе столицы мучительно голодали. Кольцо фронта все суживалось.

20 мая Ильич писал в телеграмме питерским рабочим:

«...Положение революции критическое. Помните, что спасти революцию можете только вы; больше некому...

Время не терпит: за непомерно тяжелым маем придут еще более тяжелые июнь и июль, а может быть еще и часть августа».

Полоса контрреволюционных восстаний подняла кулачье, организовала его. Кулаки прятали хлеб. Борьба с голодом сливалась с борьбой с контрреволюцией. Владимир Ильич настаивал на организации комитетов бедноты, вел усиленную агитацию за то, чтобы рабочие шли в продовольственные отряды, несли свой революционный опыт в деревню. Борьба за хлеб в данный момент, говорил он рабочим,— это борьба за социализм.

Надо, чтобы «передовой рабочий, как руководитель бедноты, как вождь деревенской трудящейся массы, как строитель государства труда, «пошел в народ» — писал Владимир Ильич питерским рабочим. Он писал, что закаленные, испытанные в борьбе рабочие — авангард революции.

«Вот такой-то авангард революции — и в Питере и во всей стране — должен кликнуть клич, должен подняться массой, должен понять, что в его руках спасенье страны, что от него требуется героизм не меньший, чем в январе и октябре пятого, в феврале и октябре семнадцатого года, что надо организовать великий «крестовый поход» против спекулянтов хлебом, кулаков, мироедов, дезорганизаторов, взяточников, великий «крестовый поход» против нарушителей строжайшего государственного порядка в деле сбора, подвоза и распределения хлеба для людей и хлеба для машин.

Только массовый подъем передовых рабочих способен спасти страну и революцию. Нужны десятки тысяч передовиков, закаленных пролетариев, настолько сознательных, чтобы разъяснить дело миллионам бедноты во всех концах страны и встать во главе этих миллионов...»

Питерские рабочие отозвались на призыв Ильича. Организовали «крестовый поход». Теснее и теснее стала беднота сплачиваться вокруг Советской власти. 11 июня ВЦИК принял декрет об организации комитетов деревенской бедноты. Беднота стала считать Ильича, о котором так много говорили ей рабочие, солдаты, своим вождем. Но не только Ильич заботился о бедноте — и беднота заботилась об Ильиче. Лидия Александровна Фотиева — секретарь Ильича — вспоминала, как пришел в Кремль красноармеец-бедняк и принес Ильичу половину своего каравая хлеба: «Пусть поест, время теперь голодное»,— не просил даже свидания с Ильичем, а лишь просил издали показать ему Ильича, когда он пойдет мимо. Ильича это трогало.

Зато он ужасно раздражался, когда ему хотели создать богатую обстановку, платить большую заработную плату и прочее. Помню, как он рассердился на какое-то ведро халвы, которое принес ему тогдашний комендант Кремля тов. Мальков.

23 мая 1918 г. Ильич пишет В.Д. Бонч-Бруевичу записку:

«Управляющему делами Совета Народных Комиссаров Владимиру Дмитриевичу Бонч-Бруевичу

Ввиду невыполнения Вами настоятельного моего требования указать мне основания для повышения мне жалованья с 1 марта 1918 г. с 500 до 800 руб. в месяц и ввиду явной беззаконности этого повышения, произведенного Вами самочинно по соглашению с секретарем Совета Николаем Петровичем Горбуновым, в прямое нарушение декрета Совета Народных Комиссаров от 23 ноября 1917 года, объявляю Вам строгий выговор.

Председатель Совета Народных Комиссаров В. Ульянов (Ленин)».

Немцы, заключив Брестский мир с РСФСР и прекратив наступление на нее, не отказались от своих планов захвата России. Еще в период брестских переговоров германское правительство вступило в соглашение с Украинской радой, обещая прийти ей на помощь в борьбе с большевиками. Заняв Украину и свергнув Советскую власть, немцы прогнали и раду и посадили правителем Украины — гетманом — царского генерала Скоропадского. Украина была превращена фактически в германскую колонию. Хлеб, скот, сахар, сырье вывозились из Украины в Германию в огромных количествах.

Германские империалисты старались всячески разжечь гражданскую войну. Бежавший на Дон донской атаман Краснов обратился за помощью к Германии, и немцы помогли ему сформировать и объединить белоказацкие отряды.

Немцы помогли белофиннам подавить в Финляндии революцию и жестоко расправиться с финскими революционерами.

Но наступала не только Германия. В начале апреля во Владивостоке высадились японцы и англичане.

Еще в апреле ряд антисоветских партий объединился в «Союз возрождения». Туда вошли эсеры, кадеты, народные социалисты, меньшевики и группа «Единство». «Союз возрождения» заключил соглашение с Антантой о посылке войск Антантой в Россию против большевиков и об использовании чешского корпуса для организации переворота в России, для свержения Советской власти. Чешский корпус при Керенском насчитывал 42 тысячи человек, там было много русских черносотенных генералов и офицеров. Вместе с французской военной миссией члены эсеровского ЦК и представители эсеров Сибири обсуждали план переворота. Решено было, что чехословацкие войска, эвакуируемые на Дальний Восток, займут опорные пункты Уральской, Сибирской и Уссурийской железных дорог.

В конце мая чех остова к и заняли Челябинск, Петропавловск, станцию Тайгу, Томск, в начале июня — Омск, Самару. В конце мая в Москве раскрыт был белогвардейский заговор, возглавлявшийся «Союзом защиты свободы и родины», было контрреволюционное выступление в Крыму, подготовлялся переворот в Балтийском флоте. 4 июня в Крыму образовалось буржуазно-националистическое правительство, 19 июня были контрреволюционные восстания в Иркутске, 20 июня — в Козлове и Екатеринбурге, 29 июня был раскрыт монархический заговор в Костроме, 30 июня провозглашена была власть буржуазного правительства Сибирской областной думой. Рука об руку с буржуазией шли эсеры. 8 июня после взятия чехословаками Самары там организовался Комитет Учредительного собрания, 19 июня восстали правые эсеры в Тамбове, на другой день ими был убит в Питере товарищ Володарский.

Левые эсеры также скатились на путь контрреволюции.

24 июня они приняли решение убить германского посла Мирбаха и организовать вооруженное восстание против Советской власти. 27 июня английский десант высадился в Мурманске, 1 июля в Москве были арестованы белогвардейские эшелоны, сформированные под руководством французской миссии, 4 июля открылся Всероссийский съезд Советов, а 6 июля эсеры убили Мирбаха, организовали мятеж в Москве и Ярославле.

Еще 5 июля Ильич, выступая на V съезде Советов, в своей речи всячески крыл левых эсеров за бесхарактерность, сеяние паники, за непонимание положения дела, но не думал, что они дойдут до мятежа.

6 июля левые эсеры Блюмкин и Андреев явились в особняк в Денежном переулке, занимаемый германским посольством, добились личного свидания с германским послом графом Мирбахом, бросили в него бомбу, убили и скрылись в отряд ВЧК, находившийся под командой левого эсера Попова и расположенный в Трехсвятительском переулке, куда одновременно перекочевал весь левоэсеровский ЦК. Явившийся туда для ареста убийц председатель ВЧК Дзержинский сам подвергся аресту. Одновременно отряд Попова разослал по ближайшим улицам патрули, которые арестовали председателя Московского Совета Смидовича, наркома почт и телеграфов Подбельского, члена Коллегии ВЧК Лациса и др., захватили почту и телеграф. Левоэсеровский ЦК разослал по России и на чехословацкий фронт сообщение о восстании в Москве, призывая к войне с Германией. Вследствие предпринятых левыми эсерами военных действий Совет Народных Комиссаров открыл в свою очередь военные действия против отряда Попова, насчитывавшего около 2 тысяч пехоты, 8 орудий и броневик. 8 июля утром Трехсвятительский переулок был окружен со всех сторон и подвергнут артиллерийскому обстрелу. Эсеры пытались ответить обстрелом Кремля: несколько снарядов попало

на его двор. После недолгого сопротивления отряд Попова отступил и бросился по Владимирскому шоссе, где вскоре рассеялся. В плен было взято около 300 человек.

После разгрома эсеров в Трехсвятительском переулке Ильичу захотелось поехать посмотреть особняк, ставший на время штаб-квартирой восставших эсеров. Он вызвал автомобиль, и мы поехали с ним в открытой машине. Когда мы проезжали на машине мимо Октябрьского вокзала, из-за угла закричали: «Стой!» Так как не видно было, кто кричит, шофер Гиль продолжал ехать. Ильич его остановил. Тем временем из-за угла стали палить из револьвера, выбежала группа вооруженных людей и подбежала к автомобилю. Это были свои. Ильич стал им выговаривать: «Нельзя так, товарищи, зря палить из-за угла, не видя, в кого палишь». Публика сконфузилась. Ильич расспросил еще раз дорогу в Трехсвятительский. В особняк нас пропустили без всяких задержек, провели по комнатам. Ильича заинтересовало, почему эсеры выбрали этот особняк своим штабом и как организовали его защиту, но скоро его перестал интересовать этот вопрос, так как ни общее расположение особняка, ни его внутреннее устройство не представляли с этой точки зрения никакого интереса. Что запомнилось — это пол, усеянный громадным количеством разорванной на мелкие клочки бумаги. Очевидно, во время осады эсеры рвали имевшиеся у них документы.

Хотя дело было уже к вечеру, Ильичу захотелось проехаться по Сокольническому парку. Когда мы подъезжали к проезду под железной дорогой, мы наткнулись на комсомольский патруль. «Стой!» Остановились. «Документы!» Ильич показывает свой документ: «Председатель Совета Народных Комиссаров — В. Ульянов». — «Рассказывай!» Молодежь заарестовала Ильича и повела в ближайший участок милиции. Там тотчас узнали Ильича и расхохотались. Ильич вернулся — поехали дальше. Повернули мы в Сокольнический парк. Когда проезжали по одной из дорог, опять стали палить. Оказалось, мы проезжали мимо склада с оружием. Посмотрели документы, пропустили, только воркнули, что по ночам невесть где ездим. Когда ехали назад, опять ехать надо было мимо молодежного поста. Но ребята, увидев издалека машину, куда-то моментально скрылись.

8 июля V съезд Советов постановил исключить из Советов левых эсеров, солидаризирующихся с мятежом 6—7 июля. 10 июля съезд принял Советскую Конституцию и закончил свою работу.

Весь июль положение было крайне тяжелое.

Командующим войсками, боровшимися с чехословаками, был левый эсер Муравьев. Он встал после Октября на сторону Советской власти, боролся против наступления Керенского и Краснова на Петроград, боролся против Центральной рады, боролся на Румынском фронте. Но когда началось 6—7 июля восстание эсеров, Муравьев перешел на их сторону и хотел повернуть войска на Москву.

Однако те части, на которые он рассчитывал, не пошли за ним; он хотел опереться на Симбирский Совет, но Совет не пошел за ним: его хотели арестовать, но он стал сопротивляться и был убит. Симбирск вскоре был взят чехословаками. Чехословаки стали подходить к Екатеринбургу, где сидел в заключении Николай II. 16 июля он и его семья были нами расстреляны, чехословакам не удалось спасти его, они взяли Екатеринбург лишь 23 июля.

На севере англо-французские войска захватили часть Мурманской железной дороги.

Бакинские меньшевики пригласили в Баку английские войска.

Добровольческая армия взяла станцию Тихорецкую, потом Армавир.

Немцы требовали ввода в Москву своего батальона для охраны посольства.

Несмотря на всю тяжесть положения, Ильич не падал духом. Его настроение выразилось полностью в письме к Кларе Цеткин от 26 июля.

«Глубокоуважаемая товарищ Цеткин! — писал он.— Большое, горячее спасибо за Ваше письмо от 27/6, которое мне принесла товарищ Герта Гордон. Я сделаю все, чтобы помочь товарищу Гордон.

Нас всех чрезвычайно радует, что Вы, товарищ Меринг и другие «товарищи спартаковцы» в Германии «головой и сердцем с нами». Это дает нам уверенность, что лучшие элементы западноевропейского рабочего класса — несмотря на все трудности — все же придут нам на помощь.

Мы теперь переживаем здесь, может быть, самые трудные недели за всю революцию. Классовая борьба и гражданская война проникли в глубь населения: всюду в деревнях раскол — беднота за нас, кулаки яростно против нас. Антанта купила чехословаков, бушует контрреволюционное восстание, вся буржуазия прилагает все усилия, чтобы нас свергнуть. Тем не менее, мы твердо верим, что избегнем этого «обычного» (как в 1794 и 1849 гг.) хода революции и победим буржуазию.

С большой благодарностью, наилучшими приветами и искренним уважением

Ваш *Ленин*».

А в конце приписка:

«Мне только что принесли новую государственную печать. Вот отпечаток. Надпись гласит: Российская Социалистическая Федеративная Советская Республика. Пролетарии всех стран, соединяйтесь!».

Контрреволюционное восстание продолжало бушевать. Чехословаки заняли Казань, англо-французские войска заняли Архангельск, и там образовалось эсеровское верховное управление Северной областью, в Ижевске эсеры организовали восстание, ижевские правоэсеровские войска заняли Сарапул, советские войска оставили Читу, добровольческая армия взяла Екатеринодар, но неудачи московского и ярославского восстаний вызвали известные колебания в рядах эсеров; развернувшиеся с новой силой бои между немцами и союзниками ослабили интервенцию, отвлекли их внимание от России. 16 августа чехословаки потерпели поражение на реке Белой, началось объединение всех наших вооруженных сил; был предпринят целый ряд важных организационных мероприятий, изданы были декреты о привлечении рабочих организаций к заготовкам хлеба, об организации уборочных и заградительных отрядов — положение с хлебом стало немного улучшаться, буржуазные газеты были закрыты и перестали нервировать публику. Усилена была агитация среди иностранных рабочих против интервенции. 9 августа НКИД обратился к американскому правительству с предложением мира союзным державам.

Правые эсеры, чувствуя, что почва у них уходит из-под ног, решили убить ряд большевистских вождей, в том числе Ленина.

30 августа сообщили Ильичу из Питера, что в 10 часов утра убит председатель Ленинградской ЧК т. Урицкий.

Вечером Ильич — по мобилизации МК — должен был выступать в Басманном и Замоскворецком районах.

В этот день Бухарин у нас обедал и во время обеда всячески убеждал Ильича не ехать. Ильич смеялся, отмахивался, а потом, чтобы прекратить все разговоры на этот счет, сказал, что, может быть, он и не поедет. Мария Ильинична в этот день была больна и сидела дома. Ильич вошел к ней уже в шапке и пальто, готовый ехать. Она стала просить его взять ее с собой. «Ни под каким видом, сиди дома»,— ответил он и уехал на митинг, не взяв с собой никакой охраны.

Во 2-м МГУ у нас шло совещание по народному образованию. За два дня перед тем на нем выступал Ильич. Заседание шло к концу, и я собралась ехать домой, взялась подвезти одну знакомую учительницу, живущую в Замоскворечье. Меня ждал кремлевский автомобиль, но шофер был какой-то незнакомый. Он повез нас к Кремлю, я сказала ему, что мы сначала отвезем нашу спутницу; шофер ничего не сказал, но у Кремля остановил машину, открыл дверцу и высадил мою спутницу. Я диву далась, чего это он так распоряжается, хотела разворчаться, но мы подъехали к нашему подъезду, во двор ВЦИК, там встретил меня т. Гиль, шофер, всегда ездивший с нами, стал рассказывать, что он возил Ильича на завод Михельсона и что там женщина стреляла в Ильича, легко его ранила». Видно было, что он подготавливает меня. Вид у него был расстроенный очень. «Вы скажите только, жив Ильич или нет?» — спросила я. Гиль ответил, что жив, я заторопилась. Наверху, у лестницы, меня встретил Алексей Иванович Рыков, взял меня под руку и повел по коридору, и я почувствовала, как он весь дрожит. Я не слышала, не понимала, что он говорит. У нас в квартире было много какого-то народу, на вешалке висели какие-то пальто, двери непривычно были раскрыты настежь. Около вешалки стоял Яков Михайлович Свердлов, и вид у него был какой-то серьезный и решительный. Взглянув на него, я решила, что все кончено. «Как же теперь будет», — обронила я. «У нас с Ильичем все сговорено»,— ответил он. «Сговорено, значит, кончено»,— подумала я. Пройти надо было маленькую комнатушку, но этот путь мне показался целой вечностью. Я вошла в нашу спальню. Ильичева кровать была выдвинута на середину комнаты, и он лежал на ней бледный, без кровинки в лице. Он увидел меня и тихим голосом сказал минуту спустя: «Ты приехала, устала. Поди ляг». Слова были несуразны, глаза говорили совсем другое: «Конец». Я вышла из комнаты, чтобы его не волновать, и стала у двери так, чтобы мне его было видно, а ему меня не было видно. Когда была в комнате, я не заметила, кто там был, теперь увидела: не то вошел, не то раньше там был около постели Ильича стоял Анатолий Васильевич Луначарский и смотрел на Ильича испуганными и жалостливыми глазами. Ильич ему сказал: «Ну, чего уж тут смотреть».

Наша квартира превратилась в какой-то лагерь, хлопотали около больного Вера Михайловна Бонч-Бруевич и Вера

Моисеевна Крестинская, обе врачихи. В маленькой комнате около спальни устраивали санитарный пункт, принесли подушки с кислородом, вызвали фельдшеров, появилась вата, банки, какие-то растворы.

Наша временная домашняя работница, латышка, вскоре уехавшая в Латвию, перепугалась, ушла в свою комнату и заперлась на ключ. В кухне кто-то разжигал керосинку, в ванне тов. Кизас полоскала окровавленные повязки и полотенца. Глядя на нее, я невольно вспоминала первые ночи Октябрьской революции в Смольном, когда тов. Кизас, не смыкая глаз, сидела целыми ночами над грудой сыпавшихся отовсюду телеграмм, разбирала их.

Наконец, пришли врачи-хирурги: Владимир Николаевич Розанов, Минц и другие. Несомненно, жизнь Ильича была в опасности, он был на волоске от смерти. Когда шофер Гиль вместе с товарищами с завода Михельсона привезли раненого Ильича в Кремль и хотели его внести вверх на руках, Ильич не захотел и сам поднялся на третий этаж. Кровь залила ему легкое. Кроме того, врачи опасались, что у него прострелен пищевод, и запретили ему пить. А его мучила жажда. Через некоторое время после того, как уехали врачи и он остался с вызванной к нему из городской больницы сестрой милосердия, он попросил ее уйти и позвать меня. Когда я вошла, Ильич помолчал немного, потом сказал: «Вот что, принеси-ка мне стакан чаю».— «Ты знаешь ведь, доктора запретили тебе пить». Хитрость не удалась. Ильич закрыл глаза: «Ну иди». Мария Ильинична хлопотала с докторами, с лекарствами. Я стояла у двери. Раза три ночью ходила в кабинет Ильича на другом конце коридора, где, примостившись на стульях, всю ночь провели Свердлов, Каменев, Рыков и другие. Сталин в это время был на фронте.

Ранение Владимира Ильича взволновало не только все партийные организации, но и широчайшие массы рабочих, крестьян, красноармейцев: как-то особенно ярко осознали, чем был для революции Ленин. С волнением следили все за появившимися в газетах бюллетенями о его здоровье.

Вечером 30 августа за подписью Свердлова от имени партии было выпущено сообщение о покушении на Ленина. В сообщении говорилось: «На покушения, направленные против его вождей, рабочий класс ответит еще большим сплочением своих сил, ответит беспощадным массовым террором против всех врагов революции».

Покушение заставило рабочий класс подтянуться, теснее сплотиться, напряженнее работать.

В партии эсеров началось разложение.

На другой день после ранения Владимира Ильича в газетах было помещено заявление Московского бюро о непричастности партии эсеров к покушению. Уже после июльского мятежа левых эсеров начался отход от партии эсеров, особенно рабочих. От партии отделилась часть, назвавшая себя «народниками-коммунистами», во главе с Колегаевым, Биценко, А. Устиновым и другими, которая не допускала ни насильственного срыва Брестского мира, ни террористических актов, ни активной борьбы с Коммунистической партией. Оставшаяся часть эсеров все больше правела, поддерживала кулацкие восстания, но влияние ее слабело. Покушение на Ленина усилило начавшийся процесс разложения партии эсеров, еще больше подорвало ее влияние в массах.

Надежды врагов Советской власти не оправдались. Ильич выжил. Заключения врачей каждый день становились все оптимистичнее. Они и все окружающие Ильича повеселели. Ильич шутил с ними. Ему запрещали двигаться, а он втихомолку, когда никого не было в комнате, пробовал подниматься. Хотелось ему скорей вернуться к работе. Наконец, 10 сентября было сообщено в «Правде» о том, что опасность миновала, а Ильич сделал приписку, что так как он поправляется, то просит не беспокоить врачей звонками с вопросами о его болезни. 16 сентября Ильичу разрешили, наконец, пойти в Совнарком. Он очень волновался, от волнения еле встал с постели, но был рад, что может опять вернуться к работе.

16 сентября Ильич председательствовал на заседании в Совнаркоме. В тот же день он написал приветствие президиуму конференции пролетарских культурно-просветительных организаций. Тогда влияние Пролеткульта было очень велико. Ильич считал, что недостатком Пролеткульта было то, что он мало связывал свою работу с общеполитическими задачами борьбы, мало помогал росту сознательности масс, выдвижению рабочих, подготовке их к делу управления государством через Советы. В своем приветствии конференции Владимир Ильич как раз и писал о политических задачах, стоящих перед Пролеткультом. Еще одна статья была написана им через пару дней. Это «О характере наших газет», где Ильич требовал, чтобы газеты побольше вглядывались в то, что делается кругом. «Поближе к жизни. Побольше внимания к тому, как рабочая и крестьянская масса на деле строит нечто новое в своей будничной работе. Побольше проверки того, насколько коммунистично это новое».

Владимир Ильич, приступив к работе, окунулся сразу в самую гущу продовольственных вопросов, принял активное участие в выработке декрета об обложении сельских хозяев натуральным налогом, но сразу же почувствовал, что повседневная напряженная административная работа ему еще не по силам, и согласился поехать на пару недель отдохнуть за город. Его перевезли в Горки, в бывшее имение Рейнбота, бывшего градоначальника Москвы. Дом был хорошо отстроен, с террасами, с ванной, с электрическим освещением, богато обставлен, с прекрасным парком. В нижнем этаже разместилась охрана: до ранения охрана была весьма проблематична. Ильич был к ней непривычен, да и она еще неясно представляла себе, что ей делать, как вести себя. Встретила охрана Ильича приветственной речью и большим букетом цветов. И охрана и Ильич чувствовали себя смущенными. Обстановка была непривычная. Мы привыкли жить в скромных квартирках, в дешевеньких комнатах и дешевых заграничных пансионах и не знали, куда сунуться в покоях Рейнбота. Выбрали самую маленькую комнату, в которой Ильич потом, спустя 6 лет, и умер; в ней поселились. Но и маленькая комната имела три больших зеркальных окна и три трюмо. Лишь постепенно привыкли мы к этому дому. Охрана тоже не сразу освоила его. Был такой случай. Шел уже конец сентября, становилось очень холодно. Рядом с комнатой, где мы поселились, в большой комнате красовались два камина. К каминам мы привыкли в Лондоне, там это в большинстве квартир — единственное отопление. «Затопите-ка камин»,— попросил Ильич. Принесли дров, поискали трубы, их не было. Ну, подумала охрана, у каминов, должно быть, не полагаются трубы. Затопили. Но камины-то, оказалось, были для украшения, а не для топки. Загорелся чердак, стали заливать водой, провалился потолок. Потом Горки стали постоянным летним пристанищем Ильича и постепенно были «освоены», приспособлены к деловому отдыху. Полюбил Ильич балконы, большие окна

Маловато сил было после ранения у Ильича, понадобилось порядочно времени, пока он смог выходить за границы парка. Настроение было у него бодрое — настроение выздоравливающего человека, а кроме того, начался перелом во всей окружающей обстановке. Стало меняться положение на фронте. Красная Армия побеждала. 3 сентября в Казани восстали рабочие против захвативших власть чехословаков и правых эсеров, 7-го советские войска заняли Казань, 12-го — Вольск и Симбирск, 17-го — Хвалынск, 20-го — Чистополь, 7 октября — Самару. 9 сентября советские войска заняли Грозный и Уральск. Поворот был несомненный. В день годовщины Советской власти Ленин с полным правом говорил в своей речи, что от разрозненных отрядов красногвардейцев мы пришли к крепкой Красной Армии.

В Горки непрерывно приходили вести о назревавшей в Германии революции.

Уже 1 октября Ильич писал в Москву Свердлову: «Дела так «ускорились» в Германии, что нельзя отставать и нам. А сегодня мы уже отстали.

Надо созвать завтра соединенное собрание ЦИК Московского совета Райсоветов Профессиональных союзов и прочая и прочая. Сделать ряд докладов о начале революции в Германии. (Победа нашей тактики борьбы с германским империализмом. И т. д.) Принять резолюцию.

Международная революция приблизилась за неделю на такое расстояние, что с ней надо считаться как с событием дней ближайших.

Никаких союзов ни с правительством Вильгельма, ни с правительством Вильгельма Ни Эберт и прочие мерзавцы.

Но немецким рабочим массам, немецким трудящимся миллионам, когда они начали своим духом возмущения (пока еще только духом), мы братский союз, хлеб, помощь военную начинаем готовить. Все умрем за то, чтобы помочь немецким рабочим в деле движения вперед начавшейся в Германии революции.

Вывод:

1) вдесятеро больше усилий на добычу хлеба (запасы все очистить и для нас и для немецких рабочих).

2) вдесятеро больше записи в войско. Армия в 3 миллиона должна быть у нас к в е с н е для помощи международной рабочей революции.

Эта резолюция должна в среду ночью пойти всему миру по телеграфу.

Назначьте собрание в среду в 2 ч. Начнем в 4, мне дайте слово на $1/4$ часа вступления, я приеду и уеду назад. Завтра утром пришлите за мной машину (а по телефону скажите только: согласны).

Привет! *Ленин*».

Согласия на приезд Ильич не получил, несмотря на его страстную просьбу об этом; берегли сугубо его здоровье. Объединенное собрание было назначено на 3-е, на четверг, а 2-го, в среду, Ильич написал собранию письмо. Объединенное собрание заслушало письмо Ильича, приняло резолюцию в том духе, в каком хотел Ильич. Эта резолюция была передана по телеграфу по всем странам и по всему РСФСР, а на другой день напечатана в «Правде».

Ильич знал, что машины за ним не пришлют, а все же в этот день сидел у дороги и ждал... «А вдруг пришлют!»

Усилилось брожение среди немецких рабочих. Теоретической борьбе, ясности теоретической позиции Ленин придавал всегда громадное значение. Он знал, каким авторитетом теоретика пользовался в Германии Каутский, написавший ряд работ по популяризации учения Маркса и выступивший в свое время против оппортунистических высказываний Бернштейна, и потому его особенно взволновали и возмутили выдержки из статьи Каутского против большевизма, напечатанные 20 сентября в «Правде». Он тотчас же написал Воровскому, жившему тогда в Швейцарии и являвшемуся там представителем РСФСР, письмо, в котором писал о том, что Цеткин, Мерингу и др. надо выступить в печати с принципиальным теоретическим заявлением, что по вопросу о диктатуре Каутский дает пошлую бернштейниаду, а не марксизм. Владимир Ильич писал о необходимости скорее перевести на немецкий язык его брошюру «Государство и революция», где разобрана реформистская позиция Каутского, просит выслать брошюру Каутского «Диктатура пролетариата» тотчас же, как она выйдет, прислать все статьи Каутского о большевизме.

На отдыхе в Горках Ильич взялся за разоблачение Каутского, результатом чего явилась брошюра «Пролетарская революция и ренегат Каутский» Последние строки ее были написаны 10 ноября 1918 г. Она кончается словами:

«В ночь с 9 на 10 получены известия из Германии о начавшейся победоносной революции сначала в Киле и других северных и приморских городах, где власть перешла в руки Советов рабочих и солдатских депутатов, затем в Берлине, где власть тоже перешла в руки Совета.

Заключение, которое мне осталось написать к брошюре о Каутском и о пролетарской революции, становится излишним».

18 октября Ильич переехал уже в Москву. 23 октября он писал нашему послу в Берлине:

«Передайте немедленно Карлу Либкнехту наш самый горячий привет. Освобождение из тюрьмы представителя революционных рабочих Германии есть знамение новой эпохи, эпохи победоносного социализма, которая открывается теперь и для Германии и для всего мира.

От имени Центрального Комитета Российской Коммунистической партии (большевиков)

Ленин».

23 октября, когда был освобожден из тюрьмы Карл Либкнехт, германские рабочие устроили демонстрацию перед русским посольством.

5 ноября 1) 18 г. германское правительство, обвиняя советское представительство в Берлине в участии в революционном движении в Германии, потребовало немедленного отъезда из Берлина дипломатических и консульских представителей РСФСР во главе с советским послом А. А. Иоффе. 9 ноября Иоффе, направлявшийся вместе с персоналом посольства в Россию, был возвращен в революционный Берлин Берлинским Советом рабочих и солдатских депутатов.

Празднование первой годовщины Советской власти проходило при очень приподнятом настроении. В конце октября Ильич принимает участие в составлении воззвания к австрийским рабочим от имени ВЦИК и СНК, 3 ноября произносит речь перед демонстрацией, организованной в честь австро-венгерской революции. Постановлено было провести VI Всероссийский съезд Советов в Октябрьские дни. 6 ноября съезд открылся речью Ильича «О годовщине пролетарской революции», в тот же день он делал доклад на торжественном заседании Всероссийского центрального и Московского советов профессиональных союзов и на вечере Московского пролеткульта. 7-го он выступал на закладке мемориальной доски борцам Октябрьской революции.

7-го же Ильич открывал памятник Марксу и Энгельсу, говорил о значении их учения, об их предвидении:

«Мы переживаем счастливое время, когда это предвидение великих социалистов стало сбываться. Мы видим все, как в целом ряде стран занимается заря международной социалистической революции пролетариата. Несказанные ужасы империалистской бойни народов вызывают всюду геройский подъем угнетенных масс, удесятеряют их силы в борьбе за освобождение.

Пусть же памятники Марксу и Энгельсу еще и еще раз напоминают миллионам рабочих и крестьян, что мы не одиноки в своей борьбе. Рядом с нами поднимаются рабочие более передовых стран. Их и нас ждут еще тяжелые битвы. В общей борьбе будет сломан гнет капитала, будет окончательно завоеван социализм!».

8—9—10—11 ноября вести о германской революции целиком захватили Ильича. Он непрестанно выступал. Лицо его радостно светилось, как светилось 1 Мая 1917 г. Октябрьские дни первой годовщины были одними из наисчастливейших дней в жизни Ильича.

Однако ни на минуту не забывал Владимир Ильич о том, какой еще трудный путь лежит перед Советской властью. 8 ноября он выступил с речью на конференции деревенской бедноты Московской области.

Собравшиеся на Московскую конференцию комбедов делегаты имели довольный вид. Высокий, одетый в синий кафтан, делегат, поднимаясь по лестнице, остановился перед бюстом какого-то ученого. «Это нам в деревне пригодится»,— с улыбкой заметил он. Делегаты вообще больше всего говорили о том, что они возьмут и как между собой поделят. Перед Ильичем сидели и слушали его бедняки-единоличники, для которых вопросы коллективизации сельского хозяйства, вопросы коллективной обработки земли не были еще актуальными. Если сравнить тогдашнее настроение делегатов комбедов с настроением делегатов II съезда колхозников, видишь, какой громадный путь пройден, какая громадная работа проделана.

Необходимость этой длительной работы чувствовал Ильич. Он ясно видел все трудности, но вопрос этот считал решающим. «Завоевание земли, как и всякое завоевание трудящихся, прочно только тогда, когда оно опирается на самодеятельность самих трудящихся, на их собственную организацию, на их выдержку и революционную стойкость.

Была ли эта организация у трудящихся крестьян?

К сожалению, нет, и в этом корень, причина всей трудности борьбы».

Ильич указывал путь организации: побороть кулачье и крепко сомкнуться с рабочим классом.

«...Если кулак останется нетронутым, если мироедов мы не победим, то неминуемо будет опять царь и капиталист.

Опыт всех революций, которые до сих пор были в Европе, наглядно подтверждает, что революция неизбежно терпит поражение, если крестьянство не побеждает кулацкого засилья.

Все европейские революции кончались ничем именно потому, что деревня не умела справляться с своими врагами. Рабочие в городах свергали царей... и, однако, после некоторого времени воцарялись старые порядки».

«В прежних революциях крестьянской бедноте в ее тяжелой борьбе с кулаками не на кого было опереться.

Организованный пролетариат — более сильный и более опытный, чем крестьянство (этот опыт дала ему прежняя борьба) — теперь стоит в России у власти, владея всеми орудиями производства, всеми фабриками и заводами, железными дорогами, судами и т. д.

Теперь беднейшее крестьянство имеет надежного и сильного союзника в борьбе против кулачья. Беднейшее крестьянство знает, что город стоит за него, что пролетариат ему поможет всем, чем может,— и уже помогает на деле».

«Кулаки с нетерпением ждали чехословаков, они охотно посадили бы нового царя, чтобы безнаказанно продолжать эксплуатацию, чтобы по-прежнему стоять над батраком, по-прежнему наживаться.

И все спасение было в том, что деревня объединилась с городом, что пролетарские и полупролетарские — не пользующиеся чужим трудом — элементы деревни вместе с городскими рабочими открыли поход на кулаков и мироедов».

И далее Ильич указывает перспективу переустройства всего деревенского уклада:

«Выход только в общественной обработке земли... Коммуны, артельная обработка, товарищества крестьян — вот где спасение от невыгод мелкого хозяйства, вот в чем средство поднятия и улучшения хозяйства, экономии сил и борьбы с кулачеством, тунеядством и эксплуатацией».

16 ноября 1918 г. открылся I Всероссийский съезд работниц. Он был созван комиссией ЦК РКП (б) по агитации и пропаганде среди работниц. Над организацией съезда работали усиленно тт. Инесса, Самойлова, Коллонтай, Сталь, А. Д. Калинина. На съезде присутствовало 1147 делегаток. Это был съезд работниц; крестьянок на нем еще не было; не ставился на нем еще и вопрос о работе среди нацменьшинств. Выступая на съезде, Ильич говорил, однако, больше всего о том, что поглощало его внимание: о деревне, о том, что вывести женщину из ее прежнего положения сможет только социализм.

«Только тогда, когда мы от мелких хозяйств перейдем к общему и к общей обработке земли,— говорил Ильич,— только тогда будет полное освобождение и раскрепощение женщин. Эта задача трудна, но теперь, когда образуются комитеты бедноты, наступает время, когда социалистическая революция укрепляется.

Лишь теперь организуется беднейшая часть населения в деревне, и в них, в организациях бедноты, социализм приобретает прочную основу.

Раньше часто бывало, что революционным становился город, а после него выступала деревня.

Настоящий переворот опирается на деревню, и в этом его значение и сила».

Где бы ни выступал Ильич, всюду говорил он о крестьянстве, об обобществлении земли. В разговорах, на прогулках часто вспоминал он письмо К. Маркса к Ф. Энгельсу от 1856 г., где Маркс писал: «Все дело в Германии будет зависеть от возможности подкрепить пролетарскую революцию своего рода вторым изданием крестьянской войны. Тогда дело будет отлично».

Выступая на I Всероссийском съезде земельных отделов 11 декабря 1918 г., Ленин говорил:

«Жить по-старому, как жили до войны, нельзя, и такое расхищение человеческих сил и труда, какое связано с мелким отдельным крестьянским хозяйством, дальше продолжаться не может. Вдвое и втрое поднялась бы производительность труда, вдвое и втрое был бы сбережен человеческий труд для земледелия и человеческого хозяйства, если бы от этого раздробленного мелкого хозяйства совершился бы переход к хозяйству общественному»

Еще в Швейцарии у меня была очень тяжелая форма базедовой болезни. Путем операции, житья в горах она кое-как ликвидировалась, переродилось только сердце, ушли физические силы. После ранения Ильича, тревоги за его жизнь и здоровье осенью у меня сделался острый рецидив болезни. Доктора поили меня всякой всячиной, укладывали в постель, запрещали работать; плохо помогало. Санаториев тогда не было. Отправили меня отлеживаться в Сокольники, в лесную школу, где не полагалось говорить о политике, о работе. Завела дружбу с ребятами, а по вечерам приезжал почти каждый день Ильич, в большинстве случаев с Марией Ильиничной. Пролежала я там конец декабря 1918 г., январь 1919 г. Ребята скоро стали меня считать за близкого человека и рассказывали обо всем, что их волновало. Кто рисунки свои тащил показывать, кто рассказывал о том, как они на лыжах катаются; девятилетний мальчонка огорчался, что матери некому обед готовить. Обычно он готовил обед для матери: готовил суп из картошки, «жарил» картошку в воде; мать с работы придет, а он уже ждет, обед приготовил. Была там одна девчурка, ее из приюта перевели в лесную школу. У девчурки было много приютских замашек: и подольститься к строгой учительнице умела и подоврать. У ней была мать — проститутка — жила на Смоленском рынке. Мать страстно любила дочку, а та — мать. Раз со слезами рассказывала мне девчурка, что мать чуть не босая к ней по морозу пришла, любовник сапоги у ней украл и пропил, ноги совсем мать заморозила. Дочь все время о матери думала: своих осьмушек не ела, для матери откладывала, после обеда смотрела, не осталось ли корок каких, для матери собирала.

Многое ребята рассказывали мне о своей жизни, а школа далеко стояла от жизни. Утром учились, потом бегали на лыжах, вечером лепили украшения для елки.

Ильич часто шутил с ребятами, они его полюбили, поджидали его. В начале 1919 г. (на старое рождество) школа устраивала елку для ребят. У нас в России елка никогда не связывалась ни с какими религиозными обрядами, была лишь детской вечеркой, развлечением для ребят. Дети звали Ильича приехать к ним на елку. Он обещал. Попросил Владимира Дмитриевича Бонч-Бруевича купить ребятам гостинцев побольше. Когда он ехал в тот вечер ко мне с Марией Ильиничной, дорогой напали на них бандиты. Они смутились, узнав, что напали на Ильича. Высадили из машины Ильича и Марию Ильиничну, а также шофера тов. Гиля и сопровождавшего Ильича товарища из охраны, руки которого были заняты кувшином с молоком, и угнали автомобиль. А мы в лесной школе поджидали Ильича с Марией Ильиничной и удивлялись, что они запаздывают. Когда они добрались наконец до школы, лица у них были какие-то странные. Я потом в коридоре спросила, что с ним? Он минуту поколебался, боясь меня взволновать, а потом мы пошли в мою комнату, и он рассказал подробно.

Рада я была, что остался он цел и невредим!

1919 год

1919 год был годом острой гражданской войны, борьбы с Колчаком, Деникиным, Юденичем. Борьба велась в исключительно трудных условиях, в обстановке голода, всеобщей разрухи. Останавливались фабрики, заводы, совершенно развален был транспорт. Не сорганизована, плохо вооружена была Красная Армия. Советская власть была не всюду еще организована как следует, не срослась еще по-настоящему с населением. Враждебные Советской власти партии, все те, кому сладко жилось при старой власти — прислужники помещиков и капиталистов, кулаки, торговцы и провели ярую агитацию против большевиков, распространяли всякие небылицы, пользуясь неосведомленностью, неграмотностью широкой деревенской массы.

Но имя Ленина повсюду пользовалось уже большим авторитетом. Ленин был против помещиков и капиталистов, Ленин был за землю, за мир. Все знали, что Ленин — руководитель борьбы за власть Советов. Это знали трудящиеся массы в самых глухих углах России. Но Ленин не принимал непосредственного участия в боях, не бывал на фронтах, а как можно руководить на расстоянии,— этого часто не могли в те времена представить себе люди неграмотные, кругозор которых был ограничен условиями их замкнутой жизни. Целые легенды складывались насчет Ленина. Байкальские рыбаки далекой Сибири рассказывали, например, лет 10 назад, как в самый разгар боя с белыми прилетел к ним Ильич на самолете и помог им справиться с врагом. На Северном Кавказе говорили, что хоть и не видали они Ленина, но наверное знают, что боролся он у них в рядах Красной Армии, только делал это тайно, чтобы никто не знал, помогал их победам.

Теперь знают рабочие и колхозники, что хоть не бывал Ильич на фронтах, но мыслью и сердцем все время был он с Красной Армией, о ней думал, о ней заботился, знают, как неустанно направлял он всю политику в правильное русло. Он был Председателем Совета Народных Комиссаров, разнообразна была его деятельность, но в чем бы она ни выражалась, она была неразрывно связана с вопросами гражданской войны, с вопросами борьбы за власть Советов. 13 марта 1919 г., выступая в Питере на митинге по вопросу об успехах и трудностях Советской власти, Ильич говорил:

«...Первый раз в истории, армия строится на близости, на неразрывной близости, можно сказать — на неразрывной слитности, Советов с армией. Советы объединяют всех трудящихся и эксплуатируемых — и армия строится на началах социалистической защиты и сознательности».

Эта слитность интересов сказывалась в тысяче мелочей, Советская власть была для красноармейцев своя, близкая.

Ильич любил спать с открытыми окнами. И каждое утро врывались в окно со двора песни живших в Кремле красноармейцев. «И как один умрем за власть Советскую»,— пели молодые голоса.

Ильич прекрасно знал, что делается на фронтах, он непосредственно был связан с фронтами, руководил всей борьбой, но в то же время внимательно вслушивался в то, что говорят о войне массы.

Присутствуя иногда при разговорах Ильича с различными людьми, я видела, как умел он из каждого выуживать то, что ему важно было узнать. Его интересовала вся обстановка, все то, что делалось на фронтах.

Помню, я присутствовала при одном докладе Ильичу о том, как недоверчиво относились к старым военным специалистам красноармейцы. Вначале приходилось учиться у военных специалистов — это понимали и красноармейцы, но к военным специалистам они относились сугубо настороженно, ничего им не спускали, даже в области бытовой. Настороженность красноармейцев была понятна: старорежимный командный и начальствующий состав далеко стоял от солдат.

После, когда ушел докладчик, Ильич говорил со мной о том, что сила Красной Армии — в близости командного состава к красноармейской массе. Мы вспоминали с ним картины Верещагина, отражавшие войну с Турцией 1877—1878 гг. Замечательные это были картины. У него есть одна картина: идет бой, а командный состав в отдалении с горки смотрит на бой. Вылощенное, в перчатках, офицерье в бинокли смотрит с безопасного места, как гибнут в боях солдаты. Я видела впервые эту картину, когда мне было лет 10. Водил меня тогда на выставку картин Верещагина отец, и на всю жизнь врезались в память эти картины.

Как-то получил Ильич письмо из Воронежа от профессора Дукельского, который требовал товарищеского отношения со стороны красноармейцев к спецам. Ильич ответил ему статьей в «Правде», где требовал товарищеского отношения спецов к красноармейцам:

«...Относитесь товарищески к измученным солдатам, к переутомленным рабочим, озлобленным веками эксплуатации, тогда дело сближения работников физического и умственного труда пойдет вперед гигантскими шагами».

Присутствовала я раз также при докладе Ильичу т. Луначарского, ездившего на фронт. Насчет военных дел небольшой спец был, конечно, Анатолий Васильевич, но Ильич все время ставил ему такие вопросы, так связывал воедино ряд явлений, так направлял доклад в определенное русло, что доклад вышел исключительно интересным. Ильич знал, кого о чем, как надо спрашивать. Много говорил он с рабочими, едущими на фронт и приезжавшими с фронта. Знал Ильич хорошо лицо Красной Армии, знал, что большинство красноармейцев — крестьяне. Крестьянство он знал хорошо, знал хорошо эксплуатацию, которой подвергалось трудовое крестьянство со стороны помещиков, знал ненависть крестьянства к помещикам, знал, какая это громадная движущая сила в гражданской войне. Но крестьянина-единоличника (а тогда крестьяне сплошь были единоличниками) Ильич не идеализировал, знал, как велика, сильна в крестьянстве мелкобуржуазная психология, как трудно крестьянам организоваться, знал, что, по сути дела, крестьянин того времени был беспомощен в деле организации.

Гвоздь строительства социализма — в организации, повторял все время Ильич; вопросам организации он придавал исключительно большое значение, и особенно возлагал он надежды на рабочий класс, на его организационные навыки, на близость к трудовому крестьянству. Ильич требовал, чтобы был усвоен весь организационный опыт старой армии, старых спецов, требовал, чтобы знание, наука были поставлены на службу трудящимся Страны Советов.

По правильному пути направлена была политика Советской власти.

В своей беседе с первой американской рабочей делегацией в сентябре 1927 г. т. Сталин говорил:

«Разве не известно, что в результате гражданской войны оккупанты были выброшены вон из России, а контрреволюционные генералы были перебиты Красной Армией. Вот тут-то и оказалось, что судьбы войны решаются, в последнем счете, не техникой, которой обильно снабжали Колчака и Деникина враги СССР, а правильной политикой, сочувствием и поддержкой миллионных масс населения. Случайно ли, что партия большевиков оказалась тогда победительницей? Конечно, не случайно».

Политика Советской власти в 1919 г. шла по линии укрепления связи с массами.

«Если мы называемся партией коммунистов,— говорил Ильич,— мы должны понять, что только теперь, когда мы покончили с внешними препятствиями, сломали старые учреждения, пред нами впервые настоящим образом и во весь рост встала первая задача настоящей пролетарской революции — организация десятков и сотен миллионов людей».

На II Всероссийском съезде Советов в октябре 1917 г. Ильич говорил, что гвоздь строительства социализма — в организации, и 17 месяцев спустя, в марте 1919 г., когда Советская власть уже стала на ноги, к моменту VIII съезда партии, задачи организационные встали во весь рост. Все вопросы, которых Ильич касался на VIII съезде, он тесно увязывал с вопросами организационными. Он говорил об аппарате, о бюрократизме, о культуре, о том, как бескультурье стоит поперек дороги строительству социализма, мешает вовлечению в строительство социализма широких масс, мешает борьбе с пережитками старого, мешает выкорчевыванию бюрократизма; говорил о деревне, о том, как надо закрепить влияние пролетариата не только на сельских рабочих, не только на бедноту, но и на самый широкий слой крестьянства, на среднее крестьянство, живущее не эксплуатацией рабочей силы, а своим трудом, говорил, как надо сделать из него опору Советской власти, обслужить его в деле снабжения, говорил о кооперации, о том, что коммунизм надо строить из того, что оставил нам в наследие капитализм, что построить коммунизм нельзя руками одних коммунистов, что надо использовать старых специалистов, использовать науку, весь опыт буржуазного строительства и взять от них то, что нам нужно.

Во всей этой работе важно не только то, чтобы человек понимал, за какое звено надо ухватиться, чтобы вытащить всю цепь, но и как за это звено ухватиться, как его вытащить.

За два дня до съезда умер Председатель ВЦИК Яков Михайлович Свердлов. Говоря о Якове Михайловиче на его похоронах, Ильич отмечал умение Якова Михайловича связывать теорию с практикой, говорил о моральном авторитете, об организаторском таланте Свердлова, но особенно подчеркивал ценность его работы в качестве организатора широких пролетарских масс:

«...Этот профессиональный революционер никогда, ни на минуту не отрывался от масс. Если условия царизма и обрекали его, как и всех тогдашних революционеров, на деятельность преимущественно подпольную, нелегальную, то и в этой подпольной и нелегальной деятельности тов. Свердлов шел всегда плечо к плечу и рука об руку с передовыми рабочими, которые как раз с начала XX века стали заменять собой прежнее поколение революционеров из среды интеллигенции.

Именно в это время передовые рабочие выступили на работу десятками и сотнями и воспитали в себе ту закаленность к революционной борьбе, без которой, вместе с крепчайшей связанностью с массами, не могло бы быть успешной революции пролетариата в России».

На VIII съезде партии Я. М. Свердлов должен был делать доклад об организационной работе ЦК. Его пришлось заменить Ленину.

«Обладая громадной, невероятной памятью,— говорил Ильич про Я. М. Свердлова,— он в ней держал большую часть своего отчета, и личное знакомство с организационной работой на местах (курсив мой. Н. К.) давало ему возможность сделать этот отчет. Я не в состоянии даже на сотую долю заменить его... десятки делегатов каждый день принимались тов. Свердловым, и из них большая половина была, вероятно, не советских должностных лиц, а партийных работников».

Ильич говорил о том, что Свердлов замечательно умел разбираться в людях, выработал в себе чутье практика:

«...Исключительный организаторский талант этого человека обеспечивал нам то, чем мы до сих пор гордились и гордились с полным правом. Он обеспечивал нам полностью возможность дружной, целесообразной, действительно организованной работы, такой работы, которая бы была достойна организованных пролетарских масс и отвечала потребностям пролетарской революции,— той сплоченной организованной работы, без которой у нас не могло бы быть ни одного успеха, без которой мы не преодолели бы ни одной из тех неисчислимых трудностей, ни одного из тех тяжелых испытаний, через которые мы проходили до сих пор и через которые мы вынуждены проходить теперь.

...Мы глубоко уверены, что пролетарская революция в России и во всем мире выдвинет группы и группы людей, выдвинет многочисленные слои из пролетариев, из трудящихся крестьян, которые дадут то практическое знание жизни, тот, если не единоличный, то коллективный организаторский талант, без которого миллионные армии пролетариев не могут прийти к своей победе».

За последние годы и особенно в 1935—1936 гг. мы являемся свидетелями того, как быстро растет и крепнет организаторский талант трудящихся масс. На совещаниях стахановцев, комбайнеров, трактористов, работников советской земли, трудящихся советских республик мы наблюдали этот выковавшийся за годы Советской власти коллективный организаторский талант.

Нас не единицы, нас тысячи...

И только совсем слепой человек не понимает, какая громадная сила — коллективный организаторский талант пролетарских масс.

Мелкособственническая психология особо затрудняла в первые годы существования Советской власти организационную советскую и военную работу.

На I Всероссийском съезде по внешкольному образованию в мае 1919 г. Владимир Ильич особенно подробно остановился на вопросе о том, как мелкособственническая, анархическая психология мешает правильной организации работы:

«Широкие массы мелкобуржуазных трудящихся, стремясь к знанию, ломая старое, ничего организующего, ничего организованного внести не могли».

И далее:

«Мы продолжаем страдать в этом отношении от мужицкой наивности и мужицкой беспомощности, когда мужик, ограбивший барскую библиотеку, бежал к себе и боялся, как бы кто-нибудь у него ее не отнял, ибо мысль о том, что может быть правильное распределение, что казна не есть нечто ненавистное, что казна — это есть общее достояние рабочих и трудящихся, этого сознания у него быть еще не могло. Неразвитая крестьянская масса в этом не виновата, и с точки зрения развития революции это совершенно законно,— это неизбежная стадия, и, когда крестьянин брал к себе библиотеку и держал у себя тайно от других, он не мог поступать иначе, ибо он не понимал, что можно соединить библиотеки России воедино, что книг будет достаточно, чтобы грамотного напоить и безграмотного научить. Сейчас необходимо бороться с остатками дезорганизации, с хаосом, со смешными ведомственными спорами... не создавать параллельных организаций, а создать единую планомерную организацию. В этом малом деле отражается основная задача нашей революции. Если она этой задачи не решит, если она не выйдет на дорогу создания действительно планомерной единой организации вместо российского бестолкового хаоса и нелепости,— тогда эта революция останется революцией буржуазной, ибо основная особенность пролетарской революции, идущей к коммунизму, в этом и состоит...»

Это высказывание Ильича вскрывало корни анархизма, отрицающего необходимость всякого коллективного планового действия, всякой государственной организации: как хочу, так и делаю.

Мы не раз говорили с Ильичем об анархизме. Помню наш первый разговор в селе Шушенском. Когда я приехала к Ильичу в ссылку, я с интересом рассматривала его альбом, где были фотографические карточки разных политкаторжан, было две фотографии Чернышевского и между ними — фотография Золя. Я спросила его, почему он хранит у себя в альбоме именно фотографию Золя. Он стал мне говорить о деле Дрейфуса, которого защищал Золя, потом стали обмениваться мнениями о произведениях Золя, и я рассказала ему, какое сильное впечатление произвел на меня роман Золя «Жерминаль», который я впервые читала в то время, когда усердно изучала I том «Капитала» Маркса. В романе «Жерминаль» описывается французское рабочее движение, и, между прочим, там дана фигура русского анархиста Суварина, гладящего ручную крольчиху и в то же время твердящего, что необходимо «все сломать, все разрушить» («tout rompre tout detruire»). И Ильич тогда горячо говорил мне о противоположности между организованным социалистическим рабочим движением и анархизмом. Потом смутно вспоминается разговор с Ильичем на тему об анархистах перед отъездом в 1905 г. на Таммерфорсскую конференцию. Я перечитала недавно относящуюся к этому времени статью Владимира Ильича «Социализм и анархизм». Замечательная там характеристика анархизма:

«Миросозерцание анархистов есть вывороченное наизнанку буржуазное миросозерцание. Их индивидуалистические теории, их индивидуалистический идеал находятся в прямой противоположности к социализму. Их взгляды выражают не будущее буржуазного строя, идущего к обобществлению труда с неудержимой силой, а настоящее и даже прошлое этого строя, господство слепого случая над разрозненным, одиноким, мелким производителем. Их тактика, сводящаяся к отрицанию политической борьбы, разъединяет пролетариев и превращает их на деле в пассивных участников той или иной буржуазной политики, ибо настоящее отстранение от политики для рабочих невозможно и неосуществимо».

Об этом именно шел наш разговор с Владимиром Ильичем в 1905 г.

В мае 1919 г. состоялся I Всероссийский съезд по внешкольному образованию. Его приветствовал Ильич. На I Всероссийском съезде по внешкольному образованию было 800 делегатов, среди них — много беспартийных. Настроение было у большинства приподнятое, многие собирались ехать на фронт, но нам, большевикам, организовавшим этот съезд, было видно, что по многим вопросам не у всех делегатов было ясное понимание советского демократизма, того, чем отличается наш, советский демократизм от демократизма буржуазного, и мы просили, чтобы Ильич еще раз выступил с докладом. Он согласился и выступил 19 мая с длинной речью на тему «Об обмане народа лозунгами свободы и равенства» и говорил о том, какой обман народа представляют эти лозунги в условиях капиталистического государства, говорил, что сейчас Советская власть — диктатура пролетариата — поведет массы к социализму, говорил о тех трудностях, которые стоят перед Советской властью.

«Эта новая организация государства рождается с величайшим трудом,— говорил Ильич,— потому что победить свою дезорганизаторскую, мелкобуржуазную распущенность — это самое трудное, это в миллион раз труднее, чем подавить насильника-помещика или насильника-капиталиста, но это и в миллион раз плодотворнее для создания новой организации, свободной от эксплуатации. Когда пролетарская организация разреши! эту задачу, тогда социализм окончательно победит. Этому надо посвятить всю свою деятельность и внешкольного и школьного образования»

Но если необходима была борьба с анархическими настроениями в деле строительства Советской власти, то тем более нужна она была в Красной Армии. Там анархические настроения выливались в форму партизанщины. Опыт гражданской войны на Украине как нельзя лучше иллюстрировал трудности организации Красной Армии. Об этом говорил Ильич 4 июля 1919 г., выступая на соединенном заседании ВЦИК, Московского совета рабочих и крестьянских депутатов, Московского совета профессиональных союзов и представителей фабрично-заводских комитетов Москвы.

Ильич говорил о трудностях первого года гражданской войны, о том, как приходилось наспех, наскоро сбивать отряд за отрядом. Он говорил:

«При крайне недостаточном пролетарском сознании на Украине, при слабости и неорганизованности, при петлюровской дезорганизации и давлении немецкого империализма,— на этой почве там стихийно вырастала вражда и партизанщина. В каждом отряде крестьяне хватались за оружие, выбирали своего атамана или своего «батька», чтобы ввести, чтобы создать власть на месте. С центральной властью они совершенно не считались, и каждый батько думал, что он есть атаман на месте, воображал, что он сам может решать все украинские вопросы, не считаясь ни с чем, что предпринимается в центре».

Далее Ильич рассказывал, как в результате этой неорганизованности, партизанщины и хаоса Украина пережила неслыханные бедствия. Опыт этот бесследно пройти не может.

«Уроки распада, партизанщины Украина осознала,— говорил Ильич.— Это будет эпохой перелома всей украинской революции, это отразится на всем развитии Украины. Это — перелом, который пережили и мы, перелом от партизанщины и революционного швыряния фразами: мы все сделаем!— к сознанию необходимости длительной, прочной, упорной, тяжелой организационной работы. Это — тот путь, на который мы много месяцев спустя после Октября вступили и успеха в котором достигли значительного. Мы смотрим на будущее с большой уверенностью, что все трудности преодолеем».

Надежды Ильича оправдались: наша Красная Армия стала образцом социалистической организованности.

Тогда, в 1919 г., большинство красноармейцев были крестьяне-единоличники, умевшие работать не покладая рук, но у которых сильна была еще мелкособственническая психология. И поэтому Ильич считал особенно важным укрепление всех фронтов пролетарскими элементами. Он написал письмо петроградским рабочим о помощи Восточному фронту, когда обострилось положение на этомфронте, делал доклад на пленуме Всероссийского центрального совета профсоюзов, обращался к железнодорожникам Московского узла, говорил о борьбе с Колчаком на конференции фабрично-заводских комитетов и профсоюзов Москвы, писал рабочим и крестьянам по поводу победы над Колчаком, говорил о роли петроградских рабочих, выступал с речью, обращенной к мобилизованным рабочим Ярославской и Владимирской губерний, едущим на деникинский фронт и на помощь Питеру, на который надвигался Юденич, писал обращение к рабочим и красноармейцам Питера по поводу наступления Юденича, писал письмо к рабочим и крестьянам Украины по поводу побед над Деникиным.

Организованность Красной Армии возрастала.

По мере того как укреплялась Советская власть, по мере того как гражданская война открывала широким массам глаза на то, кто враг, кто друг,— ослабевало влияние левых эсеров. Теряя почву под ногами, они вступили в союз с анархистами и вместе с ними 25 сентября, когда в Леонтьевском переулке МК обсуждал вопросы агитации и пропаганды, организовали взрыв, где было убито 12 человек, в том числе секретарь МК тов. Загорский, было ранено 55 человек. Первое сообщение о взрыве мы услышали от пришедшей к нам Инессы Арманд, дочь которой была на этом заседании.

Отмечая вред распыленности, обособленности мелкого крестьянского хозяйства, говоря о том, как тяжело отзывается она на всей жизни и мировоззрении трудящихся крестьян, Ильич с самого начала подчеркивал необходимость перейти на коллективные формы хозяйствования, указывал, что надо создать крупные товарищеские коллективы по общественной обработке земли, создать сельскохозяйственные коммуны, артели. Он считал, что инициаторами этого дела будут городские и сельскохозяйственные рабочие, и поддерживал всякую инициативу рабочих в этом отношении. Мы знаем, как еще весной 1918 г. он поддержал инициативу обуховских и семянниковских рабочих, поехавших в Сибирь, в Семипалатинск устраивать сельскохозяйственные артели. Поддерживал он и все мероприятия более скромного типа по линии коллективной обработки земли.

Конечно, никаких иллюзий Ильич себе не строил. Он постоянно говорил о тех предпосылках, которые необходимо осуществить, чтобы стала возможной массовая коллективизация сельского хозяйства. На VIII съезде партии он говорил о тракторах, о механизации обработки земли, о необходимости поднять сознательность крестьян, без чего коллективизация по-настоящему не продвинется, но в то же время он считал, что надо поддерживать всякую инициативу в деле создания колхозов.

Весной 1919 г. Владимир Ильич ставил перед рабочими Горок, где он жил, вопрос об организации коллективного хозяйства нового типа. Однако большинство горкинских рабочих было к этому мало подготовлено. Рейнбот, владевший ранее Горками, подобрал в свое имение латышских рабочих, стремясь поставить их подальше от населения, обособить. Горкинские рабочие, как и все латышские рабочие, ненавидели помещиков, но к коллективной работе, к организации управления совхозом они были еще весьма мало приспособлены в то время.

Я помню, как на совещании, происходившем в Большом доме, Ильич убеждал их, очень волновался. Но не вышло ничего из его стараний. Дело свелось к дележу рейнботовского имущества, и Горки превращены были в обычный совхоз. Ильич хотел, чтобы совхозы стали для крестьян показом, как умело вести крупное хозяйство; как вести мелкое хозяйство, крестьяне знали, как вести крупное — им надо было еще учиться.

Чего хочет Ильич в отношении совхоза, не понимал тогдашний заведующий хозяйством Горок тов. Вевер. Однажды Ильич, встретив его на прогулке, спросил, как совхоз помогает окрестным крестьянам. Тов. Вевер недоуменно посмотрел на него и ответил: «Рассаду крестьянам продаем». Ильич не стал расспрашивать дальше, а когда Вевер ушел, огорченно посмотрел на меня и сказал: «Даже самой постановки вопроса не понял». И потом стал как-то особенно требователен к Веверу, не понимавшему, что совхозы надо сделать показом того, как надо вести крупное хозяйство.

Как-то, в начале 1919 г., зашел ко мне в Отдел внешкольного образования мой старый ученик вечерне-воскресной школы тов. Балашов. Он работал за Невской заставой, потом в годы реакции отсиживал пару лет в тюрьме. Он рассказал, что изучал сельское хозяйство, особенно огородное, и сейчас хочет вплотную им заняться. Балашов объединил семь крестьянских хозяйств (родственников) и устроил общественный огород, который решили обрабатывать сообща, без наемной рабочей силы. Они организовали сельскохозяйственную артель, взяли наряд у Красной Армии и вырастили для нее замечательную капусту. Но их начинание не удержалось: комитет крестьянской бедноты забрал себе всю капусту, а Балашова засадили в тюрьму. Он оттуда мне написал. Тов. Дзержинский по просьбе Владимира Ильича послал туда людей обследовать дело. Оказалось, что в комитет бедноты пролезли бывшие сыщики. Балашова освободили немедленно, но дело распалось.

Вообще тогдашние огородные артели, а в то время ощущалась известная тяга к ним, натыкались на очень большое сопротивление, вытекавшее из недооценки такого рода начинаний. Например, в Благушах были курсы огородничества, организованные А.С. Буткевичем. При них была огородная земля. Наш Внешкольный отдел поддерживал эти курсы, а в феврале 1919 г. на огородной земле был организован при содействии сына Буткевича, агронома — специалиста по огородничеству, своеобразный кооператив из курсантов (большинство из них были рабочие завода «Гном и Ром» и фабрики Семеновской мануфактуры), согласно уставу которого урожай распределялся пропорционально числу рабочих часов. Молодой Буткевич ставил опыты с удобрениями, новыми сортами и способами посадки. Овощи дали урожай выше, чем на соседних советских огородах, и 45 рабочих семей были обеспечены овощами на круглый год.

Внешкольный отдел поддерживал это начинание, но Московский отдел народного образования, который в те времена жил «на всей божьей воле», как говорилось встарь, отобрал у курсов землю, мотивируя это тем, что «обеспечение овощами каких-нибудь 45—50 семейств имеет слишком ничтожное общественное значение по сравнению с организацией труда в школе». Не учел тогда Московский отдел народного образования значение «показа», пропаганды артельных форм хозяйствования. Пришкольного хозяйства, ради которого отобрана была земля у этих курсов нового типа, Московский отдел народного образования наладить не сумел.

Сейчас трудно себе представить, на какие препятствия в 1919 г. наталкивались такие начинания. Их было немало, они забыты уже, но участники этих начинаний вряд ли о них забыли. Владимир Ильич такими начинаниями особенно интересовался.

Чтобы подвести крестьянские массы к строительству хозяйства на коллективных началах, нужна была длительная работа среди основной массы крестьянства. Читая письма крестьян, Ильич постоянно это чувствовал. Сохранилась пометка Ильича на одном письме крестьянина о положении в деревне; на этом письме от февраля — марта 1919 г. Ильич отмечает: «Вопль за середняка-крестьянина».

На VIII съезде партии (18—23 марта 1919 г.) вопрос об отношении к среднему крестьянству был поставлен во весь рост. В своей речи при открытии съезда Владимир Ильич поставил этот вопрос с полной четкостью:

«Беспощадная война с деревенской буржуазией и кулаками на первое место выдвигала задачи организации пролетариата и полупролетариата деревни. Но дальнейшим шагом для партии, которая хочет создать прочные основы коммунистического общества, выдвигается задача — правильно разрешить вопрос о нашем отношении к среднему крестьянству. Эта задача более высокого порядка. Мы не могли поставить ее во всей широте, пока не были обеспечены основы существования Советской республики».

И далее:

«Мы вошли в такую стадию социалистического строительства, когда надо выработать конкретно, детально, проверенные на опыте работы в деревне, основные правила и указания, которыми мы должны руководствоваться для того, чтобы по отношению к среднему крестьянину стать на почву прочного союза...»

На VIII съезде партии Владимир Ильич говорил о необходимости то ва ри ще с к о г о подхода к среднему крестьянину, о недопустимости насилия по отношению к нему, о необходимости помощи ему, в первую очередь в деле механизации сельского хозяйства, в деле облегчения и улучшения его экономического положения, в деле улучшения быта, поднятия культуры. Ильич особенно много говорил о необходимости поднять культурный уровень деревни, о том, как мы постоянно спотыкаемся о недостаточную культурность масс. Говорил о том, как мешает проведению советских законов низкий культурный уровень: «...Кроме закона, есть еще культурный уровень, который никакому закону не подчинишь».

Отмечая некоторые ограничения в избирательных правах крестьянства, он говорил:

«Наша Конституция, как мы указываем, вынуждена была внести это неравенство, потому что культурный уровень слаб, потому что организация у нас слаба. Но мы не превращаем этого в идеал, а, напротив, в программе партия обязуется систематически работать над уничтожением этого неравенства более организованного пролетариата с крестьянством. Это неравенство мы отменим, как только нам удастся поднять культурный уровень. Тогда мы сможем обойтись без таких ограничений».

Теперь, когда деревня стала колхозной, когда проведена механизация сельского хозяйства, когда деревня стала во много раз культурнее, сознательнее, это указание Ильича стало осуществимо. Новая Конституция Советского Союза уравнивает в избирательных правах рабочих и крестьян полностью. И усиленно бьется сердце, когда читаешь эту Конституцию; она завоевана долгими годами работы, направлявшейся партией по правильному руслу.

Неделю спустя после VIII съезда партии, 30 марта 1919 г., на заседании ВЦИК, выдвигая кандидатуру М. И. Калинина на пост председателя ВЦИК вместо умершего Я.М. Свердлова, Ильич говорил о том, что у М.И. Калинина 20-летний стаж партийной работы, что он — питерский рабочий и в то же время из крестьян Тверской губернии, сохранил тесную связь с крестьянским хозяйством и постоянно обновляет и освежает эту связь, что он умеет по-товарищески подходить к широким слоям трудящихся масс. Средние крестьяне увидят в лице высшего представителя всей Советской республики своего человека. Кандидатура Михаила Ивановича поможет практическим путем организовать целый ряд непосредственных сношений высшего представителя Советской власти со средним крестьянством, поможет партии, правительству сблизиться с этим крестьянством.

Надежды Ильича оправдались, как мы знаем, полностью. М.И. Калинин любим крестьянскими массами, близок к ним.

Повседневная работа Ильича была показом того, как внимательно надо было относиться к каждому вопросу, волнующему середняка.

Скопинский уездный совещательный съезд послал к Ильичу 31 марта 1919 г. делегацию из троих крестьян с наказом «ходатайствовать о снятии воздушного налога с среднего и ниже среднего крестьянина», «ходатайствовать о полной отмене мобилизации дойных коров, а именно потому, что у нашего населения осталось на каждые 8—10 человек одна дойная корова, да и к тому же у нас свирепствуют ужасные эпидемии тифа, испанки и т. п. болезни и молоко является единственным продуктом для больных; что же касается остальных продуктов, как масляничных и жировых, то таковые совершенно отсутствуют и приобрести негде»; был еще запрос о лошадях и подробностях сбора налога.

Ильич, посмотрев «наказ», не стал допрашивать, что это за «воздушный» налог, а тотчас ответил по существу крестьянам Скопинского уезда.

«Обложение чрезвычайным налогом крестьян достатка ниже среднего незаконно, — писал он.— К облегчению обложения средних крестьян меры приняты. На днях будет декрет. По остальным вопросам немедленно сделаю запрос наркомам и вам будет послан ответ.

В. Ульянов (Ленин).

5/IV —1919».

И тут же, на письме скопинских крестьян, имеется указание секретарю: «Напомнить мне в СНК при Середе и Свидерском. Необходимо составить, по соглашению с Народным комиссариатом земледелия и Народным комиссариатом продовольствия».

От всего советского аппарата требовал Ильич заботы о нуждах населения.

В 1919 г. был голод. И вот ярко сказалась забота Ленина в это трудное время о детях, об их питании.

К маю положение со снабжением ухудшилось. На 2-м заседании Экономической комиссии Ильич ставит вопрос о помощи детям рабочих натурой.

В половине мая 1919 г. положение было особенно тяжелое. На Украине, на Кавказе, на Востоке хлеба было много, миллионы пудов, но гражданская война отрезала возможность сношений, центрально-промышленные районы остро голодали. Наркомпрос засыпали жалобами, что нечем кормить ребят.

14 мая 1919 г. на Петроград стала наступать армия северо-западного правительства. 15 мая генерал Родзянко взял уже Гдов, стали наступать эстонские и финские белогвардейские войска, начинались бои у Копорской губы. Волновался Ильич за Петроград. Но характерно, что в это же время — 17 мая — проводил он декрет о бесплатном детском питании. В этом декрете говорилось о необходимости в целях улучшения детского питания и обеспечения материального положения трудящихся выдавать бесплатно всем детям до 14 лет, безотносительно к категории классового пайка их родителей, притом в первую очередь, предметы детского питания. Декрет относился к крупным фабричным центрам 16 неземледельческих губерний.

12 июня пришла весть об измене гарнизона «Красная горка». И того же 12 июня Ильич подписывает постановление Совета Народных Комиссаров, расширяющее действие декрета 17 мая о бесплатном детском питании: увеличивается число местностей, где проводится бесплатное питание. Бесплатное питание предоставляется детям в возрасте до 16 лет.

В вопросе о помощи нуждающимся особенно не терпел Владимир Ильич никакого бюрократизма. 6 января 1919 г. он дает телеграмму в курскую ЧК:

«Немедленно арестовать Когана, члена Курского центрозакупа, за то, что он не помог 120 голодающим рабочим Москвы и отпустил их с пустыми руками. Опубликовать в газетах и листками, дабы все работники центрозакупов и продорганов знали, что за формальное и бюрократическое отношение к делу, за неумение помочь голодающим рабочим репрессия будет суровая, вплоть до расстрела.

Предсовнаркома Ленин»

О близости всех наркоматов к рабочим и крестьянским массам, к Красной Армии усиленно заботился Владимир Ильич.

Я работала в Наркомпросе, во Внешкольном отделе, и постоянно видела, как интересуется этим Владимир Ильич. К нам во Внешкольный отдел ходила масса народа: рабочие, работницы, крестьяне, солдаты с фронта, педагоги, партийцы. Внешкольный отдел превратился, по существу дела, в какую-то явку, куда заходили партийцы порасспросить про Ильича, рассказать про свою работу, заходили рабочие по вопросам о том, как лучше поставить пропагандистско-агитационную работу, приезжали красноармейцы, красные командиры, приходили рабочие, крепко связанные с деревней.

Помню, как один красноармеец, молодой парень, жаловался, что не те книги присылают, какие надо, что газеты не доходят, что пропагандистов у них нет, требовал, чтобы больше пропагандистов туда ехало. Не один, конечно, приходил, много приходило. Но почему-то остался особо в памяти этот бурно-пламенный молодяга.

Молодой командир, приехав с фронта, волнуясь, рассказывал нам, как его рота, поставленная на постой в какое-то реальное училище Западной области, расправлялась с «барской» культурой. Реальные училища были привилегированными учебными заведениями, и красноармейцы изломали все пособия, разорвали на мелкие клочки учебники, тетради, хранившиеся в училище. «Барское это добро»,— говорили они. С другой стороны, как никогда стремились красноармейцы к учебе. Учебников не было. Старые учебники, с молитвами за царя и отечество, изничтожались красноармейцами. Они требовали учебников, связанных с жизнью, с их переживаниями.

На том внешкольном съезде, где выступал Ильич, было принято делегатами съезда решение — поехать на фронт. Поехали многие. В числе их тов. Элькина, опытная преподавательница, поехала на Южный фронт. Красноармейцы требовали, чтобы их учили грамоте. Элькина начала учить, как принято было, по учебникам, написанным по аналитикосинтетическому методу: «Маша ела кашу. Маша мыла раму». «Как ты нас учишь?! — стали возмущаться красноармейцы.— Какая каша? Что за Маша? Не хотим этого читать!» И стала Элькина по-новому строить букварь: «Мы не рабы, рабы не мы».

Дело пошло. Быстро стали обучаться красноармейцы грамоте. Это был метод связи учебы с жизнью, чего все время требовал Ильич. Новых учебников не на чем было печатать. Учебник Элькиной был напечатан на какой-то желтой бумаге, а в методике обучения Элькиной рассказывалось о том, как учиться писать без чернил и перьев. Стоит вспомнить, на какой бумаге и как было напечатано извещение о 1 Конгрессе III Интернационала, чтобы понять, почему писала об этом Элькина. Не в недооценке роли учебника было тут дело. Красноармейцы быстро выучивались читать по букварю Элькиной.

«Громадная жажда знаний и громаднейший успех образования, достигаемый чаще всего внешкольным путем,— гигантский успех образования трудящихся масс не подлежит ни малейшему сомнению. Этот успех не укладывается ни в какие школьные рамки, но этот успех колоссален»,— говорил Ильич на VIII партийном съезде.

Наши политпросветчики: Сергиевская, Рагозинский и другие, ездили по фронтам. С фронтов получали мы многочисленные письма. Привожу выдержку из одного письма товарища с фронта, ленинградского рабочего, с которым вместе налаживали политпросветработу в районе. «Только что прочитал газету от 7-го, где пишут об открытии съезда по внешкольному образованию,— писал он.— Да, Н. К., когда ездишь вдоль и поперек Советской России, то видишь, как много надо работать нашему отделу и как нужна внешкольная работа. Боюсь, что мне не удастся полностью проследить съезд. На ст. Инза я жду поезда, чтобы ехать на ст. Нурлат. Получил назначение инспектора-инструктора и еду инспектировать 27-ю дивизию. Работа большая, а главное, новая вообще и для меня в особенности. Ну, та рекомендация, которую дал Владимир Ильич, обязывает меня выполнить наилучшим образом. Про эту рекомендацию один товарищ сказал: «Я бы за это письмо жизнь отдал». Выполню работу, тогда Вам напишу. Передайте Владимиру Ильичу низкий поклон и всем знакомым. Действующая армия. Политический отдел».

Были письма с фронта, заходили люди. Ильич просил интересных товарищей направлять к нему.

Не меньше внимания уделял наш Внешкольный отдел разъяснительной работе среди крестьянства.

Вопрос о пропаганде среди крестьянства давно уже продвигался Ильичем. Мы знаем, как заботился он о создании популярной литературы, сборников статей, заботился об издании популярной газеты для деревни («Бедноты»).

Еще 12 декабря 1918 г. Совнарком издал декрет «О мобилизации грамотных и организации пропаганды советского строя». Декрет требовал организации по рабочим кварталам и особенно по деревням чтения декретов, наиболее важных статей и брошюрок. Это должен был организовать в первую голову наш Внешкольный отдел. Сильно налегал на нас Ильич. Чтения проводились, они будили тягу к знанию. «Мы ни на чью сторону не станем, ни в какую партию не вступим,— говорили крестьяне Арзамасского уезда ездившему туда нашему агитатору.— Вот научимся грамоте — сами все прочитаем, никто нас тогда не проведет».

На VIII съезде партии была создана секция по работе в деревне, от имени которой и делал доклад Ильич. В секцию вошло 66 делегатов. В комиссию по разработке тезисов были выбраны Середа, Луначарский, Митрофанов, Милютин, Иванов, Пахомов, Кураев, Варейкис и Борисова.

Все это говорит о том, какое громадное внимание уделяла этому вопросу партия, какое внимание уделял ему Ильич.

Помню, как внимательно слушал Ильич все, что нам во Внешкольном отделе удавалось узнать о жизни крестьян, о том, как они относятся к тому или иному вопросу.

Раз зашел к нам за книжками крестьянин Московской губернии, работал он где-то на стройке. Рассказывал, какая шла в дореволюционный период спекуляция в связи со снабжением армии, рассказывал о крупных дельцах, наживавшихся на этом деле. Направили мы его к Анатолию Васильевичу. Вернулся он от Анатолия Васильевича и рассказывает: «Принял меня хорошо. Посадил на диван, а сам все ходит и ходит, складно говорит. Книжек дал. И обещал еще дать ненаглядных вещей (наглядных пособий. — Н. К.). А я брать боюсь. Говорит, даром даст, да боюсь, как бы потом за ненаглядные вещи налогом не обложили». Все же набрал всяких плакатов, пособий. Потом не раз приходил во Внешкольный отдел. Мы так и прозвали его «ненаглядными вещами». Но характерно, что Ильич обратил больше всего внимания на такой факт. Рассказывал строитель этот, что учительница у них в селе жалованья никакого не получает, но работы в школе не бросила, а по вечерам занималась и со взрослыми, учила их грамоте. «Ненаглядные вещи» рассказывал, что он башмаки этой учительнице купил, а то старые износились совсем.

В 1919 г. много деревень было еще глухими, отрезанными от всего света, радио и в помине тогда не было, безграмотное население (на родине Ильича, в Симбирской губернии, в 1919 г. было еще 80% неграмотных) не читало газет, да и не было их, бумаги не было, тиражи газет были ничтожны, до деревни газеты не доходили.

Доставка книг не была организована, книжные магазины посылали на места черт знает что. Деревня жила слухами, страстно хотела знать, что делается на свете.

Внимательно слушал Ильич мои рассказы о том, с какими наивными вопросами приходят крестьяне, какая у них чудовищная неосведомленность о практических мероприятиях Советской власти, о ее структуре, о своих правах и обязанностях, какая темнота в деревне, о наивных безграмотных письмах, о тех письмах, которые строчат безграмотным крестьянам деревенские грамотеи писарским почерком с мудреными закорючками разными, какие деньги драли за писание писем эти вольные писаря.

Я показывала Ильичу эти письма. Он с интересом их просматривал. Советовал приналечь на устройство справочных бюро при наших избах-читальнях, народных домах. У него был опыт в консультации крестьян в ссылке, в селе Шушенском, где к нему каждое воскресенье приходили крестьяне соседних сел за советами. В декабре 1918 г. он набросал проект правил об управлении советскими учреждениями. Там он писал о необходимости устройства разными ведомствами аналогичных бюро на местах. «Эти справочные бюро обязаны не только давать все просимые справки, как устные и письменные, но и составлять бесплатно письменные заявления для неграмотных и неспособных составить ясное заявление лиц»,— написано у Ильича в «Наброске правил об управлении советскими учреждениями».

«В каждом советском учреждении должны быть вывешены не только внутри здания, но и снаружи, так чтобы они были доступны всем без всяких пропусков, правила о днях и часах приема публики. Помещение для приема обязательно должно быть устроено так, чтобы допуск в него был свободный, безусловно без всяких пропусков.

В каждом советском учреждении должна быть заведена книга для записи в самой краткой форме, имени просителя, сущности его заявления и направления дела.

В воскресные и праздничные дни должны быть назначены часы приема».

«Набросок правил об управлении советскими учреждениями» был опубликован лишь в 1928 г., 10 лет спустя, но эти установки Ильича знал наш Внешкольный отдел; по настоянию Ильича сразу стал он обращать внимание на постановку справочной работы в избах-читальнях. На этой работе завоевывали себе авторитет избачи, росли сами на этой работе. 1919 год был годом, когда избачи пользовались определенным влиянием. Справочная работа была связана с пропагандой Советской власти, с пропагандой декретов, издаваемых Советской властью.

Не только о справочных бюро думал Владимир Ильич. 12 апреля 1919 г. был опубликован за подписями Калинина, Ленина, Сталина декрет о реорганизации государственного контроля (тов. Сталин был тогда народным комиссаром государственного контроля). В этом декрете говорилось:

«Старый бюрократизм разбит, но бюрократы остались. Войдя в советские учреждения, они внесли туда дух косности и канцелярской волокиты, бесхозяйственности и распущенности.

Советская власть заявляет, что она не потерпит бюрократизма, в каких бы формах он ни проявлялся, что она изгонит его из советских учреждений решительными мерами.

Советская власть заявляет, что только вовлечение широких масс рабочих и крестьян в дело управления страной и широкого контроля над органами управления устранит недостатки механизма, очистит советские учреждения от бюрократической скверны и решительно двинет вперед дело социалистического строительства».

4 мая 1919г. был издан декрет о Центральном бюро жалоб и заявлений при Народном комиссариате государственного контроля, а 24 мая — о местных отделениях Центрального бюро жалоб и заявлений.

Ильич требовал самой упорной борьбы с бюрократизмом в советском аппарате.

У нас в России в 60-е годы в художественной литературе всячески высмеивался бюрократизм, особенно высмеивали его поэты «Искры» (поэты-чернышевцы). Поэты «Искры»

(Курочкин, Жулев и другие) сильно влияли на наше поколение, всячески клеймя бесчисленные проявления бюрократизма, волокиты, взяточничества. Стихи поэтов «Искры», всевозможные анекдоты о бюрократизме были своеобразным интеллигентским фольклором 60-х годов. В последние годы мы вспоминали с Анной Ильиничной часто эту литературу; у нее была замечательная память.

В семье Ульяновых эта литература была очень в ходу. Сатира того времени сделала свое дело, помогая нашему поколению с молоком матери впитывать ненависть к бюрократическому укладу. Стереть с лица советской земли всякий бюрократизм — к этому стремился Ильич.

Сам Владимир Ильич замечательно внимательно относился к людям, к получаемым им письмам. Примером этого могут служить документы, помещенные в XXIV Ленинском сборнике.

Масса жалоб поступала к Ильичу, и он сам отвечал на них. 22 февраля 1919 г. Ильич дает телеграмму Ярославскому губисиолкому:

«Советский служащий Данилов жалуется, что ЧК отобрала у него три пуда муки и другие продукты, за полтора года добытые его трудом на семью в четыре души. Строжайше проверьте. Телеграфируйте мне результат.

Предсовнаркома Ленин».

Ильич телеграфирует Череповецкому губисполкому: «Проверьте жалобу Ефросиньи Андреевой Ефимовой, солдатки деревни Новосела, Покровской волости, Белозерского уезда, на отнятие у нее хлеба в общий амбар, хотя у нее муж в плену пятый год, семья — трое, без работника. Результат проверки и ваших мер сообщите мне.

Предсовнаркома Ленин».

Таких примеров можно было бы привести сотни. Это сохранившиеся в Архиве Института Ленина, а не сохранившихся сколько! Когда в июне 1919 г. я уехала на пару месяцев на агитационном пароходе «Красная звезда» на Волгу и Каму, Владимир Ильич писал мне: «Письма о помощи, которые к тебе иногда приходят, я читаю и стараюсь сделать, что можно» . Когда человеку приходится думать о большом каком-нибудь решающем вопросе, чрезвычайно трудно переключаться двадцать раз на дню на разные мелкие вопросы, это особенно утомляет. Только на прогулках, на охоте Владимир Ильич целиком отдавался думам своим. Товарищи постоянно вспоминают, как на прогулках, на охоте Ильич, бывало, вдруг совершенно неожиданно для них обронит какую-нибудь фразу, которая показывает, какие думы властвуют над ним в этот момент.

Иногда, вспоминая, как Ильич занимался мелочами, товарищи говорят: «Не берегли мы Ильича-то, мелочами его загружали, не надо было приставать к нему со всеми этими мелкими делишками». Это так, но Ильич считал, что необходимо внимание к мелочам, что только внимание к ним сделает советский аппарат подлинно демократическим, не формально демократическим, а пролетарски-демократическим.

И как раньше, строя партию, Ильич примером, показом стремился научить товарищей правильному подходу к вопросам агитации, пропаганды, организации, так и теперь, встав во главе Советской власти, он стремился показать, как надо работать в государственном аппарате, как надо вытравливать из него всякий бюрократизм, сделать советский аппарат близким массе, пользующимся ее доверием.

Характерна его телеграмма Новгородскому губисполкому в мае 1919 г.:

«По-видимому, Булатов арестован за жалобу мне. Предупреждаю, что за это председателей губисполкома, Чека и членов исполкома буду арестовывать и добиваться их расстрела. Почему не ответили тотчас на мой запрос?

Предсовнаркома *Ленин*».

Ильич и внутри аппарата старался вытравить всякий бюрократизм, требовал внимательного отношения к каждому работнику, знания людей своего аппарата, помощи им и в работе и в создании соответствующих условий для работы.

Я работала во Внешкольном отделе Наркомпроса. Ильич расспрашивал меня постоянно о работниках моего аппарата, знал их, советовал использовать того или иного работника пополнее по той или иной линии. Постоянно спрашивал, как я о них забочусь, как у них с питанием, с детьми. Иногда оказывалось, что он изучает моих работников, которых в глаза никогда не видал, и знает их лучше, чем я.

Всегда спрашивал меня, как обстоит дело с кормежкой, есть ли у нас столовая и т. д. и т. п.

Немало записей сохранилось, показывающих, как Ильич заботился о работниках своего аппарата.

8 марта на заседании СНК Ильич пишет секретарю о члене коллегии ЦСУ Хрящевой:

«Если Хрящева далеко живет и пешком ходит, то ее жалко.

415

При случае и тактично объясните ей, что в дни, когда нет вопросов статистики, можно раньше уходить и даже не ходить».

О материальном положении сотрудников Ильич заботился сугубо. Время такое было, что недоедали самые ответственные работники и их семьи. Выяснилось, что подголадывали А. Д. Цюрупа, Марков в НКПС и др.

8 августа 1919 г. Владимир Ильич написал в Оргбюро ЦК письмо:

«Сейчас еще получил из надежного источника сообщение, что члены коллегий голодают (например, Марков в НКПС и др.). Настаиваю самым энергичным образом, чтобы Цека 1) предписал ЦИКу дать всем членам коллегий (и близким к этому положению) по 5000 рублей еди новременного пособия;

2) перевести их всех постоянно на максимум специалиста. Ей-ей, нехорошо иначе: голодают и сами и семьи!!

100—200 человек надо подкормить».

С конца апреля на Восточном фронте начался перелом: стала побеждать Красная Армия. Отняты были у белых Уфа, ряд других городов. Шло успешное наступление на Екатеринбург, на Пермь. В конце июня был оборудован агитационный пароход «Красная звезда», который должен был поехать по Волге до Камы, а потом подняться вверх по Каме, до которых пор будет возможно, потом спуститься вниз по Волге до того места, как позволит ход борьбы. Задачей «Красной звезды» было ехать по следам белых, вести агитацию, проводить линию, принятую на VIII съезде партии, закреплять всюду Советскую власть. Политкомом на «Красной звезде» был В.М. Молотов; на пароходе были кино, типография, радио, большой запас книг, были представители от ряда комиссариатов (я была от Наркомпроса), от профсоюзов.

Перед отъездом мы долго толковали с Ильичем, как и что надо будет делать, чем помогать населению, на каких вопросах больше всего останавливаться, во что особенно вглядываться. Ильича самого тянуло поехать, да нельзя было работы ни на минуту бросить. Накануне отъезда проговорили всю ночь, поехал Ильич провожать нас на вокзал, заказал регулярно писать ему, разговаривать с ним по прямому проводу. Я проехала по Волге и по Каме до Перми.

Вся работа шла под руководством Вячеслава Михайловича, собирал он нас перед каждой остановкой, сообща обсуждали, где что будем делать, на что напирать; после каждой остановки мы отчитывались в проделанной работе, делились впечатлениями. Мне эта поездка дала страшно много. После поездки было мне что рассказать Ильичу, и с каким громадным интересом он слушал, как не оставлял без внимания ни одной мелочи!

Во время поездки приходилось без конца митинговать, выступать на многотысячных собраниях на Бондюжском заводе, на Воткинском, на Мотовилихе, в Казани, в Перми, в Чистополе, в Верхних Полянах и пр. Газета наша пароходная подсчитала, что я 34 раза выступала. Не оратор я, но говорить приходилось перед рабочими, работницами, перед красноармейцами, перед крестьянами о том, что их волновало, что было им близко, о том, что их захватывало. Там, где побывали белые, ненависть к ним населения была безгранична. Никогда не забуду я митинга на Воткинском заводе, где белые перестреляли чуть ли не всех подростков, «отродье большевистское проклятое»,— говорили они. И тысячный митинг, созванный нами на Воткинском заводе, весь рыдал, когда пели «Вы жертвою пали». В редкой семье не было убитого подростка. Не забуду я никогда рассказа о том, как засекали насмерть партизанок, учительниц, не забуду никогда о тех бесконечных насилиях, издевательствах, о которых рассказывали жители Прикамья, крестьяне-середняки по преимуществу.

Велика была темнота населения: крестьянки боялись еще отдавать ребят в ясли. Среди учительства велась ярая агитация против Советской власти. Я была свидетельницей такой агитации в Чистополе. Но близость сельских учителей и учительниц к крестьянской, к рабочей массе заставила многих из них идти с крестьянами, с рабочими. На Ижевском заводе из 96 инженеров с Колчаком бежали 95, а жена одного инженера, с которой мы когда-то учились в одном классе в гимназии и которая учительствовала в Ижевске, не ушла с мужем, а осталась с красными. «Как же я от рабочих уйду?» — говорила она мне при встрече.

Тогдашняя верхушечная интеллигенция уходила с белыми, переходила на сторону Колчака; у нас главными агитаторами были рабочие, работницы, красноармейцы. Близки они были к массам. При 2-й армии был один очень своеобразный агитатор: до Октябрьской революции он был попом, после Октября стал агитатором за большевиков. На пятитысячном красноармейском митинге в Перми он говорил о близости Советского правительства к массам: «Большевики — это теперешние апостолы». И когда ему задал вопрос какой-то красноармеец: «А как насчет крещения?» — он ответил: «Подробно говорить надо часа два, а коротко сказать — один обман!» Убедительны были речи красных командиров из рабочих. Рассказывала я Ильичу об этом митинге, рассказывала, как один командир говорил: «Россия Советская непобедима на предмет квадратности и пространственности». Посмеялись мы, а потом в связи с падением Венгерской республики Ильич говорил, что, по существу дела, прав командир: в гражданскую войну нам было куда податься.

Приходил ко мне на пароход в Елабуге красный командир тов. Азин. Был он из казаков, был беспощаден к белым, к перебежчикам и отчаянно смел. Говорил он со мной главным образом о своей заботе о красноармейцах. Красноармейцы его любили. В этом году я получила письмо от одного красноармейца, бившегося с колчаковцами под его руководством (теперь он хозяйственник в Западной области). Какой горячей любовью к Азину дышит каждая строка его письма! Недавно член ЦИК тов. Пастухов рассказывал, как, когда еще Ижевск был занят белыми, ворвался туда под руководством Азина отряд красных на конях, гривы которых были заплетены красными лентами, и отбивал у белых ижевскую тюрьму, где сидели смертники (сидел там и 70-летний отец тов. Пастухова и его младший, 11-летний братишка; два других брата тов. Пастухова погибли на фронте).

Потом тов. Азин на Нижней Волге попал в руки белых и был ими замучен.

Большое значение имела агитация «Красной звезды» в Татарии, где население всеми силами поддерживало Советскую власть.

Владимир Ильич расспрашивал меня подробно обо всем; особенно интересовало его то, что я рассказывала о Красной Армии, о настроении крестьян, о настроении чувашей, татар, о том, как растет в массах доверие к Советской власти.

Вторая половина 1919 г. была еще тяжелее первой. Особенно тяжелы были сентябрь, октябрь, начало ноября. Гражданская война разгоралась. Колчак был побежден, но белые решили овладеть центрами Советской власти — Москвой и Питером. С юга стал надвигаться Деникин, захвативший ряд важнейших пунктов на Украине, с запада стал продвигаться Юденич, подошел уже было к самому Питеру. Победы белых воодушевляли притаившихся врагов. В конце ноября в Петрограде была вскрыта контрреволюционна я организация, связанная с Юденичем и субсидировавшаяся Антантой.

Все время, пока побеждали Деникин и Юденич, на имя Владимира Ильича приходила масса анонимных писем, содержавших в себе ругань, угрозы, карикатуры. Интеллигенция еще колебалась, на сторону Советской власти перешли лишь передовые ее слои, с Тимирязевым во главе. Анархисты, поддержанные эсерами, 25 сентября устроили в помещении МК РКП(б), в Леонтьевском переулке, взрыв, во время которого погиб ряд наших товарищей.

Кругом свирепствовали голод, нищета. Надо было крепить Красную Армию, поддерживать в ней боевое настроение, продумывать планы на военном фронте, нужно было обеспечить снабжение хлебом Красной Армии, тыла, рабочих центров, надо было широко развертывать разъяснительную и агитационную работу, надо было весь управленческий аппарат строить по-новому — не по-старому, не по-бюрократически, а по-новому, по-советски,— нужно было подбирать кадры, учить их, вникать во все мелочи.

И хоть ни на минуту не ослабевала у Ильича уверенность в победе, но работал он с утра до вечера, громадная забота не давала ему спать. Бывало, проснется ночью, встанет, начнет проверять по телефону, выполнено ли то или иное его распоряжение, надумает телеграмму еще какую-нибудь добавочную послать. Днем мало бывал дома, больше сидел у себя в кабинете: приемы у него шли. Я в эти горячие месяцы видела его меньше обыкновенного, мы почти не гуляли, в кабинет заходить не по делу я стеснялась: боялась помешать работе.

Самым острым вопросом был вопрос о хлебе. Простая закупка хлеба в нужном количестве в тогдашних условиях, в условиях раздробленного мелкого крестьянского хозяйства, бешеной спекуляции, была просто неосуществима. Надо было внести в это дело известную плановость, провести ряд обязательных законов, мобилизовать на это дело подходящих людей. И не случайно, что 17 января 1919 г. на должность народного комиссара продовольствия был назначен Александр Дмитриевич Цюрупа. Мы знали его уже давно, я была вместе с ним в ссылке в Уфе.

Отец его был мелким служащим (секретарем городской управы) в Алешках Таврической губернии. Родился Александр Дмитриевич в один год с Владимиром Ильичем, в 1870 г. Семья была большая — 8 человек, отец умер рано, мать зарабатывала шитьем. Александр Дмитриевич рано стал давать уроки. Он учился в народной школе, в городском училище и в среднем сельскохозяйственном училище. По профессии был агроном, хорошо знал сельское хозяйство, крестьянский быт. В тюрьму как революционер попал впервые в 1893 г., потом еще раз был арестован в 1895 г. С 1897 г. служил статистиком в Уфе. Там он принадлежал к группе социал-демократов, которая вела активную работу среди железнодорожных рабочих, рабочих окружающих заводов; там мы вместе с ним вели работу. В Уфе он виделся два раза с приезжавшим ко мне Владимиром Ильичем, потом все время мы переписывались. Он писал в «Искру». Знали мы его как убежденного, горячего революционера. В J 901 г. он организовал харьковскую первомайскую забастовку, в 1902 г. работал в Туле, в группе, куда входили Софья Николаевна Смидович, Вересаев, брат Луначарского. В 1902 г. Александр Дмитриевич арестовывается в Самаре, в 1905 г. работает опять в Уфе.

С 1914 г. Александр Дмитриевич опять стал принимать активное участие в революционной большевистской работе. Ильич, очень хорошо умевший разбираться в людях, очень ценил Александра Дмитриевича. Это был очень скромный человек, не оратор, не писатель, но был он прекрасным организатором, практиком, знавшим дело, знавшим деревню. В то же время он был прекрасным революционером, не боявшимся трудностей, отдававшим всего себя работе, борьбе за дело, значение которого он до конца понимал. Он работал под руководством Ильича, который ценил его, заботился о его здоровье, о его отдыхе. Видя его усталым, заработавшимся, Ильич полушутя-полувсерьез делал ему выговоры за то, что он не бережет себя, не бережет «казенного имущества» (так называли мы на нашем семейном жаргоне преданных делу коммунистов). Любил Ильич Александра Дмитриевича и как товарища.

Продовольственная политика Советской власти заключалась в то время в организации хлебной монополии, т. е. в запрещении всякой частной торговли хлебом, в обязательной сдаче всего излишка хлеба государству по твердой цене, в запрещении утайки излишков, в строгом учете всех излишков хлеба, в безукоризненно правильном подвозе хлеба из мест избытка в места недостатка, в заготовке запасов на потребление, на посев. По существу дела, это был участок планового хозяйства, хозяйства социалистического, но вести его приходилось в условиях, когда самые основы хозяйства не были еще перестроены, когда крестьянское хозяйство оставалось еще хозяйством единоличным.

29—30 июля 1919 г. Моссовет и Московский совет профсоюзов созвали конференцию фабрично-заводских комитетов, представителей правлений профсоюзов, уполномоченных Московского центрального рабочего кооператива и совета общества «Кооперация» для организации в Москве единого потребительского общества. На конференции были и меньшевики и сторонники независимой кооперации. Владимир Ильич 30 июля выступил на этой конференции: он пожелал конференции успеха в работе, но усиленно подчеркивал, что все дело в том, удастся ли одержать победу в гражданской войне и перестроить по-новому весь общественный уклад, который даст кооперации правильное направление.

Он говорил о том, что лишь 20 месяцев тому назад имела место Октябрьская социалистическая революция и за это время, само собой, нельзя было перестроить весь старый уклад по-новому. Ильич говорил о том, что нужно побороть не только старые учреждения, не только помещиков и капиталистов, а надо побороть также привычки, воспитанные капитализмом, условиями мелкого крестьянского хозяйства, привычки, которые столетиями впитывались в каждого мелкого хозяина.

Теперь, когда у нас колхозное хозяйство стало господствующей формой хозяйствования, всякому понятно, о чем говорил Ленин: он говорил о замене единоличного хозяйства коллективным. Он говорил, что идет последний и решительный бой между капитализмом и социализмом, что только победа социализма поможет навсегда устранить голод, эксплуатацию, наживу одного на труде другого. Он говорил о том, что большевики встали на путь социалистической заготовки хлеба для обеспечения Красной Армии и рабочего населения. В первый год удалось заготовить лишь 30 миллионов пудов. «За следующий год,— говорил Владимир Ильич,— мы заготовили свыше 107 миллионов пудов, несмотря на то, что, в отношении военном и в отношении свободного доступа к наиболее хлебным территориям, мы в этот второй год были в более тяжелых условиях, ибо нам была совершенно недоступна не только Сибирь, но и Украина и большая часть далекого юга. Несмотря на это, как вы видите, наши хлебные заготовки утроились. С точки зрения работ продовольственного аппарата, это — крупный успех, но, с точки зрения обеспечения хлебом неземледельческих местностей, это — очень немного, потому что, когда были произведены точные обследования условий питания неземледельческого населения и, в особенности, рабочего населения городов, то оказалось, что рабочий весной и летом нынешнего года в городах приблизительно только половину продовольственных продуктов получает от Компрода, а остальное вынужден добывать на вольном рынке, на Сухаревке и у спекулянтов, причем за первую половину рабочий платит одну десятую долю всех своих расходов, а за вторую — девять десятых. Господа спекулянты, как и следовало ожидать, лупят с рабочего в 9 раз против той цены, которую берет государство за заготовленный хлеб. Если взять эти точные данные нашего продовольственного положения, то мы должны будем сказать, что наполовину, одной ногой, мы стоим в старом капитализме и только наполовину выкарабкались из этой трясины, из этого болота спекуляции и вышли на дорогу действительно социалистических заготовок хлеба (курсив мой. Н. К.), когда хлеб перестал быть товаром, перестал быть предметом спекуляции и предметом и поводом для грызни, для борьбы и для обнищания многих». И далее Ильич говорил: «Теперь идет решительная и последняя борьба с капитализмом и со свободной торговлей, и для нас теперь происходит самый основной бой между капитализмом и социализмом. Если мы победим в этой борьбе, то возврата к капитализму и прежней власти, ко всему тому, что было раньше, уже не будет».

В 1919 г. в ряде речей, выступлений разъяснял Ильич рабочим, работницам, крестьянам, красноармейцам смысл, суть продовольственной политики Советской власти, говорил о коллективном хозяйстве. Жизнь подтвердила правильность взятой линии.

Кроме заботы о хлебе для Красной Армии, неустанно думал Ильич, как укреплять сплоченность, дисциплинированность Красной Армии. Он считал, что самый верный способ — это влить в ряды Красной Армии — крестьянской по составу — рабочих. Поэтому горячо приветствовал он питерских рабочих, едущих на фронт, в гущу борьбы, приветствовал за это московских рабочих. На рабочих он надеялся, придавал громадное значение выдвижению их на руководящие посты, на должности рабочих-комиссаров, красных командиров. Он призывал красноармейцев к сугубой бдительности. В письме к рабочим и крестьянам по поводу победы над Колчаком Ильич указывал: «...Помещики и капиталисты не уничтожены и не считают себя побежденными: всякий разумный рабочий и крестьянин видит, знает и понимает, что они только разбиты и попрятались, попритаились, перерядились очень часто в «советский» «защитный» цвет. Многие помещики пролезли в советские хозяйства, капиталисты — в разные «главки» и «центры», в советские служащие; на каждом шагу подкарауливают они ошибки Советской власти и слабости ее, чтобы сбросить ее, чтобы помочь сегодня чехословакам, завтра Деникину.

Надо всеми силами выслеживать и вылавливать этих разбойников, прячущихся помещиков и капиталистов, во всех их прикрытиях, разоблачать их и карать беспощадно, ибо это — злейшие враги трудящихся, искусные, знающие, опытные, терпеливо выжидающие удобного момента для заговора; это — саботажники, не останавливающиеся ни перед каким преступлением, чтобы повредить Советской власти. С этими врагами трудящихся, с помещиками, капиталистами, саботажниками, белыми, надо быть беспощадным.

А чтобы уметь ловить их, надо быть искусным, осторожным, сознательным, надо внимательнейшим образом следить за малейшим беспорядком, за малейшим отступлением от добросовестного исполнения законов Советской власти. Помещики и капиталисты сильны не только своими знаниями и своим опытом, не только помощью богатейших стран мира, но также и силой привычки и темноты широких масс, которые хотят жить «по старинке» и не понимают необходимости соблюдать строго и добросовестно законы Советской власти».

Этот призыв к бдительности многих пугал. Немало рассказывали Ильичу о том, как расправлялись красноармейцы иной раз с тем или иным дельным командиром то за то, что он из бар, то приказ его какой-нибудь не понравится, то из-за мелочи какой. Иные рассказывали с усмешкой, говорившей: «Вон-де ваши разлюбезные красноармейцы какие!»

Конечно, много случаев бывало, что не за то винили, за что надо, не того винили, кого надо: мешал разобраться недостаток знаний, старые мелкособственнические мерила того, что хорошо, что плохо, анархический подход к целому ряду вопросов. И Ильич налегал на нас, просвещенцев, требовал, чтобы шире организовывали учебу среди взрослых рабочих, крестьян, красноармейцев, не формально подходили к учебе, не по-казенному, а ширили горизонт учащихся, пропитывали всю учебу духом партийности. Требовал, чтобы всеми путями открывали доступ к высшему образованию тем, кому были раньше эти пути заказаны.

Как раз в 1919 г. проведен был ряд приказов, открывавших для всех доступ в вузы, организованы рабфаки, устраивались многочисленные рабочие курсы, в 1919 г. организована первая совпартшкола.

Придешь, бывало, к Ильичу — он в конце 1919 г. имел очень плохой вид (сохранилось одно фото его — он на курсы идет, там видно, как плохо он тогда выглядел): усталый, озабоченный. Придешь, он молчит. Знала я, что для того, чтобы разговорить его, перебить ему настроение, надо рассказать ему что-нибудь характерное из жизни рабфаковцев, из жизни совпартшколы. Рассказывать было что. Его интересовало, как растет у людей сознание, как растет понимание задач, стоящих перед ними. Много приходилось говорить с Ильичем на эти темы.

В Питере была проведена 10—17 августа «партийная неделя»; одновременно проводилась, согласно постановлению VIII съезда партии, перерегистрация членов партии, затянувшаяся до конца сентября. От 8 до 15 октября имела место «партийная неделя» в Москве.

11 октября пишет Владимир Ильич статью «Государство рабочих и партийная неделя», где как-то особо ярко вылился взгляд Ильича на партию, на то, каким должен быть новый, советский аппарат и как важно привлечь в аппарат побольше сил из рядов рабочих и трудящегося крестьянства.

«Партийная неделя в Москве совпала с трудным временем для Советской власти,— писал в этой статье Ильич.— Успехи Деникина вызвали отчаянное усиление заговоров со стороны помещиков, капиталистов и их друзей, усиление потуг буржуазии посеять панику, подорвать всяческими средствами твердость Советской власти. Колеблющиеся, шаткие, несознательные обыватели, а с ними интеллигенты, эсеры, меньшевики, стали, как водится, еще более шаткими и первые дали себя запугать капиталистам.

Но я считаю, что совпадение партийной недели в Москве с трудным моментом скорее для нас выгодно, ибо для дела полезнее. Нам нужна партийная неделя не для парада. Показных членов партии нам не надо и даром. Единственная правительственная партия в мире, которая заботится не об увеличении числа членов, а о повышении их качества, об очистке партии от «примазавшихся», есть наша партия — партия революционного рабочего класса. Мы не раз производили перерегистрацию членов партии, чтобы изгнать этих «примазавшихся», чтобы оставить в партии только сознательных и искренне преданных коммунизму. Мы пользовались и мобилизациями на фронт и субботниками, чтобы очистить партию от тех, кто хочет только «попользоваться» выгодами от положения членов правительственной партии, кто не хочет нести тягот самоотверженной работы на пользу коммунизма.

И теперь, когда производится усиленная мобилизация на фронт, партийная неделя хороша тем, что не дает соблазна желающим примазаться. В партию мы зовем в широком числе только рядовых рабочих и беднейших крестьян, крестьян-тружеников, а не крестьян-спекулянтов. Этим рядовым членам мы не сулим и не даем никаких выгод от включения в партию. Напротив, на членов партии ложится теперь более тяжелая, чем обычно, и более опасная работа.

Тем лучше. Пойдут в партию только искренние сторонники коммунизма, только добросовестно преданные рабочему государству, только честные труженики, только настоящие представители угнетавшихся при капитализме масс.

Только таких членов партии нам и надо.

Не для рекламы, а для серьезной работы нужны нам новые члены партии. Их мы зовем в партию. Трудящимся мы открываем широко ее двери».

И дальше Ильич повторял то, что говорил уже на похоронах Якова Михайловича Свердлова, что среди рядовых рабочих и крестьян очень много организаторских и административных талантов. К ним обращался он с призывом браться за социалистическое строительство: «Если вы искренний сторонник коммунизма, беритесь смелее за эту работу, не бойтесь новизны и трудности ее, не смущайтесь старым предрассудком, будто эта работа подсильна только тем, кто превзошел казенное образование».

Статья кончалась словами: «Масса трудящихся за нас. В этом наша сила. В этом источник непобедимости всемирного коммунизма».

Неустанно обращался Ильич в это трудное время с речами, со статьями к рабочим, к красноармейцам. Его слова воодушевляли: ярославские, владимирские, иваново-вознесенские рабочие массами шли на фронт. «...Сила сочувствия рабочих и крестьян своему авангарду оказалась одна в состоянии творить чудеса,— писал Ильич.

Ибо это — чудо: рабочие, перенесшие неслыханные мучения голода, холода, разрухи, разорения, не только сохраняют всю бодрость духа, всю преданность Советской власти, всю энергию самопожертвования и героизма, но и берут на себя, несмотря на всю свою неподготовленность и неопытность, бремя управления государственным кораблем! И это в момент, когда буря достигла бешеной силы...

Такими чудесами полна история нашей пролетарской революции. Такие чудеса приведут, наверное и непременно,— каковы бы ни были отдельные тяжелые испытания,— к полной победе всемирной Советской республики».

Молодежь загоралась тоже желанием идти на фронт. Мы, политпросветчики, много возились тогда с первой советской партийной школой, где старались дать молодежи не «казенную» учебу, которую так ругал Ильич, а знания, которые вооружали бы ее пониманием совершающихся событий. Мы ужасно были рады, что 24 октября 1919 г. на выпуск нашей первой совпартшколы приехал Ильич.

«Товарищи! — начал он свою речь.— Вы знаете, что сегодня собрало нас вместе не только желание отпраздновать окончание большинством из вас курсов советской школы, но также то обстоятельство, что около половины всего вашего выпуска приняло решение отправиться на фронт для того, чтобы оказать новую, экстраординарную и существенную помощь борющимся на фронте войскам».

Рассказав без всяких прикрас о тяжелом положении на фронтах, Ильич продолжал:

«Вот почему, как ни тяжела для нас эта жертва,— посылка на фронт сотен курсантов, собранных здесь и заведомо необходимых для работы в России,— мы тем не менее согласились на ваше желание».

Рассказав о борьбе, которая идет на фронте, Ильич говорил о работе, которая предстояла нашим совпартшкольцам: «Для тех, кто отправляется на фронт, как представители рабочих и крестьян, выбора быть не может. Их лозунг должен быть — смерть или победа. Каждый из вас должен уметь подойти к самым отсталым, самым неразвитым красноармейцам, чтобы самым понятным языком, с точки зрения человека трудящегося, объяснить положение, помочь им в трудную минуту, устранить всякое колебание, научить их бороться с многочисленными проявлениями саботажа, вялости, обмана или измены. Вы знаете, что еще много таких проявлений в наших рядах и в командном составе. Тут нужны те, кто прошел известный курс науки, понимает политическое положение и умеет оказать помощь широким массам рабочих и крестьян в их борьбе с изменой или саботажем. Кроме личной смелости Советская власть ждет от вас, чтобы вы оказали всестороннюю помощь этим массам, чтобы вы прекратили всякие колебания среди них и показали, что у Советской власти есть силы, к которым она прибегает во всякую трудную минуту».

Совпартшкольцы оправдали оказанное им доверие.

Речь Ильича была установкой и для всех наших полит-просветчиков.

Ильич не только на митингах говорил о том, что его волновало, но и дома, особенно тогда, когда приходил кто-нибудь из близких товарищей. В конце 1919 г. к нам часто стала приходить Инесса Арманд, с которой Ильич особенно любил говорить о перспективах движения. У Инессы старшая дочь уже побывала на фронте, чуть не погибла во время взрыва 25 сентября в Леонтьевском переулке.

Помню, как Инесса пришла к нам однажды с младшей дочерью Варей, совсем молодой тогда девушкой, потом ставшей преданнейшим членом партии. И Ильич при них, как я по старинке выражалась, «полки разводил»; помню я, как поблескивали глаза у Варюшки.

Любил «разводить полки» Ильич и с нашей тогдашней домашней работницей Олимпиадой Никаноровной Журавлевой, матерью писательницы Борецкой. Олимпиада Никаноровна работала раньше на Урале простой работницей на железоделательном заводе, потом уборщицей в редакции «Правды». Ильич находил, что у ней силен пролетарский инстинкт. И сидючи в кухне (Ильич по старой привычке любил обедать, ужинать, пить чай в кухне), любил потолковать с Олимпиадой Никаноровной о грядущих победах.

Ильич не ошибся: двухлетнюю годовщину Советской власти мы встретили победами.

Когда Деникин в начале октября подходил к Орлу, ЦК РКП (б) направил на Южный фронт в качестве члена реввоенсовета тов. Сталина. Сталин выдвинул новый план наступления, который был принят ЦК. Владимир Ильич целиком поддержал его. На Южном фронте быстро начался перелом. 19 октября под Воронежем наши рубили генерала Шкуро и Мамонтова, 20-го был обратно взят Орел, 21 октября началось в Пулковских боях поражение двигавшегося на Питер Юденича.

Ко дню Октябрьской революции Ильич написал горячий привет питерским рабочим, написал в «Правду» статью «Советская власть и положение женщины» написал в «Бедноту» статью для крестьян «Два года Советской власти».

7 ноября Ильич выступал на объединенном собрании ВЦИК, Моссовета, ВЦСПС и фабрично-заводских комитетов с докладом «Два года Советской власти». Ильич не любил выступать на торжественных заседаниях, и речь его и на этом собрании не носила агитационного характера: она была чис-

то деловая. Но самое содержание ее волновало, зажигало присутствующих, вызывало бурные аплодисменты.

Ильич говорил о том, что самое важное достижение за минувшие два года Советской власти — это «...урок строительства рабочей власти... участие рабочих в общем управлении государством...» «...самую важную работу мы проделали в области перестройки старого государственного аппарата, и хотя трудна была эта работа, но мы в течение двух лет видим результаты усилий рабочего класса и можем сказать, что мы в этой области имеем тысячи представителей рабочих, которые прошли весь огонь борьбы, шаг за шагом выталкивая представителей буржуазной власти. Мы видим рабочих не только у государственного аппарата, но мы видим представителей их в продовольственном деле, в той области, где были почти исключительно представители старого буржуазного правительства, старого буржуазного государства. Рабочими создан продовольственный аппарат...»,— говорил Ленин. Вместо 30% представителей рабочих в аппарате за 1919 г. стало 80%.

Проделывается самая важная работа, говорил также Ильич,— это работа по созданию вождей пролетариата. Они создаются на фронте, во всех областях управления. Ильич указывал на роль субботников, на роль приема рабочих в партию. Только по Москве в «партийную неделю» было принято свыше 14 тысяч новых членов партии. Говорил Ильич о том резерве, который представляет собой рабоче-крестьянская молодежь, воспитанная в условиях происходящей борьбы. Но самое главное, говорил Ильич, на что надо обратить внимание, это на создание правильных отношений с многомиллионным крестьянством, на необходимость вести среди крестьянства широкую разъяснительную работу. Говорил, как гражданская война раскрывает глаза крестьянину на истинное положение вещей.

Спокойно говорил Ильич. Настроение у всех было приподнятое.

Вл. Маяковский, которым так увлекались тогда политпросветработники, выразил общее настроение в своем стихотворении, посвященном второй годовщине Октябрьской революции:

> Пусть
> хотя бы по капле, по две
> ваши души в мир вольются
> и растят

рабочий подвиг,
именуемый
«Революция».
Поздравители
не хлопают дверью?
Им
от страха небо в овчину?
И не надо. Сотую — верю! —
встретим годовщину.

Когда мы встречали двадцатую годовщину Октябрьской революции, подытоживали достижения на фронте социалистической стройки, записанные в Новой Конституции Советского Союза, все вспоминали Ильича, его слова, его установки.

СОДЕРЖАНИЕ

ЧАСТЬ I

Введение 7

В Питере. 1893—1898 гг. 10

В ссылке. 1898—1901 гг. 25

Мюнхен. 1901—1902 гг. 43

Жизнь в Лондоне. 1902—1903 гг. 56

Женева. 1903 г. 70

Второй съезд. Июль — август 1903 г. 72

После Второго съезда. 1903—1904 гг. 79

Пятый год. В эмиграции 89

Снова в Питере 106

Питер и Финляндия. 1905—1907 гг. 114

Из России за Границу. Конец 1907 г. 127

ЧАСТЬ II

Вторая эмиграция 133

Годы реакции. Женева. 1908 г. 138

Париж. 1909—1910 гг. 156

Годы нового революционного подъема. Париж.
1911—1912 гг. 175

Начало 1912 года 185

Краков. 1912—1914 гг. 192

Годы войны. Краков. 1914 г. 225

Берн. 1914 — 1915 гг. 230

Цюрих. 1916 г. 257

Последние месяцы в эмиграции. 1917 г. 273

Февральская революция. Отъезд в Россию 274

В Питере 283

Снова в подполье 298

Канун восстания 304

ЧАСТЬ III

Предисловие к III части 309
Октябрьские дни 310
От Октябрьской революции до Брестского мира 335
Переезд Ильича в Москву и первые месяцы
    его работы в Москве 361
1919 год 394

Литературно-художественное издание

НАСЛЕДИЕ КРЕМЛЕВСКИХ ВОЖДЕЙ

Крупская Надежда Константиновна

МОЙ МУЖ – ВЛАДИМИР ЛЕНИН

Редактор *Е. Бузев*
Художник *Б. Протопопов*
Верстка *А. Кувшинников*
Корректор *Н. Самойлова*

ООО «Издательство «Алгоритм»
Оптовая торговля:
ТД «Алгоритм» 617-0825, 617-0952
Сайт: http://www.algoritm-izdat.ru
Электронная почта: algoritm-izdat@mail.ru
Интернет-магазин: http://www.politkniga.ru

Сведения о подтверждении соответствия издания
согласно законодательству РФ о техническом регулировании
можно получить по адресу: http://eksmo.ru/certification/

Өндірген мемлекет: Ресей
Сертификация қарастырылмаған

Подписано в печать 31.10.2013. Формат 84x108^1/$_{32}$.
Печать офсетная. Усл. печ. л. 22,68.
Тираж 2 000 экз. Заказ 3707.

Отпечатано с электронных носителей издательства.
ОАО "Тверской полиграфический комбинат". 170024, г. Тверь, пр-т Ленина, 5.
Телефон: (4822) 44-52-03, 44-50-34, Телефон/факс: (4822)44-42-15
Home page - www.tverpk.ru Электронная почта (E-mail) - sales@tverpk.ru

ISBN 978-5-4438-0520-7